FLEURY MESPLET
(1734 - 1794)

Diffuseur des Lumières au Québec

Données de catalogage avant publication (Canada)

Lagrave, Jean-Paul de, 1936-

  Fleury Mesplet, 1734-1794: diffuseur des Lumières au Québec

  Présenté à l'origine comme thèse (de doctorat de l'auteur — Montréal) 1985
  Comprend un index
  Bibliogr.:

  2-9800450-0-4

  1. Mesplet, Fleury, 1734-1794. 2. Journalisme — Québec (Province) — Histoire
— 18e siècle. 3. Éditeurs et édition — Québec (Province) — Montréal — Biographies. 4. Imprimeurs — Québec (Province) — Montréal — Biographies. I.
Titre.

Z232.M58L33 1985   070.5'092'4   C85-094153-9

Couverture:
A 67. 197 D
Beaucourt, François (att. à)
Portrait d'homme, pastel sur
parchemin – 57,5 × 42 cm
Photo: Patrick Altman
MUSÉE DU QUÉBEC

Maquette de la couverture et des illustrations (hors-texte):
Jacques de Roussan

Distribution:
Diffusion Prologue Inc.
2975, rue Sartelon
Ville Saint-Laurent Québec
H4R 1E6

téléphone: (514) 332-5860
extérieur: 1-800-361-5751
télex: 05-824531

Patenaude Éditeur Inc.

Dépôt légal: 3e trimestre 1985
Bibliothèque nationale du Québec, Montréal
Bibliothèque nationale du Canada, Ottawa
ISBN 2-9800450-0-4

FLEURY MESPLET
(1734 - 1794)

Diffuseur des Lumières au Québec

JEAN-PAUL DE LAGRAVE

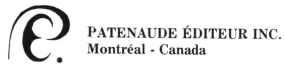

PATENAUDE ÉDITEUR INC.
Montréal - Canada

DU MÊME AUTEUR

Histoire:

Histoire de l'Information au Québec.- Montréal; Éditions La Presse, 1980.
La liberté d'expression en Nouvelle-France (1608-1760).- Montréal; LG, 1974.
Les origines de la presse au Québec (1760-1791).- Montréal; LG, 1974.
Les journalistes-démocrates au Bas-Canada (1791-1840).- Montréal; LG, 1975.
Le combat des idées au Québec-Uni (1840-1867).- Montréal; LG, 1976.
Liberté et servitude de l'information au Québec confédéré (1867-1967).- Ottawa; LG, 1978.
Histoire de la presse au Québec, film documentaire.- Montréal; Explo Mundo, 1975 (en collaboration).
Histoire des communications, diaporama.- Ottawa (en collaboration avec T. de la Bourdonnaye).

Fiction:

Le signe et la tendresse.- Montréal; LG, 1974.
Le bruissement des coeurs.- Montréal; LG, 1975.
Celui qui t'aime.- Montréal; LG, 1976.
«La fuite» dans *Des mots pour se connaître* de Y. Grisé.- Montréal; Fides, 1982.
«Le nom oublié» dans *Parli parlo parlons* de Y. Grisé.- Montréal; Fides, 1982.

Dossier:

Une encyclique à débattre.- Montréal; Éditions du Jour, 1968.

Remerciements

En hommage à la mémoire du premier imprimeur de langue française au Québec et au Canada, l'Imprimerie Gagné Ltée et son président directeur général, Monsieur Jean-Pierre Gagné, ont permis la publication de cet ouvrage à l'occasion du bicentenaire de la naissance de la presse d'information à Montréal.

Qu'ils soient ici remerciés, de même que les papetiers Rolland Inc., qui ont voulu s'unir à cet hommage.

L'Éditeur

Que veuille bien aussi recevoir la gratitude de l'Auteur, le professeur José-Michel Moureaux, dix-huitiémiste, spécialiste de Voltaire, titulaire à l'Université de Montréal.

Jean-Paul de Lagrave

Célébration du bicentenaire de la presse d'information à Montréal.

1785 - 1985

1985, année consacrée à Fleury Mesplet, premier imprimeur, éditeur, libraire à Montréal, journaliste et fondateur de l'Académie de Montréal.

Marque de l'imprimeur
Fleury Mesplet

COMITÉ FLEURY-MESPLET

Le seul moyen de rendre la paix aux hommes est donc de détruire tous les dogmes qui les divisent, et de rétablir la vérité qui les réunit; c'est donc là en effet la paix perpétuelle. Cette paix n'est pas une chimère; elle subsiste chez tous les honnêtes gens, depuis la Chine jusqu'à Québec...

Que tout homme juste travaille donc, chacun selon son pouvoir, à écraser le fanatisme, et à ramener la paix que ce monstre avait bannie des royaumes, des familles et du coeur des malheureux mortels. Que tout père de famille exhorte ses enfants à n'obéir qu'aux lois, et à n'adorer que Dieu.

VOLTAIRE, *De la paix perpétuelle*, 1769
(M. XXVIII, 128)

Membres du jury

Soutenance de la thèse sur la vie et l'oeuvre de Fleury Mesplet, à l'Université de Montréal, le 30 mai 1985.

Président:
> M. Laurent Mailhot, professeur titulaire au département d'Études françaises de l'Université de Montréal, spécialiste en littérature québécoise.

Membres:
> M. José-Michel Moureaux, professeur titulaire au département d'Études françaises de l'Université de Montréal, dix-huitiémiste, spécialiste de Voltaire
>
> M. John Hare, professeur titulaire au département d'Histoire de l'Université d'Ottawa, spécialiste en histoire de l'imprimerie et de la presse
>
> M. Michel Grenon, professeur au département d'Histoire de l'Université du Québec à Montréal

Introduction

«Il n'appartient qu'à la liberté de connaître la vérité et de la dire», assurait Voltaire dans l'avant-propos de son *Histoire du parlement* en 1769[1]. Le maître-imprimeur Fleury Mesplet l'a prouvé à sa façon au Québec en y devenant le diffuseur des Lumières dans le dernier quart du XVIIIe siècle. Cette étude se propose non seulement de donner une biographie du personnage, mais aussi d'examiner le contenu de son message, la façon dont s'en est opérée la diffusion et l'impact qu'il a eu dans la société. Il s'agit de percevoir le choc d'idées nouvelles heurtant une mentalité traditionnelle.

Avant la venue de Mesplet à Montréal, la diffusion des Lumières, telle que la concevaient Voltaire et les autres Philosophes n'avait pas vraiment commencé au Canada. L'imprimeur employa tous les moyens que lui donnait son art pour faire connaître les grands principes «philosophiques» et en montrer les applications possibles dans la vie concrète des habitants, et cela dans le contexte de la guerre d'Indépendance des États-Unis d'Amérique, puis de la Révolution française. Mesplet est un personnage-clé de l'histoire des idées au Québec et au Canada. Peter E. Greig, qui présentait en 1974 une analyse bibliographique sur le premier imprimeur-libraire de Montréal, s'étonnait avec raison qu'aucune oeuvre majeure ne lui eût été consacrée[2].

François-Xavier Garneau, le premier historien qui, au milieu du XIXe siècle, écrivit une *Histoire du Canada*, ne cite le nom

---

1. M. XV, 445.
2. GREIG, Peter E.- *Fleury Mesplet (1734-1794), The First Printer in the Dominion of Canada: a bibliographical discussion.*- M. A. Thesis.- Leeds (G. B.); Institute of Bibliography and Textual Criticsm, School of English, University of Leeds, 1974.- p. 117.

de Fleury Mesplet, qu'en donnant la liste de notables emprisonnés par le gouverneur général Frédéric Haldimand, selon l'*Appel à la Justice de l'État* de Pierre du Calvet[3]. Il est de nouveau fait mention de Mesplet à l'occasion de la publication dans la *Gazette de Montréal* d'un article relatif à une célébration de la constitution de 1791[4]. C'est dans la monumentale *Histoire des Canadiens français* de Benjamin Sulte, publiée en 1882, que Mesplet sort de l'ombre. Le premier imprimeur montréalais a droit à six pages, mais six pages remplies d'inexactitudes et de contradictions flagrantes: on apprend toutefois qu'il a fondé des journaux, qu'il a imprimé des livres et qu'il a été emprisonné[5].

3. GARNEAU, François-Xavier.- *Histoire du Canada*, tome II (5ᵉ édition).- Paris; Félix Alcan, 1920.- p. 394:
   Ainsi MM. Fleury Mesplet, imprimeur, Jotard, Hay, Dupont, Carignan, Cazeau, Dufort, M. Pierre de Sales-Laterrière, directeur des forges Saint-Maurice, et M. Pillon, chirurgien de Montréal, furent jetés dans les cachots ou détenus à bord de vaisseaux de guerre à Québec, sans savoir quelles accusations étaient portées contre eux.
4. *Ibid.*, p. 420. Il est rappelé aussi, pp. 435-436, que le discours de Rocheblave en faveur de la langue française a été publié dans la *Gazette de Montréal*.
5. SULTE, Benjamin.- *Histoire des Canadiens-français (1608-1880)*, tome VII.- Montréal; Wilson, 1882.- pp. 130 à 132, 135, 136, 144. Voici le texte de Sulte dont nos commentaires entre crochets relèveront chemin faisant les différentes inexactitudes:
   La presse militante en Canada fut une création yankee. Le colonel Hazen, qui avait pris le commandement à Montréal le 1ᵉʳ avril 1776 s'occupa de se procurer ce nouvel engin de guerre. Il écrivit au général Schuyler touchant la nécessité d'envoyer en Canada de bons généraux, une forte armée, une somme ronde en argent sonnant et un imprimeur. On n'envoya ni armée, ni bons généraux, ni argent, mais il vint un imprimeur. Ce désir de nous soumettre à la presse était partagé par le Congrès. Au moment où le colonel Hazen l'exprimant (sic) dans sa lettre, une commission composée de Benjamin Franklin, Samuel Chase et de Charles Carroll se mettait en marche, de Philadelphie, pour le Canada. Ces trois personnages devaient gagner les Canadiens à la cause du Congrès et fonder un journal. Dans ce dernier but, on réunit un matériel d'imprimerie [Mesplet utilisa sa propre imprimerie qu'il fit transporter] et l'on engagea un imprimeur pour conduire la besogne. Cet homme se nommait Joseph Fleury Mesplet [L'extrait de baptême ne porte pas le prénom Joseph], de l'atelier de Franklin [Mesplet avait son propre atelier, dans le même local qu'un autre imprimeur nommé Miller] à Philadelphie, à ce que l'on croit; il est certain qu'il avait imprimé à Philadelphie, en 1774, le manifeste lancé par le Congrès pour entraîner les Canadiens dans le mouvement de l'Indépendance: «Lettre adressée aux habitants de la province de Québec, de la part du Congrès de l'Amérique septentrionale, tenu à Philadelphie» [Titre exact: Lettre adressée aux habitants de la province de Québec, ci-devant le Canada, de la part du Congrès général de l'Amérique septentrionale, tenu à Philadelphie]. Le 29 avril, commissaires et imprimeur arrivaient à Montréal [Ce n'est que le 6 mai que Mesplet et son imprimerie arrivèrent à Montréal, en raison d'un naufrage à Chambly]. Dès le lendemain les envoyés reconnurent que leur cause était entièrement perdue dans ce pays. Les Yankees avaient levé le siège de Québec. Franklin s'en retourna le 11 mai. Ses collègues en firent autant le 29. Durant ce mois, plusieurs manifestes et affiches de circonstances furent publiés. Mesplet avait monté sa presse dans le Vieux-Château, aujourd'hui l'école normale Jacques-Cartier [Mesplet n'imprima rien, car il manquait de papier, endommagé

En publiant «Fleury Mesplet, The First Printer at Montreal» dans les *Mémoires de la Société royale du Canada* en 1906, Robert

par le naufrage. Il monta ses presses dans une maison louée rue Capitale, près de la place du Marché].

(...)

Les «Congréganistes» décampant, Mesplet eut le courage de chercher à s'établir parmi nous. Il se dirigea vers Québec, et, dans la même année 1776, y publia une édition du Cantique de Marseille [*Cantiques de l'âme dévote* par Laurent Durand, d'après une édition de Marseille], dont il reste encore des exemplaires. Ce livre porte pour noms d'éditeurs Fleury Mesplet et Charles Berger. C'est l'un des premiers imprimés en Canada. Mesplet le dédie aux âmes pieuses et espère «pouvoir participer un jour au bonheur qui les attend». Il est probable que le voisinage de la *Gazette* [*de Québec*] constituait une trop forte concurrence pour l'atelier nouveau [Mesplet n'a jamais transporté ses presses à Québec] car nous voyons bientôt les deux associés, Mesplet et Berger [Berger était resté à Philadelphie], installés à Montréal, place du Marché (carré de la Douane aujourd'hui) [Mesplet s'installe rue Capitale une dizaine de jours après son arrivée à Montréal, au mois de mai 1776], et y impriment le Règlement de la conférence de l'Adoration perpétuelle [Titre exact: *Règlement de la confrérie de l'Adoration perpétuelle du Saint-Sacrement et de la Bonne Mort*], le premier livre paru à Montréal. Cette année, dans la même ville, ils imprimèrent une tragédie en trois actes: *Jonathas et David*, qui fut représentée au collège Saint-Raphaël (Château Vaudreuil) par les élèves de cette institution. Peu après, Berger se retira de la société [Berger ne se retira pas, mais son nom n'apparut plus comme imprimeur et libraire].

(...)

Cette douce innocence [de la *Gazette de Québec*] n'est plus comprise aujourd'hui; Mesplet la partagea quelques mois. Son prospectus de la *Gazette de Montréal* [Il s'agit de la *Gazette du commerce et littéraire*] renferme le passage suivant: «J'insererrai tout ce que l'on voudra me communiquer pourvu qu'il n'y soit fait mention ni de religion, ni du gouvernement, ni de nouvelles concernant la situation présente des affaires publiques à moins que d'être autorisé par le gouvernement.- mon intention étant de me borner aux annonces, au commerce et aux matières littéraires». La *Gazette* [*du commerce et littéraire*] parut le 3 juin 1778... La relation de Saint-Luc de la Corne sur le naufrage de l'Auguste sortit la même année des presses de Mesplet à Montréal.

(...)

De 1778 à 1784, la politique se fit dans les gazettes et au coin du feu, à défaut d'une assemblée législative. Ceux qui tenaient la plume de l'opposition étaient des Français. Se faisant l'organe de cette opinion, Fleury Mesplet entreprit de publier (1779) une gazette «du genre libellique», selon que s'exprime un annaliste du temps. Le rédacteur fut un nommé Valentin Jotard ou Joutard, avocat de Montréal où s'imprimait la feuille nouvelle sous le titre de: Tant pis, tant mieux, premier journal entièrement français publié en Amérique [Trompé par les dires du mémorialiste Pierre de Sales Laterrière, Sulte imagine la fondation d'une nouvelle feuille, alors qu'il s'agit toujours de la *Gazette littéraire*, fondée en 1778]. Le gouverneur... coffra l'imprimeur et le rédacteur... Cela se passait en 1780 [La double arrestation eut lieu en 1779]. Jotard et Mesplet furent logés dans la prison de Québec... [Suivent les portraits de l'imprimeur et du journaliste selon Laterrière].

(...)

La même année 1788, Fleury Mesplet établit à Montréal la *Gazette littéraire...* [Il s'agit de la *Gazette de Montréal*, qui fut fondée en 1785] ...Après dix-huit mois d'existence, la *Gazette littéraire* fut supprimée, parce que ses tendances étaient évidemment à l'annexion aux États-Unis [Sulte veut parler de la *Gazette de Montréal;* mais celle-ci ne fut pas supprimée et ne publia aucun article en faveur d'une annexion aux États-Unis, non plus que la *Gazette littéraire*].

III

Wallace McLachlan donnait la première biographie sur Mesplet. En vingt-six pages (dont le triple en appendices reproduisant de nombreux documents), l'auteur trace les grandes lignes de la carrière de l'imprimeur. L'accent est mis sur les difficultés financières de Mesplet, qu'on présente en passant comme imbu de «republican and freethought sentiments»[6]. C'est la première allusion à l'idéal qui animait le diffuseur des Lumières.

Dans *Nos origines littéraires*, édition de 1909, l'abbé Camille Roy, parlant de Mesplet et de Jautard, les considère comme des «hommes à réputation louche», des «demi-lettrés», des

> épaves de la morale que le flot de la mer avait déjà jetés sur nos rivages. Esprit saturé de cette atmosphère de scepticisme et d'irréligion que l'on respirait partout en France, il ne pouvait s'accorder, ni surtout s'identifier avec l'esprit canadien, lequel était resté par-dessus tout chrétien et respectueux de l'autorité religieuse. Il exerça pourtant une influence que l'on retrouve dans le cercle bien connu de ces Canadiens qui à la fin du dix-huitième et au commencement du dix-neuvième siècle constituaient en ce pays le groupe des libertins, ou de ceux que l'on nommait les voltairiens[7].

L'abbé Roy s'inspire des mémoires de Laterrière et crée la confusion habituelle entre voltairiens et libertins. Cette opinion se maintient dans un certain enseignement de la littérature au Québec jusqu'à la décennie de 1960. En effet, dans son *Manuel d'histoire de la littérature canadienne de langue française*, 21ᵉ édition revue et corrigée par l'auteur et publiée en 1962, Mgr Camille Roy consacre une douzaine de lignes à Mesplet, Jautard et la *Gazette littéraire* (C'est le silence sur la *Gazette de Montréal*). Dans ces douze lignes, Mgr Roy déclare que tout ce qu'on lit dans la *Gazette littéraire* est de la «mauvaise prose», d'autant plus que ces articles «firent scandale» et qu'ils portent «la marque de l'esprit voltairien»[8]. Dans la même veine est la biographie de Mesplet que donne en 1922 E.-Z. Massicotte dans *Faits curieux de l'histoire de Montréal*. En voici la conclusion:

> ...en janvier 1794, au moment où ses créanciers se préparent à lui servir de nouvelles procédures, il [Mesplet] accomplit l'acte le plus sage de sa vie, en disant un adieu définitif à notre monde.

6. Mc LACHLAN, Robert Wallace.- «Fleury Mesplet, The First Printer at Montreal».- MSRC, XII, 1906.- p. 200.
7. ROY, Camille.- *Nos origines littéraires*.- Québec; Action sociale, 1909.- p. 68.
8. ROY, Camille.- *Manuel d'histoire de la littérature canadienne de langue française*.- Montréal; Beauchemin, 1962.- pp. 24, 25.

IV

Peu d'existence ont été plus tristes, mais peut-on plaindre celui qui se fait l'artisan de ses propres malheurs?

Mesplet fut-il un esprit inquiet et tourmenté, un remuant assoiffé d'aventures, un frondeur comme il y en avait beaucoup dans cette France qui se préparait aux pires excès, ou bien n'a-t-il été qu'un frivole, un inconstant, un cerveau mal équilibré, un idéologue toujours à la recherche d'un bonheur qui fuyait devant lui?

Nul ne le sait et nul ne le saura. D'ailleurs la question importe peu et nous ne la posons pas pour qu'on y réponde[9].

Au nombre des tout premiers Canadiens français ayant obtenu un doctorat ès lettres de l'Université de Paris[10], Séraphin Marion tente d'y répondre en 1940. À cet effet, il fait paraître un texte sur Mesplet et ses journaux dans l'un des ouvrages sur la littérature canadienne des XVIIIe et XIXe siècles, qu'ont publiés, entre 1939 et 1960, les Éditions de l'Université d'Ottawa. S. Marion écrit que Mesplet était «un primaire» répandant le «poison» voltairien. C'était le «voltairianisme le plus pur» «que le temps aura de la peine à éliminer» des «veines de quelques Canadiens du XIXe siècle — intellectuels et ergoteurs pour la plupart»[11]. Le même esprit anime une autre publication sortie des Presses de l'Université Laval en 1945, celle de Marcel Trudel intitulée *L'Influence de Voltaire au Canada*. L'historien y traite entre autres de Mesplet, de la *Gazette littéraire* et de la *Gazette de Montréal*. M. Trudel dénonce — car son ouvrage dresse une liste noire des voltairiens canadiens — «les trois principaux» «propagateurs ou disciples de Voltaire chez nous»: Pierre du Calvet, Valentin Jautard et Fleury Mesplet. L'historien voit dans la diffusion des Lumières un complot: «...il paraît que les Anglais, pour détruire ce qu'ils appelaient le papisme, ne trouvaient pas d'armes plus efficaces que la diffusion des Philosophes français.» M. Trudel juge sévèrement la bourgeoisie pensante de Montréal: «...cette élite est infectée de voltairianisme et se dresse trop

9. MASSICOTTE, E.-Z.- *Faits curieux de l'histoire de Montréal*.- Montréal; Beauchemin, 1922.- p. 79.
10. GRISE, Yolande.- «En causant avec Séraphin Marion, gentilhomme et homme de lettres».- *Lettres québécoises*, numéro 30, été 1983.- p. 40.
11. MARION, Séraphin.- *Les lettres canadiennes d'autrefois*, tome II.- Ottawa; Éditions de l'Université d'Ottawa, 1939.- pp. 14, 87, 53, 54. La même année, l'Université d'Ottawa accordait un doctorat ès lettres à Marie-Médéric Douville pour une thèse intitulée *Un Siècle de voltairianisme au Canada français*. M.-M. Douville parle de Mesplet comme d'«un frénétique de la libre pensée», diffusant «les mesquines théories philosophiques du patriarche de Ferney» «dont l'oeuvre est celle de l'enfer». Voir pp. 65, 11, 5.

V

souvent contre l'Église, quand il aurait fallu revenir à la foi ardente de Ville-Marie...[12]». Dans un article sur «les débuts de l'imprimerie au Canada», publié dans les *Cahiers des Dix* en 1951, l'archiviste Aegidius Fauteux traite Mesplet de «pauvre diable» et soutient que sa réputation de libre-penseur est surfaite puisqu'il «n'a jamais cessé de faire bon ménage» avec les institutions religieuses. Mesplet «n'était pas aussi noir» — il y a des degrés dans la malfaisance — que le prétendait son compagnon de cellule, Pierre de Sales Laterrière[13]. Dans le même temps,

---

12. TRUDEL, Marcel.- *L'Influence de Voltaire au Canada*, tome I (de 1760 à 1850).-
Montréal; Fides, 1945.- pp. 45, 44, 122. Il paraît évident que l'auteur n'a pas dépouillé la *Gazette de Montréal*, en lisant en pages 109 et 110 les affirmations suivantes:
Lorsqu'on parcourt le deuxième journal de Mesplet, on reste surpris de la différence qui existe avec la gazette précédente... le débat sur Voltaire est clos... Voltaire intéresse de moins en moins... Quand le journal meurt en 1787, la littérature n'intéressait plus Mesplet depuis longtemps.
La *Gazette de Montréal* de Mesplet, qui a vécu jusqu'en 1794, a manifesté clairement son adhésion aux Lumières et sa loyauté envers Voltaire n'a pas fléchi. Aussi, quand M. Trudel nous dit, page 108, que Pierre du Calvet lisait «ce que Voltaire a de plus révoltant», on serait curieux de savoir quels ouvrages il a à l'esprit, et surtout s'il les a lus lui-même avant de porter son jugement.
13. FAUTEUX, Aegidius.- «Les débuts de l'imprimerie au Canada».- CD, numéro 16, 1951.- pp. 23, 28, 29, 31. La biographie que donne Fauteux de Mesplet (*L'introduction de l'imprimerie au Canada: les premiers imprimeurs dans le district de Montréal*.- Montréal; Rolland, 1957.- 19 p.) est truffée d'erreurs. Nous citerons les plus flagrantes suivies de nos corrections entre crochets: «Né à Lyon de parents modestes, Mesplet apprit sans doute les rudiments de son métier dans une des nombreuses boutiques de sa ville.» [Né à Marseille, Mesplet était d'une famille d'imprimeurs remontant à la fin du XVIIe siècle]; «Il est donc probable que ce fût (sic) Mesplet lui-même, prévoyant, qui élabora un projet d'atelier devant servir à la propagande française à Montréal, et le présenta habilement au Congrès...» [C'est le Congrès lui-même qui, par l'entremise de Chase, demanda à Mesplet de devenir imprimeur du Congrès à Montréal; il n'a jamais été question de «propagande française»]; «il ne paraît pas qu'il ait eu le temps de revoir Benjamin Franklin, ce dernier était reparti pour les États-Unis cinq jours plus tard...» [En arrivant à Montréal, Mesplet, à titre d'imprimeur du Congrès, était dans l'obligation de se présenter devant ses patrons, les commissaires dont le président était Franklin]; «Il avait trouvé asile, en arrivant... rue Capitale, non loin de la place du Vieux Marché.» [Mesplet et ses gens logèrent tout d'abord une dizaine de jours à l'auberge]; «...le point culminant de ses mésaventures semble avoir été la défection des aides qu'il avait amenés...» [Les deux ouvriers-imprimeurs restèrent à son emploi; seul le journaliste le quitta]; «(Mesplet) ne quitta la prison que le 18 juin, et n'avait pas encore goûté le plaisir d'être maître de son propre atelier.» [Mesplet ne fut libéré que le 20 juillet après 26 jours d'incarcération; avant son arrestation, il occupait son atelier rue Capitale depuis plus d'un mois]; «Mesplet commença cette même année 1777 la publication de ses almanachs curieux et intéressants...» [Le premiers almanach publié par Mesplet s'appelait l'*Almanach encyclopédique*]; «Valentin Jautard, émigré français comme lui, et qui se piquait d'aptitudes littéraires et pouvait prétendre à une certaine érudition...» [Jugement qui s'inspire des Mémoires de Laterrière]; «Ses premiers mois d'existence (de la *Gazette du commerce et littéraire*) ne virent rien paraître qui pût le moins du monde l'incriminer aux yeux des autorités...» [Le journal fut pourtant suspendu; son imprimeur et son journaliste menacés de bannissement];

le chanoine Lionel Groulx, dans son *Histoire du Canada français depuis la découverte*, consacre quelques lignes à Mesplet pour l'englober parmi les «folliculaires» qui ont fait «une légende de tortionnaire» au gouverneur Frédéric Haldimand et au nombre des «étrangers» qui ont tenté de constituer au Québec «la seule forme littéraire», un journal et une académie à Montréal[14]. Un disciple de L. Groulx, Guy Frégault, dans son livre *Le XVIIIe siècle canadien*, publié en 1968, limite l'époque des Lumières à la période précédant la conquête[15]. Quant à celle qui l'a suivie, qui verra paraître de grands ouvrages ainsi que des lettres de Voltaire en faveur de la liberté de pensée, et qui se trouve être celle de Mesplet, elle est tout simplement passée sous silence. Même silence dans l'*Histoire économique et sociale du Québec (1760-1850)* de Fernand Ouellet, qui note seulement que la *Gazette de Montréal* a été l'une de ses sources d'étude des prix agricoles[16]. Enfin, dans l'ouvrage *Les Canadiens français de 1760 à nos jours* de Mason Wade, paru en anglais en 1955 et traduit en français en 1963, Mesplet a droit à une vingtaine de lignes qui le présentent comme un dangereux propagandiste[17].

Mais un courant historique plus équitable à l'égard du premier imprimeur montréalais se manifeste aux approches et

---

«il (Jautard) lança des attaques contre le gouvernement...» [La *Gazette littéraire* n'attaqua jamais le gouvernement et ne publia rien relativement à la guerre entre les colonies unies et la Grande-Bretagne]; «...la *Gazette littéraire*... succomba sous le poids d'un article encore plus incisif que les autres... «Tant pis, tant mieux!» [L'arrestation était ordonnée avant la publication du dernier numéro du journal contenant cet article]; «Sous sa nouvelle livrée (la *Gazette de Montréal*) se consacra à peu près entièrement à la publication de proclamations officielles, d'annonces commerciales ou judiciaires...» [La *Gazette de Montréal* fut un puissant organe de diffusion des Lumières]; «Mesplet fut un artisan énergique...» [Nous retrouvons ici le bon ouvrier-imprimeur des Mémoires de Laterrière]. Plusieurs de ces erreurs auraient pu être évitées si A. Fauteux avait tenu compte des documents sur Mesplet publiés par R. W. McLachlan en 1906, soit une cinquantaine d'années auparavant.

14. GROULX, Lionel.- *Histoire du Canada français depuis la découverte*, tome III.- Montréal; L'Action nationale, 1952.- pp. 92, 106. L. Groulx a exprimé son rejet des Philosophes du XVIIIe siècle, entre autres dans *Lendemains de conquête* (Montréal; L'Action française, 1920), p. 199: «Nous serions [grâce à la conquête britannique] sauvés des doctrines néfastes du dix-huitième siècle, mais laissés aussi sans contact possible avec la saine pensée française.»

15. FRÉGAULT, Guy.- *Le XVIIIe siècle canadien*.- Montréal; HMH, 1968.- 387 p. C'est sur le titre même que porte notre réserve. puisque dans son avant-propos G. Frégault précise que ses études «portent sur l'histoire politique, économique et sociale du Canada, depuis le début du XVIIIe siècle jusqu'à la fin du régime français».

16. OUELLET, Fernand.- *Histoire économique et sociale du Québec (1760-1850).-* Montréal; Fides, 1968.- p. XXI.

17. WADE, Mason.- *Les Canadiens français de 1760 à nos jours*, tome I.- Montréal; Cercle du Livre de France, 1963.- pp. 89, 95.

pendant la décennie de 1970 dans les travaux de G.-André Vachon, John E. Hare et Jean-Pierre Wallot. Dans un numéro spécial d'*Études françaises*, en 1969, G.-A. Vachon, en traitant d'«Une littérature de combat (1778-1810)», écrit: «L'événement le plus important de l'histoire du journalisme québécois n'est pas la fondation, en 1764, de la *Gazette de Québec — The Quebec Gazette*, mais l'arrivée à Montréal de Fleury Mesplet en 1776»[18]. La *Gazette littéraire* transmettra «une certaine image, nette et globale de l'esprit des Lumières»[19]. Et l'auteur pose Mesplet comme le fondateur d'un mouvement de liberté de pensée au Québec:

> La tradition de pensée et d'expression qui, à travers les «patriotes» de Papineau, les «rouges» et l'Institut canadien, aboutit à Garneau et à Crémazie, remonte donc à la *Gazette [littéraire]* de Montréal, mais non sans être passée par le creuset du *Canadien*[20].

Dans son analyse sémantique *La Pensée socio-politique au Québec (1784-1812)*, publiée en 1977, l'historien John E. Hare situe Mesplet comme diffuseur des Lumières:

> La parution de la *Gazette littéraire* de Fleury Mesplet, en 1778, et la fondation d'une académie voltairienne sont les premières manifestations de l'influence des Lumières au Canada français. Par la suite, les idées des Philosophes s'y répandent. Les notions des droits de l'homme, de l'égalité des classes et des abus de la noblesse sont introduites au Canada français[21].

L'auteur se fait l'écho de G.-A. Vachon: «En ce qui concerne l'influence des idées nouvelles, il faut souligner l'importance de l'établissement, à Montréal, en 1776, de Fleury Mesplet, imprimeur français aux idées républicaines»[22]. J. Hare insiste sur l'importance de chacun des deux journaux de Mesplet: «Bien qu'il n'ait compté que douze mois de publication, de juin 1778 à juin 1779, ce journal [la *Gazette littéraire*] marque la vie culturelle de la province...»[23] Plus loin, l'auteur précise le rôle de la *Gazette de Montréal:*

> On constate l'importance de la presse dans la diffusion d'idées nouvelles à l'époque de la Révolution française. À partir de 1789,

---

18. VACHON, G.-André.- «Une littérature de combat, 1778-1810: les débuts du journalisme canadien français».- *Études françaises*, vol. 5, numéro 3, août 1969.- p. 251.
19. *Ibid.*, p. 252.
20. *Ibid.*, p. 257.
21. HARE, John E.- *La Pensée socio-politique au Québec (1784-1812): analyse sémantique.*- Ottawa; Éditions de l'Université d'Ottawa, 1977.- p. 79.
22. *Ibid.*, p. 25.
23. *Id.*

on réimprime des nouvelles de la France, ainsi que des discours prononcés à l'Assemblée nationale... La *Gazette de Montréal* fournit aussi une abondante documentation tirée des journaux français et anglais[24].

Cet éclairage sur Mesplet et ses journaux, J. Hare l'avait donné presque dans des termes identiques dans un article publié dans le numéro de juillet-septembre 1973 des *Annales historiques de la Révolution française* sous le titre «Sur les imprimés et la diffusion des idées»[25]. Dans ce même numéro, l'historien Jean-Pierre Wallot, dans un texte intitulé «Révolution et réformisme dans le Bas-Canada (1773-1815)», relève aussi le rôle de Mesplet comme diffuseur des Lumières:

> Durant ces années, l'influence des Encyclopédistes sur une certaine élite n'est pas douteuse... Mais c'est Mesplet surtout qui cristallise cette pensée de l'époque révolutionnaire. Élargi en 1782, il fonde, trois ans plus tard, la *Gazette de Montréal* qu'il dirige jusqu'à sa mort en 1794. Son journal sert d'exutoire aux opinions des Canadiens. Autour de Mesplet gravitent un certain nombre de démocrates...[26]

J. Hare et J.-P. Wallot avaient déjà en 1967, dans *Les Imprimés dans le Bas-Canada (1801-1810)*, touché la question de l'influence des Lumières au Québec:

> Bien avant les révolutions américaine et française, l'élite canadienne connaissait les philosophes du XVIIIe siècle, Voltaire et les Encyclopédistes en particulier. Ces influences littéraires, la propagande américaine puis française, l'activisme temporaire (jusqu'en 1793) d'un noyau de «démocrates» groupés autour de Mesplet et de la *Gazette de Montréal*, la pénétration graduelle des philosophes français et britanniques en matière de gouvernement, tous ces facteurs ont influé indéniablement sur certaines couches de la population[27].

La plus récente biographie de Mesplet, parue en 1980 dans le *Dictionnaire biographique du Canada*, sous la signature de l'historien Claude Galarneau, accentue le nouvel éclairage donné au premier imprimeur montréalais par G.-A. Vachon, J. Hare et J.-P. Wallot. «Les deux gazettes de Mesplet ont été le centre

---

24. *Id.*
25. HARE, John E.- «Sur les imprimés et la diffusion des idées».- AHRF, numéro 213, juillet-septembre 1973.- pp. 413-415.
26. WALLOT, Jean-Pierre.- «Révolution et réformisme dans le Bas-Canada (1773-1815)».- AHRF, numéro 213, juillet-septembre 1973.- p. 352.
27. HARE, John E. et Jean-Pierre WALLOT.- *Les Imprimés dans le Bas-Canada (1801-1810)*.- Montréal; Presses de l'Université de Montréal, 1967.- pp. 7, 8.

des Lumières à Montréal», écrit C. Galarneau, qui conclut avec bonheur: «Mesplet fut un homme de métier doublé d'un esprit éclairé au sens du XVIIIe siècle»[28].

Mais l'avènement de cette nouvelle approche ne signifie pas pour autant un changement total de mentalité à l'égard de l'imprimeur montréalais. Ainsi, les deux historiens qui ont été les premiers à analyser ses journaux, Séraphin Marion et Marcel Trudel, maintiennent encore, au début des années 1980, leur position d'antan. Dans une entrevue publiée dans le magazine *Lettres québécoises* de l'été 1983, S. Marion considérait que ses livres continuaient à inspirer les recherches en littérature («ceux qui veulent faire des thèses de doctorat sur les lettres canadiennes-françaises sont obligés de lire mes ouvrages») et il semblait n'avoir rien perdu de son mépris pour l'époque des Philosophes (pour lui un «siècle de malheur») et pour les «sacri-

---

28. GALARNEAU, Claude.- «Fleury Mesplet».- DBC, vol. IV (1771-1800).- Québec; Presses de l'Université Laval, 1980.- Voici les inexactitudes les plus notables qu'on trouve dans cette notice biographique (pp. 575-578), avec les corrections entre crochets: «Mesplet réussit à convaincre le deuxième Congrès continental qu'une imprimerie française est nécessaire à la révolution dans cette ville...» [C'est un comité du Congrès qui décida du choix de l'imprimeur, sans que Mesplet ait eu à s'adresser lui-même à l'assemblée des représentants]; «Arrêté et mis en prison avec ses employés, Mesplet est vite relâché et il s'établit rue Capitale...» [Mesplet et ses gens passèrent vingt-six jours en prison et l'installation rue Capitale avait précédé l'emprisonnement]; «Jautard, pourtant un fervent voltairien, donne beaucoup de place aux écrits anti-voltairiens...» [Le pourcentage réel d'écrits antivoltairiens ne permet pas un tel étonnement]; «...les deux hommes — Mesplet et Jautard — ne retrouvent leur liberté qu'en septembre 1782...» [Seul Mesplet quitta la prison en 1782; Jautard ne sortit qu'en 1783]; «Débarrassé de ses créanciers et, si l'on peut dire, libéré de la propriété de son atelier, Mesplet en profite pour reprendre l'idée d'un journal: le 25 août 1785 paraît la première édition de la *Gazette de Montréal — The Montreal Gazette*...» [La vente des biens de Mesplet eut lieu après la fondation de la *Gazette de Montréal*, comme l'imprimeur le rappelle lui-même dans le numéro du 24 novembre 1785]; «On lui attribue environ 80 titres...» [Mesplet a imprimé 96 livres et brochures]; «Mesplet s'identifie au type américain, qui est d'abord imprimeur-journaliste, contrairement à son homologue européen qui est imprimeur-libraire...» [Mesplet, comme d'ailleurs Brown et Gilmore à Québec, s'identifie comme imprimeur-libraire; Mesplet a des journalistes à son service; il reste l'éditeur dans ses interventions écrites; il est aussi un libraire qui s'annonce comme tel]; «Valentin Jautard, qui en est sans doute le rédacteur jusqu'à sa mort en 1787...» [Jautard a refusé d'être rédacteur de la *Gazette de Montréal*, comme en fait foi une lettre ouverte publiée dans le périodique, le 1er septembre 1785]; «La mort de Mesplet n'a suivi que de huit mois le changement obligé de ton de son journal...» [Au mois d'août 1793, la publication d'un texte «philosophique» occasionne le boycott de la *Gazette de Montréal* par les postes royales: mais nous continuons à trouver dans le journal des articles favorables à la Révolution française]; Mesplet «n'est pas assez instruit. Les quelques lettres qu'on possède de lui montrent la difficulté qu'il a à s'exprimer...» [Les lettres, suppliques, mémoires et articles de Mesplet sont écrits dans un français correct].

pants» Voltaire et Diderot[29]. En 1984, Marcel Trudel n'envisageait aucune refonte de *L'Influence de Voltaire au Canada*, ouvrage à ses yeux très valable malgré «les moyens du bord très pauvres à cette époque» et qui reste «un travail d'un bon écolier de jadis»[30]. La plupart des historiens du Canada français, sauf de rares exceptions, ont donné de Mesplet une idée négative, quand ils ne l'ont pas tout simplement biffé de l'histoire. Au Québec, Mesplet a subi le sort de son maître, Voltaire, qui n'a cessé d'être honni par des générations d'intellectuels dévots, dont le professeur Léopold Lamontagne reste le type. Dans une étude sur *Arthur Buies*, un libre-penseur canadien du XIXe siècle, parue à Québec en 1957, L. Lamontagne s'acharne sur Voltaire, dans le style d'un Nonnotte pour évoquer ses «vilenies»;

> sa jalousie furieuse, sa haine implacable, ses calomnies contre tous ceux qui lui portent ombrage, son hypocrisie perpétuelle, ses mensonges multipliés, son manque de scrupule, sa servilité abjecte envers les grands...
>
> (...)
>
> ...Voltaire est anticlérical par haine de Dieu, l'ennemi, et de tout ce qui est saint comme la Pucelle et sacré comme l'Évangile[31].

Ce qui paraît avoir empêché certains historiens et littérateurs canadiens de saisir le rôle majeur de Mesplet dans l'histoire des idées, c'est d'abord une connaissance trop incertaine de ce qu'était la lutte philosophique[32]. Avant de se pencher sur le travail

---

29. *Lettres québécoises*, article cité, pp. 43, 42.
30. Archives personnelles de l'auteur: Lettre de Marcel Trudel à Jean-Paul de Lagrave, datée du 28 août 1984.
31. LAMONTAGNE, Léopold.- *Arthur Buies, homme de lettres.-* Québec; Presses universitaires Laval, 1957.- pp. 96, 97. Ce refus du Siècle des Lumières a été dénoncé pour la première fois, à notre connaissance du moins, en 1973, par Serge Gagnon dans une étude sur l'historiographie («La nature et le rôle de l'historiographie: postulats pour une sociologie de la connaissance historique», RHAF, vol. 26, numéro 4, mars 1973.- pp. 479-531). Faisant allusion à la mise en doute du témoignage du baron de La Hontan dans l'historiographie québécoise, S. Gagnon écrit, p. 501: «...notre société a refusé pendant longtemps l'héritage du XVIIIe siècle». Dix ans plus tard, dans sa présentation des *Nouveaux Voyages en Amérique septentrionale* (Montréal; L'Hexagone-Minerve, 1983), Jacques Collin revient sur cette affirmation de Serge Gagnon et l'appuie (p. 35). Une redécouverte de la pensée des Lumières au Québec paraît donc se dessiner à laquelle naturellement notre travail ne voudrait pas peu contribuer.
32. Il ne nous a pas paru déplacé de citer ici les réflexions qu'a inspirées la lecture de cette page à un voltairiste de l'Université de Montréal:
    > Les propos d'un L. Lamontagne en 1957 et davantage encore ceux d'un S. Marion en 1983 reprenant des jugements déjà formulés en 1940, constituent des anachronismes stupéfiants, qui n'ont d'autre intérêt que d'attester, par leur virulence polémique, combien tenace peut être, dans les générations québécoises que l'Église a élevées dans ses collèges, la persistance d'une perception du Siècle des

de Mesplet, il fallait s'astreindre à lire de près toute l'oeuvre de Voltaire et celles de la plupart des grands Philosophes. Il fallait ensuite lire systématiquement les journaux de Mesplet, ceux de ses concurrents et les principaux périodiques qui inspiraient ces feuilles. C'est un travail préliminaire que les premiers historiens de Mesplet ne paraissent pas avoir réalisé, si l'on en juge par leurs réflexions et surtout leurs conclusions sur le rôle de Mesplet au Québec. Tout semble dit lorsqu'on a employé les adjectifs voltairien et anticlérical pour qualifier son oeuvre[33].

Si les Lumières que répand Mesplet au Québec procèdent effectivement des idées de Voltaire essentiellement, l'influence de Diderot n'en est pas absente. C'est en fait une participation à cette lutte philosophique qu'a si bien décrite Condorcet dans son *Esquisse d'un tableau historique des progrès de l'esprit humain*[34]. Dans son étude *Clartés et ombres du Siècle des Lumières*, Roland Mortier écrit que dans sa forme définitive, c'est-à-dire après 1760, l'image [des Lumières]

> en viendra à représenter la volonté de penser par soi-même, le rejet des préjugés, l'exclusion de la pensée mythique (tenue pour

---

Lumières en général et de Voltaire en particulier, dont nul lecteur cultivé ne demanderait aujourd'hui qu'on lui prouvât la partialité et l'inexactitude. Il n'en est pas moins déplorable que certains esprits aient cru pouvoir se fier toute leur vie à leurs souvenirs de collège et continuer à évoquer la Philosophie des Lumières ou la figure de Voltaire dans les termes dans lesquels leurs maîtres le leur avaient appris en s'appuyant sur une tradition de près de cent cinquante ans. Quelles que soient ses convictions philosophiques ou religieuses, ou quelles qu'aient pu être les pressions exercées sur lui par le milieu à certains moments de sa carrière, nul chercheur qui veut en parler n'est fondé à ignorer le progrès de nos connaissances sur Voltaire ou sur le dix-huitième siècle. Si donc avant de prêter à Voltaire une prétendue «haine de Dieu», L. Lamontagne en 1957 avait lu l'ouvrage magistral de R. Pomeau sur la *Religion de Voltaire* paru l'année précédente (ou s'il avait tout simplement lu Voltaire lui-même...), il aurait évité ce genre d'affirmations qui ôte toute crédibilité à celui qui les hasarde, en trahissant peut-être plus encore l'étendue de ses ignorances que la ténacité de ses préjugés. Quant au polémiste qui regardait encore en 1983 Voltaire et Diderot comme des «sacripants», il faut ne le regarder lui-même que comme le témoin anachronique d'un passé heureusement révolu et se féliciter que depuis bientôt un quart de siècle les jeunes générations aient accès dans les universités québécoises aux connaissances dont on a trop longtemps privé leurs aînés.
Lettre de J.-M. Moureaux à l'auteur, datée du 15 février 1985.

33. Même dans la plus récente biographie, C. Galarneau écrit encore: «La *Gazette* de Mesplet devient voltairienne et anticléricale»: DBC, op. cit., p. 577.

34. CONDORCET.- *Esquisse d'un tableau historique des progrès de l'esprit humain.*- Paris; Éditions sociales, 1972.- p. 217:
> ...toujours unis pour faire regarder l'indépendance de la raison, la liberté d'écrire comme le droit, le salut du genre humain... prenant enfin pour cri de guerre, raison, tolérance, humanité.

crédulité et superstition). Elle résumera symboliquement une attitude idéologique nouvelle et concrétisera la prise de conscience d'un âge qui se sent à la fois différent et en progrès[35].

Certes, comme l'a remarqué R. Mortier, la Philosophie n'est pas une et indivisible:

> Voltaire s'oppose à Diderot comme il s'oppose à d'Holbach. Diderot défend Galiani contre Morellet, il critique âprement Helvétius et finit par rompre avec Grimm avec plus de vigueur qu'il n'avait rompu avec d'Alembert[36].

Mais ces divergences tendent à s'estomper face à l'ennemi commun. Essentiellement

> Le penseur de l'âge des Lumières... fait confiance à l'homme, à la nature et à la société (sinon à celle du moment, du moins à celle de demain). Il entend changer le monde, instaurer le bonheur, améliorer les hommes, dissiper l'emprise des ténèbres[37].

Bien qu'il croie que le message des Lumières doive être diffusé «par étapes et par parties, en tenant compte du niveau d'instruction et du milieu social», comme le souligne R. Mortier[38], Voltaire veut en venir à «éclairer» le peuple. L'opinion du Patriarche est exprimée entre autre dans l'article Fraude du *Dictionnaire philosophique* alors que, sous forme d'un dialogue entre le fakir Bambabef et un disciple de Confucius, Ouang, il répond par la négative à la question «S'il faut user de fraudes pieuses avec le peuple?» Le fakir Bambabef soutient qu'il peut «tromper le peuple, qui est aussi ignorant que les enfants». Non, rétorque Ouang, les Lumières ne sont pas réservées aux lettrés: «Tous les hommes se ressemblent; ils sont nés avec les mêmes dispositions.» Il y a plus de gens qu'on croit qui raisonnent.

> Nos lettrés sont de la même pâte que nos tailleurs, nos tisserands et nos laboureurs... Pourquoi ne pas daigner instruire nos ouvriers comme nous instruisons nos lettrés[39]?

Et dans son *Traité sur la Tolérance* (1762), Voltaire affirmait que les Lumières avaient produit un changement des mentalités:

> Chaque jour la raison pénètre en France dans les boutiques des marchands comme dans les hôtels des seigneurs. Il faut donc culti-

---

35. MORTIER, Roland.- *Clartés et ombres du Siècle des Lumières: études sur le XVIIIe siècle littéraire.*- Genève; Droz, 1969.- p. 21.
36. *Ibid.*, p. 118.
37. *Ibid.*, p. 122.
38. *Ibid.*, p. 74.
39. M. XIX, 205-207.

ver les fruits de cette raison, d'autant plus qu'il est impossible de les empêcher d'éclore. On ne peut gouverner la France, après qu'elle a été éclairée par les Pascal, les Nicole, les Arnauld, les Bossuet, les Descartes, les Gassendi, les Bayle, les Fontenelle, etc., comme on la gouvernait du temps des Garasse et des Menot[40].

Dans une lettre à d'Alembert, le 4 novembre 1767, Voltaire s'exclame:«Les hommes s'éclaireront malgré les tigres et les singes[41]!»

De son côté, Diderot, dans l'*Interprétation de la nature*, affirme:

> Il n'y a qu'un moyen de rendre la Philosophie vraiment recommandable aux yeux du vulgaire, c'est de la lui montrer accompagnée de l'utilité... Hâtons-nous de rendre la Philosophie populaire. Si nous voulons que les Philosophes marchent en avant, approchons le peuple au point où en sont les Philosophes...[42]

Dans son *Essai sur les préjugés*, d'Holbach croyait en la puissance de la diffusion des Lumières:

> Malgré tous les efforts de la tyrannie, malgré les violences et les ruses du sacerdoce, malgré les soins vigilants de tous les ennemis du genre humain, la race humaine s'éclairera; les nations connaîtront leurs véritables intérêts; une multitude de rayons assemblés formera quelque jour une masse immense de lumière qui échauffera tous les coeurs, qui éclairera les esprits...[43]

Dans sa *Vie de Voltaire*, Condorcet résume la façon dont les Philosophes envisageaient cette diffusion:

> L'erreur et l'ignorance sont la cause unique des malheurs du genre humain, et les erreurs superstitieuses sont les plus funestes, parce qu'elles corrompent toutes les sources de la raison, et que leur fatal enthousiasme instruit à commettre le crime sans remords. La douceur des moeurs, compatible avec toutes les formes de gouvernement, diminue les maux que la raison doit un jour guérir, et en rend les progrès plus faciles. L'oppression prend elle-même le caractère des moeurs chez un peuple humain; elle conduit plus rarement à de grandes barbaries; et dans un pays où l'on aime les arts, et surtout les lettres, on tolère par respect pour elles la liberté de penser, qu'on n'a pas encore le courage d'aimer pour elle-même. Il faut donc chercher à inspirer ces vertus douces qui

40. M. XXV, 102.
41. D 14517.
42. DIDEROT.- *Oeuvres philosophiques*.- Paris; Garnier, 1964.- pp. 191, 216.
43. Cité dans NAVILLE, Pierre.- *D'Holbach et la philosophie scientifique au XVIIIe siècle*.- Paris; Gallimard-Nrf, 1967.- p. 359.

consolent, qui conduisent à la raison, qui sont à la portée de tous les hommes, qui conviennent à tous les âges de l'humanité, et dont l'hypocrisie même fait encore quelque bien... C'est en éclairant les hommes, c'est en les adoucissant qu'on peut espérer de les conduire à la vérité par un chemin sûr et facile... «Plus les hommes seront éclairés, plus ils seront libres» et il en coûtera moins pour y parvenir...[44]

Une telle diffusion, précise Georges Gusdorf, dans les *Principes de la pensée au Siècle des Lumières*, affronte une vive opposition de la part des «forces d'oppression et de réaction». Car «penser librement, c'est penser contre les doctrines établies, contre les autorités de toutes espèces». En somme, d'après G. Gusdorf

la littérature littéraire de naguère devient une littérature d'idées. Pour Montesquieu, pour Voltaire, pour Diderot et la majorité de leurs confrères, comme d'ailleurs pour Pope et Addison ou pour Lessing, le métier d'écrire prend le sens d'un combat pour la vérité[45].

C'est ce combat mené par Mesplet au Québec qui est bien le sujet de cette étude. Nous l'avons divisée en trois parties respectivement intitulée: «Un imprimeur à la recherche de la liberté»; «Le défi philosophique d'un journal littéraire» et «La *Gazette de Montréal*». La première traite de la formation et de l'expérience de Mesplet, avant qu'il ne fonde ses deux journaux à Montréal. Il y est question de sa famille, de son existence à Lyon et à Avignon, de son séjour à Londres, de son rôle auprès du Congrès à Philadelphie et de son installation à Montréal. Dans la seconde sont étudiés la fondation de la *Gazette littéraire*, la production de sa seule année de vie, l'idéal voltairien qui l'imprègne et l'emprisonnement qui a suivi la suppression du journal. La troisième expose d'abord les circonstances ayant entouré la naissance de la *Gazette de Montréal*, après la sortie de prison de Mesplet. Elle définit ensuite l'esprit voltairien du journal et son public, avant de s'attacher aux grands combats du périodique: «pour une nouvelle constitution», «contre la superstition», «pour un enseignement public», «pour une réforme de la justice et contre l'esclavage». Elle donne enfin un aperçu de la façon dont l'information sur la Révolution française a été transmise par la *Gazette de Montréal*, et établit comment le cercle de Mesplet a été finalement au centre de la diffusion des Lumières au Québec.

---

44. M. 1,288.
45. GUSDORF, Georges.- *Les principes de la pensée au Siècle des Lumières*.- Paris; Payot, 1971.- p. 26.

Première partie

UN IMPRIMEUR
À LA RECHERCHE
DE LA LIBERTÉ

Chapitre premier

La formation lyonnaise

Bien qu'il fût né à Marseille le 10 janvier 1734, c'est à Lyon que s'accomplit la formation de Fleury Mesplet, le premier imprimeur-libraire à Montréal et diffuseur des Lumières au Québec[1]. Sa famille jouissait d'une grande considération dans le monde de la librairie lyonnaise: elle était alliée aux LaRoche et aux Deville. Le père de Fleury Mesplet, Jean-Baptiste Mesplet, dirigeait une imprimerie à Lyon, tandis que sa tante, Marguerite Capeau-Girard, en administrait une à Avignon. Son beau-frère, le libraire François de Los Rios, était l'ami de l'académicien Joseph Vasselier, le premier correspondant de Voltaire à Lyon.

---

1. Lettre de Fleury Mesplet à E. Dutilh, de Philadelphie, le 29 août 1789. The Department of Rare Books and Special Collections of the *Mc Gill University Libraries*.
   Extrait: Il y a seize ans que je suis en cette province, et le seul de mon nom qui est Fleury Mesplet, imprimeur, né à Marseille le 10 janvier 1734, fils de Jean-Baptiste Mesplet, imprimeur, né à Agen, en Guyenne, qui est mort à Lyon, en 1760, âgé de cinquante-cinq ans.
   Certificat de baptême de Fleury Mesplet, tiré du registre de la paroisse des Accoules à Marseille, cote 201 E 743, *Archives départementales des Bouches-du-Rhône:* Aujourd'hui.
   Fleuri (sic) Mesplet, fils de Jean-Baptiste et d'Antoinette Capeau, né ce dix [janvier 1734] a été baptisé aujourd'hui (sic). Son parrain: Fleury Matignon, sa marraine: Marianne Feste. Signé: Dalmas, vicaire.
   Les autres renseignements proviennent du contrat de mariage entre François de Los Rios et Marie-Thérèse Mesplet, passé le 27 juin 1760, en l'étude du notaire François Durand, à Lyon. *Archives départementales du Rhône et des anciennes provinces de Lyonnais et de Beaujolais:* 3 E 4706.

Cette ville était un grand centre de diffusion des Lumières. La vive concurrence de Paris dans l'art de l'imprimerie, le monopole même exercé par la capitale forçait les libraires et imprimeurs lyonnais à vivre du trafic des livres prohibés, c'est-à-dire en partie de la littérature philosophique. Malgré la protection, par exemple, d'un inspecteur de la librairie comme Claude Bourgelat, un collaborateur de Diderot[2], ce commerce clandestin pouvait exposer aux poursuites policières, avec comme conséquences possibles, la faillite et le bannissement de l'imprimeur[3]. Déjà en 1754, dans un mémoire présenté au Conseil d'État, les imprimeurs-libraires lyonnais constataient que plusieurs d'entre eux, en raison des difficultés qu'on leur avait suscitées, avaient dû s'établir à Genève, La Haye, Venise ou Paris. De plus, selon ce même mémoire, ceux qui restaient n'avaient pas la vie facile: la concurrence de la capitale les exténuait. Ils se plaignaient que leur commerce fût «borné à la seule revente de quelques livres, à l'impression des ouvrages de petite conséquence et au débit des brochures dont Paris nous inonde»[4].

En 1763, selon un mémoire de Bourgelat adressé à Antoine-Gabriel de Sartine, alors lieutenant général de la police, douze imprimeurs-libraires subsistaient à Lyon et seulement une trentaine des cinquante et une presses fonctionnaient, employant, d'après les données du recensement général de l'imprimerie française en 1764, quatre-vingt-dix ouvriers[5]. Bourgelat donne les noms des douze imprimeurs en place: J.-J. Barbier, Claude-André Vialon, Aimé de LaRoche, Pierre Bruyset, Valfray, J.-M. Barret, Louis Buisson, J.-B. Réguillat, Geoffroy Regnault, J.-M. Bruyset, Louis Cutti et la veuve Vialon[6]. Comme Fleury Mesplet n'est pas compris dans cette liste, et qu'il est avéré que son père — décédé en 1760 — était imprimeur, il est assuré qu'il n'était pas lui-même imprimeur-libraire officiel en 1763. Fleury Mesplet n'est pas cité non plus dans la liste des libraires, alors que Bourgelat nomme Pierre Duplain, Pierre Deville, François Col, Claude Cizeron, Alexis Molin, Manteville, Chavance, Rigollet, J.-M. Bessiat, Benoît Duplain, Pierre Bruyset-Ponthus, Jacquenod,

2. GROSCLAUDE, Pierre.- *La vie intellectuelle à Lyon dans la deuxième moitié du XVIIIe siècle*.- Paris; Picard, 1933.- p. 202.
3. *Ibid.*, pp. 220, 221.
4. *Ibid.*, p. 166.
5. CHAUVET, Paul.- *Les ouvriers du livre en France, des origines à la Révolution de 1789*.- Paris; Presses universitaires de France, 1959.- pp. 213, 214.
6. *La vie intellectuelle à Lyon*, op. cit., pp. 171, 172.

les frères Périsse et de Tourne. Bourgelat fait même des remarques sur chacun des imprimeurs-libraires. Il apprécie ainsi Réguillat et Regnault:

> Leur imprimerie est l'atelier où se fabrique sans cesse une quantité de mauvais livres de tous genres dont la capitale et les provinces se trouvent quelquefois inondées, et des magasins cachés recèlent tous ces ouvrages de ténèbres».

Même appréciation sur Cutti et sur la veuve Vialon, mais ceux-là ont l'excuse de la misère. Quant à l'imprimeur-libraire le plus important, c'est Jean-Marie Bruyset: son commerce embrasse les livres pour lesquels il a obtenu des privilèges, ainsi que des ouvrages provenant de Paris et de l'étranger[7]. Ce que Bourgelat ne précise pas, et pour cause puisqu'il était son protecteur, c'est que Bruyset était à Lyon le principal imprimeur du parti philosophique. Il imprima lui-même des ouvrages des Encyclopédistes ou s'occupa de leur impression ailleurs. Ainsi, il se chargea de faire imprimer à Genève, puis d'expédier à Paris, mille deux cents cinquante exemplaires du pamphlet de Morellet, la *Vision de Charles Palissot*, cette réplique cinglante à la *Comédie des Philosophes*[8]. Pour sa part, l'imprimeur-libraire Rigollet diffusait les rogatons de Voltaire[9]: grâce à la collaboration de fonctionnaires de la poste, dont l'académicien Vasselier, les arrivages de Ferney parvenaient sans encombre à Lyon, et de là, les colporteurs les répandaient partout[10]. L'*Encyclopédie* elle-même fut contrefaite à Lyon. L'imprimeur-libraire Réguillat, que Bourgelat dénonça en 1763, imprima le *Contrat social*, ce qui lui valut sa destitution en 1767[11]. Dévouée ou non aux idées philosophiques, la vie d'un imprimeur-libraire n'était pas facile à Lyon. Une grande partie des travaux étaient réalisés par une imprimerie clandestine et un réseau souterrain permettait la diffusion sur une grande échelle de livres, de brochures et de journaux prohibés ou contrefaits.

Lyon comptait en 1760 quelque 114 000 habitants[12], soit l'équivalent de toute la population de la province de Québec en

---

7. *Ibid.*, pp. 172, 173.
8. *Ibid.*, pp. 188, 189.
9. *Ibid.*, p. 221.
10. TRENARD, Louis.- *Lyon: de l'Encyclopédie au préromantisme.-* Paris; Presses universitaires de France, 1958.- p. 132.
11. *La vie intellectuelle à Lyon*, op. cit., p. 220.
12. GARDEN, Maurice.- *Lyon et les Lyonnais au XVIIIᵉ siècle.-* Paris; Flammarion, 1975.- p. 19.

1784. La ville possédait une Académie, une bibliothèque publique, deux périodiques et l'enseignement y était dispensé dans deux collèges et un grand nombre de petites écoles. L'Académie des Sciences, Belles-Lettres et Arts de Lyon ouvrait largement ses portes à des hommes profondément marqués par les idées des Lumières[13]. Voltaire lui-même y sera chaleureusement reçu. La bibliothèque publique, disposée au collège de la Trinité, renfermait quelque cinquante-cinq mille volumes dont les oeuvres connues de Voltaire et de Rousseau[14]. Le journal hebdomadaire lyonnais était les *Affiches de Lyon*, de l'imprimeur-libraire Aimé de LaRoche. Sa rubrique bibliographique favorisait la diffusion des ouvrages de Bayle, Buffon, Moreri, Voltaire, Rousseau, Prévost et de l'*Encyclopédie*. En plus des *Affiches*, Lyon comptait un mensuel, le *Courrier littéraire*[15]. Alors que Mesplet devait rencontrer un analphabétisme chronique au Québec, sa ville d'origine possédait deux collèges (de la Trinité et Notre-Dame) dirigés par les Jésuites, puis confiés à des Oratoriens, et beaucoup d'écoles primaires dont les instituteurs et institutrices étaient groupés en corporation[16]. Quand nous verrons Mesplet créer une Académie à Montréal, faire la promotion d'une bibliothèque publique et d'un enseignement ouvert à tous, fonder un journal littéraire, puis une feuille d'information, il faudra nous rappeler qu'il avait vu fonctionner toutes ces entreprises à Lyon; nous souvenir aussi que l'Académie de Lyon et les *Affiches* étaient marquées par les idées des Lumières.

Les *Affiches de Lyon* paraissaient depuis le 6 janvier 1750 par les soins d'Aimé de LaRoche, qui était membre de l'Académie lyonnaise[17]. Elles ne répandirent pas seulement les oeuvres

13. *Ibid.*, p. 300.
14. *Lyon: de l'Encyclopédie au préromantisme*, op. cit., p. 132.
15. *La vie intellectuelle à Lyon*, op. cit., pp. 118, 122.
16. *Ibid.*, pp. 362, 363.
17. GASC, Michèle.- «La naissance de la presse périodique locale à Lyon: les *Affiches de Lyon, Annonces et avis divers*» dans *Études sur la presse au XVIIIᵉ siècle*, Presses universitaires de Lyon, 1978, numéro 3, pp. 64 à 80. Michèle Gasc analyse le contenu des *Affiches de Lyon* et étudie leur portée sociale. Elle précise que le premier numéro du périodique parut le 6 janvier 1750 et non en 1748 comme on le croyait jusque là (p. 64). Comme ce sera le cas pour les journaux de Mesplet, le nombre de pages de chaque numéro se limitera à quatre. Les *Affiches de Lyon* plaçaient LaRoche au centre du réseau des libraires et imprimeurs de Lyon, dont il annonçait chaque semaine les nouveautés. De plus, il portait le titre d'imprimeur du gouvernement et de l'hôtel de ville. Reçu imprimeur-libraire en 1736, il exerça son activité jusqu'en 1793. Aimé de LaRoche possédait son imprimerie aux Halles de Grenette et une librairie rue Mercière (p. 65), dans la même rue où Jean-Baptiste Mesplet avait son imprimerie.

philosophiques, mais firent aussi connaître les romans de Pope et de Richardson. Elles annonçaient les ouvrages anglais les plus en vogue, ceux de Johnson, Thomson et Swift. Les *Affiches de Lyon* entretenaient dans le public un vif intérêt pour le monde anglophone, ce dont il ne fallait pas être dépourvu pour décider, comme le fit Mesplet, d'aller vivre à Londres ou à Philadelphie. Le journal de LaRoche se chargeait aussi de faire le service des revues de Paris[18]. Cette vie culturelle était aussi encouragée par le *Courrier littéraire* de l'imprimeur-libraire Périsse. Cette feuille annonçait chaque mois les livres nouveaux, et cela depuis 1766[19]. À partir de ces journaux, l'information circulait dans les cafés de la place des Terreaux où elle était discutée, comme d'ailleurs dans les salons[20] et la dizaine de loges maçonniques[21].

À Lyon, les ouvrages de Voltaire ne donnèrent lieu à aucune polémique virulente, comme ce fut le cas pour ceux de Jean-Jacques Rousseau. Voltaire y était fort prisé comme le prouve son séjour du 11 novembre au 10 décembre 1754:

> Les Lyonnais l'accueillirent avec enthousiasme, raconte son secré-taire Côme-Alexandre Collini, dans *Mon séjour auprès de Voltaire*. Le commerce et les lettres qui paraissaient incompatibles dans le même lieu se trouvaient alors réunis dans cette ville. Voltaire y trouva M. de Bordes, l'abbé Pernetti et plusieurs savants qui s'em-pressèrent de lui en rendre le séjour agréable. Il fut invité à une séance de l'Académie des Sciences et Belles-Lettres où on le reçut avec toute la distinction due à son nom et à ses écrits...

Il n'y eut qu'un point sombre à ce séjour de Voltaire à Lyon, l'impolitesse de l'archevêque de la ville, le cardinal de Tencin, qui refusa de le recevoir à dîner «parce qu'il était mal avec la Cour»[22]. Voici comment Condorcet, dans la *Vie de Voltaire*, évoque l'en-thousiasme des Lyonnais:

> ...les habitants de cette ville opulente, où l'esprit du commerce n'a pas étouffé le goût des lettres, le dédommagèrent de l'impo-litesse politique de leur archevêque. Alors, pour la première fois, il reçut les honneurs que l'enthousiasme public rend au génie. Ses pièces furent jouées devant lui au bruit des acclamations d'un

---

18. *Lyon: de l'Encyclopédie au préromantisme*, op. cit., p. 136.
19. *La vie intellectuelle à Lyon*, op. cit., p. 118.
20. *Lyon et les Lyonnais*, op. cit., p. 301.
21. *Lyon: de l'Encyclopédie au préromantisme*, op. cit., p. 76.
22. COLLINI, Côme-Alexandre.- *Mon séjour auprès de Voltaire, et lettres inédites.-* Genève; Slatkine Reprints, 1970.- pp. 142, 143.

peuple enivré de la joie de posséder celui à qui il devait de si nobles plaisirs...[23]

La polémique autour de Rousseau débuta le 18 février 1761, alors que les libraires Périsse, Réguillat, Deville, Regnault et d'autres annoncèrent avec éclat la *Nouvelle Héloïse*. Dès le mois de mai 1762, Périsse mit en vente un pamphlet où un auteur anonyme tentait, en cinquante-sept strophes satiriques, de déconsidérer le roman. L'*Émile* provoqua la vente, chez Aimé de LaRoche, en septembre 1762, du mandement de Mgr de Beaumont, qui condamnait l'ouvrage. Les 9 mars et 15 juin 1763, le libraire Deville annonçait une réfutation en deux volumes intitulée la *Divinité de la religion chrétienne vengée des sophismes de Rousseau*. Ce sont les premiers livres d'une série anti-rousseauiste vendue par Deville: *Lettres à M. Rousseau pour servir de réponse à sa Lettre contre le mandement de Mgr l'Archevêque de Paris; Réflexions sur la théorie et la pratique de l'éducation, contre les principes de J.-J. Rousseau; Réfutation de J.-J. Rousseau sous forme de lettres* par l'abbé Yvon; *Émile chrétien ou de l'éducation*, 2 vols de C. de Leveson. Enfin, un libraire favorable à Rousseau, Périsse, fit la promotion, en 1763, d'une anthologie intitulée *Pensée de J.-J. Rousseau*[24].

Même s'il n'y a pas eu de vives polémiques autour de Voltaire, cela ne signifie pas que les idées voltairiennes ne furent pas contestées. Les *Affiches de Lyon* annonçaient le 23 décembre 1767, la première édition du *Dictionnaire antiphilosophique* du bénédictin Louis Mayeul Chaudon, en vente chez Deville[25]. L'arsenal antiphilosophique, qu'on trouvera dans la *Gazette littéraire* de Mesplet, proviendra en grande partie de cette source. Les *Affiches* firent connaître aussi d'autres ouvrages anti-philosophiques: le *Langage de la raison*, le *Langage de la religion*, tous deux du marquis de Caraccioli; le *Philosophe chrétien ou Lettres à un jeune homme entrant dans le monde, sur la vérité et la nécessité de la religion; Sur le danger de la lecture des livres contre la religion par rapport à la société*, par un auteur lyonnais[26]. Mais l'épisode majeur de la campagne anti-philosophique à Lyon fut sans doute la querelle qui mit aux prises en 1754 et 1755, le Jésuite Charles-Pierre-Xavier Tolomas avec

---

23. CONDORCET.- *Vie de Voltaire*.- M. 1,236.
24. *La vie intellectuelle à Lyon*, op. cit., pp. 124, 125.
25. *Ibid.*, pp. 123, 124.
26. *Ibid.*, p. 129.

d'Alembert. Dans une lettre à Malesherbes du 2 décembre 1754, Bourgelat raconta l'offensive des religieux contre les Encyclopédistes:

Samedi passé, les Jésuites de Lyon firent publiquement une incartade singulière. J'ai l'honneur de vous envoyer le programme qu'ils ont débité, il est d'autant moins suspect qu'il est signé de la main même du professeur de rhétorique qui vomit pendant cinq quarts d'heure, en très mauvais latin, un torrent d'injures contre l'*Encyclopédie* et tous les Encyclopédistes. Ils avaient déjà prêché plusieurs fois, le carême passé, contre cet ouvrage, mais ils ont jugé à propos de casser les vitres. Tous les auteurs qui y travaillent et qui y concourent sont des gens que l'Église et le Gouvernement devraient proscrire; ils ont sapé la religion jusque dans ses fondements, ils ont osé attaquer l'autorité royale, ils sont corrupteurs publics des moeurs. Des journalistes, faits pour dominer la république des lettres et pour maintenir le bon ordre qui doit y régner, relèvent toutes les fautes dont sont entachées les productions de l'esprit; ils démontrent que ces auteurs sont des plagiaires et s'approprient le système de Bacon... Les Encyclopédistes ont la témérité d'attaquer de front une Société qui a la possession immémoriale des sciences; leur livre enfin est suspendu: on sait par quelle fatalité et par quelle protection il a repris faveur. Non nosco hominem. Ces mêmes Encyclopédistes portent le poignard dans le sein de ces hommes voués par l'État à l'instruction et à l'éducation du genre humain, totius terrae; magistrats, c'est à vous de terrasser ces géants audacieux, et c'est à vous de venger nos bienfaits. Après cette belle déclaration, ajoutait Bourgelat, le père Tolomas se fait un fantôme pour avoir le plaisir de le combattre; il prétend que M. d'Alembert veut qu'on bannisse les Jésuites des collèges...; que deviendront, dit-il, cette foule d'hommes à qui nous donnons des instructions gratuites? Médecins, avocats, magistrats, vous tenez tout de nous; que sauriez-vous, hommes savants et immortels, si nous ne vous avions éclairés? Vous seriez dans les ténèbres. Pères, mères, enfants, princes, soulevez-vous donc contre des monstres qui nous bravent et réclamez l'autorité du souverain pour les anéantir et les détruire. De là, précisait Bourgelat, le père Tolomas pérore contre les divisions de l'article Collège qu'il tronque avec toute la bonne foi d'un Jésuite. Et enfin — car c'est perdre mon temps et vous ennuyer que de le suivre davantage —, il finit par ce beau trait qu'il lance contre M. d'Alembert: Confierez-vous l'éducation des hommes à un homme cui nec pater est nec res? Voilà, monsieur, une légère esquisse du tableau que les Jésuites ont fait des Encyclopédistes; il est bon que vous en soyez instruit, la guerre est ouverte. Et on doit sans doute nous passer plus aisément ce que nous pourrions dire à leur gloire. Quant à moi, il me paraît juste qu'on me permette de les relever dans des circonstances où on ne saurait les épargner. C'est la seule récompense que je demande et je me livre à l'*Encyclopédie* avec plus de plaisir que jamais...[27]

Cette lettre montre non seulement que les Jésuites avaient pris la tête de la lutte antiphilosophique à Lyon — comme tentera de le faire le dernier Jésuite à Montréal en 1778 — mais encore quels liens étroits unissaient Bourgelat à Malesherbes qui le nommera inspecteur de la librairie lyonnaise en 1760.

Si les adversaires des Philosophes pouvaient se procurer à Lyon une bonne littérature de combat, leurs partisans n'étaient pas négligés. Il y avait deux points de vente importants à leur intention: le cabinet littéraire de Pierre Cellier et la librairie de Réguillat. Dans le catalogue que celui-ci publia en 1764, on relève des ouvrages de tous les Philosophes du siècle, sauf d'Helvétius. Le cabinet de lecture de Pierre Cellier, qui annonçait à intervalles réguliers dans les *Affiches de Lyon*, renfermait toutes les nouveautés dans le domaine philosophique, même s'il était précisé dans les catalogues, dont le premier fut de 1769, que «les livres contre la religion, l'État et les moeurs seront bannis». Relevons, parmi les 1 782 titres annoncés, de Voltaire, le *Commentaire sur le livre des Délits et des peines*, ainsi que de nombreux contes; de Rousseau, l'*Émile*, la *Nouvelle Héloïse*; de Marmontel, les *Contes moraux*; de l'abbé Prévost, l'*Histoire d'une Grecque moderne*, les *Mémoires d'un homme de qualité*; de Richardson, la traduction de ses romans[28]. Le cabinet de lecture Cellier était ouvert à tous, et très certainement un lieu d'échanges, comme la librairie Réguillat. Il n'y a pas de doute que tous les titres disponibles ne figuraient pas au catalogue, en raison de la censure.

Mesplet fréquentait donc un milieu propice à l'épanouissement de l'esprit philosophique. Une grande partie de la librairie et de l'imprimerie vivait de la diffusion de cette littérature. Mais Lyon connaissait aussi la lutte philosophique. Beaucoup d'ouvrages circulaient soit pour défendre la Révélation, soit en faveur de la Raison. Le triomphe de Voltaire à Lyon manifeste clairement son ascendant personnel et celui de ses oeuvres auprès des Lyonnais. Par contre, Rousseau soulève une polémique interminable, ponctuée de nombreux pamphlets. Il est notable qu'à Montréal, les journaux de Mesplet exalteront Voltaire, tandis que Rousseau sera pratiquement passé sous silence. Les amis

---

27. *Ibid.*, pp. 203, 204: Lettre de Bourgelat à Malesherbes, le 2 décembre 1754.
28. *Ibid.*, pp. 356, 357.

de Voltaire étaient nombreux à Lyon. On l'a vu, l'homme de lettres Bourgelat n'était pas le dernier, ni Joseph Vasselier, ni Los Rios dont il est temps de parler davantage.

Peut-être l'influence de son beau-frère, François de Los Rios, comptera-t-elle beaucoup dans la décision que prendra Mesplet en 1773 d'installer ses presses à Londres? Los Rios était un libraire important de Lyon, bien qu'il n'ait jamais appartenu à la corporation officielle[29]. Il se spécialisait dans les ventes publiques d'ouvrages, à partir de l'achat de bibliothèques de riches particuliers ou de communautés religieuses. Par exemple, celle des Jésuites de Lyon contenant dix-huit mille volumes[30]. Né à Anvers en 1728 et ayant parcouru les grandes capitales européennes à la recherche de livres rares, Los Rios se fixa à Lyon en 1766, ce qui ne l'empêcha pas de poursuivre sa quête d'ouvrages à l'étranger[31]. Voici comment il s'annonçait:

> François de Los Rios, libraire, rue Saint-Dominique, à Lyon, vend et achète des bibliothèques, s'en charge pour le compte des particuliers, et en produit les catalogues, ainsi qu'il fait de celles qui lui appartiennent: on trouve en outre chez-lui environ dix mille volumes d'excellents ouvrages et de hasard[32].

Il avait épousé l'une des deux soeurs de Fleury Mesplet, Marie-Thérèse, le 27 juin 1760. Le contrat de mariage précise que son beau-père, Jean-Baptiste Mesplet, possédait une imprimerie à Lyon et que la tante de sa femme, Marguerite Capeau, veuve de l'imprimeur François Girard, administrait elle aussi une imprimerie, mais à Avignon. C'est cette tante qui dans ce contrat fournit une dot de trois mille livres à l'épousée, et non les parents Mesplet. Ceux-ci demeurent dans la rue Mercière, qui est appelée la grande-rue. C'est là que Jean-Baptiste Mesplet exerce son métier d'imprimeur jusqu'à sa mort, survenue l'année même du mariage de sa fille Marie-Thérèse. Les signatures apposées au bas du contrat, à la suite de celles des futurs époux, de Jean-Baptiste Mesplet et de la veuve Girard sont celles des libraires LaRoche et Deville, de l'imprimeur Benoît Rapillon et du fondeur de caractères d'imprimerie Benoît Biollay. Nous n'avons aucune certitude que Fleury Mesplet prit la relève pour faire fonctionner l'imprimerie paternelle. Nous avons toutefois

---

29. VARILLE, Mathieu.- *La vie facétieuse de M. de Los-Rios, libraire lyonnais.*- Lyon; Audin, 1928.- p. 103.
30. *Ibid.*, p. 39.
31. *Ibid.*, pp. 3, 29, 33, 35.
32. *Ibid.*, pp. 46, 47.

la preuve qu'à l'âge de 21 ans, il était «gérant» de l'imprimerie de sa tante à Avignon, selon un contrat d'apprentissage passé le 3 mai 1755[33]. De toute façon, il avait les qualifications de maître-imprimeur puisque dès son arrivée à Londres, en 1773, il a pu exercer son métier avec une compétence indéniable. La présence des Deville et des LaRoche aux noces de sa fille prouve que Jean-Baptiste Mesplet comptait de solides amitiés parmi les imprimeurs et libraires. Rappelons que les LaRoche possédaient le grand journal de Lyon. Aussi Bourgelat n'omet-il pas d'en parler ainsi que des Deville dans son mémoire de 1763.

Au moment du mariage de sa nièce Marie-Thérèse Mesplet, la veuve Girard était propriétaire de son imprimerie-librairie avignonnaise depuis 1753, année du décès de son mari, l'imprimeur François Girard. Il est possible que Fleury Mesplet, à titre de gérant, ait été le réel maître-imprimeur de 1755 à 1759, année où le petit-neveu de la veuve, François Séguin, fut reçu imprimeur dans le corps de métier d'Avignon. Ce Séguin devint l'associé de Marguerite Capeau-Girard[34]. L'atelier Girard fonctionnait à plein, en produisant des ouvrages contrefaits: des almanachs, le *Dictionnaire de Trévoux*... Ces productions étaient de temps à autre l'objet de saisies[35]. Ainsi, la veuve Girard avait entrepris de publier une nouvelle édition de la traduction d'Homère par Dacier, sans se soucier des droits des propriétaires du privilège. Sur des plaintes de la veuve Desaint, de Paris, une saisie eut lieu dans l'atelier de la veuve Girard pendant qu'on était en train d'imprimer les exemplaires de l'ouvrage délictueux, en octobre 1770. Les 540 feuilles déjà tirées furent expédiées à la plaignante[36]. C'est encore la veuve Desaint qui, se trouvant à Lyon pendant la période de foire de 1773, fit perquisitionner trois boutiques lyonnaises et confisquer les ouvrages dont elle détenait le monopole de la vente[37]. Mais alors, la veuve Girard n'était plus: elle était morte le 12 juillet 1772 en léguant tous ses biens à François Séguin[38]. Ce fut peu après ce décès et

---

33. *Contrat de mariage Los Rios-Mesplet*, op. cit., pp. 1, 3. Sur la gérance de Fleury Mesplet: *Archives d'Avignon*, 3 mai 1755, Pons 1121, fo 318.
34. MOULINAS, René.- *L'imprimerie, la librairie et la presse à Avignon au XVIIIe siècle*.- Grenoble; Presses universitaires de Grenoble, 1974.- pp. 411, 416.
35. *Ibid.*, pp. 118, 174, 176.
36. *Ibid.*, p. 211.
37. TRENARD, Louis.- «Sociologie du livre en France» dans *Actes du 5e Congrès national de la Société française de littérature comparée* (à Lyon).- Paris; Les Belles-Lettres, 1965.- p. 161.
38. *L'imprimerie à Avignon*, op. cit., pp. 411, 416.

dans le temps de ces saisies que Fleury Mesplet décida de quitter Lyon pour l'Angleterre. Il n'est pas invraisemblable que le couple Los Rios-Mesplet ait séjourné à Londres, après son mariage — cinq ans avant l'installation de la librairie Los Rios à Lyon. De toute manière, pour Los Rios, l'Angleterre est le pays de la liberté:

> Ce royaume, écrit-il dans ses mémoires, est le Pérou de l'Europe, le plus beau séjour pour ceux qui veulent vivre en liberté; les Anglais sont naturellement très fiers, ils méprisent la mort comme s'ils étaient sans religion. La fortune y distribue ses grâces à pleines mains, les talents et les prix y sont plus connus que dans d'autres royaumes...[39]

Sans doute Mesplet entendit-il tenir de tels propos par son beau-frère et sa soeur.

La librairie de Los Rios était un lieu de rencontres peut-être aussi important que le cabinet de lecture Cellier. Parmi ceux qui la fréquentaient, il y avait Joseph Vasselier, le Damilaville de Voltaire à Lyon. Premier commis au bureau des postes dans cette ville, il se chargeait de faire parvenir lettres et paquets de Ferney à leurs destinataires[40]. Il était en correspondance directe avec Voltaire. Le Patriarche lui écrivait le 10 novembre 1770:

> Il me semble que tous les honnêtes gens pensent comme vous. Leur mot de ralliement est Dieu et la Tolérance[41].

Voltaire avait pleine confiance en Vasselier. Le 2 mars 1772, il lui promit même le manuscrit des *Lois de Minos* qu'il souhaitait faire imprimer chez un «protégé» de Vasselier, l'imprimeur Rosset[42]. Il en sera question à plusieurs reprises dans la correspondance de 1772, jusqu'à ce que Voltaire décide, finalement, de ne pas faire imprimer sa tragédie à Lyon. Dans sa lettre du 6 avril 1772, sous le masque du «jeune avocat Duroncel», présumé auteur des *Lois de Minos*,

> il plaint l'ami Rosset de n'avoir pu profiter de cette petite aubaine. Je lui conseille, s'il veut faire une petite fortune, d'imprimer le *Pédagogue chrétien* et *Marie Alacoque*[43].

---

39. *La vie de Los Rios*, op. cit., pp. 30, 31.
40. *La vie intellectuelle à Lyon*, op. cit., p. 296. Au sujet de la fréquentation de la librairie de Los Rios par Vasselier, voir *La vie de Los Rios*, op. cit., p. 95 et suiv.
41. Lettre de Voltaire à Vasselier, le 10 novembre 1770: D 16753.
42. Lettre de Voltaire à Vasselier, le 2 mars 1772: D 17621.
43. Lettres de Voltaire à Vasselier: 12 mars 1772 (D 17637); 28 mars 1772 (D 17662); 1er avril 1772 (D 17671); 6 avril 1772 (D 17684); 8 mai 1772 (D 17731).

Ainsi Vasselier, l'ami de Los Rios, est un fidèle de Voltaire. Los Rios lui-même écrira dans ses mémoires: «Je suis le serviteur de la Raison»[44]. Nous nous trouvons en présence d'un grand diffuseur des idées. Il répand dans le public les livres des bibliothèques. La circulation des ouvrages s'accélère. Peu à peu, comme le désiraient les Philosophes, l'homme osait penser par lui-même[45].

Fleury Mesplet quittait Lyon à la toute fin du règne de Louis XV. Il partait avec sa femme, Marie Mirabeau[46]. Destination: Londres. L'imprimeur lyonnais avait peut-être remarqué dans l'*ABC* de Voltaire ce propos qu'il fait tenir à l'interlocuteur anglais:

> L'art admirable de l'imprimerie est dans notre île aussi libre que la parole[47].

Mesplet était prêt. Âgé de 39 ans, son expérience dans le monde de l'imprimerie à Lyon et à Avignon lui avait inculqué les qualités nécessaires à un bon diffuseur des idées philosophiques. De Londres, il fera avec confiance le grand saut en Amérique où vont se dérouler des combats majeurs pour la liberté.

---

44. *Vie de Los Rios*, op. cit., p. 62.
45.   Le droit de dire et d'imprimer ce que nous pensons est le droit de tout homme libre, dont on ne saurait le priver sans exercer la tyrannie la plus odieuse. (VOLTAIRE, *Questions sur les miracles:* M. XXV-418.)
46. Marie Mirabeau était plus jeune de douze ans. Quand elle mourut en 1789 à l'âge de 43 ans, Fleury Mesplet avait 55 ans. Elle était née en 1746. (Voir l'acte de décès de Marie Mesplet, le 1er septembre, registre paroissial de Notre-Dame de Montréal pour l'année 1789, p. 102, ANQM.) Extrait: «...Marie Mirabeau, décédée d'hier, âgée d'environ 43 ans, épouse de Fleury Mesplet, imprimeur en cette ville».
47. M. XXVII, 387.

14

Chapitre 2

Londres, Franklin et l'Amérique

Le séjour de Mesplet à Londres ne durera pas plus d'un an, mais il représentera une étape décisive de sa carrière. C'est là en effet qu'il prit la décision de s'embarquer pour l'Amérique. Aucun document, jusqu'ici, n'atteste que l'imprimeur lyonnais ait suivi des recommandations de Benjamin Franklin. Mais l'attitude de celui-ci à son égard à Philadelphie laisse présumer qu'il en a été ainsi. Londres fut en plus le lieu où Mesplet prit rang parmi les imprimeurs. Du moins, c'est là qu'il imprima son premier ouvrage connu.

Au début de l'année 1773, Mesplet s'installa au coeur de Londres, plus précisément au 24 Crown Court, Little Russell Street, tout près de Covent Garden[48]. Une importante colonie française habitait alors la capitale, et une partie de l'imprimerie imprimait des livres français. Voltaire avait pu facilement y faire imprimer sa *Henriade* en 1728[49]. Pour sa part, Franklin faisait publier en français et en anglais l'opuscule déiste du docteur

48. L'adresse de Mesplet est donnée dans le livre *La Louisiane ensanglantée* qu'il a imprimé en 1773. Voir la note 69.
49. ROUSSEAU, André-Michel.- *L'Angleterre et Voltaire (1718-1789)*, tome I.- Studies on Voltaire and the Eighteenth Century, vol. CXLV, p. 83. Voltaire s'était installé, en décembre 1727 et janvier 1728, à l'auberge de la Perruque blanche, à Covent Garden, à portée de son éditeur Woodman, dans Russell Street, tout près de l'actuel British Museum.

Dubourg, un ami de Paris[50]. Un observateur nommé Lacombe remarquait en 1777 que

> depuis douze années la quantité d'ouvriers étrangers établis à Londres a produit une efflorescence utile au commerce, malgré le peu d'encouragement qu'ils reçoivent de la nation et des riches entrepreneurs, mais la misère et le despotisme allemand et français peuplera toujours cette Babylone, le seul refuge des infortunés.

Les huguenots, chassés de France à la suite de la révocation de l'Édit de Nantes, constituaient le noyau de la population française de Londres, augmentée de divers autres réfugiés et d'aventuriers de tout acabit[51]. Mesplet avait choisi de faire fonctionner son atelier à proximité d'autres imprimeries, près de la place du marché. Lors de son séjour dans la capitale britannique, Voltaire avait vécu un certain temps dans le voisinage, soit dans Maiden Lane. Mesplet habitait à deux pas du Button's Coffee House qu'avaient fréquenté Addison et Steele, du fameux *Spectator*, et Swift. Le grand acteur Garrick, ami de Franklin, était un client de la brasserie Tom, au numéro 17, dans la même rue[52].

Garrick et Franklin se voyaient souvent et il est possible que l'acteur ait été un lien entre Franklin et Mesplet. De toute façon, peu avant l'arrivée de ce dernier à Londres, Franklin et Garrick avaient rencontré, en avril 1772, le Philosophe André Morellet, originaire de Lyon comme Mesplet. Morellet, rendu célèbre par sa traduction du traité *des Délits et des peines* de Beccaria, avait eu de nombreux échanges avec Franklin, en particulier chez William Fitzmaurice, comte de Shelburne. Dans ses *Mémoires*, Morellet rapporte qu'il parla longuement avec Franklin de la liberté de commerce ainsi que des «progrès de l'Amérique, alors anglaise, et sur ceux qu'on devait prévoir». De nombreux entretiens suivirent:

> À mon retour à Londres, précise Morellet, je cultivai beaucoup cet homme intéressant. J'allais souvent déjeuner avec lui»[53].

---

50. FAY, Bernard.- *Benjamin Franklin, bourgeois d'Amérique*, tome II.- Paris; Calmann-Lévy, 1929.- p. 105. Le Dr Jacques Barbeau Dubourg, de Paris, un grand admirateur de Franklin, avait fait publier ses oeuvres en langue française. Voir ALDRIDGE, Alfred Owen.- *Benjamin Franklin, Philosopher and Man*.- Philadelphie et New York; Lippincott, 1965.- p. 232.
51. GEORGE, Dorothy.- *London Life in the Eighteenth Century*.- Londres; Kegan, Trench, Trubner, 1925.- p. 133.
52. ROSSITER, Stuart.- *London*.- Londres; Ernest Benn, 1965.- pp. 102, 103.
53. MORELLET.- *Mémoires inédits de l'abbé Morellet sur le XVIIIe siècle et la Révolution*, tome I.- Genève; Slatkine Reprints, 1967.- pp. 201 à 204.

Franklin appréciait les penseurs français. Après avoir visité la France pour la première fois en 1767, il écrivait au retour:

> Le temps passé à Paris, dans la conversation si instructive et dans la société si agréable de tant de personnes cultivées et ingénieuses, m'apparut comme un rêve charmant dont je fus désolé de me réveiller en me retrouvant à Londres[54].

Il y retourna en 1769, alors que la publication de ses oeuvres en français lui valait les éloges des journaux savants. Il devint membre associé de l'Académie des Sciences de Paris. Franklin était adulé comme savant. Mais c'était son titre d'imprimeur qui lui inspirait la plus profonde fierté[55].

En Amérique, il avait été le promoteur de l'imprimerie dans les colonies. En 1748, il avait envoyé Thomas Smith ouvrir le premier atelier à Antigua aux Antilles. En 1731, il avait encouragé l'imprimeur Thomas Whitemarsh à s'établir en Caroline du Sud. Mort de la fièvre jaune, Whitemarsh était remplacé par Louis Timothée, un autre protégé de Franklin venu des Pays-Bas. En 1731, Timothée avait été chargé de la direction du premier journal de langue allemande en Amérique, le *Philadelphische Zeitung*. Un frère de Franklin, James, était l'imprimeur du Rhode Island. Tout en étant lui-même l'imprimeur de la Pennsylvanie, il l'était devenu officiellement du Delaware, du New Jersey et du Maryland[56]. Il n'est pas impossible que Franklin ait, dès 1773, songé à la possibilité d'envoyer Mesplet ouvrir une imprimerie à Montréal. L'idée de l'importance du rôle de la province de Québec au sein des colonies d'Amérique du Nord

---

54. VAN DOREN, Carl.- *Benjamin Franklin.*- Paris; Aubier, 1955.- p. 232.
55. *Ibid.*, pp. 264, 265.
   Sa fierté d'imprimeur s'exprime par exemple dans cette épitaphe qu'il composa à sa propre intention:
   The Body of
   Benjamin Franklin, printer,
   (Like the cover of an old Book,
   Its contents worn out,
   And stript of its lettering and gilding)
   Lies here, food for worms!
   Yet the work itself shall not be lost,
   For it will, as he believed, appear once more
   In a new
   And more beautiful edition,
   Corrected and amended
   By its Author.
   Cité dans THOMAS, Isaiah.- *The History of printing in America, with a biography of printers...*, tome II.- Worcester; Thomas, 1810.- p. 45.
56. VAN DOREN, *Franklin*, op. cit., pp. 74 à 78.

n'abandonnera jamais Franklin. Dès la chute de la Nouvelle-France — il était alors à Londres —, il s'était mis à l'oeuvre pour convaincre les autorités et le public de la nécessité de garder le Canada d'une façon permanente. En juin 1760, il publia un opuscule intitulé *L'intérêt de la Grande-Bretagne considéré en relation avec ses colonies et les acquisitions du Canada et de la Guadeloupe*. Franklin voulait que le gouvernement britannique choisît le Canada plutôt que la Guadeloupe, une île des Antilles paraissant dès l'abord plus intéressante aux Anglais. Selon Franklin, le Canada, en tant que partie d'un système continental, avait un avenir que la Guadeloupe ne pouvait envisager. Sa possession assurait la sécurité des colonies anglaises[57]. La brochure de Franklin a certes exercé quelque influence. De toute façon, le traité de Paris de 1763 rendit la Guadeloupe à la France et fit du Canada une colonie britannique. De retour en Amérique, Franklin, à titre de directeur des postes coloniales, se consacrera en 1763 à l'établissement d'une liaison postale entre New York, Montréal et Québec. Il se rendit donc à cet effet dans la nouvelle colonie britannique et fit des séjours à Québec et à Montréal[58]. Dans le même temps, un parent de Franklin, l'imprimeur William Dunlap, envoyait de Philadelphie son neveu William Brown ouvrir la première imprimerie de l'ex-Nouvelle-France. Brown sera également — avec un confrère, Thomas Gilmore — le fondateur du premier journal anglo-français dans cette colonie, la *Gazette de Québec* — *The Quebec Gazette*, lancée le 21 juin 1764[59]. Mais après le déclenchement du mouvement de libération politique des colonies britanniques de l'emprise de la Grande-Bretagne, il paraîtra essentiel d'installer dans la province un nouvel imprimeur capable de répandre les idéaux de liberté et de démocratie. Car on ne pouvait attendre une telle conduite de l'imprimeur Brown, trop inféodé au gouvernement colonial britannique[60].

À Londres, Franklin représentait la plupart des colonies américaines. Au moment de l'arrivée de Mesplet, il était aux

---

57. LAHAISE, Robert et Noël VALLERAND.- *L'Amérique du Nord britannique (1760-1815)*.- Montréal; Centre de psychologie et de pédagogie, 1969.- pp. 14, 15.
58. VAN DOREN, *Franklin*, op. cit., p. 191.
59. FAUTEUX, Aegidius.- «Les débuts de l'imprimerie au Canada».- CD, numéro 16, 1951, pp. 20, 21.- Pour le lien de parenté entre Franklin et Dunlap, voir la lettre de Benjamin Franklin à Deborah Franklin, datée du 10 juin 1756: *Correspondance de Benjamin Franklin* (traduite et annotée par Édouard Laboulaye), tome I.- Paris; Hachette, 1866.- p. 14.
60. AUDET, Frandis-J.- «William Brown (1737-1789), premier imprimeur, journaliste et libraire de Québec: sa vie et ses oeuvres».- MSRC, 1932, pp. 105 à 111.

18

prises avec l'affaire Hutchinson. Rappelons tout d'abord qu'en 1772 une pétition avait été adressée au roi par l'Assemblée du Massachusetts qui se plaignait du fait que le nouveau gouverneur, Thomas Hutchinson, recevait directement son traitement de la Couronne et non de l'Assemblée. À cette occasion, Franklin fit connaître le contenu de lettres écrites en 1767-1769 par Hutchinson, alors lieutenant-gouverneur, et par Andrew Oliver, à l'époque secrétaire de la province du Massachusetts. Ces deux hauts fonctionnaires réclamaient l'emploi de la force armée pour mettre de l'ordre dans la colonie et souhaitaient une diminution des «libertés anglaises»[61]. L'Assemblée exigea le double rappel du gouverneur Hutchinson et de son lieutenant-gouverneur Oliver. Dans la même foulée, en septembre 1773, Franklin fit paraître dans le *Public Advertiser* les «Règles pour réduire un puissant Empire en un petit Royaume». Chaque règle consistait en l'une des mesures que le ministère avait prises pour s'aliéner les colonies américaines. Par exemple, choisir des rapaces pour gouverner et rendre la justice dans les provinces, mépriser les pétitions, refuser les droits constitutionnels, etc. Dans un autre texte, «l'Édit du roi de Prusse», Franklin donna une satire du roi d'Angleterre et de ses prétentions à gouverner arbitrairement l'Amérique[62]. À Boston, Hutchinson était au comble de l'impopularité à cause du dévoilement de sa fameuse correspondance. L'opposition à une taxe symbolique sur le thé devint dans cette ville l'occasion d'une résistance farouche. Trois vaisseaux britanniques étant ancrés dans le port avec leur cargaison de thé, le gouverneur Hutchinson insistait pour qu'ils fussent déchargés. Les citoyens s'y opposaient. Dans la nuit du 16 décembre 1773, plusieurs d'entre eux, dirigés par le journaliste Samuel Adams, se déguisèrent en Indiens, sautèrent dans des canots, grimpèrent à bord, se saisirent des caisses de thé, les éventrèrent et jetèrent à la mer tout leur contenu. Ce fut le Boston Tea Party[63]. Sitôt connue cette nouvelle, Franklin fut accusé, devant le Conseil privé, le 29 janvier, d'avoir obtenu les lettres d'Hutchinson par des moyens frauduleux et par corrup-

61. VAN DOREN, *Franklin*, op. cit., pp. 283 à 288.
62. *Ibid.*, pp. 289 à 291. Les titres originaux des deux articles sont «Rules by Which a Great Empire May Be Reduced to a Small One» et «An Edict by the King of Prussia». Voir les textes intégraux dans la *Correspondance de Franklin*, op. cit., tome I, pp. 331-346.
63. SCHOELL, Franck L.- *Histoire des États-Unis.*- Paris; Payot, 1965.- p. 92.

tion. Le lendemain de cette comparution, il était révoqué de ses fonctions de directeur général des postes en Amérique[64].

Ce fut au plus fort de ces démêlés que Mesplet s'embarqua pour Philadelphie, soit à la fin de 1773 ou au début de 1774[65]. Il n'est pas assuré, mais il est plausible qu'il ait reçu une lettre d'introduction de la part de Franklin. D'autant plus que celui-ci n'était pas avare de tels gestes. C'est ainsi que le 30 septembre 1774 il écrira à son gendre une lettre de recommandation pour

> M. Thomas Paine... qui m'a été chaudement recommandé comme un jeune homme ingénieux et distingué. Je vous prie de lui donner vos meilleurs avis et votre protection, car il est tout à fait étranger là-bas[66].

Il s'agissait du Thomas Paine qui publierait à Philadelphie, le 10 janvier 1776, la brochure *Common Sense*[67]. Cet ouvrage, on le sait, devait achever d'enflammer les esprits en faveur de l'Indépendance. À Londres, avant de s'embarquer lui-même pour Philadelphie, Franklin était à la recherche de personnes susceptibles d'aider la grande cause de la liberté en Amérique. Son intérêt pour la province de Québec n'était pas diminué. Il fallait trouver un imprimeur de langue française aux idées libérales. Franklin avait pu être à même d'apprécier le travail professionnel de Mesplet à Londres.

Celui-ci avait publié un ouvrage de deux cents pages du chevalier Jean de Champigny sur la Louisiane. Cet auteur, célèbre alors, était le fils d'un ancien intendant de la Nouvelle-France, Jacques-Charles Bochard de Champigny[68]. Le livre était dédicacé à lord Romney, président de la Société des arts et surtout

---

64. ALDRIDGE, *Franklin*, op. cit., pp. 234, 237.
65. Les points de repère sont l'impression du livre de Champigny et de la première Lettre adressée par le Congrès américain aux habitants de la province de Québec.
66. VAN DOREN, *Franklin*, op. cit., p. 308.
67. PAINE, Thomas.- *The Complete Writings of Thomas Paine*, tome I.- New York; The Citadel Press, 1945.- pp. 3 à 46 *(Common Sense)*.
68. MICHAUD.- *Biographie universelle ancienne et moderne*, tome VII.- Paris; Thoisnier-Desplaces, 1844.- p. 459. Quand Mesplet imprima sa *Louisiane ensanglantée*, le chevalier de Champigny était déjà un auteur connu. C'était après une carrière militaire qu'il s'était tourné vers la littérature. Il traduisit en français des oeuvres allemandes et anglaises. Son premier ouvrage personnel, *Réflexions sur le gouvernement des femmes*, avait été publié à Londres en 1770. C'était l'éloge de toutes les femmes qui avaient occupé un trône depuis Sémiramis jusqu'à Catherine II. Champigny devait aussi faire paraître à Saint-Petersbourg, en 1774-75, une suite du célèbre roman sur Clarisse Harlowe, les *Lettres anglaises*. Après le départ de Mesplet, il continua à produire, principalement des ouvrages d'histoire, mais il les fit imprimer à Amsterdam et à La Haye.

président du «Comité pour le soulagement des pauvres prisonniers renfermés pour dettes», fonction où l'on reconnaît l'empreinte d'une grande humanité. Champigny présente à l'examen de Romney la conduite des généreux Louisianais «que les ministres de Louis XV ont indignement abandonnés au cruel Espagnol». Selon Champigny, dans sa dédicace,

> ayant perdu tout espoir de redevenir Français, les Louisianais ne soupirent aujourd'hui qu'après le bonheur d'être Anglais[69].

Dans l'ensemble de son livre, Champigny trace l'histoire de la Louisiane, des origines à la cession aux Espagnols en 1762. C'est à la suite de cet abandon que l'opposition anti-espagnole des colons se dessine. La fourberie des nouveaux maîtres conduit à l'emprisonnement et à l'exécution des chefs louisianais. Dans sa conclusion, l'auteur exprime le souhait «que le cri de l'innocence opprimée réveille le bras engourdi de la Justice». Champigny, qui vivait à Londres, s'était lié d'amitié avec Mesplet qu'il appelait «son imprimeur» dans un avertissement glissé à la fin de l'ouvrage sur la Louisiane, où l'écrivain annonçait la publication, pour Pâques 1774, des deux premiers volumes de son *Histoire d'Angleterre*. Il faisait appel à des souscripteurs qui pouvaient s'adresser à lui ou à l'imprimeur Mesplet «avec lequel il a pris les arrangements nécessaires pour l'impression de ce grand ouvrage»[70]. Dans son livre sur la Louisiane, Champigny se présente comme un auteur rempli d'humanité et ennemi du despotisme. Il commence ainsi sa dédicace:

> C'est aujourd'hui pour le bien et la consolation de l'humanité que j'écris... C'est la voix de la vérité que je fais entendre; c'est la vertu la plus pure que je veux mettre dans son jour...

L'ouvrage se termine par cette prière à l'Éternel:

> Ô! Puissance céleste! porte la lumière de la vérité dans le coeur de ceux qui sont faits pour la protéger. Dévoile à leurs yeux l'iniquité, démasque l'imposture; fais-la trembler jusque sur les marches du trône où elle cherche à fuir tes coups vengeurs, et que dans les transports dont je serai pénétré, à la vue des puissants effets de ta justice, je puisse m'écrier: «Il est donc sur la

---

69. *La Louisiane ensanglantée*. Avec toutes les particularités de cette horrible catastrophe. Rédigées sur le serment de témoins dignes de foi. Par le colonel chevalier de Champigny.- Londres; Fleury Mesplet, 1773.- 199 p.
70. Champigny publiera effectivement les tomes I et II de la *Nouvelle Histoire d'Angleterre, depuis l'origine la plus reculée de ce royaume jusqu'à l'année 1780*, en 1777. (*Biographie universelle*, op. cit., p. 459.)

terre un asile pour la vertu, un appui pour l'innocence, et il n'est pas de réduit qui puisse cacher les crimes et les forfaits»[71].

En voguant durant l'hiver 1773-1774 vers Philadelphie, cette merveilleuse «ville des frères» comme la nomme Voltaire dans l'*Essai sur les moeurs et l'esprit des nations*[72], Mesplet croyait peut-être gagner un tel asile. Champigny n'avait-il pas remarqué en note dans son livre sur la Louisiane[73] que la Pennsylvanie, comme le Maryland et les Caroline, ne devait sa splendeur qu'à la liberté?

---

71. *La Louisiane ensanglantée*, op. cit., p. 123. Le livre contient en appendice le texte intégral (32 pages) du mémoire des habitants et négociants de la Louisiane sur l'événement du 29 octobre 1768, à savoir l'exécution des patriotes louisianais. En préambule, Champigny se dit l'éditeur d'un manuscrit que lui aurait remis un officier anglais, témoin des cruautés exercées en Louisiane par les Espagnols sur les colons français. La première édition, imprimée par Mesplet, devait être reprise en 1776, à La Haye, avec le titre *L'état présent de la Louisiane*. Voir au sujet de ce dernier point *Biographie universelle*, op. cit., p. 459.

72. M. XII, 420.

73. *La Lousiane ensanglantée*, op. cit., p.IX, note 9.

Chapitre 3

L'imprimeur du Congrès I: la Lettre aux habitants de la province de Québec

Dès son arrivée à Philadelphie, Mesplet remplit les fonctions d'imprimeur de langue française du Congrès. De ses presses sortirent toutes les Lettres adressées aux Canadiens pour les inciter à rejoindre le mouvement de libération des colonies américaines. À la recommandation de Franklin, Mesplet deviendra l'imprimeur officiel du Congrès à Montréal, où il se rendra en compagnie d'une prestigieuse délégation en 1776. Amplement répandues et expliquées dans toute la province, les Lettres de Philadelphie réussirent à éveiller au sein de la population un écho très favorable. L'habitant accueillit chaleureusement les milices américaines qui, avec la collaboration de miliciens canadiens, étaient déterminées à chasser le pouvoir britannique. La noblesse et le clergé s'opposeront à cette intervention. Seule la capitale, Québec, où se sera retranché le gouverneur général Guy Carleton, résistera encore. Il semblera alors que tout le continent nord américain et britannique, sans exception, se détachera de la Grande-Bretagne. La province de Québec paraît devoir figurer sur la carte des libertés qui se dessine.

À Philadelphie, Mesplet établit tout d'abord des rapports avec deux personnes en relation avec Franklin: Anthony Bénézet et Henry Miller. Il s'adressa au premier pour son logement et au second pour son atelier d'imprimerie. Franklin était en correspondance avec Bénézet qui, en 1772, avait publié un *Précis historique sur la Guyane, avec des recherches sur l'origine et les progrès du commerce des esclaves, sur sa nature et ses effets déplorables.* Dans une lettre du 22 août 1772, Franklin encourageait Bénézet à poursuivre son combat en faveur de l'abolition de l'esclavage des Noirs. Dès 1767, ce philanthrope avait lancé un appel à la Grande-Bretagne et à ses colonies en leur représentant l'état misérable des esclaves dans les possessions britanniques. À Philadelphie, Bénézet se consacrait plus particulièrement à l'instruction publique des Noirs. Né à Saint-Quentin en 1712, il avait fait fortune dans le commerce avant de se dévouer à son oeuvre humanitaire[74]. Pour sa part, l'imprimeur Henry Miller était un ancien employé de Franklin, que celui-ci avait même gratifié d'une position au service des postes[75]. Cet Allemand, né en 1702, avait fait un va-et-vient entre l'Europe et l'Amérique, avant d'ouvrir sa propre imprimerie à Philadelphie où, en 1762, il avait lancé un journal en langue germanique. Mesplet conclut une entente avec Miller pour partager avec lui son atelier, situé dans Race Street, près de Moravian Alley[76]. Une telle collaboration n'était pas nouvelle pour Miller: dans l'imprimerie de Franklin, en 1741, il avait travaillé de concert avec typographes et imprimeurs de langues différentes. Bénézet loua donc un logement à Mesplet et celui-ci mit son imprimerie au service des habitants de langue française, tandis que Miller s'occupait de ceux de langue allemande. Les Français étaient nombreux. Depuis la révocation de l'Édit de Nantes en 1685, des milliers de protestants français, huguenots et calvinistes, avaient trouvé refuge dans les colonies britanniques. Parmi les membres du Congrès qui étaient d'origine française, Henry Laurens serait élu président en 1777 et Elias Boudinot en 1782; John Jay deviendrait secrétaire pour les Affaires étrangères et John Laurens secrétaire de Washington[77].

---

74. Brissot a écrit deux pages chaleureuses sur Bénézet (Voir WARVILLE, Jacques-Pierre Brissot de.- *On America: New Travels in the United States of America performed in 1788.*- New York; Kelley, 1970.- pp. 264-265). Datée du 22 août 1772, la lettre de Franklin à Bénézet appuie non seulement son action, mais souhaite l'abolition de l'esclavage dans toutes les possessions britanniques (Voir *Correspondance de Franklin*, op. cit., tome I, pp. 291, 292).
75. FAY, *Franklin*, op. cit., tome I, pp. 244, 284.
76. *The History of printing in America*, op. cit., tome II, pp. 59 à 61.
77. CASANOVA, Jacques-Donat.- *Une Amérique française.*- Paris-Québec; Documentation française — Éditeur officiel du Québec, 1975.- pp. 73 à 75.

Philadelphie était la ville la plus importante des colonies britanniques, précédant New York et Boston[78]. Elle était en fait la capitale qu'elle devint officiellement en 1790. C'est à Philadelphie que seront signées la Déclaration d'Indépendance des États-Unis d'Amérique et la constitution du pays. Mais n'anticipons pas. À la suite du Boston Tea Party, le Parlement de Westminster, depuis le mois de juin 1774, avait fermé le port de Boston par mesure de représailles. Le 5 septembre suivant, c'était l'ouverture du premier Congrès général de l'Amérique septentrionale à Philadelphie: douze colonies étaient représentées par cinquante-cinq délégués[79]. Dans une déclaration, formulée le 14 octobre 1774, le Congrès affirmait que

> les habitants des colonies anglaises d'Amérique du Nord disposent, en vertu des lois immuables de la nature, des principes de la Constitution anglaise et de leurs chartes, du droit à la vie, à la liberté, à la propriété. Ils n'ont cédé à aucun souverain le droit d'en disposer sans leur consentement[80].

Le Congrès fit ensuite appel aux services de Fleury Mesplet. Il s'agissait d'imprimer une *Lettre adressée aux habitants de la province de Québec, ci-devant le Canada*, pour les inciter à s'unir aux colonies désireuses de secouer le joug de la Grande-Bretagne. Approuvé le 26 octobre, le texte avait été rédigé par le Virginien Richard Henry Lee[81] qui, au mois de juin 1776, fera adopter une

---

78. CASALIS, Didier et autres.- *Histoire des États-Unis.*- Paris; Larousse, 1976.- p. 11. D'après le recensement de 1790, Philadelphie comptait 42 000 habitants. Venaient ensuite New York et Boston avec une population respective de 33 000 et 18 000 habitants.
79. *Journals of the Continental Congress*, vol. 1 (1774).- Washington; Government Printing Office, 1904.- pp. 13, 14.
80. *Ibid.*, p. 67:
    ...the inhabitants of the English Colonies in North America, by the immutable laws of nature, the principles of the English constitution, and the several charters or compacts, have the following Rights:
    Resolved, N.C.D. 1. That they are entitled to life, liberty and property, and they have never ceded to any sovereign power whatever, a right to dispose of either without their consent...
81. *Ibid.*, p. 113:
    Resolved that the Address of the Congress to the people of Canada — Quebec — be signed by the President and that the delegates of the province of Pensylvania superintend the translating, printing, publishing and dispersing them; and it is recommended by the Congress to the delegates of Newhampshire, Massachusetts bay and New York to assist in and forward the dispersion of the said address. [26 octobre 1774]
    Ibid., p. 101:
    Resolved, That an Address be prepared to the people of Quebec (1), and letters to the colonies of St. John's, Nova Scotia, Georgia, East and West Florida, who have not deputies to represent them in this Congress.

résolution affirmant la liberté et l'indépendance des États-Unis. Cette résolution précèdera la grande Déclaration d'Indépendance[82]. Signée par Henry Middleton qui présidait le Congrès, la Lettre aux habitants du Québec fut traduite par Pierre-Eugène du Simitière et tirée à deux mille exemplaires, dont trois cents furent expédiés à Boston et les autres distribués dans la province francophone[83].

> Lorsqu'après une résistance courageuse et glorieuse le sort des armes vous eut incorporés au nombre des sujets anglais, rappelait le porte-parole du Congrès aux habitants du Québec, nous nous réjouîmes autant pour vous que pour nous d'un accroissement si véritablement précieux; et comme la bravoure et la grandeur d'âme sont jointes naturellement, nous nous attendions que nos courageux ennemis deviendraient nos amis sincères...

Malgré le changement d'allégeance, dit le rédacteur, les nouveaux sujets n'ont pu profiter des «avantages sans prix de la libre institution du gouvernement anglais» en raison de l'audace et de la méchanceté de certains ministres désireux de les maintenir dans la plus totale servitude. Citant Beccaria, l'auteur de la Lettre soutenait que

> Dans toute société humaine... il y a une force qui tend continuellement à conférer à une partie le haut du pouvoir et du bonheur, et à réduire l'autre au dernier degré de faiblesse et de misère. L'intention des bonnes lois est de s'opposer à cette force, et de répandre leur influence également et universellement[84].

Ordered, That Mr Thomas Cushing, Mr Richard Henry Lee, and Mr John Dickinson, be a committee to prepare the above address and letters. [Le 21 octobre 1774]
(1) On the evening of October 4, General Lee went to John Adams with an address from the Congress to the people of Canada. *Adams' Writings*, 11, 392.

82. *Journals of the Congress*, op. cit., vol. V (1776), p. 425:
Resolved, That these United Colonies are, and of right ought to be, free and independent States, that they are absolved from all allegiance to the British Crown, and that all political connection between them and the State of Great Britain is, and ought to be, totally dissolved. [Le 7 juin 1776]

83. *Journals of the Congress*, op. cit., vol. 1 (1774), p. 122:
The Address to the people of Quebec being translated by Mr Simiteir (1), 2 000 copies were struck off, of which 300 were sent to Boston by Captn Wier 16th Nov. [Le 26 octobre 1774]
(1) Pierre-Eugène du Simitière.

84. BECCARIA.- *Des délits et des peines*.- Paris; Flammarion, 1979.- p. 45:
Les avantages de la société doivent être également partagés entre tous ses membres.
Cependant, parmi les hommes réunis, on remarque une tendance continuelle à rassembler sur le plus petit nombre les privilèges, la puissance et le bonheur, pour ne laisser à la multitude que misère et faiblesse.
Ce n'est que par de bonnes lois qu'on peut arrêter ces efforts.

Le bonheur est destiné au plus grand nombre. Le porte-parole du Congrès énumère les droits essentiels pour parvenir à l'établir dans une collectivité:

> ...le premier et le principal droit est que le peuple a part dans son gouvernement par ses représentants choisis par lui-même, et est par conséquent gouverné par des lois de son approbation, et non par les édits de ceux sur lesquels il n'a aucun pouvoir.

Les autres droits essentiels: celui d'avoir un procès avec jury, celui de la liberté personnelle, celui de posséder des terres «en vertu de légères rentes foncières, et non par des corvées rigoureuses et opprimantes» et enfin celui de jouir d'une presse libre. Cette dernière liberté,

> outre les progrès de la vérité, de la morale et des arts en général, consiste aux citoyens à se communiquer promptement leurs idées, et conséquemment contribue à l'avancement d'une union entre eux, par laquelle des supérieurs tyranniques sont induits, par des motifs de honte ou de crainte, à se comporter plus honorablement et par des voies plus équitables dans l'administration des affaires.
>
> Ce sont là ces droits inestimables qui forment une partie considérable du système modéré de notre gouvernement, laquelle en répandant sa force équitable sur tous les différents rangs et classes des citoyens, défend le pauvre du riche, le faible du puissant, l'industrieux de l'avide, le paisible du violent, les vassaux des seigneurs, et tous de leurs supérieurs.
>
> Ce sont là ces droits sans lesquels une nation ne peut être libre et heureuse, et c'est sous la protection et l'encouragement que procure leur influence que ces colonies ont jusqu'à présent fleuri et augmenté si étonnamment. Ce sont ces mêmes droits qu'un ministère abandonné[85] tâche actuellement de nous ravir à main armée, et que nous sommes tous d'un commun accord résolus de ne perdre qu'avec la vie. Tels sont enfin ces droits qui vous appartiennent, et que vous devriez dans ce moment exercer dans toute leur étendue.

Le Congrès soutenait que l'Acte de Québec — nouvellement accordé comme pseudo-constitution — maintenait les habitants sous la coupe d'un gouvernement arbitraire, car «c'est du

---

85. Il s'agit du cabinet de lord North, qui avait décidé de rétablir «l'ordre» dans les colonies en rébellion. Voir WATSON, J. Steven.- *The Reign of George III (1760-1815)*.- Oxford; Clarendon Press, 1960.- pp. 199 à 205.

gouverneur et du conseil que doivent émaner vos lois» sans aucune consultation. Les Canadiens étaient

> hors d'état de participer à d'autres affaires publiques qu'à celles de rassembler des pierres dans un endroit pour les entasser dans un autre.

Allusion ici aux corvées honnies. À titre d'encouragement, le rédacteur citait ensuite Montesquieu:

> Dans un État libre, tout homme qui est censé avoir une âme libre, doit être gouverné par lui-même, il faudrait que le peuple en corps eût la puissance législative; mais comme cela est impossible dans les grands États, et est sujet à beaucoup d'inconvénients dans les petits, il faut que le peuple fasse, par ses représentants, tout ce qu'il ne peut faire par lui-même[86].- La liberté politique dans un citoyen est cette tranquillité d'esprit qui provient de l'opinion que chacun a de sa sûreté; et pour qu'on ait cette liberté, il faut que le gouvernement soit tel qu'un citoyen ne puisse pas craindre un autre citoyen. Lorsque dans la même personne ou dans le même corps de magistrature, la puissance législative est réunie à la puissance exécutrice, il n'y a pas de liberté; parce qu'on peut craindre que le même monarque ou le même sénat ne fassent des lois tyranniques pour les exécuter tyranniquement[87].
>
> La puissance de juger ne doit pas être donnée à un sénat permanent, mais exercée par des personnes tirées du peuple dans certains temps de l'année, de la manière prescrite par la loi, pour former un tribunal qui ne dure qu'autant que la nécessité le requiert[88].
>
> Les militaires sont d'une profession qui peut être utile, mais devient souvent dangereuse[89].- La jouissance de la liberté consiste en ce qu'il soit permis à chacun de déclarer sa pensée et de découvrir ses sentiments[90].

Fort de telles maximes, l'auteur de la Lettre imaginait l'appel suivant de Montesquieu à l'endroit des Canadiens:

> Saisissez l'occasion que la Providence elle-même vous offre. Votre conquête vous a acquis la liberté si vous vous comportez comme vous devez. Cet événement est son ouvrage. Vous n'êtes qu'un très petit nombre en comparaison de ceux qui vous invitent à bras

---

86. MONTESQUIEU.- *De l'esprit des lois*, tome I.- Paris; Garnier-Flammarion, 1979.- p. 297. (Liv. XI, chap. VI).
87. *Ibid.*, p. 294.
88. *Ibid.*, pp. 295, 296.
89. *Ibid.*, p. 480 (Liv. IX, chap. XXVII).
90. *Ibid.*, p. 479 (Liv. IX, chap. XXVII).

ouverts de vous joindre à eux. Un instant de réflexion doit vous convaincre qu'il convient mieux à vos intérêts et à votre bonheur de vous procurer l'amitié constante des peuples de l'Amérique septentrionale, que de les rendre vos implacables ennemis. Les outrages que souffre la ville de Boston ont alarmé et uni ensemble toutes les colonies, depuis la Nouvelle-Écosse jusqu'à la Georgie. Votre province est le seul anneau qui manque pour compléter la chaîne forte et éclatante de leur union. Votre pays est naturellement joint au leur, joignez-vous aussi dans vos intérêts politiques. Leur propre bien-être ne permettra jamais qu'ils vous abandonnent ou qu'ils vous trahissent; soyez persuadés que le bonheur d'un peuple dépend absolument de sa liberté et de son courage pour la maintenir. La valeur et l'étendue des avantages que l'on vous offre est immense; daigne le Ciel ne pas permettre que vous ne reconnaissiez ces avantages pour le plus grand des biens que vous pourriez posséder, qu'après qu'ils vous auront abandonnés à jamais.

Le Congrès dit ne pas croire que l'union serait impossible en raison des «préjugés que la diversité de religion pourrait faire naître». Le rédacteur donnait, à titre d'exemple, les

Cantons suisses, lesquels, quoique composés d'États catholiques et protestants, ne laissent pas cependant de vivre ensemble en paix et en bonne intelligence, ce qui les a mis en état, depuis qu'ils se sont vaillamment acquis leur liberté, de braver et de repousser tous les tyrans qui ont osé les envahir.

La Lettre engageait les Canadiens à ne pas faire «un sacrifice de la liberté et du bonheur de tous» en faveur de quelques privilégiés. Le Congrès leur proposait

un pacte social, fondé sur le principe libéral d'une liberté égale, et entretenu par une suite de bons offices réciproques, qui puissent le rendre perpétuel.

La première démarche dans cette voie serait la formation d'un congrès provincial formé d'élus, qui pourrait envoyer des représentants du Québec au Congrès général du continent qui ouvrira ses séances à Philadelphie, le 10 mai 1775[91].

Cette première Lettre aux Canadiens est empreinte de l'esprit des Lumières. Deux Philosophes sont même cités, Montes-

---

91. La traduction française de la Lettre se trouve dans SANGUINET, Simon.- «Le témoin oculaire de la guerre des Bastonnais en Canada», dans VERREAU, A.- *Invasion du Canada:* collection de mémoires recueillis et annotés.- Montréal; Sénécal, 1873.- pp. 4 à 18. Le texte original anglais est dans *Journals of the Congress,* op. cit., vol. 1 (1774), pp. 105 à 113.

quieu et Beccaria. Mais on retrouve aussi dans la Lettre la pensée de Locke qui soutenait en 1690, dans son ouvrage sur le *Gouvernement civil*, que le but d'un gouvernement ne peut être que le bien des hommes et que le pouvoir politique ne peut s'établir que par l'agrément volontaire des sujets[92]. De plus, notons que les droits, dont il est fait mention dans la Lettre, sont ceux dont Voltaire n'a cessé de faire la promotion et qu'il admirait dans la constitution anglaise[93]. La clef de voûte de ces droits, d'après le Patriarche, c'est la liberté d'expression: «Soutenons la liberté de la presse, écrit-il en 1765 dans ses *Questions sur les miracles*, c'est la base de toutes les autres libertés». Et il s'écrie: «Vivons libres, soutenons nos droits...»[94]. Ces propos pourraient presque servir à résumer l'appel du Congrès aux Canadiens. La Lettre dénonçait le despotisme du gouvernement colonial de Québec où la majorité n'avait aucun mot à dire dans la législation; l'état servile dans lequel vivaient les Canadiens, esclaves de privilégiés; l'entrave mise à la liberté de pensée, si chère à Voltaire et à tous les Philosophes. Le Congrès proposait «un pacte social» fondé sur la liberté et l'égalité politique, de même que sur une fraternité non amoindrie par les différences religieuses, mais renforcée par une union vitale contre la tyrannie — combien de fois dénoncée par d'Holbach et nombre d'autres Philosophes[95]!

---

92. LOCKE, John.- *Of Civil Government: Two Treatises*.- Londres; Dent, 1924:
    ...For all the power the government has, being only for the good of the society, as it ought not to be arbitrary and at pleasure, so it ought to be exercised by established and promulgated laws, that both the people may know their duty, and be safe and secure within the limits of the law, and the rulers, too, kept within their due bounds, and not be tempted by the power they have in their hands to employ it to purposes, and by such measures as they would not have known, and own not willingly (p. 187).
    ...The people alone can appoint the form of the commonwealth, which is by constituting the legislative, and appointing in whose hands that shall be (p. 189).
93. Voir, par exemple, M. XXVII, 382:
    — N'admettons-nous pas encore quelque loi fondamentale?
    — La liberté les comprend toutes. Que l'agriculteur ne soit pas vexé par un tyran subalterne; qu'on ne puisse emprisonner un citoyen sans lui faire incontinent son procès devant ses juges naturels, qui décident entre lui et son persécuteur; qu'on ne prenne à personne son pré et sa vigne sous prétexte du bien public, sans le dédommager amplement; que les prêtres enseignent la morale et ne la corrompent pas; qu'ils édifient les peuples au lieu de vouloir dominer sur eux en s'engraissant de leur substance; que la loi règne et non le caprice. [L'ABC, 1768]
94. M. XXV, 419, 420.
95. Voltaire écrivait dans l'ABC (M. XXVII, 388), en 1768:
    L'homme est né libre: le meilleur gouvernement est celui qui conserve le plus qu'il est possible à chaque mortel ce don de la nature.

Le message fut apporté à Montréal par Thomas Walker, un marchand montréalais qui avait pris sur lui de représenter le Québec à Philadelphie[96]. Juge de paix, il avait lui-même souffert du despotisme des militaires britanniques: un capitaine lui avait tranché une oreille dans son domicile au cours d'une razzia qu'y avaient effectuée des soldats, en 1764[97]. Anciennement de Boston, Walker avait présenté au gouverneur général Guy Carleton, en 1767, une pétition de marchands de la colonie réclamant une assemblée élective à Québec[98]. Un autre négociant très influent en raison de l'étendue de son commerce, François Cazeau[99], d'origine française, s'occupa de faire répandre, en moins de quinze jours, la Lettre dans toute la province. Sous prétexte de vendre du blé, plusieurs marchands parcouraient les campagnes en vue d'expliquer le message du Congrès[100].

Il nous faut maintenant insister sur la partie de la Lettre où le Congrès dénonce l'Acte de Québec, qui était en vigueur dans la province depuis le 1er mai 1774. Avant de donner le point de vue américain, précisons que tout en confirmant l'établissement du droit criminel anglais, l'Acte de Québec suspendait l'application du système parlementaire, le droit civil et commercial anglais, le procès devant jury et l'habeas corpus. C'était en fait l'élimination de ce qui caractérisait la libre Angleterre. La Constitution britannique n'était-elle pas faite pour protéger l'individu et ses biens contre la tyrannie royale[101]? Laissons la parole au rédacteur de la Lettre du Congrès aux Canadiens:

La perfidie a été employée avec tant d'artifices dans le code des lois que l'on vous a récemment offert que, quoique le commen-

Et d'Holbach ajoutait en 1773 dans sa *Politique naturelle ou Discours sur les vrais principes du gouvernement* (tome II, New York, Verlag, 1971, p. 101):
Pour sentir le prix de la liberté, il faut avoir l'âme élevée; pour l'acquérir, il faut du courage; pour la défendre, il faut savoir tout lui sacrifier.

96. MORIN, Victor.- «L'échauffourée américaine de 1775-1776 au Canada».- MSRC, 3e série, section 1, tome XLIV, 1950.- p. 37.
97. GARNEAU, François-Xavier.- *Histoire du Canada*, tome II.- Montréal; Beauchemin et Valois, 1882.- pp. 341, 342.
98. LANCTOT, Gustave.- *Le Canada et le Révolution américaine*.- Montréal; Beauchemin, 1963.- p. 24.
99. Benjamin SULTE fait état de lettres de François Cazeau dans un article du BRH, vol. XXII, d'avril 1916 (pp. 105 à 120). Né à Angoulême en 1734 et marié à Montréal à Marguerite Vallée, le 14 mai 1759, il devait retourner en France en 1787.
100. *Invasion du Canada*, op. cit., (Témoin oculaire), pp. 19, 20.
101. BAUDOUIN, Jean-Louis et Yvon RENAUD.- *La constitution canadienne — The Canadian Constitution*.- Montréal; Guérin, 1977.- pp. 15 à 21 (texte de l'Acte de Québec).

cement de chaque paragraphe paraisse être plein de bienveillance, il se termine cependant d'une manière destructive; et lorsque tout est dépouillé des expressions flatteuses qui le décorent, il ne contient autre chose, sinon que la Couronne et ses ministres seront aussi absolus dans toute l'étendue de votre vaste province, que le sont actuellement les despotes de l'Asie et de l'Afrique. Qui protégera vos biens contre les édits d'impôts et contre les rapines des supérieurs durs et nécessiteux? Qui défendra vos personnes de lettres de cachet, de prisons, de cachots et de corvées fatigantes, votre liberté et votre vie contre des chefs arbitraires et insensibles? Vous ne pouvez, en jetant vos yeux de tous côtés, apercevoir une seule circonstance qui puisse vous promettre, d'aucune façon, le moindre espoir de liberté pour vous et votre postérité, si vous n'adoptez entièrement le projet d'entrer en union avec nos colonies[102].

Par l'Acte de Québec, le seigneur se voyait confirmer tous ses droits du temps de la Nouvelle-France. Le censitaire — son fermier — devait lui payer un loyer annuel; il devait faire moudre son grain au moulin du maître qui en retenait la quatorzième partie; il était sujet à la corvée des chemins de la seigneurie. D'autre part, le seigneur recevait la douzième partie du prix de vente d'une terre dans sa seigneurie; il avait le droit de faire couper du bois et de faire transporter des pierres des champs pour fin de construction et cela sans dédommagement; il pouvait réquisitionner un emplacement n'importe où pour la construction d'un moulin; il recevait une dîme sur tout le poisson pris dans les eaux de sa seigneurie, et sur le gibier abattu dans son domaine; il pouvait aussi requérir la corvée de travaux forcés tant de jours par année pour les semences et les récoltes[103]. Comme les plus riches seigneuries appartenaient à l'Église, et que l'Acte de Québec obligeait à payer les dîmes au clergé, le pouvoir clérical sortait renforcé de cette législation. C'est pourquoi dans la *Gazette de Québec* du 22 septembre 1774, l'évêque et ses prêtres présentaient l'Acte de Québec comme la nouvelle charte des Canadiens, apte à rallier la fidélité de tous. On remerciait avec effusion le gouverneur général Carleton d'avoir travaillé à l'obtention du document:

L'histoire placera votre nom parmi les braves guerriers et les sages politiques, mais pour notre reconnaissance, elle l'a déjà gravée dans les coeurs canadiens[104].

---

102. *Invasion du Canada*, op. cit., (Témoin oculaire), pp. 13, 14.
103. TRUDEL, Marcel.- *Le régime seigneurial*.- Ottawa; Société historique du Canada, 1967.- pp. 9 à 15.
104. GQ, 22 septembre 1774, 3e page, col. 2, numéro 506.

Comme il l'avait déjà dit aux Canadiens, le Congrès considérait l'Acte de Québec comme intolérable pour des hommes épris de liberté, d'autant plus que les colonies alors en révolte, possédaient chacune une chambre d'assemblée; partout c'était le principe du self-government qui l'emportait[105]. Le Québec était la seule colonie britannique d'Amérique du Nord à vivre sous un régime «féodal» où la religion romaine était tissée dans le système. C'était contre le renforcement du pouvoir clérical dans ce système que protestait le Congrès dans une lettre adressée à la Chambre des Communes, le 21 octobre 1774:

> Nous ne saurions taire notre étonnement de ce qu'un parlement britannique ait pu consentir à établir dans ce pays une religion qui a inondé votre île de sang et a disséminé l'impiété, le fanatisme, la persécution, le meurtre et la rébellion dans toutes les parties du monde[106].

Cette opinion était alors reçue chez tous les Philosophes des Lumières et leur public. Ainsi, Voltaire écrivait en 1765, dans le *Dictionnaire philosophique* à l'article Martyrs:

> ...Voulez-vous de bonnes barbaries bien avérées, de bons massacres bien constatés, des ruisseaux de sang qui aient coulé en effet, des pères, des mères, des maris, des femmes, des enfants à la mamelle réellement égorgés et entassés les uns sur les autres, monstres persécuteurs ne cherchez ces vérités que dans vos annales; vous les trouverez dans les croisades contre les Albigeois, dans les massacres de Mérindol et de Cabrières, dans l'épouvantable journée de la Saint-Barthélemy, dans les massacres de l'Irlande, dans les vallées des Vaudois. Il vous sied bien, barbares

---

105. BERENGER, J. et autres.- *Pionniers et colons en Amérique du Nord.-* Paris; Colin, 1974.- pp. 317, 318.
106. *Journals of the Congress*, op. cit., vol. 1 (1774), pp. 82 à 90 (5 septembre 1774). L'allusion au fanatisme de l'Église romaine est contenue dans le 25e des 35 paragraphes du texte, p. 88:
    > ...we cannot help deploring the unhappy condition to which it has reduced the many English settlers, who, encouraged by the Royal Proclamation, promising the enjoyment of all their rights, have purchased estates in that country.- They are now the subjects of an arbitrary government, deprived of trial by jury, and when imprisoned cannot claim the benefit of the habeas corpus Act, that great bulwark and palladium of English liberty:- Nor can we suppress our astonishment, that a British Parliament should ever consent to establish in that country a religion that has deluged your island in blood, and dispersed impiety, bigotry, persecution, murder and rebellion through every part of the world.

    Voir GQ, 13 juillet 1775, 3e page, col. 2, numéro 548 où les cinq dernières lignes de ce paragraphe sont blâmées, en français seulement. Le même texte est repris, encore uniquement en français, dans GQ, 20 juillet 1775, 3e page, col. 2, numéro 549.

que vous êtes, d'imputer au meilleur des empereurs des cruautés extravagantes, vous qui avez inondé l'Europe de sang, et qui l'avez couverte de corps expirants, pour prouver que le même corps peut être en mille endroits à la fois, et que le pape peut vendre des indulgences[107].

Dans le *Christianisme dévoilé*, d'Holbach soutenait en 1766 qu'une telle religion

ne cessa jamais de causer les plus grands maux aux nations, et qu'au lieu du bonheur qu'elle leur avait promis, elle ne servit qu'à les enivrer de fureurs, qu'à les inonder de sang, qu'à les plonger dans le délire et dans le crime, qu'à leur faire méconnaître leurs véritables intérêts et leurs devoirs les plus saints[108].

Aux yeux des premiers gouverneurs britanniques de la province de Québec, le régime seigneurial et le droit coutumier devaient servir à maintenir les habitants dans l'obéissance.

Ce système de lois, écrivait le gouverneur général Carleton à William Petty, lord Shelburne, secrétaire des Colonies, le 24 décembre 1767, maintenait dans la colonie la subordination entre les diverses classes sociales, à partir du rang le plus élevé jusqu'au plus humble; cet esprit de subordination a maintenu au milieu d'eux l'harmonie dont ils ont joui jusqu'à notre arrivée, et conservé au gouvernement souverain l'obéissance d'une province très éloignée[109].

Carleton assurait, le 20 janvier 1768, que

les Canadiens qui appartiennent à la classe élevée ne craignent rien tant que les assemblées populaires, qu'ils ne croient bonnes qu'à rendre le peuple insoumis et insolent. Leur ayant demandé leur opinion à ce sujet, dit-il, ils répondirent qu'ils avaient été informés que quelques-unes de nos colonies avaient encouru le déplaisir du roi par suite des désordres auxquels leurs assemblées ont donné lieu et qu'ils se considéreraient bien éprouvés si un tel malheur devait leur arriver[110].

De retour d'un séjour de quatre années en Angleterre, Carleton était convaincu de pouvoir maintenir la colonie dans la fidélité

---

107. M. XX, 48.
108. HOLBACH, d'.- *Premières oeuvres.*- Paris; Éditions sociales, 1972.- p. 105 (Extrait du *Christianisme dévoilé*).
109. Lettre de Carleton à Shelburne, le 24 décembre 1767: DOUGHTY, Arthur et Adam SHORTT.- *Documents concernant l'histoire constitutionnelle du Canada.*- Ottawa; Imprimeur du roi, 1911.- p. 176.
110. Lettre de Carleton à Shelburne, le 20 janvier 1768: *Documents constitutionnels*, op. cit., p. 181.

envers le roi George. Les textes anglais et français de l'Acte de Québec étaient publiés le 8 décembre 1774 dans la *Gazette de Québec*[111]. Une lettre enthousiaste, signée le Canadien patriote, parut dans le numéro du 27 juillet 1775. L'auteur soutenait qu'avec cette charte, les Canadiens n'avaient aucun intérêt à contracter alliance avec les «Bostonnais», car ceux-ci ne voulaient que s'emparer de leurs biens et détruire leur religion[112]. Des copies de l'article furent ensuite calligraphiées par les élèves du Séminaire de Québec, puis distribuées dans les paroisses par le soin des curés[113]. Par ailleurs, dès l'annonce au mois de juin de la fermeture du port de Boston, des négociants de Québec et de Montréal avaient manifesté leur sympathie envers les victimes. Le 6 septembre 1774, les premiers avaient expédié mille boisseaux de blé à la ville de Boston. De Montréal, à la suite d'une souscription publique, on enverrait une somme de cent livres, au mois de février 1775[114].

Mais ce fut la première Lettre du Congrès, imprimée par Mesplet, qui suscita un éveil au sein de la population. Le *Journal de Baby*[115] — qui est le rapport d'une enquête officielle sur le loyalisme des paysans canadiens faite au lendemain du départ des milices américaines — est sans équivoque. Convaincus par les arguments écrits et verbaux du Congrès, les habitants n'ont pas été neutres, mais ils se sont employés à aider leurs «libérateurs» par tous les moyens possibles, y compris les armes. On sait déjà que des négociants de langues anglaise et française de Québec et de Montréal firent non seulement circuler la Lettre, mais qu'ils se rendirent dans les campagnes l'expliciter[116]. Le *Journal de Baby* montre à l'évidence que les plus ardents propa-

---

111. GQ, 8 décembre 1774, numéro 517. Numéro exceptionnel de huit pages, dont sept et demie sur l'Acte de Québec; col. 1, en anglais, col. 2, en français.
112. GQ, 27 juillet 1775, 7ᵉ page (3ᵉ du supplément), col. 2, numéro 550. En français seulement. Selon Pierre Tousignant, le Canadien patriote serait François-Joseph Cugnet, le secrétaire de langue française du gouverneur général. voir la note 148, p. 224 dans *La genèse et l'avènement de la constitution de 1791:* thèse de doctorat ès lettres (histoire), Université de Montréal, 1971.
113. *Le Canada et la Révolution américaine*, op. cit., p. 47.
114. *Ibid.*, p. 32.
115. «Journal par Messieurs François Baby, Gabriel Taschereau et Jenkin Williams dans la tournée qu'ils ont fait (sic) dans le district de Québec par ordre du général Carleton, tant pour l'établissement des milices dans chaque paroisse, que pour l'examen des personnes qui ont assisté ou aidé les rebelles dont nous avons pris note»: RAPQ, 1927-1928, vol. 8, pp. 435 à 499. Nous abrègerons en parlant du *Journal de Baby*. L'enquête eut lieu du 22 mai au 14 juillet 1776.
116. *Invasion du Canada*, op. cit., (Témoin oculaire), pp. 19, 20.

gateurs furent ensuite les capitaines de milice. En 1776, les enquêteurs du gouvernement les cassèrent tous — du moins dans la région de Québec, soit la moitié du territoire — et les remplacèrent par des royalistes à tous crins[117]. Le rapport de l'enquête ordonnée aussi dans la région de Montréal ne nous est pas parvenu[118]. Mais les plaintes du gouverneur général, de l'évêque et du vicaire général montréalais suffisent à nous convaincre que la situation y fut semblable à celle qu'avait connue la région de la capitale.

Ce qu'il est important de retenir, c'est que le message sur les libertés était assez clair pour susciter l'adhésion de la majorité des habitants. Le *Journal de Baby* nous parle de la tenue d'assemblées publiques où l'on commentait les Lettres envoyées par les colonies unies. Ces assemblées avaient lieu dans des maisons voisines de l'église — jamais dans le temple — et étaient convoquées sur le parvis par affichage et à haute voix. Les messages avaient réussi à convaincre non seulement la jeunesse, mais aussi les anciens des villages, les «sages». Durant cette campagne d'information, les femmes paraissent avoir joué un rôle capital. Le *Journal de Baby* en donne des exemples. En dépit du ton dédaigneux du rédacteur royaliste, nous pouvons deviner l'ardeur de ces égéries, la conviction profonde qui les animait. Voici ce que l'on dit de l'une d'elles, à l'oeuvre à Saint-Pierre sur l'île d'Orléans:

> La femme d'Augustin Chabot, surnommée ironiquement par les habitants la reine de Hongrie, a perverti par ses discours séditieux, en courant les maisons d'un bout à l'autre, presque tous les habitants. Il paraît que cette femme a beaucoup de langue et a fait, suivant le rapport de plusieurs habitants, beaucoup de sensation dans leurs esprits[119].

Comme le texte le précise, cette femme était parvenue à convaincre [«pervertir»] «presque tous les habitants» de son village. Son argumentation avait fait «beaucoup de sensation» dans leurs esprits, selon les dires des paysans eux-mêmes. De quoi pouvaient se composer ses «discours séditieux», sinon de références aux libertés dont il était question dans la première Lettre du Congrès,

---

117. *Journal de Baby*, op. cit. Les observations et remarques, à la suite de la tournée dans la cinquantaine de paroisses, confirment le changement de tous les officiers de milice.
118. *Le Canada et la Révolution américaine*, op. cit., p. 173.
119. *Journal de Baby*, op. cit., p. 447.

ce manifeste des Lumières? À la Pointe-aux-Trembles, «les femmes de Joseph et Jean Goulet» n'hésitèrent pas aussi à faire du porte à porte pour dénoncer les tactiques des seigneurs[120]. Voici, noté pour excuser la «faiblesse» du capitaine Étienne Parent, de Sainte-Marie-de-Beauce, le blâme des enquêteurs à l'égard de son épouse:

> Cet homme, qui dans le premier moment montra son zèle et son affectation (sic) pour le service du roi, n'a été corrompu que par sa femme dont l'esprit a, de tout temps, semé la zizanie dans la paroisse parmi les habitants, dit mille impertinences des curés et de tous les honnêtes gens et qui, notamment dans l'affaire présente, n'a cessé de tenir des discours séditieux par toute la paroisse et dans toutes les paroisses voisines[121].

C'est une militante remplie d'ardeur. Elle ne limite pas son action à sa paroisse, mais l'étend à toutes celles des environs. Sa parole est convaincante. Ses arguments ont autant de force que de logique. Les notables — et en premier lieu son mari — tombent d'accord et passent à l'action. Avec une impétuosité certaine, elle s'oppose aux partisans du statu quo: elle «dit mille impertinences des curés et de tous les honnêtes gens». Une autre femme regroupe les énergies à Saint-Vallier:

> La veuve Gabourie, surnommée la reine de Hongrie, a fait plus de mal dans cette paroisse qu'aucune autre; elle tenait souvent chez elle des assemblées où elle présidait, tendant à soulever les esprits contre le gouvernement et à les animer en faveur des rebelles. Pour mieux parvenir à son but détestable, elle leur faisait boire des liqueurs fortes[122].

Le surnom de Reine de Hongrie — appliqué aussi à la femme d'Augustin Chabot sur l'île d'Orléans, est peut-être une allusion à la personnalité dynamique de l'impératrice Marie-Thérèse d'Autriche, qui sut galvaniser entre autres ses sujets hongrois lors de ses luttes, au tout début de son règne (à l'âge de 23 ans), contre une coalition comprenant la France, la Prusse, la Bavière, la Saxe et la Pologne. Pour en revenir à la veuve Gabourie, elle paraissait aux enquêteurs douée d'une puissance de conviction peu commune, puisqu'à elle seule, elle «a fait plus de mal» que tous les autres militants.

---

120. *Ibid.*, p. 450.
121. *Ibid.*, p. 470.
122. *Ibid.*, p. 480. Sur la Reine de Hongrie: PILLORGET, Suzanne.- *Apogée et déclin des sociétés d'ordres (1610-1787).*- Paris; Larousse, 1969.- pp. 303, 305.

La plupart des cinquante paroisses, où les membres de la commission Baby sont passés, sont signalées comme ayant été «affectionnées au parti des rebelles». Plusieurs des habitants ont pris les armes aux côtés des miliciens américains, d'autres ont contribué à leur fournir des vivres, du bois de chauffage, des objets pour le siège de Québec; beaucoup leur ont servi de sentinelles, de guides et d'informateurs[123]. Dans chaque paroisse, un état-major élu était confirmé par Clément Gosselin que les enquêteurs appellent l'«officier ambulant du Congrès»:

> Le dit sieur Clément Gosselin ne s'est pas contenté d'une telle conduite dans cette paroisse [Sainte-Anne], il a parcouru toutes les autres jusqu'à la Pointe-Lévis, prêchant la rébellion partout, excitant à piller le petit nombre des zélés serviteurs du roi et à les faire arrêter: lisant lui-même aux portes des églises et forçant quelquefois les officiers du roi à lire les ordres et proclamations des rebelles[124].

Ces lectures à haute voix des Lettres du Congrès et autres documents sont rapportées ailleurs dans le *Journal de Baby*. À Sainte-Marie de Beauce,

> il a été lu le Jour des morts [le 2 novembre 1775], avant et après la messe, dans les maisons voisines de l'église, où le monde était assemblé par le capitaine Parent et par le sieur Dumergue, des manifestes que les rebelles avaient envoyés peu de jours avant leur arrivée[125].

À Saint-Charles, «François Leclaire a lu à la porte de l'église une Lettre du Congrès aux Canadiens qui les invitait de leur continuer leur amitié»[126]. À Saint-Roch,

> François Pelletier reçut en janvier dernier par Clément Gosselin et Ayotte une proclamation par laquelle les rebelles invitaient les habitants à prendre les armes pour eux et à leur porter des provisions. Il la fit lire à la porte de l'église par le nommé Michau Morin

---

123. L'expression «affectionnés aux rebelles», en parlant des habitants, revient dans beaucoup de comptes rendus du *Journal de Baby*. Des paysans s'étaient enrôlés parmi les miliciens américains et avaient reçu une paie. La plupart des habitants avaient conservé leur village libre de toute autorité royale, et des sentinelles avaient été postées nuit et jour à cet effet. Tout le monde travaillait, la majorité de bon cœur, devaient préciser les enquêteurs, à fournir des vivres et tout ce qui était nécessaire pour assiéger la capitale: échelles, etc.
124. *Journal de Baby*, op. cit., p. 496.
125. *Ibid.*, p. 470.
126. *Ibid.*, p. 478.

et l'afficha ensuite. Il réitéra cette même opération quelques temps après[127].

L'opposition dans la plupart des paroisses était faible. Par exemple, à Saint-Pierre-du-Sud, les enquêteurs écrivaient:

> Il y a seulement environ neuf familles de cette paroisse qui étaient vraiment affidées au gouvernement[128].

Partout partisans royalistes, les curés protestaient du haut de la chaire. Comme ces protestations s'exprimaient en sanctions contre l'opinion de la majorité, les paysans décidèrent de sévir. Des prêtres furent appréhendés, puis conduits auprès des officiers des milices de la liberté qui les semoncèrent. Ainsi, des plaintes furent portées contre le curé Borel à Charlesbourg[129]. À Saint-Joachim, le supérieur du Séminaire de Québec, l'abbé Henri-François Gravé et le curé Corbin furent traduits devant un tribunal militaire[130]. À Saint-Pierre-les-Becquets,

> un certain nombre d'habitants de cette paroisse ont présenté au commandant de l'armée du Congrès une requête... contre ceux qui désapprouvaient leur zèle pour les rebelles et contre leur pasteur qui leur refusait les sacrements. Cette complainte a occasionné une réprimande et des menaces au père [récollet] Louis [Demers] leur curé, par une lettre qui lui a été écrite par l'aide-de-camp du commandant des rebelles...[131]

En utilisant la «chaire de vérité» pour soutenir la cause du roi d'Angleterre, les prêtres sapaient leur autorité spirituelle auprès des paysans. À Champlain, Grovil Beaudoin déclarait

> qu'il ne reconnaissait l'autorité de l'évêque, ni celle du grand vicaire, et qu'il porterait ses plaintes au commandant bostonnais à Trois-Rivières[132].

Au Cap-de-la-Madeleine, toujours selon les enquêteurs de la commission Baby,

> Dorval, père de Michel Dorval bailli, paraît avoir toujours tenu de mauvais discours contre le parti du gouvernement, jusqu'à vouloir insinuer que l'évêque de Québec et le grand vicaire de

---

127. *Ibid.*, p. 494.
128. *Ibid.*, p. 487.
129. *Ibid.*, p. 437.
130. *Ibid.*, p. 441.
131. *Ibid.*, p. 463.
132. *Ibid.*, p. 458.

39

Trois-Rivières avaient été payés pour prêcher en faveur du parti du roi[133].

Et c'est la réflexion d'un autre meneur, que les enquêteurs rapportent avec réprobation en évoquant l'état des esprits à Saint-Nicolas:

> Denis Frichet, au sortir de l'église l'été dernier, après avoir entendu un discours que le curé leur fit au prône touchant l'obéissance envers le prince, dit hautement devant tout le monde: Que veut dire notre curé présentement, de quoi se mêle-t-il, ne le voilà-t-il pas devenu Anglais aussi lui-même[134]!

Il ne faut jamais perdre de vue que des réflexions de cette sorte avaient l'appui de la majorité, de même que les arrestations des curés ultraroyalistes. Ce dont conviennent d'ailleurs les enquêteurs eux-mêmes.

La situation que la commission Baby avait constatée dans la région de Québec, Simon Sanguinet, dans son journal du *Témoin oculaire de la guerre des Bastonnais en Canada*, nous confirme qu'elle était la même dans l'ensemble du territoire: les Américains «étaient assurés de la disposition de la plus grande partie des habitants»[135]. À titre de vicaire général, Étienne Montgolfier ne cesse de se plaindre de l'attitude des paroisses de la région de Montréal. Ainsi, il écrivait à son évêque, Mgr Jean-Olivier Briand, au sujet de la population des rives du Richelieu:

> Ils auraient grand besoin que quelqu'un pût leur faire entendre raison. Mais ils ne le méritent pas, et ils n'écouteront certainement pas un missionnaire, qui ne serait pas même en sûreté parmi eux. Ils viennent de faire de nouvelles démarches de révolte et de trahison, en arrêtant des convois, tirant sur les troupes du roi, et autres excès publics...[136]

Quant aux habitants de Trois-Rivières, le notaire Jean-Baptiste Badeaux dénonçait, dans son journal personnel, leur infidélité envers le roi:

> On fit un commandement, écrit-il le 8 septembre 1775, tant dans la ville que dans les côtes, pour aller au fort Saint-Jean; mais les

---

133. *Ibid.*, p. 459.
134. *Ibid.*, p. 468.
135. *Invasion du Canada*, op. cit., (Témoin oculaire), p. 21.
136. Lettre de Montgolfier à Mgr Briand, le 7 septembre 1775. Citée dans GOSSELIN, Auguste.- *L'Église du Canada après la conquête*, tome II.- Québec; Laflamme, 1916.- p. 11.

paroisses de Chambly, s'étant mises du côté des Bostonnais, firent semer dans toutes les autres paroisses de ne pas prendre les armes contre les Bostonnais; que ces gens venaient pour nous tirer d'oppression. Le peuple canadien, crédule quand il ne le faut pas, donna dans le sentiment des paroisses de Chambly, et presque tout le gouvernement de Trois-Rivières refusa de marcher, à l'exception de quelques volontaires des paroisses de la Rivière du Loup, Machiche et Maskinongé. Les paroisses de Nicolet, Bécancour, Gentilly et Saint-Pierre-les-Becquets n'en voulurent pas fournir un seul, malgré les remontrances qu'on leur faisait; tout était inutile[137].

Le même Badeaux affirmait que

les Canadiens ont changé de sentiments par la Lettre qu'ils ont reçue du Congrès en date du 26 octobre de l'année 1774, dont chacun a interprété à sa fantaisie[138].

Cette Lettre marque un jalon important dans l'histoire des idées au Québec. C'était la première fois qu'un message sur les libertés était adressé collectivement aux habitants. Et il était imprégné de l'idéal généreux des Lumières. Des assemblées de paysans se tinrent dans la plupart des paroisses où le message fut lu et expliqué. Selon la commission gouvernementale Baby, l'adhésion fut quasi générale. Le travail de Mesplet, à titre de diffuseur des Lumières, s'amorçait avec cet appel.

---

137. *Invasion du Canada*, op. cit., (Journal de Jean-Baptiste Badeaux), p. 166.
138. *Ibid.*, p. 164.

Chapitre 4

L'imprimeur du Congrès II: premiers contacts avec le Canada

Ce fut donc dans une période d'effervescence, causée par la Lettre qu'il avait imprimée à Philadelphie, que Mesplet se rendit à Québec, à la fin de l'année 1774, en vue d'y constater les possibilités d'établissement d'une nouvelle imprimerie et prendre aussi le pouls de la population à l'égard de l'attitude des colonies en rébellion[139]. Nous avons un écho de son séjour dans la capitale grâce à une lettre que lui adressait le 29 mars 1775, Charles Berger, un homme d'affaires qu'il avait rencontré à Philadelphie et dont l'amitié indéfectible devait lui permettre de poursuivre son travail de diffuseur des Lumières. Berger avisait Mesplet qu'il avait assuré la sécurité de Marie Mirabeau, son épouse, et qu'il avait sauvé tous les biens du couple qui devaient être saisis par ordre de Miller.

> Vous n'avez aucune précaution à prendre au sujet de ce que vous devez à M. Miller, écrit Berger, attendu que j'ai payé et retiré tous vos caractères de chez lui.

Berger a non seulement payé le loyer de l'atelier, mais aussi de «la maison à M. Bénézet», le logement des Mesplet. Si la situation pour une imprimerie était intéressante à Québec, Berger

---

139. Mc LACHLAN, R. W.- «Fleury Mesplet, The First Printer at Montreal».- MSRC, vol. XII, 1906.- p. 201.

s'engageait, dans sa lettre, à entreprendre les démarches nécessaires pour expédier les biens de l'imprimeur et assurer le voyage de madame Mesplet. Sinon, l'imprimeur ne devrait pas hésiter à revenir à Philadelphie. De toute façon, dit Berger à son correspondant,

> vous êtes dans le cas de voir tout ce qui est de mieux en Canada et [...] vous verrez ce qu'ils vous diront à ce sujet. Vous avez l'esprit, monsieur, assez pénétrant pour concevoir ce qu'ils veulent dire ou ce qu'ils pensent.

Allusion à l'attitude canadienne à l'égard des colonies américaines qui sont en pleine révolte. Berger se dit malheureux d'apprendre qu'à Québec son ami a été malade et que, selon madame Mesplet, il a eu «beaucoup de peines et d'inquiétudes». Il lui souhaitait «toutes bonnes réussites dans tout ce que vous pouvez entreprendre»[140].

Ayant été tout l'hiver gravement malade à Québec, Mesplet retourna au printemps à Philadelphie où le second Congrès continental aura une autre Lettre à lui faire imprimer à l'intention des Canadiens, avec lesquels son voyage lui a permis d'entrer en contact pour la première fois. Peu après, le 5 mai, Franklin était de retour de Londres. Le lendemain, il était élu membre du second Congrès américain, qui ouvrait ses séances le 10 mai[141]. Le même jour, Ethan Allen et ses miliciens du Vermont s'étaient emparés, au nom du Congrès, de l'ancien fort Carillon dit Ticondéroga. Puis Benedict Arnold et ses volontaires du Connecticut avaient pris Crown Point, l'ex-Pointe-à-la-Chevelure[142]. Les deux premiers forts britanniques des frontières du Québec étaient tombés entre les mains des «rebelles». Peu après, le 26 mai 1775, à la suggestion de John Jay — un descendant de huguenots —, les représentants des colonies ordonnaient l'envoi de la seconde Lettre «aux habitants opprimés de la province de Québec»[143]. Outre Jay, les rédacteurs en furent Samuel Adams, ardent orga-

---

140. Lettre de Charles Berger à Fleury Mesplet, le 29 mars 1775: APC, collection Haldimand, série B, vol. 185-1, p. 66. Citée dans *The First Printer*, op. cit., document C, numéro 1, pp. 234, 235.
141. ALDRIDGE, *Franklin*, op. cit., pp. 251, 252.
142. *Journals of the Congress*, op. cit., vol. 11 (1775), pp. 55, 56, 74.
143. *Ibid.*, p. 64.
     Upon motion agreed that Mr John Jay, Mr Samuel Adams and Mr Silas Deane be a committee to prepare and bring in a letter to the people of Canada. [Le 26 mai 1775]

nisateur des Fils de la Liberté, et Silas Deane, qui négocia avec Franklin et Arthur Lee le traité d'alliance avec la France[144].

Dans la seconde Lettre en question, les rédacteurs insistaient sur la nécessité d'une libération. Les Canadiens devaient secouer le joug du gouvernement absolu qu'ils venaient de se voir imposer par l'Acte de Québec. Leurs vrais ennemis n'étaient pas les colonies unies, mais les despotes qui les maintenaient en esclavage. La prise des forts de Ticondéroga et de Crown Point ne devait pas inquiéter les Canadiens mais les réjouir, puisque la Liberté était en marche pour mettre fin à la tyrannie qui les opprimait. La Lettre était d'ailleurs adressée à des «opprimés». Il était important que les Canadiens fissent front avec leurs autres frères d'Amérique pour s'opposer à un ministère arbitraire qui ne songeait qu'à extirper les droits et libertés de toutes les colonies. Cette Lettre était un deuxième appel sincère. Les Américains désiraient vivement voir se lever le jour où le soleil n'éclairerait plus que des hommes libres dans tout l'hémisphère. Les Canadiens pouvaient être assurés que leur sort misérable révoltait tout le monde. L'Acte de Québec les avait réellement réduits à la condition d'esclaves: «you and your wifes and your children are made slaves». Rien en fait ne leur appartenait plus: ils étaient soumis à la verge de fer d'un gouverneur général et à la rapacité d'un conseil nommé par lui. Ils n'étaient régis que par des ordonnances arbitraires. Ils étaient devenus des soldats de fortune que l'Empire pourrait utiliser à sa guise. Même leur religion n'était pas vraiment sauvegardée. Les richesses et possessions considérables de leurs prêtres pourraient susciter un jour, de la part du gouvernement, la tentation de les bannir pour s'emparer de ces biens. Il est impossible d'imaginer tout ce qu'un pouvoir absolu peut broyer. Les rédacteurs de la Lettre ne croient pas que les Canadiens toléreront longtemps une telle situation, eux qui — à l'instar de leurs ancêtres — ont déjà fait preuve de tant de courage.

> Pour notre part, nous sommes déterminés à vivre libres ou à mourir: nos descendants ne nous reprocheront jamais de les avoir fait naître pour être esclaves.

Enfin, le Congrès conservait l'espoir que les Canadiens s'uniraient à lui pour la défense d'une même liberté. Ce Congrès confia de nouveau à Mesplet l'impression en français de cette

---

144. MARTIN, Michael and Leonard GELBER.- *Dictionary of American History.-* Totowa, New Jersey; Littlefield, 1968.- pp. 4, 166.

Lettre, qui fut tirée à un millier d'exemplaires. Un riche marchand montréalais, James Price, s'en vit confier la distribution[145].

Avant même que le Congrès ait décidé d'envoyer une deuxième Lettre, l'évêque de Québec, Mgr Briand, lançait un mandement le 22 mai 1775:

> Fermez donc les oreilles, chers Canadiens, écrivait-il, et n'écoutez pas les séditieux qui cherchent à vous rendre malheureux et à étouffer dans vos coeurs les sentiments de soumission à vos légitimes supérieurs...

L'évêque dénonçait ces «sujets révoltés contre leur légitime souverain qui est en même temps le nôtre». Leur but était d'entraîner les Canadiens «dans leur révolte». Mgr Briand les adjurait de se souvenir de «la bonté singulière» du présent gouvernement, en particulier

> des faveurs récentes dont il vient de nous combler en nous rendant l'usage de nos lois, le libre exercice de notre religion, et en nous faisant participer à tous les privilèges et avantages des sujets britanniques.
>
> (...)
>
> Vos serments, votre religion, conclut l'évêque, vous imposent une obligation indispensable de défendre de tout votre pouvoir votre patrie et votre roi[146].

Il faut assurément beaucoup de mauvaise foi pour parler à ses ouailles de leur participation à «tous les privilèges et avantages des sujets britanniques», quand le Québec n'avait pas droit à une chambre d'assemblée, ni même ne bénéficiait de l'habeas corpus, comme nous l'avons vu. Il est clair aussi que l'Acte de Québec contentait les seigneurs ecclésiastiques. D'où leur appui total au régime.

À la suite de la prise des forts Ticondéroga et Crown Point, le Congrès provincial de New York adressait à son tour, le 2

---

145. *Journals of the Congress*, op. cit., vol. 11 (1775), pp. 68 à 70:
   Drafted by John Jay.
   (...)
   Ordered That Mr John Dickinson and Mr Thomas Mifflin, be a committee to get the letter translated into the french langage and to have, 1000 copies of it, so translated, printed, in order to be sent to Canada, and dispersed among the inhabitants there. [Le 29 mai 1775]
   Au sujet de la distribution de la Lettre par Price, voir *Invasion du Canada*, op. cit., (Témoin oculaire), p. 39.
146. Mandement de Mgr Jean-Olivier Briand, le 22 mai 1775: GAGNON, C.-O. et Henri TÊTU.- *Mandements, lettres pastorales et circulaires des évêques de Québec*, tome II.- Québec; Côté, 1888.- pp. 264, 265.

juin 1775, une Lettre aux habitants du Québec. Le message soutenait que «la grande question entre l'Angleterre et ses colonies est de savoir si elles sont sujettes ou esclaves». Quant aux Canadiens, ils ne devaient craindre de perdre ni leurs biens ni leur religion. C'était uniquement pour se défendre que les miliciens américains s'étaient emparés des forts frontaliers. Les Canadiens ne devaient pas se laisser abuser par la propagande britannique à ce sujet. Le Congrès new-yorkais expédia au Québec mille cinq cents exemplaires de cette Lettre en langue française, et une cinquantaine en langue anglaise[147]. De son côté, le francophile Ethan Allen — ce colosse vêtu de rude étoffe du pays, une plume d'aigle fichée à son bonnet de daim[148] —, lançait un appel aux «amis, concitoyens et gens de la campagne» du Québec. Il y affirmait que les Canadiens n'avaient nullement à craindre d'être lésés dans leurs libertés ou dans leurs biens. Il disait espérer de leur part l'amitié, ou du moins la neutralité[149]. Les événements se précipitaient. À Philadelphie, le Congrès organisait l'«Armée continentale américaine» et nommait le 15 juin, pour la commander, George Washington, qui s'était illustré pendant la guerre de Sept Ans[150]. Regroupant depuis 1765 les colons partisans de l'action directe contre l'Angleterre, les Fils de la Liberté prêchaient plus intensément que jamais l'unité et l'indépendance des colonies[151]. Apparurent alors les Loyalistes, désireux de rester fidèles à la Couronne anglaise, qui devaient constituer le noyau du peuplement britannique dans la province de Québec, au lendemain de la guerre de l'Indépendance[152]. La *Gazette de Québec* continuait, pour sa part, à publier des lettres incitant au loyalisme. Ainsi, dans le numéro du 24 août 1775, un habitant anglophone invitait les Canadiens à se ranger fermement du côté de la Grande-Bretagne.

> Vous avez été autrefois un peuple vaillant, écrivait-il, et ils [les Américains] le savent. Faites-leur voir que comme tout être humain vous n'aimez pas la guerre, mais que vous êtes loyaux sujets, jaloux de votre honneur et qu'on ne vous insultera pas. Faites-

---

147. *Le Canada et la Révolution américaine*, op. cit., p. 60.
148. STANLEY, George F. G.- *Canada Invaded*.- Québec; Société historique de Québec, 1975.- p. 66.
149. *Le Canada et la Révolution américaine*, op. cit., p. 61.
150. *Journals of the Congress*, op. cit., vol. 11 (1775).- pp. 91, 92.
151. KASPI, André.- *L'Indépendance américaine (1763-1789)*.- Paris; Gallimard-Julliard, 1976.- pp. 43, 70, 74.
152. Une partie des documents de la collection Haldimand traite de l'aide gouvernementale accordée à ces réfugiés.

leur entendre que vous vous croyez insultés par leurs incursions, et en danger tant qu'ils seront en possession des clefs de votre province (...) Prenez au plus tôt les armes, empêchez que le nom de Canadien ne soit synonyme avec celui de lâche et de traître...[153]

De nouveau, l'évêque de Québec avait été mis à contribution le 13 juin. Dans une lettre circulaire, Mgr Briand encourageait les Canadiens à s'enrôler dans la milice que le gouverneur général Carleton venait de rétablir pour faire face aux «rebelles»[154].

Entre-temps, les Lettres du Congrès influençaient le peuple à un point tel que Carleton s'en alarmait. À preuve cette communication adressée le 7 juin 1775 au comte de Darmouth, secrétaire aux Colonies:

> ...tout esprit de subordination est détruit et le peuple, écrit-il, est empoisonné par l'hypocrisie et les mensonges mis en oeuvre avec tant de succès dans les autres provinces, et que les émissaires et les amis de celles-ci ont répandu partout ici avec beaucoup d'adresse et d'activité (...) Il semble qu'un trop grand nombre de sujets britanniques résidant en Amérique ont cru avoir indubitablement le droit de diffamer leur roi, d'agir envers lui en toute occasion d'une manière insolente et irrespectueuse, de parler de son gouvernement avec le plus grand mépris, d'encourager la sédition et d'applaudir à la rébellion[155].

Carleton ne se rappelait pas sans amertume que, dans la nuit du 30 avril au 1er mai 1775, le buste du roi George III, qui ornait un édifice de la place d'armes à Montréal, avait été barbouillé de suie et décoré d'un collier de pommes de terre garni d'une croix de bois avec l'inscription: «Voilà le pape du Canada et le sot anglais». Malgré l'offre considérable d'une récompense de deux cents dollars, il n'y avait eu aucune dénonciation[156]. Deux partis s'affrontaient alors à Montréal, l'un favorable aux colonies unies, l'autre loyal au roi. Thomas Walker représentait le premier groupe, et René-Ovide Hertel de Rouville le second. Rouville ne cessait de dénoncer Walker auprès du gouverneur général. Peu après la distribution de la première Lettre du Congrès, Rouville se prit de querelle avec son adversaire, place du Marché.

---

153. GQ, 24 août 1775, 3e page, col. 2, numéro 554. En français seulement. Signé: Un habitant anglais.
154. Lettre circulaire de Mgr Briand, le 13 juin 1775: *Mandements des évêques de Québec*, op. cit., pp. 264,265.
155. Lettre de Carleton à Darmouth, le 7 juin 1775: *Documents constitutionnels*, op. cit., p. 433.
156. *Invasion du Canada*, op. cit., (Témoin oculaire), p. 24.

Il lui dit: «Le roi est maître, c'est-à-dire qu'on doit toujours se conformer à sa volonté». Walker répondit:

> Pour ce qui est de M. de Rouville, il peut en être ainsi, puisqu'il mange le pain de Sa Majesté. Mais je nie que le roi soit mon maître. Je le respecte comme mon souverain et roi légitime, et je suis prêt à obéir à ses ordres légitimes, mais je ne puis le reconnaître pour mon maître, quand je ne dépends que de mon industrie. Quand j'en recevrai un salaire, je le reconnaîtrai pour mon maître[157].

Rouville, qui devait se montrer l'un des adversaires les plus déterminés du diffuseur des Lumières, était alors grand voyer du district[158]. Il rapporta l'altercation au gouverneur général Carleton qui lui promit d'être reconnaissant. Effectivement, peu après, en vertu de l'Acte de Québec, il fut nommé juge à Montréal, à la grande surprise des notables de langue française, parce qu'il avait manqué d'équité en remplissant des fonctions semblables à Trois-Rivières sous le régime précédent. Rouville était parvenu à gagner la confiance de Carleton en lui transmettant toutes sortes d'informations sur ceux de ses concitoyens qui étaient favorables aux Fils de la Liberté[159].

À titre de commandant suprême, Washington rédigeait, le 14 septembre 1775, une Lettre à ses «amis et frères» de la province de Québec, les incitant à s'unir à tous les autres «enfants de l'Amérique animés par l'amour de la patrie et le principe de la liberté générale» contre «la main de la tyrannie». Faisant allusion à l'Acte de Québec, Washington disait espérer que des privilèges accordés à «un petit nombre de votre noblesse» n'inciteraient pas à une soumission de tous au despotisme. Les gouvernants britanniques et les seigneurs «se sont heureusement trompés» dans leur attente.

> Au lieu de trouver en vous cette bassesse d'âme et pauvreté d'esprit, ils voient avec un chagrin égal à notre joie, que vous êtes hommes éclairés, généreux et vertueux, que vous ne voulez ni renoncer à vos propres droits, ni servir en instrument pour en priver les autres.

Le général lançait aux Canadiens l'ultime appel:

---

157. *Ibid.*, (Lettre d'un bourgeois de Québec, le 25 octobre 1775), pp. 361, 362.
158. ROY, Pierre-Georges.- «Les grands voyers de la Nouvelle-France et leurs successeurs».- CD, numéro 8, 1943.- p. 226.
159. *Invasion du Canada*, op. cit., (Lettre d'un bourgeois de Québec, le 25 octobre 1775), p. 362.

...unissons-nous dans un noeud indissoluble, courons ensemble au même but. Nous avons pris les armes en défense de nos biens, de notre liberté, de nos femmes et de nos enfants. Nous sommes déterminés de les conserver ou de mourir. Nous regardons avec plaisir ce jour peu éloigné — comme nous l'espérons — quand tous les habitants de l'Amérique auront le même sentiment et goûteront les douceurs d'un gouvernement libre.

Washington présentait l'intervention des milices américaines comme s'insérant dans un mouvement de libération du Québec: le Congrès voulait ainsi

animer et mettre en action les sentiments libéraux que vous avez fait voir et que les agents du despotisme s'efforcent d'éteindre par tout le monde.

Le colonel placé à la tête des milices avait ordre de se conduire au Québec «comme dans le pays de ses patrons et meilleurs amis». Toute l'aide matérielle qu'apporteront les habitants aux miliciens américains sera rétribuée et récompensée. «Que personne n'abandonne sa maison», «que personne ne s'enfuie». La différence de religion ou de langue ne crée aucune discrimination aux yeux des colonies unies.

Allons donc, chers et généreux citoyens, conclut Washington, rangez-vous sous l'étendard de la liberté générale que toute la force et l'artifice de la tyrannie ne seront jamais capables d'ébranler[160].

C'était un appel à la fraternité en faveur de la grande cause de la liberté, cette lutte contre le despotisme que les Philosophes encourageaient. La Lettre de Washington fut apportée par l'armée de Richard Montgomery, en route vers Montréal[161]. Mais les Canadiens n'attendirent pas d'en prendre connaissance pour s'engager. Du fort de Ticondéroga, un officier de l'Armée continentale écrivait à un ami de New York, le 25 août 1775:

Les Canadiens en général sont nos amis fidèles et sincères, c'est-à-dire les paysans, car ceux qu'on appelle en Canada la noblesse, sont pour les mesures despotiques, ce qui en empêche plusieurs de se montrer plus ouvertement pour nous[162].

---

160. Lettre du général George Washington écrite au peuple du Canada: *Invasion du Canada*, op. cit., (Témoin oculaire), pp. 89 à 91.
161. *Ibid.*, p. 89.
162. *Ibid.*, (Lettre d'un officier de l'Armée continentale à un ami de New York, le 25 août 1775), p. 341.

À Québec, le juge en chef William Hey décrivait la même situation, mais dans un tout autre langage, au ministre Darmouth, le 22 août:

> Chaque jour me fait comprendre que les Canadiens ont un caractère bien différent de celui que je leur attribuais... Votre Seigneurie se rappellera combien il a été parlé de leur loyauté, de leur soumission et de leur gratitude comme de leur respect envers le gouvernement... Or le temps et les événements ont démontré que la crainte seule les maintenait dociles, et avec cette crainte qui n'existe plus — depuis que les troupes ont été retirées — sont disparues les bonnes dispositions dont nous avons si souvent et si constamment fait l'éloge et sur lesquelles nous avons affirmé pouvoir compter longtemps. Cependant, je suis quelquefois porté à croire que ce peuple n'est ni ingrat ni rebelle, et que les ruses et les assiduités des agents de quelques colonies qui ont passé l'hiver dernier ici, ont eu raison de sa crainte, jointe à une ignorance et à une crédulité qu'il est difficile de soupçonner chez un peuple[163].

Notons que Hey parle d'«agents» qui ont passé l'hiver dans cette colonie; Mesplet avait logé durant toute la saison à Québec où il avait sûrement participé à des échanges avec les chefs des partisans de l'union. Des notables royalistes de Montréal et de la capitale se plaignaient amèrement de la situation:

> Les habitants par ici, écrivait de Montréal Pierre Guy à François Baby de Québec, le 19 juin 1775, ne peuvent revenir de l'erreur dans laquelle ils sont tombés à force de sollicitations à eux faites par quelques anciens sujets mal intentionnés...[164]

De Québec, Baby s'exprimait ainsi, le 23 septembre suivant:

> Nos habitants des campagnes, corrompus et persuadés par des lettres circulaires répandues de temps en temps par nos voisins, et soutenus par les propos factieux de plusieurs Anglais et colons étrangers établis dans cette colonie, ont résolu jusqu'à présent de conserver la neutralité...[165]

Le 21 septembre 1775, le lieutenant-gouverneur Hector-Théophile Cramahé écrivait au ministre Darmouth:

> On a recours sans succès à tous les moyens pour amener le paysan canadien au sentiment de son devoir et l'engager à prendre les

---

163. Lettre du juge en chef Hey au ministre, le 22 août 1775: *Documents constitutionnels*, op. cit., p. 436.
164. Lettre de Pierre Guy, de Montréal, à François Baby, de Québec, le 19 juin 1775: *Invasion du Canada*, op. cit., pp. 306, 307.
165. *Ibid.*, pp. 314, 315: lettre de Baby à Thomas et Fils de Londres, le 23 septembre 1775.

armes pour la défense de la province. Mais justice doit être rendue à la noblesse, au clergé et à la plus grande partie de la bourgeoisie qui ont donné des grandes preuves de zèle et de fidélité au service et fait de grands efforts pour faire entendre raison aux paysans infatués. Quelques troupes et un ou deux vaisseaux de guerre auraient, suivant toute apparence, prévenu cette défection générale[166].

Carleton ne disposait alors que de huit cents soldats réguliers parce qu'il avait dépêché les autres au secours du gouverneur du Massachusetts, Thomas Gage. D'où le rétablissement des milices canadiennes abolies depuis la conquête[167]. Dans le même temps, Ethan Allen, le vainqueur de Ticondéroga, était chargé par le général Philip Schuyler, responsable des forces continentales dans le New York, de répandre dans les campagnes une Lettre qu'il avait écrite le 5 septembre, à l'île aux Noix. Schuyler affirmait que le Congrès avait ordonné l'invasion du Québec britannique en gardant la certitude que les Canadiens ne s'opposeraient pas à une telle intervention. L'intention des représentants des colonies unies était de les délivrer de l'esclavage et

de leur restituer ces droits que peut réclamer tout sujet de l'Empire britannique de la plus haute classe à la plus basse, quelles que soient les opinions religieuses[168].

De son côté, l'Église intensifiait son action loyaliste. Une «Adresse aux Canadiens», publiée dans la *Gazette de Québec* du 12 octobre 1775, avertissait qu'une défection dans les circonstances était un «crime de lèse-majesté divine et humaine» de la part des habitants à l'égard d'un roi qui avait préservé leurs biens, leur religion et leurs lois. Tous devaient se ressaisir et faire front avec le gouverneur général, prouvant ainsi la fidélité du «plus heureux» des peuples[169]. Cette adresse fut tirée à part en quatre cents exemplaires pour être répandue[170]. Avec quels effets? Dans une lettre écrite au grand-vicaire et seigneur Montgolfier, Mgr Briand déplorait, le 5 novembre 1775, l'attitude des Canadiens:

La mauvaise volonté des habitants ne fait que se fortifier dans nos cantons, au fur et à mesure qu'il se passe quelques excès

---

166. Lettre de Théophile Cramahé à lord Darmouth, le 21 septembre 1775: *Documents constitutionnels*, op. cit., p. 435.
167. *L'Amérique du Nord britannique*, op. cit., p. 45.
168. *Le Canada et la Révolution américaine*, op. cit., pp. 79, 80.
169. GQ, 12 octobre 1775, 4ᵉ page, col. 2, numéro 561.
170. *Le Canada et la Révolution américaine*, op. cit., p. 97.

d'insolence dans les paroisses. J'écris et je punis. Mais qu'en dit-on? L'on dit que moi et les prêtres avons peur. Quelques-uns reconnaissent et avouent leurs torts, mais ils sont dénoncés; c'est le petit nombre; ils n'osent remuer. Il faudrait des troupes; elles persuaderaient mieux que la parole de Dieu que nous annonçons[171].

L'évêque en vient, exactement à la même conclusion que le lieutenant-gouverneur Cramahé, dans sa missive du 21 septembre précédent: il faudrait des soldats pour mater les esprits de la majorité des Canadiens, parmi lesquels une minorité de fidèles royalistes n'ose «remuer». Effectivement, des paroisses étaient en ébullition. Ainsi, à Lanoraie, le 16 septembre 1775, des habitants avaient clamé que la question de la révolte des colonies «est étrangère à la religion» et par conséquent «au ministère de la prédication». Aussitôt, l'évêque de Québec avait ordonné de priver des sacrements ceux qui professaient de telles idées allant à l'encontre d'une «vraie obéissance»[172]. Parce que deux paroisses avaient refusé l'enrôlement dans la milice anti-américaine, le grand-vicaire Montgolfier en avait retiré les deux curés. Les paroissiens en question, ceux de Berthier et de Saint-Cuthbert, avaient affiché leur mépris face à ce châtiment. «Pour faire sentir qu'ils pouvaient se passer de curés, rapportait Montgolfier, ils sonnaient les cloches», et «de leur autorité» tenaient «des assemblées publiques dans l'église»[173]. À Saint-Michel-de-Bellechasse, le 29 septembre, un religieux se voyait imposer le silence parce qu'il exposait en chaire la doctrine de «l'obéissance aux puissances temporelles». Un habitant s'était écrié d'une voix ferme que c'était «trop longtemps prêcher pour les Anglais». À cette nouvelle, Mgr Briand avait menacé de jeter l'interdit sur cette paroisse et les autres des environs[174]. Dans une lettre destinée à l'évêque de Québec, le 9 octobre 1775, Montgolfier avait dressé la liste des sanctions susceptibles d'être prises contre les «rebelles».

Tous ceux, écrivait-il, qui en violant leur serment de fidélité — et même quand ils n'auraient pas fait formellement ce serment — prennent les armes contre le roi sont hors des voies du salut, indignes de tous sacrements et de la sépulture ecclésiastique s'ils

---

171. Lettre de Mgr Briand à Montgolfier, le 5 novembre 1775; *L'Amérique du Nord britannique*, op. cit., p. 46.
172. *Le Canada et la Révolution américaine*, op. cit., pp. 82, 83.
173. *Ibid.*, p. 98.
174. Lettre de Mgr Briand au curé Lacroix, le 1er octobre 1775: *L'Église du Canada après la conquête*, op. cit., pp. 29 à 31.

viennent à mourir les armes à la main. Il en faut dire autant, à la sépulture près, de tous ceux qui, avec connaissance de cause, soufflent ou excitent la rébellion; ou même qui seulement l'aident et la favorisent sans y être personnellement forcés; et ceux qui, connus pour coupables de ces excès, en seraient même repentants, ne doivent pas être admis même in articulo mortis, qu'ils ne donnent des marques extérieures et publiques de leur repentir[175].

Tout en reconnaissant son impuissance face à la situation, l'Église n'en continuait pas moins à prêcher la soumission au roi d'Angleterre et à utiliser son influence spirituelle pour l'établir. Ce loyalisme avait commencé au lendemain même de la capitulation de Montréal. Les grands-vicaires de Québec, Trois-Rivières et Montréal avaient fait chanter des Te Deum à l'occasion de l'avènement de George III, le 5 octobre 1760; puis du mariage du roi, enfin de la naissance du prince de Galles en 1762. Le tout avant la signature évidemment du traité de Paris qui avait donné lieu, le 4 juin 1763, à un mandement d'action de grâces de la part du grand-vicaire Jean-Olivier Briand. Devenu évêque de Québec, le même homme prêcha non seulement la fidélité à l'égard du roi, dans une lettre adressée aux curés le 15 octobre 1768, mais encore la délation de tout compatriote à l'esprit frondeur. À titre de «surintendant de l'Église romaine», Mgr Briand recevait du souverain une pension de deux cents livres[176].

Montréal étant menacé par l'armée de Montgomery, Carleton accourut dans cette ville pour organiser la défense. Nommé brigadier-général par le Congrès, Richard Montgomery faisait partie, avec les Livingston dont il avait épousé une fille, des meneurs du mouvement en faveur des libertés en Amérique[177]. Son beau-père habitait Montréal. Aussi n'est-il pas surprenant de voir l'un de ses beaux-frères, le marchand James Livingston, se rallier aux Fils de la Liberté avec de nombreux Canadiens de Chambly[178]. Constatant l'abandon par la population de la cause royaliste, Carleton tergiversait à Montréal. Allen tenta un coup d'audace. À la tête de miliciens du Vermont et de Canadiens, il voulut s'emparer de la ville par surprise. Ce fut un échec. Allen

175. Lettre de Montgolfier à Mgr Briand, le 9 octobre 1775: *Le Canada et la Révolution américaine*, op. cit., p. 101.
176. BRUNET, Michel.- *Les Canadiens après la conquête*.- Montréal; Fides, 1969.- pp. 34 à 49, 136, 216. En 1775, Mgr Briand était âgé de 60 ans.
177. COLLARD, Edgar Andrew.- *Montréal au temps jadis*.- Saint-Lambert; Héritage, 1981.- p. 85.
178. *Invasion du Canada*, op. cit., (Témoin oculaire), pp. 44, 48, 49.

fut fait prisonnier[179]. Le 7 octobre, Walker fut incarcéré. De nuit, Carleton avait envoyé une trentaine de soldats assiéger sa maison à L'Assomption, en banlieue de Montréal. Lui, sa femme et ses domestiques se défendirent «avec beaucoup de courage», rapporta un partisan.

> À la fin, voyant qu'ils [les soldats] ne pouvaient l'atteindre, ils mirent le feu à la maison. Monsieur et madame Walker furent obligés de s'échapper par une lucarne, nus, et ainsi il tomba aux mains des soldats qui se jetèrent sur lui, dit-on, et le battirent sans miséricorde. Il fut amené dans un bateau à Montréal, chargé de fers pesants et on lui refusa papier, plumes, encre et chandelles...[180]

Il serait libéré par Montgomery. Celui-ci, le 2 novembre, après un siège d'un mois, s'emparait du fort Saint-Jean sur le Richelieu, clé de voûte de la défense de la province[181]. Il ne restait plus à Carleton qu'à s'enfuir à Québec et à Montgomery à pénétrer à Montréal. Jusque là, les miliciens des colonies unies avaient été reçus chaleureusement.

> On ne saurait trouver de gens plus hospitaliers que les Canadiens, écrivait de Laprairie un officier de Montgomery, le 3 novembre 1775. Quand vous entrez chez un paysan, à quelque heure que ce soit, il met aussitôt devant vous un pain et un bol de lait[182].

Malgré ce qu'en disaient le clergé et la noblesse, il semble qu'alors le mécontentement était vif contre l'Acte de Québec, ce qui explique le retentissement immédiat dans l'opinion publique des ' Lettres adressées par le Congrès. La lettre d'un notable de Québec, probablement un bourgeois, écrite le 9 novembre, confirme cette impression:

> Les nouveaux arrangements du gouvernement, d'après l'Acte de Québec, ont rencontré une désapprobation générale. Sans parler des Anglais — qui ne peuvent que le désapprouver comme étant complètement différent de ce qu'ils avaient attendu et demandé —, les Canadiens en général en ont été mécontents et ont déclaré que ce n'était ni à leur désir ni à leurs sollicitations qu'on l'avait passé: et qu'ils n'avaient eu aucune connaissance de la pétition présentée au roi par quelques personnes de la province, raison pour laquelle on a fait passer cet Acte. Ils disent que cette pétition a été signée principalement par leurs anciens oppresseurs, leurs

---

179. *Ibid.*, pp. 49, 50.
180. *Ibid.*, (Lettre d'un partisan de Walker), pp. 363, 364.
181. *Ibid.*, (Témoin oculaire), p. 77.
182. *Ibid.*, (Lettre d'un officier de l'Armée continentale, le 3 novembre 1775), p. 366.

nobles qui, comme auparavant, ne voulaient rien autre chose que les assujettir.

Le correspondant écrit que ces craintes se sont justifiées quand le gouverneur général, qui revenait de Londres tout-puissant par l'Acte de Québec, avait rendu publique la composition du nouveau conseil législatif — formé uniquement de seigneurs. Dans le domaine de la magistrature,

> la nomination comme juges, de M. de Rouville à Montréal, et à Québec de Claude Panet avec des salaires, dit-on, de sept cents louis par année; en un mot, la profusion et l'audace qu'on mit dans la création des places pour les familiers et les sycophantes dont le gouverneur est continuellement entouré: tout cela a inspiré le plus grand dégoût à tout le monde.

Le même correspondant ajoutait que la nomination de Rouville

> est si blessante pour les Canadiens de Montréal, qu'ils en ont été très exaspérés et sur le point de présenter une pétition au gouverneur contre cette nomination. Mais la prise de Crown Point et les dégâts subséquents dans la province, ont tout arrêté et empêché l'exécution de ce projet[183].

Dans la région de Québec, le brigadier-général Benedict Arnold et ses miliciens étaient reçus avec autant de chaleur que Montgomery et ses hommes dans la région de Montréal. Le Congrès avait en effet chargé Arnold de pénétrer dans la province par les forêts de la Beauce et de surprendre Québec, la capitale, tandis que Schuyler et Montgomery, nommés au commandement de la division du Nord, devaient s'emparer de Montréal. Les miliciens d'Arnold débouchèrent en Beauce le 7 novembre 1775. Partis de Cambridge six semaines auparavant, ils avaient remonté la rivière Kénébec, franchi les monts Alléghanys, puis descendu la rivière Chaudière. C'était un exploit! Seulement six cents cinquante des mille miliciens du départ avaient tenu le coup. Mais ils arrivèrent épuisés, affamés et faiblement armés car, pour survivre ils avaient dû sacrifier une grande partie de leurs munitions et de leurs bagages. Aussitôt, les paysans canadiens leur apportèrent à l'envi des oeufs, du rhum et du sucre[184]. Le seigneur de la Beauce, Gabriel-Elzéar Taschereau, ayant voulu grouper ses censitaires pour marcher contre les miliciens américains, fut forcé de s'enfuir de son manoir devant la colère des Beaucerons.

---

183. *Ibid.*, (Lettre d'un bourgeois de Québec, le 9 novembre 1775), pp. 370 à 372.
184. ROY, J.-Edmond.- *Histoire de la seigneurie de Lauzon*, tome III.- Lévis; Roy, 1900.- pp. 47 à 49.

Les soldats des colonies unies vendirent plus tard à l'encan tous les biens de Taschereau, à la grande joie des paysans qui profitèrent de l'aubaine[185].

Pendant que les miliciens d'Arnold commençaient le siège de Québec, Montgomery recevait la capitulation de Montréal. Avant d'entreprendre les négociations, le brigadier-général s'entretint avec les négociants et juges de paix François Cazeau et Pierre du Calvet, le futur auteur de l'*Appel à la Justice de l'État*. Puis les douze bourgeois choisis pour représenter la ville demandèrent entre autres le respect des libertés de commerce et de religion, et la reconnaissance des droits de propriété. Montgomery rappela que «l'Armée du continent» était venue «exprès pour accorder la liberté et la sûreté». Aussi s'engagea-t-il à

> maintenir les individus et communautés religieuses de la ville de Montréal dans la paisible possession de leurs propriétés, de quelque nature que ce soit.

Montgomery souhaita l'établissement d'une Convention provinciale qui mettrait «les droits de cette province et de ses soeurs les colonies, sur une fondation permanente»[186]. Le 13 novembre 1775, le général et ses miliciens entraient dans la ville. Le lendemain, les habitants des trois faubourgs, dans une lettre adressée à Montgomery, saluaient ainsi les Fils de la Liberté:

> Les ténèbres dans lesquelles nous étions ensevelis sont enfin dissipées, écrivait leur porte-parole l'avocat Valentin Jautard. Le jour luit, nos chaînes sont brisées, une heureuse liberté nous rend à nous-mêmes. Liberté depuis longtemps désirée! Les discours dont nous usons aujourd'hui pour témoigner à nos frères des colonies, représentés par vous, Monsieur, montrent la satisfaction que nous ressentons de votre union.

Après avoir blâmé l'attitude de plusieurs «citoyens de Montréal», qui les avaient traités de «rebelles», les habitants des faubourgs affirmaient accepter l'union, ainsi qu'ils l'avaient adoptée au fond de leurs coeurs «dès le moment que l'adresse du 26 octobre 1774» leur était parvenue. Seul le «despotisme» les avait empêchés de s'exprimer ouvertement auparavant. «Nos coeurs ont toujours désiré l'union comme les vôtres», avouait Jautard.

---

185. ROY, Pierre-Georges.- «L'honorable Gabriel-Elzéar Taschereau».- BRH, janvier 1902, vol. 1, numéro 1.- pp. 7 à 9.
186. *Invasion du Canada*, op. cit., (Témoin oculaire), pp. 81 à 84.

Mêmes lois, mêmes prérogatives, contribution par proportion, union sincère, société permanente, voilà, conclut-il, nos résolutions conformes à l'adresse de nos frères[187].

C'était une adhésion à la première Lettre du Congrès, document, on l'a vu, qui s'inspirait des grands principes de la Philosophie des Lumières. Avec la complicité tacite de la majorité des Canadiens, les milices américaines avaient «libéré» l'ensemble du territoire, à l'exception de la capitale. Carleton s'y était enfermé avec mille huit cents soldats et des provisions considérables[188]. Montgomery souhaitait répéter l'exploit de Wolfe. Quittant Montréal, il joignit ses troupes à celles d'Arnold, le 6 décembre. Ces mille cinq cents hommes, dont un tiers étaient des Canadiens, donnèrent l'assaut à Québec durant la nuit du 30 au 31 décembre, portant écrit sur leurs bonnets «La Liberté ou la Mort» et criant «Vive la Liberté!» Mais ils furent repoussés. Comme Wolfe, Montgomery fut tué. Blessé, Arnold décida de poursuivre le siège[189]. Après l'attaque toutefois, les miliciens américains et leurs alliés se répandirent dans les campagnes des environs. Beaucoup étaient blessés, d'autres malades; les miliciens américains n'étaient pas suffisamment vêtus pour affronter les rigueurs de l'hiver. Les habitants les logèrent et les soignèrent avec sympathie[190]. Dans l'ensemble du Québec, les miliciens américains étaient considérés comme des libérateurs[191]. On l'avait bien

---

187. *Ibid.*, (Témoin oculaire), pp. 85, 86. C'est la première apparition publique de Valentin Jautard, qui jouera un rôle majeur dans la diffusion des Lumières.
188. *L'Amérique du Nord britannique*, op. cit., p. 47.
189. *Canada Invaded*, op. cit., pp. 120, 199. Le récit de l'assaut contre Québec est raconté dans *Journals of the Congress*, op. cit., vol. IV (1776), pp. 82 à 84.
190. *La seigneurie de Lauzon*, op. cit., p. 52.
191. Alain TICHOUX dans «Lumières reflétées ou les origines du dilemme canadien de la liberté» (*Dix-huitième siècle*, 1978, numéro 10, pp. 71 à 83) s'oppose à cette version. Il soutient que l'échec de la prise de Québec a produit une brisure dans la sympathie des Canadiens envers les Américains. «L'attitude de la population, écrit-il, s'était refroidie au point de se transformer en une hostilité générale» (p. 80). A. Tichoux reprend entre autres la version de Jean-Pierre WALLOT qui, dans *Un Québec qui bougeait* (Trois-Rivières, Boréal Express, 1973), envisage l'attitude des Canadiens tout d'abord comme une «neutralité bienveillante» qui devient une simple «neutralité» (p. 257). J.-P. Wallot conclut même: «la Révolution américaine n'a pas enflammé le Québec» (p. 258). Pourtant, les seules versions canadiennes qui nous restent des événements, celles des royalistes (la commission Baby, les journaux de Sanguinet et de Badeaux, la correspondance de particuliers, les mandements épiscopaux, les dépêches de Carleton et de fonctionnaires) sont unanimes à préciser que la majorité des Canadiens ont appuyé les Américains, non seulement avant l'échec devant Québec, mais encore jusqu'à l'apparition des renforts britanniques. L'enquête gouvernementale Baby, qui — nous ne devons pas l'oublier — couvre toute la période d'occupation, fait état d'une opposition quasi générale à l'égard du roi et de l'ardeur des Canadiens pour l'idéal des Fils de la Liberté.

constaté, lorsqu'après la prise de Montréal, le victorieux Montgomery avait fait mouvement de Saint-Jean sur Québec. Cette marche avait été un triomphe. Beaucoup de Canadiens l'avaient suivi dans le temps même où l'on avait refusé de répondre à l'appel d'officiers envoyés par Carleton. Plusieurs de ceux-ci avaient même été faits prisonniers. Les Canadiens avaient mis dans les fers les seigneurs de Lanaudière et de Tonnancour qui voulaient enrôler leurs censitaires pour combattre les Américains. Sur l'île d'Orléans, deux cent cinquante habitants, armés de bâtons, avaient chassé le grand-juge Adam Mabane qui tentait d'organiser le recrutement de miliciens pour le gouverneur général[192]. Il est évident que Mesplet à Philadelphie et Jautard à Montréal étaient plus proches de l'esprit de la majorité du peuple de la province de Québec, que les membres de la noblesse et du clergé, à l'exception de l'abbé François-Louis de Lotbinière, qui devint aumônier des milices canadiennes de la liberté[193]. Les messages du Congrès avaient touché la masse de la population, prête à rejeter le régime seigneurial, considéré comme un système oppressif. Par le biais de la guerre d'Indépendance des colonies, les habitants du Québec pouvaient fraterniser avec des gens que les nobles et les prêtres leur avaient toujours présentés comme des ennemis irréductibles. Arnold, dans sa correspondance avec Washington, fait état de la cordialité qui s'établit entre les Canadiens et les soldats du Congrès, des gens simples, laborieux et jeunes[194]: beaucoup n'avaient que quatorze et quinze ans[195]. La plupart des vétérans des régiments de Montcalm, demeurés au Québec après la conquête, les considéraient aussi comme des libérateurs et les secondaient[196].

À Montréal, le général Wooster succéda à Montgomery. Sur son ordre, des élections se tinrent chez les Canadiens: il s'agissait de choisir les capitaines de milice. Par ailleurs, Wooster eut à affronter des menées clandestines de royalistes que Montgomery avait traités avec clémence. Enfin, il fit distribuer deux importants messages, une Lettre du Congrès et celle du général Washington. Cette dernière Lettre fut traduite en français par Valentin Jautard, puis transmise aux principaux citoyens de

---

192. *La seigneurie de Lauzon*, op. cit., p. 53.
193. DBC, vol. IV.- Québec; Presses de l'Université Laval, 1980.- p. 154 (Eustache Chartier de Lotbinière).
194. *La seigneurie de Lauzon*, op. cit., p. 49.
195. *Invasion du Canada*, op. cit., (Témoin oculaire), p. 88.
196. *L'Amérique du Nord britannique*, op. cit., p. 45.

Montréal ainsi qu'aux curés des paroisses environnantes[197]. Pour sa part, le Congrès avait approuvé, le 24 janvier 1776, l'envoi d'une troisième Lettre aux habitants du Québec, imprimée encore par Mesplet. Elle avait été rédigée par William Livingston, Thomas Lynch et James Wilson[198]. Livingston et Wilson étaient deux juristes; le premier devait signer la constitution américaine et le second la Déclaration d'Indépendance. Comme Livingston et Wilson, Lynch avait été membre des deux premiers Congrès[199]. Cette troisième Lettre aux Canadiens était présentée comme une suite de la «précédente adresse» visant à fortifier et à établir «la cause de la liberté». Les Canadiens étaient incités à poursuivre leur assistance «pour le soutien et la conservation de la liberté américaine». Le Congrès exhortait également les Canadiens à créer des associations de patriotes dans les différentes paroisses, puis «d'élire des députés pour former une assemblée provinciale» qui nommerait des délégués pour représenter le Québec au Congrès continental.

> Nous nous flattons, concluaient les rédacteurs, de toucher à l'heureux moment de voir disparaître de dessus cette terre l'étendard de la tyrannie, et nous espérons qu'il ne trouvera aucune place dans l'Amérique septentrionale[200].

Cette Lettre fut apportée à Montréal le 28 février par le colonel Moïse Hazen et le lieutenant-colonel Edward Anctill qui devaient constituer des régiments de Canadiens. François Cazeau s'en vit confier la distribution dans l'ensemble du territoire. De son côté, Hazen, une ancienne estafette de Carleton, réussit à former un régiment composé de deux cent cinquante hommes[201]. Entre-temps, une soixantaine de royalistes s'agitaient. Leurs chefs de file étaient Montgolfier, Rouville et l'avocat Simon Sanguinet qui fera circuler en sous-main, au mois de mars, une lettre dans laquelle il adjurera ses compatriotes de rester fidèles au roi et

---

197. «L'échauffourée américaine», article cité, p. 38.
198. *Journals of the Congress*, op. cit., vol. IV (1776), p. 168:
    To Monsieur Mesplet, for printing the military rules, and French letters to Quebec — the inhabitants of Canada — the sum of L 16 10 = 44 dollars. [Le 23 février 1776]
199. *Dictionary of American History*, op. cit., pp. 362, 372, 676. *Journals of the Congress*, op. cit., vol. IV (1776), p. 79:
    Resolved A committee of 3 be appointed to prepare a letter to the Canadians. The members, Mr William Livingston, Mr Thomas Lynch and Mr James Wilson. [Le 23 janvier 1776]
200. *Journals of the Congress*, op. cit., vol. IV (1776), pp. 85, 86. Le texte français est dans *Invasion du Canada*, op. cit., (Témoin oculaire), pp. 99 et 100.
201. *Le Canada et la Révolution américaine*, op. cit., pp. 128 à 130.

de briser la «tyrannie» américaine[202]. C'est ce Sanguinet qui,
sous le pseudonyme de Témoin oculaire, donnera la version royaliste de «l'invasion américaine». Les 16 et 18 janvier, devant
l'agitation, Wooster avait fait désarmer Rouville, Sanguinet et
quelques autres — une dizaine en tout — et il les avait menacés
de bannissement. Le 6 février, les quatre officiers de milice,
nommés par Carleton avant sa fuite de Montréal, avaient été
envoyés prisonniers à Chambly[203]. Avec l'arrivée de Hazen et
la formation d'un régiment canadien, l'agitation royaliste cessa.
Wooster ordonna des élections dans toutes les paroisses pour
choisir les capitaines de milice. Ce scrutin, première expression
démocratique de l'intervention américaine, suscita un vif intérêt.
L'autorité militaire — par exemple le capitaine Gosselin — dut
quelquefois intervenir afin d'assurer l'équité à tous les candidats.
Au nom du Congrès, des commissions d'officiers furent remises
aux nouveaux élus[204]. Par ailleurs, le rôle de propagandistes
royalistes que jouaient les curés fut contesté partout, comme
devait le souligner le *Journal de Baby*. Montgolfier rapportait
à son évêque, le 17 juin 1776, que durant l'hiver «plusieurs prêtres
de la campagne ont été ignominieusement conduits et confrontés
dans les camps des rebelles»[205]. Le Sulpicien avait lui-même été
blâmé par Wooster parce qu'il avait ordonné de refuser l'abso-
lution aux habitants qui appuyaient les gens des colonies unies.
À la sollicitation de la femme de James Price, ce riche marchand
sympathisant, Montgolfier ne fut pas exilé à Boston[206]. Le supérieur de Saint-Sulpice ne se conformait en fait qu'aux directives
disciplinaires de Mgr Briand qui les exprimait ainsi au curé de
Saint-Thomas de Montmagny, le 25 octobre 1775:

> Monsieur, mon autorité n'est pas plus respectée que la vôtre; on
> dit de moi, comme on dit de vous, que je suis Anglais; et ma
> décision ne fera pas plus d'impression que la vôtre sur ces pauvres
> d'esprit, dont l'aveuglement est digne de toute notre compassion
> et de nos larmes continuelles.
>
> Je suis Anglais, en effet; vous devez l'être; ils le doivent être
> aussi, puisqu'ils en ont fait serment, et que toutes les lois natu-
> relles, divines et humaines le leur commandent. Mais ni moi, ni

---

202. *Invasion du Canada*, op. cit., (Témoin oculaire), pp. 102 à 105.
203. *Ibid.*, pp. 93 à 96.
204. *Le Canada et la Révolution américaine*, op. cit., p. 130.
205. Lettre de Montgolfier à Mgr Briand, le 17 juin 1776: *L'Église du Canada après la
     conquête*, op. cit., pp. 70, 71.
206. *Invasion du Canada*, op. cit., (Témoin oculaire), p. 95.

vous, ni eux ne doivent être de la religion anglaise. Voilà les pauvres gens ce qu'ils n'entendent pas; ils sont sous la domination anglaise pour le civil; ils sont, pour leurs âmes et leur salut, sous l'aimable loi de Jésus, et de son vicaire sur terre, le souverain pontife, et des prêtres et des évêques répandus dans toute la terre pour conduire, nourrir par la prédication de l'Évangile et par les sacrements, et défendre de l'erreur le troupeau de fidèles catholiques que Notre-Seigneur s'est formé par l'effusion de son sang. Voilà la religion que nous professons, et la religion de leurs pères, qu'ils ont conservée et leur ont transmise jusqu'à ce moment, mais que leurs enfants ne conserveront pas longtemps, si déjà ils ne l'ont pas perdue; car je juge et je soutiendrai au dépens de ma vie qu'ils sont vraiment hérétiques, dans leur conduite, au moins, et qu'ils sont vraiment imbus de l'hérésie des Bostonnais presbytériens qui nient la hiérarchie ecclésiastique... Celui qui n'écoutera pas votre doctrine et vos enseignements sera condamné, par la seule raison qu'il ne vous écoute pas, parlant et enseignant au nom de l'Église et sous l'autorité de leur évêque, qui leur tient la place de Jésus-Christ, tout indigne que j'en suis. Ils sont schismatiques et hors de l'Église, conséquemment indignes des sacrements que vous ne pouvez leur administrer sans pécher mortellement et vous exposer aux censures de l'Église en trahissant votre ministère et en transgressant les règles les plus sacrées de cette même Église.

Voilà, mon cher frère, des temps difficiles, où nous devons nous préparer à soutenir la religion de Jésus-Christ et la discipline essentielle de sa sainte épouse l'Église, au prix même de notre vie... Dieu est attaqué, il faut que nous le soyons aussi. Oublions ce que nous souffrons ou aurons à souffrir, pour ne nous occuper que du mépris que l'on fait de Dieu et de la perte des âmes qui l'abandonnent.

Mais voilà trop prêcher une personne qui pense comme moi. Non seulement vous ne devez pas marier, mais même publier les bans de mariage, qu'on ne vous ait promis devant témoins, dont vous ferez acte, qu'on se repent de sa conduite passée, et qu'on est prêt à obéir: ce dont nous vous chargeons de recevoir le serment qu'ils feront en touchant le crucifix. L'acte nous sera envoyé pour obtenir les permis de publier les bans. Voilà pour le mariage.

Quant aux autres sacrements, vous ne les donnerez pas, pas même à la mort, sans rétractation et réparation publique du scandale, ni à hommes, ni à femmes; et ceux qui mourront dans l'opiniâtreté, vous ne les enterrerez pas en terre sainte, sans notre permission... Vous ne recevrez aucune rétribution de messes à dire pour les défunts rebelles. Vous n'admettrez les vivants à aucune fonction ecclésiastique, ni de parrains, ni de témoins...

Vous ferez entendre à vos paroissiens que ce sont les lois de l'Église et que je ne puis les changer[207].

Tout en assurant que son autorité n'est pas respectée, Mgr Briand l'exerce ici sous la forme d'anathèmes, affirmant à deux reprises «Je suis Anglais» et traitant les Canadiens de «pauvres d'esprit». En penchant du côté des colonies unies, les habitants du Québec «sont vraiment hérétiques», «schismatiques», donc «hors de l'Église... indignes des sacrements». En conséquence, pas de baptêmes, pas de mariages, pas d'enterrement en terre sainte. Devant l'exercice dans l'ensemble du territoire de ces moyens de pression, le paysan Prudent Lajeunesse demanda à être entendu par le Congrès, le 12 février 1776, à Philadelphie. Il avertit les représentants des colonies unies que les prêtres et les seigneurs avaient entrepris une contre-offensive psychologique où ils réinterprétaient à leur façon les Lettres envoyées par le Congrès aux habitants du Québec. Les Américains étaient montrés comme des hypocrites désirant s'emparer des biens des Canadiens et supprimer leur religion. Pour parer à cette vive campagne de dénigrement, Lajeunesse suggérait de déléguer des membres du Congrès qui expliqueraient de vive voix la nature du conflit avec l'Angleterre et rassureraient les prêtres et les seigneurs craignant pour leur sort[208]. Franklin ne fut certes pas indifférent à cet appel. Membre de la commission des Affaires étrangères depuis le 29 novembre, en communication avec Achard de Bonvouloir — l'agent du ministre français des Affaires étrangères, Charles Gravier, comte de Vergennes —, il ne pouvait avoir oublié le Québec et son rêve d'y transmettre les idées de liberté à l'aide de l'imprimerie. D'autant plus que Bonvouloir venait de lui communiquer le message suivant: la France désirait l'indépendance des colonies et l'intensification avec elles de son commerce[209].

Le 26 février 1776, le Congrès décidait d'envoyer à Montréal, à titre de commissaires, Franklin lui-même, accompagné de Samuel Chase et de Charles Carroll[210]. Savant renommé,

---

207. Lettre de Mgr Briand au curé Maisonbasse de Saint-Thomas, le 25 octobre 1775: *L'Église après la conquête*, op. cit., pp. 37 à 39.
208. *Journals of the Congress*, op. cit., vol. IV (1776), pp. 148, 149. Le fait est noté dans un rapport de Franklin, présenté au Congrès le 14 février 1776, au nom du comité secret des Affaires étrangères.
209. VAN DOREN, *Franklin*, op. cit., pp. 345, 346.
210. *Journals of the Congress*, op. cit., vol. IV (1776), pp. 151, 152:
   That a committee of three on the reports of the committee of correspondence — two of whom to be members of Congress — be appointed to proceed to Canada,

Franklin avait joué un rôle de premier plan dans le monde de la diplomatie, comme ambassadeur des colonies britanniques à Londres. Chase, qui devait devenir juge de la Cour suprême des États-Unis, était un chef des Fils de la Liberté; il devait signer la Déclaration d'Indépendance, comme d'ailleurs Franklin et Charles Carroll. Celui-ci était une sommité des catholiques du Maryland. La confession à laquelle il appartenait ainsi que le fait qu'il ait reçu sa formation à Paris, donnaient à la délégation de quoi capter la bienveillance des Canadiens. De plus, ces membres du Congrès pouvaient s'adjoindre un cousin de Charles Carroll, le Jésuite John Carroll, qui serait en 1790 le premier évêque catholique des États-Unis. Comme son cousin, le religieux avait été formé en France, et il paraissait un porte-parole idéal pour approcher le clergé de la province de Québec[211]. Achard de Bonvouloir était aussi du voyage, pour convaincre la noblesse. Un autre aristocrate français, le chevalier de Saint-Aulaire, avait comme mission de constituer une brigade de coureurs des bois[212]. À cette délégation, il manquait un maître-imprimeur. Ce fut Fleury Mesplet. Le Congrès avait bien précisé que les commissaires devraient être accompagnés d'un imprimeur dont la tâche serait d'établir une presse libre dans la province de Québec. Samuel Chase entra alors en communication avec Mesplet, qui accepta sans hésitation. Les seules conditions qu'il posait étaient qu'on lui fît une avance de cent dollars pour résilier ses baux, et la promesse que ses dépenses seraient défrayées à Montréal. Après quoi, le Congrès forma un comité pour examiner la compétence de Mesplet: il était composé de Franklin, de John Hancock, président du Congrès, et du secrétaire, Charles Thomson. Tous convinrent que Mesplet était l'homme de la situation. Le Congrès

---

there to pursue such instructions as shall be given them by Congress: The members chosen, Dr Benjamin Franklin, Mr Samuel Chase, and Mr Charles Carroll, of Carrollton.
Resolved, That Mr Carroll be requested to prevail on Mr John Carroll to accompany the committee to Canada, to assist them in such matters as they shall think useful. [Le 15 février 1776]

211. *Dictionary of American History*, op. cit., pp. 99, 100, 107.
212. *Journals of the Congress*, op. cit., vol. IV (1776), p. 223:
Resolved, That Monsieur le chevalier de Saint-Aulaire be permitted to raise an independent company of rangers in Canada, with the pay of a captain, or, in case he shall not be able to raise such a company, that he be recommended to the commanding officer in Canada, to be employed in such service there as may be thought suitable to his genius and ability. [Le 21 mars 1776]
Le compilateur donne en pages 6, 7 et 8, du tome IV, des renseignements sur Achard de Bonvouloir.

vota alors un montant de deux cents dollars «to defray the expense of transporting him, his family and his printing utensils to Canada»[213]. S'il est difficile de prouver qu'à Londres Mesplet a bénéficié d'un appui de Franklin, les circonstances de sa nomination comme imprimeur du Congrès à Montréal ne laissent planer cette fois aucun doute. Pour se voir confier la mission d'installer une presse libre dans la province de Québec, Mesplet devait nécessairement avoir des idées libérales et qui fussent proches de celles de Franklin et des autres adeptes des Lumières alors en poste à Philadelphie. L'interrogatoire du comité pour le choix de l'imprimeur n'a fait surgir aucun doute. Les presses nouvelles à Montréal devaient parler liberté, et dans la langue de Voltaire.

Aussitôt l'entente conclue avec le Congrès, Mesplet embaucha un journaliste nommé Alexandre Pochard — car il était question de fonder un journal —, deux ouvriers-imprimeurs, John Gray et Jacques-Clément Herse, ainsi qu'un domestique. Comme le Congrès ne lui avait donné aucune avance pour son installation à Montréal, l'imprimeur eut de nouveau recours à son fidèle ami Charles Berger, qui était devenu son associé. Berger lui consentit une somme de mille livres — soit deux mille six cent soixante-six dollars — pour mettre sur pied son atelier à Montréal, plus sept cent quatre-vingt-six dollars pour l'achat de nouveaux caractères, de papier et autres objets indispensables; enfin, un montant de cinq cent soixante dollars pour le règlement de ses dettes à Philadelphie. L'unique condition du versement de ces quatre mille douze dollars était que Berger recevrait chaque année dix pour cent de cette somme, que l'entreprise réussît ou

---

213. *Journals of the Congress*, op. cit., vol. IV (1776), p. 173:
   Resolved
   Monsieur Mesplet, printer, be engaged to go to Canada, and there set up his press and carry on the printing business, and the Congress engage to defray the expense of transporting him, his family and printing utensils to Canada, and will moreover pay him the sum of 200 dollars.
   APC, *Papers of Continental Congress*, No 41, vol. 6, p. 341:
   Observations of Mr Fleury Mesplet, printer to the Honorable Congress.
   Extrait: By order from Congress and through the Channel of the Honorable Mr Chase at my domicile in Philadelphia where speaking to me in person it was proposed to me to set off for Montreal, in Canada, in quality of printer for Congress, with all my utensils necessary for my press at the expense of Congress.
   I accepted of the offer...
   The expedition then took place immediately after the verification of my abilities by the respectable Congress in presence of the Honorable the president Hankok [Hancock], esquire; the Honorable Doctor Franklin and Mr Thompson [Thomson], secretary.

non. Mesplet avait à ce point confiance en son étoile, qu'il changea en monnaie du Congrès tout son argent, y compris le capital réalisé dans la vente d'une grande partie de son stock de livres[214]. Le 20 mars, le Congrès adoptait le texte du mandat et des instructions des commissaires. Leur mission essentielle était de présider à l'union du Québec avec les autres colonies. Il fallait donner aux Canadiens l'assurance que leur adhésion leur permettrait l'exercice de toutes leurs libertés, y compris la liberté de conscience et de religion. Ils devaient prendre en main la direction politique de leur province. C'est pourquoi les commissaires devaient leur expliquer les règles de base d'un gouvernement démocratique: création de comités, élection de représentants, formation d'une assemblée provinciale, pouvoirs de décision d'une telle assemblée. La présence des milices américaines dans la province ne constituait pas une invasion, mais une réponse aux attaques britanniques contre nos libertés communes. Une assemblée nationale des Canadiens pourra enfin donner une voix à cette collectivité, lui permettre d'exprimer «a generous love of liberty». Les habitants doivent choisir: combattre pour la liberté ou rester sous le règne de la tyrannie. Les commissaires devront leur assurer «that it is our earnest desire to adopt them into our union as a sister colony». Les Canadiens doivent oser s'engager, faire le pas décisif. Toute la protection des autres colonies est assurée au Québec. Les commissaires sont aussi requis d'établir une presse libre:

> You are to establish a free press, and to give direction for the frequent publication of such pieces as may be of service to the cause of the United Colonies[215].

C'était un travail de persuasion, y compris auprès du clergé et de la noblesse. En somme, il fallait que l'esprit qui se dégageait de la brochure *Common Sense* de Thomas Paine — texte qui circulait dans les colonies depuis le 10 janvier 1776 — enflammât aussi les Canadiens. L'Amérique des petites gens a-t-elle intérêt à rester liée à l'Angleterre, demandait Paine? C'est une question de bon sens, et le bon sens répond: Non. Les colonies sont à même de se gouverner, écrivait-il, beaucoup mieux que le

---

214. *The First Printer*, op. cit., p. 203. Au sujet des noms des ouvriers-imprimeurs, voir le mémoire de Mesplet au Congrès, le 1er août 1783 et la déclaration de P. G. Breton et James Valliant, le 31 mars 1785 dans *Papers of Continental Congress*, op. cit., No 41, vol. 6, pp. 309, 353. Voir aussi FAUTEUX, Aegidius.- «Jacques-Clément Herse».- BRH, vol. XXXV, 1929, pp. 219 à 222.
215. *Journals of the Congress*, op. cit., vol. IV (1776), pp. 215 à 219.

66

gouvernement anglais ne peut le faire. Elles ont une magnifique occasion de créer une société nouvelle entièrement libérée de la tyrannie d'un monarque européen et de l'exploitation éhontée à laquelle se livrent les puissances d'outre-Atlantique. Le seul remède aux maux actuels est l'indépendance. Plus les opprimés tardent à la conquérir, plus cette conquête est difficile. Seule l'indépendance rendra possible l'union de tous les Américains. «La Liberté a été pourchassée tout autour du globe», clamait Paine. «O Américains! recevez la fugitive et préparez un refuge pour l'humanité[216]!»

En acceptant de se rendre à Montréal, Mesplet n'allait pas totalement vers l'inconnu. Il y était passé à deux reprises en 1774-1775, au cours de son voyage aller-retour Québec-Philadelphie. Il avait pu avoir alors un aperçu de cette ville qui deviendrait le centre de son action dans la province[217]. Précédant les commissaires, Mesplet quitta Philadelphie le 16 mars 1776. Il était accompagné de sa femme, Marie Mesplet, du journaliste Pochard, des deux ouvriers-imprimeurs et d'un domestique. Le matériel d'imprimerie et les bagages devaient être transportés dans des chariots au fort George[218]. Dans la dernière semaine de mars, les commissaires partaient à leur tour. Après avoir passé deux jours à New York, ils prenaient le 2 avril un sloop pour Albany. Ils y parvenaient le 6 avril. Le commandant des forces continentales dans le New York, le général Philip Schuy-

---

216. PAINE, *Common Sense*, op. cit.
   The authority of Great Britain over this continent, is a form of government, which sooner or later must have an end. (p. 21)
   A government of our own is our natural right... (p. 29)
   O! ye that love mankind! Ye that dare oppose not only the tyranny but the tyrant, stand forth! Every spot of the old world is overrun with oppression. Freedom hath been hunted round the globe. Asia and Africa have long expelled her. Europe regards her like a stranger, and England hath given her warning to depart. O! receive the fugitive, and prepare in time an asylum for mankind. (pp. 30, 31)
217. Mesplet paraît n'avoir fait que passer à Montréal. Sa destination était Québec: c'est de la capitale qu'il correspondait avec Philadelphie. Il est sûrement arrivé au Canada à l'automne de 1774 puisqu'il est demeuré tout l'hiver dans la colonie. Selon McLachlan (*The First Printer*, p. 202), Mesplet, lors de son passage à Montréal, aurait obtenu le contrat d'impression du *Règlement de la confrérie de l'Adoration perpétuelle du Saint-Sacrement et de la Bonne Mort*. Il paraît peu plausible que les Sulpiciens, qui pouvaient alors compter sur l'imprimerie de la *Gazette de Québec*, aient demandé un travail à un imprimeur demeurant dans une ville aussi éloignée que Philadelphie. Mc Lachlan suppose ce fait parce que le Règlement de la confrérie a compté une première édition réalisée par Mesplet, avant celle imprimée à Montréal.
218. Mémoire de Mesplet au Congrès, le 1er août 1783: *Papers of Continental Congress*, op. cit., p. 309.

ler les reçut à Albany, puis dans sa propriété de Saratoga, couverte de six pouces de neige. Ils y séjournèrent une semaine[219]. Entre-temps, le groupe Mesplet était parvenu au fort George depuis le 8 avril. On y attendit l'arrivée du matériel d'imprimerie et des bagages pendant «plusieurs jours»[220]. Le temps était épouvantable. Dans une lettre du 15 avril, Franklin écrivait à son ami l'avocat Josiah Quincey:

> Je suis ici sur la route du Canada, retardé par l'état actuel des lacs, qui fait que la glace non dégelée empêche la navigation. Je commence à craindre d'avoir entrepris une tâche qui, à mon âge, se révélera au-dessus de mes forces...

Les commissaires parvinrent enfin au fort George le 18 avril: le général Schuyler les y avait précédés. En sa compagnie, ils s'embarquèrent sur le lac George, dans des bateaux plats ouverts qui devaient se frayer un passage à travers les glaces. De temps en temps, les voyageurs abordaient sur le rivage pour se réchauffer autour d'un feu et boire du thé. La nuit, ils dormaient sous des tentes dans les bois ou sur les bateaux[221]. C'était vraisemblablement dans des embarcations de ce type que Mesplet les précédait. Dans un rapport communiqué au Congrès, le 1er août 1783, l'imprimeur précisera que, pour transporter ses biens du fort George à Montréal, il avait été obligé d'utiliser cinq bateaux.

> Il faut observer, notera Mesplet, les grandes difficultés qu'il y a à faire ce chemin à cause des portages, changement de voiture avec un si grand train[222].

Mais l'avance qu'avait l'imprimeur sur les commissaires va être annulée par un naufrage

> Le 22 avril, racontera Mesplet, j'arrivai à Chambly où il y a un sault à passer. Soit par les grandes difficultés ou la faute du pilote, les cinq bateaux prirent si grande quantité d'eau qu'ils manquèrent périr.

Une partie des biens transportés furent perdus ou endommagés, y compris du papier «en feuille, du papier doré, du papier indienne, papier blanc, quantité de livres»[223]. Pour leur part, les

---

219. VAN DOREN, *Franklin*, op. cit., pp. 349, 350.
220. Mémoire de Mesplet au Congrès, le 1er août 1783: *Papers of Continental Congress*, op. cit., p. 309.
221. VAN DOREN, *Franklin*, op. cit., p. 350.
222. Mémoire de Mesplet, le 1er août 1783: *Papers of Continental Congress*, op. cit., p. 309.
223. *Idem.*

commissaires s'embarquaient le 25 avril sur le lac Champlain et atteignaient Saint-Jean le 27. Ils en repartaient en calèches sur de mauvaises routes qui les conduisirent jusqu'au Saint-Laurent. Par cette voie fluviale, ils parvinrent le 29 avril à Montréal, où une salve de canon fut tirée en l'honneur du «Comité de l'honorable Congrès continental... et de son président, le célèbre docteur Franklin»[224]. Mesplet ne put rejoindre les commissaires que le 6 mai.

Depuis à peine deux ans en Amérique, l'imprimeur lyonnais se retrouvait aux côtés de Franklin et des autres adeptes des Lumières, désireux de libérer les colonies américaines du joug de la Grande-Bretagne. À Philadelphie, il avait imprimé les Lettres du Congrès incitant les habitants du Québec à s'engager dans le mouvement de libération. L'adhésion de la majorité des Canadiens avait facilité l'entrée des miliciens américains sur le territoire, qui fut entièrement «libéré», à l'exception de Québec, la capitale. Les commissaires et Mesplet avaient pour tâche principale de mettre en branle le processus démocratique, qui permettrait le fonctionnement d'une chambre d'assemblée, capable de donner une voix aux Canadiens. Mais déjà se profilaient à l'horizon les voiles de la flotte britannique qui devait briser le blocus de Québec et chasser les Fils de la Liberté.

---

224. VAN DOREN, *Franklin*, op. cit., p. 350.

Chapitre 5

Premier imprimeur de Montréal

D'après le recensement de 1765, la ville de Montréal comptait cinq mille sept cent trente-trois habitants et neuf cents maisons. Entourée de fortifications, elle avait comme seigneurs des Sulpiciens. La ville était un centre de traite des fourrures avec, comme riches bourgeois, des trafiquants qui deviendront, en 1784, les fondateurs de la Compagnie du Nord-Ouest, concurrente de la puissante Compagnie de la Baie d'Hudson. Comme à l'époque de la Nouvelle-France, la plupart des coureurs des bois étaient francophones. Mais la majeure partie de la population du Québec — totalisant soixante-neuf mille huit cent dix personnes en 1765 — était rurale[225]. Avant la venue de Mesplet à Montréal, il n'y avait eu ni imprimerie, ni librairie, ni bibliothèque publique, ni journalisme. La vie intellectuelle était quasi inexistante. Montréal était plus arriéré encore que ne l'était Philadelphie quand Franklin y était arrivé en 1723: dans cette ville on vendait déjà

---

225. *Recensement du Canada - 1665-1821* - vol. IV.- Ottawa; Statistiques du Canada, 1876.- pp. 64 à 68. Sur Montréal, centre de la traite des fourrures: OUELLET, Fernand.- *Histoire économique et sociale du Québec (1760-1850).*- Montréal; Fides, 1966.- pp. 37, 38, 76, 77, 102. MAURAULT, Olivier.- *Le petit séminaire de Montréal.*- Montréal; De Rome, 1918.- Extrait de la page 27:
Montréal tenait alors (en 1773) presque tout entier à l'intérieur de ses fortifications. La rue Saint-Paul, la rue McGill, la ruelle Fortification et son prolongement jusqu'à la gare Viger, qui était alors la cidatelle: voilà le tracé des murs de la ville. Les maisons étaient, pour la plupart, en bois, couvertes de fer blanc, avec des échelles sur les toits et des volets de fer contre l'incendie.

quelques livres, on imprimait des almanachs[226]. À Montréal, ce furent les Lettres du Congrès aux habitants du Québec qui commencèrent à faire circuler les idées dans ce monde clos où Sulpiciens, Jésuites et Récollets avaient le contrôle absolu des consciences. La liberté d'expression avait suivi la marche victorieuse de Montgomery et les exploits d'Arnold. Une petite armée d'un millier de «libérateurs» — cinq cents étaient malades ou blessés — tenait le Québec hors du giron britannique. Et ces Fils de la Liberté avaient si bien obtenu la complicité de la majorité de la population que Carleton — enfermé dans la capitale — n'osait en sortir avec ses mille huit cents soldats, bien nourris et armés jusqu'aux dents.

Avec Franklin, la Philosophie des Lumières pénétrait à Montréal et se personnalisait, si l'on peut dire, dans cette bonhomie, cette humanité qui charmerait bientôt Paris et conduirait à l'alliance de la France et des colonies américaines. C'est «un homme qui croit au pouvoir de la raison et à la réalité de la vertu», dira Condorcet dans son *Éloge de Franklin* en 1790[227]. Il est comparé à Voltaire dans la guerre qu'il «faisait adroitement» au fanatisme:

> Ainsi, à la même époque, dans les deux parties du globe, la Philosophie vengeait l'espèce humaine du tyran qui l'avait longtemps opprimée et avilie; mais elle combattait avec des armes différentes. Dans l'une [en Amérique anglaise], le fanatisme était une erreur des individus, fruit malheureux de leur éducation et de leurs lectures. Il suffisait de les éclairer, de dissiper les fantômes d'une imagination égarée. C'étaient les fanatiques eux-mêmes que surtout il fallait guérir. Dans l'autre [en Europe], où le fanatisme guidé par la politique, avait fondé sur l'erreur un système de domination, où, lié à toutes les espèces de tyrannie, il leur avait permis d'aveugler les hommes, pour qu'elles lui permissent de les opprimer, il était nécessaire de soulever l'opinion, et de réunir contre une puissance dangereuse les efforts des amis de la raison et de

---

226. VAN DOREN, *Franklin*, op. cit., p. 58. En 1776, Philadelphie comptait 77 librairies. Cette ville venait immédiatement après Londres pour la vente de livres dans le monde anglophone. Les importations étaient variées. Il y avait plus de livres français chez les marchands de Philadelphie que n'importe où ailleurs dans les treize colonies. La concurrence entre les libraires facilitait la diffusion des livres et des idées. L'atmosphère religieuse tolérante encourageait aussi de tels échanges. Voir BOORSTIN, Daniel.- *Histoire des Américains*, tome I (L'aventure coloniale).- Paris; Colin, 1981.- p. 312.
227. CONDORCET.- *Éloge de Franklin* dans AHRWEILLER, Jacques.- *Benjamin Franklin, premier savant américain*.- Paris; Seghers, 1965.- p. 107.

la liberté. Il n'y s'agissait pas d'éclairer les fanatiques, mais de les démasquer et de les désarmer[228].

Dans l'Amérique du Nord, telle que la présentait Condorcet, la province de Québec était l'exception, non à cause de sa religion — le Maryland des Carroll était catholique —, non à cause de sa langue — celle-ci était universellement reconnue[229], — mais parce qu'elle conservait un régime de gouvernement absolu où la volonté de la population ne pouvait s'exprimer. Les Canadiens n'avaient jamais connu le fonctionnement d'une chambre d'assemblée, alors que toutes les autres colonies britanniques en bénéficiaient. Habitué à répandre les idées de tolérance et de raison, Franklin devait affronter à Montréal «un système de domination» où le seigneur était aussi le prêtre. Le Philosophe avait prévu des difficultés puisqu'il s'était fait accompagner des cousins Carroll, les catholiques les plus cultivés et les plus puissants du Maryland. Mais rien ne put ébranler les convictions de la noblesse et du clergé du Québec, même si la majorité des autres Canadiens pactisaient avec les Fils de la Liberté. Voici comment Condorcet, dans l'Éloge déjà cité, explique l'échec de la mission de Franklin:

> Les Américains avaient fait devant Québec une tentative inutile; et ces hostilités, en rappelant le souvenir de l'ancienne animosité, ne pouvaient qu'éloigner un rapprochement également utile aux deux nations. L'intérêt des citoyens les plus accrédités dans le Canada y opposait d'autres obstacles. Les Anglais avaient laissé aux habitants leur religion et leurs lois. Ce qui restait de noblesse française craignait de s'unir à des nations où la proscription absolue des prérogatives héréditaires était regardée, avec raison, comme l'égide de la liberté. Le clergé romain aima mieux être toléré, mais protégé par le gouvernement anglais, que de voir s'établir une liberté d'opinion toujours si effrayante pour des hommes accoutumés à dominer les esprits. Franklin ne réussit

---

228. *Éloge de Franklin*, op. cit., pp. 75, 76.
229. FRANKLIN, Benjamin.- *Correspondance inédite et secrète.*- Paris; Janet, 1817.- p. 305. Extrait de la lettre CXIV adressée à Noah Webster, le 26 décembre 1789: La langue latine, qui sert depuis longtemps à répandre les connaissances chez les différentes nations de l'Europe, est de jour en jour plus négligée; et l'une de nos langues modernes, je veux dire la langue française, semble l'avoir remplacée et être devenue universelle. On la parle dans toutes les Cours de l'Europe; et la plupart des gens lettrés eux-mêmes qui ne la parlent pas, la connaissent assez pour être en état de lire facilement les ouvrages écrits en français. Cette universalité de leur langue donne aux auteurs français le moyen d'influencer l'esprit des autres nations sur des points importants... C'est peut-être parce qu'il était en français que le traité de Voltaire sur la Tolérance a produit sur le bigotisme un effet si subit et si grand qu'il l'a presque détruit...

pas, et le Canada resta fidèle au pays dont le gouvernement faisait espérer plus sûrement la conservation de quelques abus[230].

Cette appréciation de Condorcet est d'autant plus importante qu'il a pu avoir des échanges à ce sujet avec Franklin lui-même, à Paris. Franklin et Mesplet représentaient cette «liberté si effrayante» que nous voyons Mgr Briand dénoncer avec horreur. Les commissaires étaient parvenus à Montréal une semaine avant l'arrivée d'une flotte britannique transportant dix mille soldats aguerris, dont un grand nombre de mercenaires allemands renommés pour leurs brutalités[231]. Les milices du Congrès — formées de citoyens ordinaires — étaient en grande partie décimées par la petite vérole et la dysenterie. Entre-temps, le clergé avait réussi à perturber la vie sociale des Canadiens, en refusant les services du culte qui rythmaient habituellement la vie paysanne. De tels moyens de pression, d'autres encore, en plus de l'annonce de l'arrivée des troupes, permirent aux royalistes de recommencer à parler haut. Malgré les fatigues du voyage, les commissaires s'étaient mis à la tâche pour convaincre les seigneurs et les prêtres d'adhérer à la cause des colonies unies. Ils se heurtèrent, selon la logique des choses que fera ressortir l'analyse postérieure de Condorcet, à un mur de fer. La seule chose que le père Carroll put obtenir de Montgolfier, ce fut la permission de dire sa messe dans la chapelle des Jésuites[232]. Il eut toutefois la sympathie de son confrère, le père Pierre Floquet, qui consentit aussi à donner les sacrements aux miliciens canadiens, favorables aux colonies unies[233]. La plupart des bourgeois accueillirent chaleureusement les commissaires, selon une lettre du père Carroll[234]. Ils logèrent même chez l'un de ces bourgeois, Thomas Walker, que Montgomery avait libéré alors qu'on le conduisait les fers aux pieds à Québec[235]. Madame Walker devait

230. *Éloge de Franklin*, op. cit., p. 93.
231. ALDEN, John Richard.- *La guerre d'Indépendance.*- Paris; Seghers, 1965.- p. 110: sur le nombre des «tuniques rouges» et des Hessois. Dans *Invasion du Canada*, op. cit., le Témoin oculaire fait état de leurs brutalités: pp. 145, 146.
232. CHARLAND, Thomas-M.- «La mission de John Carroll au Canada en 1776 et l'interdit du père Floquet».- RSCHEC, 1933-1934.- p. 49.
233. *Ibid.*, pp. 51, 52: lettre de Montgolfier à Mgr Briand, datée du 17 juin 1776, dénonçant le Jésuite Floquet pour avoir donné la communion pascale à des miliciens canadiens favorables aux Fils de la Liberté.
234. COLLARD, Edgar Andrew.- *Chateau Ramezay American Headquarters in Montreal.*- Montréal; Château Ramezay, 1978.- p. 43.
235. *Invasion du Canada*, op. cit., (Témoin oculaire), p. 58: sur la délivrance de Walker. La maison de celui-ci était voisine du château Ramezay et elle était, selon le journal de Charles Carroll, "the best built, and perhaps the best furnished in the town". Voir CARROLL, Charles.- *Journal of Charles Carroll of Carrollton during his visit to Canada in 1776.*- Baltimore; Maryland Historical Society, 1876.- p. 93.

s'avérer une hôtesse attentive pour Franklin qui souffrait de furoncles: ses jambes étaient enflées au point qu'on craignait une hydropisie[236].

Retardé par son naufrage, Mesplet n'arriva à Montréal que le 6 mai 1776[237], le jour même de l'entrée des premiers vaisseaux britanniques dans le port de Québec. Les quelques centaines de miliciens américains refluèrent vers Deschambault, en direction de Montréal[238]. Il n'y a pas de doute que le 6 mai Mesplet se soit présenté devant les commissaires, en particulier devant Franklin, leur président. Il a certes aussi alors rencontré Valentin Jautard, qui avait obtenu une commission de notaire public de la part de Wooster[239]. Le groupe de l'imprimeur s'installa à l'auberge une dizaine de jours[240]. Il est fort plausible que tout le matériel d'imprimerie fut placé dans les caves du château Ramezay, qui était l'hôtel du gouvernement[241]. Mesplet n'avait pas encore fait fonctionner ses presses quand, le 11 mai, Franklin, malade, quittait la ville en compagnie de madame Thomas Walker. Le père Carroll les rejoignit le lendemain et Thomas Walker, plus tard, à Saratoga. Les deux autres commissaires restèrent en poste jusqu'au 30 mai[242]. Pour sa part, Mesplet mettait fin à son séjour à l'auberge en louant la grande maison du baron de Longueuil, dans la rue Capitale, donnant sur la place du Marché, en bordure du fleuve, dans le port. Ses presses fonctionneront à cet endroit jusqu'en 1788[243]. L'imprimeur était installé depuis

---

236. VAN DOREN, *Franklin*, op. cit., p. 351.
237. Mesplet précise la date de son arrivée à Montréal dans un relevé de ses dépenses présenté au Congrès, à la suite de son mémoire du 27 mars 1784: *Papers of Continental Congress*, op. cit., No 41, vol. 6, p. 364 (Memorandum of Expenses).
238. *Invasion du Canada*, op. cit., (Témoin oculaire), p. 127.
239. Le 31 janvier 1776: commission du général de brigade Wooster à Valentin Jautard, le nommant notaire public pour le district de Montréal: RAC, 1888, p. 980 (Collection Haldimand B 185-1, 70).
240. *Papers of Continental Congress*, op. cit., No 41, vol. 6, p. 364 (Memorandum of Expenses). Extrait: "for Board of 6 persons at the Tavern 11 days..."
241. Il paraît probable que l'auberge n'a pu recevoir le matériel d'imprimerie et les autres biens transportés dans cinq barges. D'autant plus qu'il n'est précisé à l'hôtellerie que les frais de logement et non d'entreposage.
242. *Journal of Charles Carroll*, op. cit., p. 93 et suiv.
243. Les précisions sur le logement de Mesplet sont contenues dans les documents suivants:
   a) reconnaissance de dette de Fleury Mesplet envers Charles Berger, datée du 29 décembre 1784. Tirée du greffe du notaire Pierre Mézière, ANQM, CN 0601-0290. Extrait:
      ...le dit sieur Mesplet a élu domicile en sa maison, où il est actuellement résident, appartenant à Monsieur de Longueuil, sise en cette ville, rue Capitale...
   b) bail de location, daté du 14 avril 1788, de la maison de Jean-Baptiste Tabaux,

à peine un mois quand, le 15 juin, le général Arnold abandonnait la ville avec les derniers miliciens américains et canadiens[244]. Mesplet resta sur place. Il n'était pas libre de partir. Tout d'abord, il y avait le problème du transport de son imprimerie et de ses autres biens qui avait nécessité, rappelons-le, l'emploi de chariots et de cinq bateaux. Mais le plus grand empêchement était pour l'imprimeur de se retrouver sans le sou. Il avait en effet changé, on s'en souvient, la majeure partie de sa fortune en billets de banque du Congrès qui étaient sans valeur au Québec[245]. Les

rue Notre-Dame. Tiré du greffe du notaire Antoine Foucher, ANQM, CN 0601-0158;

c) bail de location d'une maison de la veuve Ignace Chénier à Mesplet, le 26 mars 1793. Tiré du greffe du notaire Jean-Guillaume Delisle, ANQM, CN 0601-0121. Durant sa carrière à Montréal, Fleury Mesplet a eu pignon sur rue à ces trois endroits. D'abord rue Capitale, et ensuite rue Notre-Dame. La propriété louée au baron de Longueuil, rue Capitale, était une maison de pierre à deux étages mesurant 73 pieds de front et 26 pieds de profondeur. C'était la construction la plus considérable de la rue. Elle occupait la section de la rue Capitale, du côté de la rue Saint-François-Xavier. La maison était située exactement à 118 pieds de la place du Marché, entre les propriétés de Campion et de LeBeau. (Voir «Déclaration du fief et seigneurie de l'Isle de Montréal au papier terrier du domaine de Sa Majesté en la province de Québec en Canada», relevé fait par les Sulpiciens en 1781, et publié par Claude PERRAULT, aux éditions Payette, en 1969, sous le titre *Montréal en 1781*.- p. 9.) De 1788 à 1793, l'imprimeur habita rue Notre-Dame, une maison de pierre donnant sur un verger: cette demeure, louée de Tabaux, était située entre celles des Vallée et des L'Hardy, à savoir entre les rues Saint-François-Xavier et Saint-Pierre, à 178 pieds de distance du coin de cette dernière rue. (Voir *Montréal en 1781*, p. 51.) La dernière maison louée par Mesplet l'a été en 1793 et il l'a habitée jusqu'à sa mort survenue en 1794. C'était à proximité de la demeure de Tabaux. La maison de la veuve Chénier est la même que celle attribuée à Blondeau-père dans le terrier de 1781. (Voir *Montréal en 1781*, p. 52.) C'était une maison en pierre d'un étage, avec cour et jardin, sur un terrain de 30 pieds par 100 pieds. Le dernier atelier de Mesplet était situé à 343 pieds de distance du coin de la rue Saint-Pierre, entre cette rue et Saint-François-Xavier.

244. *Invasion du Canada*, op. cit., (Témoin oculaire), p. 132.

245. Extrait du mémoire de Mesplet adressé au Congrès le 1er août 1783:
Une fois à Montréal, il fallait former mon établissement. Je louai une maison que j'occupe encore aujourd'hui, et je me flattais, par les apparences à y faire mes affaires; mais malheureusement les troupes du continent furent obligées de [se] replier. Aussitôt qu'elles furent hors de la province, je devins criminel aux yeux de tous ces animaux que l'on nomme royalistes... (*Papers of Continental Congress*, op. cit., No 41, vol. 6, p. 309.)
Sur la fortune de l'imprimeur. Extrait d'un autre mémoire de Mesplet, aussi destiné au Congrès, et daté du 27 mars 1784:
Quand je fus parti de Philadelphie pour Montréal, je possédais, en mon âme et conscience, tant en livres qu'en papiers du Congrès, la valeur de sept mille sept cents dollars. Pour accréditer ledit papier et encourager le Canadien à le prendre, j'ai vendu la plus grande partie de mes livres et même donné de l'argent, dollar pour dollar, pour du papier — dont je peux fournir certificat — me flattant toujours que le papier du Congrès serait aussi bon que celui des banques de Venise et Londres... (*Papers of Continental Congress*, op. cit., No 41, vol. 6, p. 337)

troupes royales entrèrent dans la ville le 17 juin[246]. Huit jours plus tard, on sévit contre les occupants de la nouvelle imprimerie.

> Je fus conduit, racontera Mesplet dans son rapport de 1783 au Congrès, avec mes ouvriers et monsieur Pochard, en prison où nous avons resté un mois. Et messieurs les royalistes venaient de temps en temps nous présenter des cordes en nous traitant comme si nous eussions été des sujets les plus nécessaires au Congrès et par conséquent, les plus à craindre à leurs yeux...[247]

Seule avec un domestique, Marie Mesplet garda l'atelier de la rue Capitale et s'occupa de secourir les détenus. Au nombre des autres prisonniers se trouvaient Achard de Bonvouloir et le chevalier de Saint-Aulaire. Le premier obtenait la permission de s'embarquer pour les Antilles, tandis que le second était envoyé à Londres[248]. Mesplet et ses gens étaient libérés après vingt-six jours d'emprisonnement, c'est-à-dire le 20 juillet.

> Sorti de prison, dira l'imprimeur dans son rapport de 1783 au Congrès, monsieur Pochard prit le parti de s'embarquer pour l'Europe, monsieur Gray et monsieur Herse, mes deux ouvriers, restèrent avec moi. Mais je ne pouvais les occuper faute de papier. Néanmoins, je me flattais encore qu'une fois que j'aurais reçu le papier de Londres [que] j'avais demandé, je réparerais cette perte[249].

À Philadelphie, l'auteur de l'une des Lettres aux habitants du Québec, Richard Henry Lee, avait présenté à l'Assemblée une résolution affirmant que «les colonies unies sont et doivent être des États libres et indépendants». Cette motion déclencha l'idée de préparer une déclaration destinée au monde entier. Le 11 juin, un comité de cinq membres, dont Thomas Jefferson, John Adams et Franklin, se vit confier la tâche de la rédiger[250]. Déjà l'auteur d'une brochure intitulée *Vue sommaire des Droits de l'Amérique britannique*, Jefferson fut choisi par les autres

---

246. *Invasion du Canada*, op. cit., (Témoin oculaire), p. 133.
247. Mémoire de Mesplet au Congrès, le 1er août 1783: *Papers of Continental Congress*, op. cit., No 41, vol. 6, p. 309.
248. *Le Canada et la Révolution américaine*, op. cit., p. 165.
249. Mémoire de Mesplet au Congrès, le 1er août 1783: *Papers of Continental Congress*, op. cit., No 41, vol. 6, p. 309. Dans son relevé de dépenses déjà cité (*Papers of Continental Congress*, No 41, vol. 6, p. 364), Mesplet précise que l'emprisonnement a duré 26 jours.
250. *Journals of the Congress*, op. cit., vol. V (1776), p. 431:
    Resolved, That the committee, to prepare the declaration, consist of five members: The members chosen, Mr Thomas Jefferson, Mr John Adams, Mr Benjamin Franklin, Mr Roger Sherman, and Mr Robert Livingston. [Le 11 juin 1776]

commissaires pour la rédaction du brouillon. Ce furent en fait les arguments contenus dans cette brochure qui servirent de base à la Déclaration d'Indépendance[251]. Celle-ci fut proclamée solennellement le 4 juillet 1776.

> Nous considérons comme allant de soi, affirmait le Congrès, les vérités suivantes: Tous les hommes sont créés égaux. Leur Créateur les a dotés de certains droits inaliénables, dont la vie, la liberté et la recherche du bonheur. C'est pour assurer ces droits que sont institués parmi les hommes les gouvernements, lesquels tiennent leurs justes pouvoirs du consentement des gouvernés. Dès lors qu'une forme de gouvernement, quelle qu'elle soit, tend à détruire ces buts, le peuple a le droit de la modifier ou de l'abolir et d'instituer un nouveau gouvernement en le faisant reposer sur les principes, et en organisant ses pouvoirs dans les formes qui lui paraîtront les plus susceptibles d'assurer sa sécurité et son bonheur.

Le Congrès énumérait ensuite les actes d'injustice commis par le roi contre le peuple américain. Enfin, il était déclaré que

> ces colonies sont des États libres et indépendants et que, en tant qu'États libres et indépendants, elles ont plein pouvoir de faire la guerre, de conclure la paix, de contracter des alliances, d'établir le commerce et de procéder à tous actes qui sont de la juste compétence des États indépendants[252].

Le 29 novembre 1777, le Congrès décidera de faire traduire en français la Constitution de la confédération des colonies et de la répandre dans la province de Québec, comme un nouvel appel

---

251. JEFFERSON, Thomas.- *La liberté et l'État*.- Paris; Seghers, 1970.- p. 11. Voir aussi LACOUR-GAYET, Robert.- *Histoire des États-Unis*.- Paris; Fayard, 1970.- p. 166.
252. *Journals of the Congress*, op. cit., vol. V (1776), pp. 49 à 502.
 ...We hold these truths to be self-evident; that all men are created equal, and they are endowed by their creator with certain inalienable rights; that among these are life and liberty, and the pursuit of happiness; that to secure these rights, governments are instituted among men, deriving their just powers from the consent of the governed; that whenever any form of government becomes destructive of these ends, it is the right of the people to alter or to abolish it, and to institute new government, laying it's foundations on such principles and organizing it's powers in such form, as to them shall seem most likely to effect their safety and happiness... (p. 492)
 ...we do assert and declare these colonies to be free and independent states, and that as free and independent states, they have full power to levy war, conclude peace, contract alliances, establish commerce, and to do all other acts and things which independent states may of right do... (p. 502)
 «The unanimous Declaration of the thirteen United States of America" est donnée officiellement le 4 juillet 1776, pages 510 à 515, avec les signatures entre autres de Franklin, Samuel Chase, Charles Carroll, Thomas Lynch.

de la Liberté[253]. Suite logique de la Déclaration d'Indépendance, les *Articles of Confederation and Perpetual Union* regroupaient sous le nom de United States of America le New Hampshire, le Massachusetts, le Rhode Island, le Connecticut, le New York, le New Jersey, la Pennsylvanie, le Delaware, le Maryland, la Virginie, la Caroline du Nord, la Caroline du Sud et la Georgie. Chaque État conservait sa souveraineté, sa liberté et son indépendance, sous la supervision du Congrès. Il était précisé à l'article 11 de la constitution que le Canada pourrait être accepté dans l'union américaine, avec tous ses avantages, dès qu'il en manifesterait le désir[254].

Les miliciens américains et leurs alliés avaient à peine levé le siège de Québec que Mgr Briand avait fulminé contre les Canadiens insoumis, c'est-à-dire contre la majorité de la population. Le 12 mai 1776, il publiait un mandement qui rappelait les circonstances de «l'invasion». Il louait d'abord la fermeté du gouverneur général, des officiers, soldats et miliciens qui avaient gardé la capitale. Il remerciait la Providence d'avoir sauvegardé «le dernier boulevard qui restait à la province et à la religion de nos pères». Il souhaitait ensuite que ce succès ramenât dans «les sentiers de la vérité» les Canadiens que «l'esprit d'erreur et de mensonge avait aveuglés». Il espérait qu'ils seraient à l'avenir plus «dociles à la voix de leurs pasteurs, et plus soumis aux puissances que Dieu a établies pour les gouverner»[255]. Un deuxième mandement était publié à la fin du printemps. Cette fois, Mgr Briand pressait les Canadiens insoumis de se rétracter. L'évêque affirmait tout d'abord que les habitants avaient été trompés.

---

253. *Journals of the Congress*, op. cit., vol. IX (1777), p. 981:
    Resolved, That a committee of three be appointed to procure a translation to be made of the articles of Confederation into the French language, and to report and address to the inhabitants of Canada, inviting them to accede to the union of these states; that the said committee be further directed to report a plan for facilitating the distribution of the said articles and address, and for conciliating the affections of the Canadians towards these United States.
    The members chosen, Mr William Duer, Mr James Lovell, and Mr Francis Lightfoot Lee.
254. *Journals of the Congress*, op. cit., vol. IX (1777), pp. 907 à 925. L'article 11, concernant le Canada, est en page 924:
    Canada acceding to this confederation, and joining in the measures of the United States, shall be admitted into and entitled to all advantages of this union; but no other colony shall be admitted into the same, unless such admission be agreed to by nine states.
255. Mandement de Mgr Briand, le 12 mai 1776: *Mandements des évêques de Québec*, op. cit., pp. 267, 268.

Vous avez trop d'esprit pour ne pas apercevoir les fourberies grossières et les plus iniques mensonges dont on s'est servi pour vous faire tomber dans le piège qu'on vous tendait et dans lequel vous avez eu le malheur de donner avec le plus déplorable aveuglement et une sorte de frénésie et de fanatisme.

Le temps du repentir était venu: «la plus courte folie est la meilleure». La crainte de ne pas obtenir son pardon serait «une nouvelle erreur, pire que la première». D'ailleurs, «le gouvernement sous lequel nous vivons est le plus doux et le moins sanguinaire; la clémence et l'indulgence sont ses caractères distinctifs...» «mais si vous persistez dans votre révolte, vous forcerez aux plus rigoureux châtiments». Aussi Mgr Briand exhortait-il les Canadiens «de revenir au plus tôt au devoir». D'autant plus que les habitants du Québec n'avaient aucun motif valable de se rebeller, la conquête britannique s'étant soldée «par un mieux-être». Selon l'évêque, les fortunes avaient augmenté et les «possessions étaient devenues considérablement plus lucratives et plus riches». C'est pourquoi la «réunion à des esprits rebelles» avait été perçue par l'Angleterre comme un geste inconcevable d'ingratitude. Mgr Briand présentait l'attitude des «colonistes» à l'égard des Canadiens non pas inspirée par une «affection fraternelle», mais «par l'envie et la jalousie des préférences» que la Grande-Bretagne accordait au Québec. L'évêque se proposait de dessiller les yeux de ses fidèles face «aux discours malins, empoisonnés, intéressés et pleins de fourberie de vos plus cruels ennemis». Ceux-ci misaient sur le fait que les habitants étaient «peu instruits», et sans aucune connaissance de la politique, «jugés sots et ignorants». Les Américains avaient alors parlé de l'Acte de Québec

> comme un attentat à votre liberté, comme tendant à vous remettre dans l'esclavage, à la merci de vos seigneurs et de la noblesse; ils vous ont promis l'exemption des rentes seigneuriales, et vous avez aimé cette injustice; et que vous ne paieriez plus de dîmes, et vous n'avez pas eu horreur de cette impie et sacrilège ingratitude envers le Dieu, sans la bénédiction duquel ni vos champs ne seraient fertiles, ni vos travaux ne réussiraient.

En étant insoumis, les Canadiens avaient mis en danger leur religion elle-même:

> ...si Dieu n'avait pas usé de miséricorde, vous deveniez, en peu de temps, après la prise de Québec, des apostats, des schismatiques et de purs hérétiques, protestants du protestantisme le plus éloigné de la religion romaine et son plus cruel ennemi.

L'évêque admettait que ses fidèles étaient dans «une ignorance crasse de presque tous les points» de leur foi; donc qu'ils avaient agi «comme des fanatiques et des misérables insensés et déplorables aveugles». Du reste,

> il est évident que tous ceux ou presque tous ceux qui ont refusé d'écouter leurs prêtres, lorsqu'ils les instruisaient soit dans la chaire de vérité, soit dans le tribunal et qui n'ont pas voulu suivre leur enseignement, sont tombés dans le schisme, et se sont séparés de l'Église...

Mgr Briand dressait ensuite la liste des péchés dont les Canadiens s'étaient rendu coupables: désobéissance envers la puissance légitime, parjures, vols, assassinats, incendies, persécutions des prêtres, révélations des secrets de la confession.

> Pauvre peuple, soupirait l'évêque, votre situation était glorieuse dans toute l'Europe, et tous les royaumes retentissaient de vos éloges! et vous allez passer maintenant pour le plus perfide, le plus barbare et le plus indigne.

L'évêque incitait les insoumis à se prosterner «avec un coeur contrit et humilié aux pieds» des prêtres et à leur confesser leurs «désordres». Les pasteurs les recevraient dans «l'esprit de Notre-Seigneur, qui pardonna avec tant de facilité et de promptitude à ce bon larron qui venait de le blasphémer, il n'y avait qu'un moment». Mgr Briand terminait son mandement en souhaitant qu'à l'avenir les Canadiens fussent «plus dociles, plus respectueux et plus obéissants» envers leurs pasteurs car, s'il en avait été ainsi, le Québec n'aurait «rien éprouvé des troubles des autres colonies»[256]. Ce mandement est en fait la réponse de l'Église aux Lettres du Congrès adressées aux habitants du Québec. Sans doute, la même argumentation cléricale a-t-elle été utilisée dans les paroisses, d'où les réactions des Canadiens contre les prêtres employant la «chaire de vérité» et les confessionnaux pour lutter contre les libertés fondamentales. À la différence des Lettres du Congrès, qui s'adressaient aux Canadiens avec respect, le mandement de Mgr Briand est une violente prise à partie qui fait l'apologie de l'Acte de Québec et du régime seigneurial. La virulence des termes utilisés par l'évêque, le fait aussi que son message soit destiné à l'ensemble de la collectivité, donnent à penser que le revers des milices américaines n'avait rien changé au sentiment des habitants envers l'idéal de liberté et de fraternité des colonies unies.

---

256. *Ibid.*, pp. 269 à 279: Mandement aux sujets rebelles durant la guerre américaine.

Dès le départ des Fils de la Liberté, les Canadiens avaient pu constater que le régime de l'Acte de Québec les avait de nouveau solidement assujettis. Durant le printemps et l'été, dans toute la province, la plupart des habitants valides avaient dû besogner comme des forçats à une grande corvée ordonnée par Carleton pour charroyer les vivres des troupes, réparer les chemins, tirer des bateaux, tout cela gratuitement. Ils avaient quelquefois dû travailler à des distances fort éloignées de leur foyer, et ceux qui avaient refusé avaient été emprisonnés. Les soldats avaient logé dans les fermes laissées sans maître, y avaient commis des viols, s'étaient souvent emparés des biens des paysans et avaient tué les animaux à leur guise. Les officiers, en garnison dans les campagnes, avaient fait la réquisition des chevaux et des voitures[257]. Le Canadien était corvéable à merci; ce que la première Lettre du Congrès avait souligné, à savoir qu'il n'était employé que pour déplacer une pierre d'un endroit à un autre, se vérifiait concrètement. Les dix mille soldats des troupes britanniques signifiaient en fait qu'il y avait un homme armé pour mater un paysan dans la colonie. En effet, comme il y avait approximativement quatre-vingt mille habitants dans la province, en considérant que plus de la moitié étaient des enfants; qu'il y avait à peu près autant de femmes que d'hommes; en ne comptant pas les vieillards, les infirmes et les malades, il restait environ dix mille Canadiens valides mais désarmés face aux dix mille soldats des troupes britanniques[258]. C'était de ces hommes-là que l'évêque de Québec exigeait des rétractations, voulant que fût déraciné en eux tout espoir de liberté. L'intention de Mgr Briand avait été clairement exprimée dans le mandement donné le 12 mai 1776, avant le Te Deum d'action de grâces chanté dans la cathédrale de Québec.

Fasse le Ciel, disait-il, que la délivrance de Québec, ce bienfait signalé de la Providence, puisse dessiller les yeux de nos frères

---

257. *Invasion du Canada*, op. cit., (Témoin oculaire), pp. 145, 146, 154, 155.
258. Comme point d'évaluation des différentes couches d'âge de la population, nous avons le recensement de 1784, qui a suivi celui de 1765. Lors de ce dernier recensement, la population se chiffrait à 69,810 habitants. Nous arrondissons ce chiffre à 80,000 pour 1776. Dans le recensement de 1784, nous ne considérons que la proportion d'hommes, de femmes et d'enfants. Il y avait 20,131 hommes mariés et 19,354 femmes. Donc un nombre à peu près équivalent. La proportion est à peu près la même pour les célibataires masculins (9,381) et féminins (8,892). Les enfants de moins de 15 ans: 24,552 garçons et 22,513 filles. Il y a en tout au Québec en 1784, 104 823 personnes dont 57,758 adultes, soit à peu près la moitié. Celle-ci doit de nouveau être divisée en deux pour séparer les hommes, desquels il faut déduire les invalides.- RAC, 1889, p. 25.

82

que l'esprit d'erreur et de mensonge a aveuglés! Que le succès dont Dieu a couronné votre zèle et votre religion puisse les faire rentrer dans les sentiers de la vérité, les rendre dociles à la voix de leurs pasteurs, et plus soumis aux puissances que Dieu a établies pour les gouverner[259].

Les rétractations exigées furent loin d'être générales. Il y eut des résistances qu'on perçoit ici et là dans la correspondance de l'évêque de Québec et de Montgolfier. Celui-ci rapportait le 25 décembre 1779 qu'un Sulpicien de Montréal avait dû se rendre administrer un malade, le pistolet au poing et accompagné de deux gardes du corps pour pénétrer dans un foyer où les hommes avaient gardé leurs convictions en faveur des colonies unies et de leur idéal[260].

Dès sa sortie de prison, à la fin de juillet 1776, Mesplet avait commencé à imprimer le *Règlement de la confrérie de l'Adoration perpétuelle du Saint-Sacrement et de la Bonne Mort*. Commandé par les Sulpiciens, cet ouvrage d'une quarantaine de pages fut le premier livre imprimé à Montréal[261]. Puis les mêmes religieux lui demandèrent l'impression d'un drame destiné au public du collège, *Jonathas et David*, de Pierre Brumoy[262]. Durant cette année 1776, Mesplet réalisa encore un volume de six cent dix pages, les *Cantiques de l'âme dévote*, du prêtre Laurent Durand, d'après une édition de Marseille[263]. Dans une annonce insérée dans cet ouvrage, Mesplet avertissait sa clientèle qu'il se préparait à fournir toute la littérature de piété dans la colonie[264]. Effectivement, en 1777, il imprimait un livre de prières

259. *Mandements des évêques de Québec*, op. cit., p. 268.
260. Lettre de Montgolfier à l'évêque de Québec, le 25 décembre 1779: *L'Église du Canada après la conquête*, op. cit., p. 86.
261. *Règlement de la confrérie de l'Adoration perpétuelle du Saint-Sacrement et de la Bonne Mort.-* Montréal; Mesplet et Berger, 1776.- 40 pages. *Université McGill*, collection Lande 153. Description dans BUONO, Yolande et Milada VLACH.- *Catalogue de la Bibliothèque nationale du Québec: Laurentiana parus avant 1821.-* Montréal; Gouvernement du Québec, 1976.- p. 97.
262. BRUMOY, Pierre.- *Jonathas et David ou le Triomphe de l'amitié:* tragédie en trois actes, représentée par les écoliers de Montréal.- Montréal; Mesplet et Berger, 1776.- 40 pages. Voir *The First Printer*, op. cit., (List of Books, pamphlets, etc. printed by Mesplet), p. 225.
263. DURAND, Laurent.- *Cantiques de l'âme dévote* — divisés en XII livres où l'on représente d'une manière nette et facile les principaux mystères de la foi et les principales vertus de la religion chrétienne.- Québec; Mesplet et Berger, 1776.- 610 pages. *Université McGill*, collection Lande S 691 Durand. Description dans *Laurentiana*, op. cit., p. 123, no 227.
264. Le Sieur F. Mesplet, à Québec, présente ses respects au public et prend la liberté de prévenir qu'il imprime et vend aux meilleurs prix possibles, les livres à l'usage de l'Église romaine, et qu'il continuera à travailler sans relâche, pour pouvoir se

en langue iroquoise[265], un recueil de dévotion envers saint Antoine de Padoue[266], un office du sacerdoce en latin[267] et le *Petit livre de vie qui apprend à bien vivre et bien prier Dieu*, d'Amable Bonnefons, renfermant une vingtaine d'illustrations — ce qui fait de Mesplet l'imprimeur du premier livre illustré au Québec[268]. La même année, Mgr Briand lui accordait le gros contrat du *Catéchisme à l'usage du diocèse de Québec*[269]. En 1778, sortirent

---

former en peu de temps, une collection complète de ce qui concerne notre sainte religion, des autres bons livres d'histoires, belles-lettres, etc. Il ose se flatter d'être bientôt en état de satisfaire les personnes qui voudront bien lui faire leurs demandes et l'employer dans son art.

Cet «avis public» est inséré en 10e page, à la suite de la table des matières des *Cantiques de l'âme dévote*.

À noter aussi en trente-six lignes une Épître de l'Éditeur aux âmes dévotes:

...témoin du succès qu'il a eu en France [Il s'agit du livre de cantiques] que ne dois-je pas en attendre dans un pays où la vertu est honorée, la religion si scrupuleusement observée, et où cette malheureuse philosophie, qui a causé tant de mal en Europe, n'a encore fait aucun progrès.

On voit par là que Mesplet vivait dans une société où l'emprise de l'Église était totale. Pour s'installer comme imprimeur, il avait dû tout d'abord se mettre à son service.

Bien que, dans son «avis public», Mesplet se dise résidant de Québec et que le livre de cantiques soit présenté comme imprimé dans la capitale, l'imprimeur-libraire vivait toujours à Montréal, comme en font foi tous les ouvrages qu'il a imprimés la même année et en 1777. Peut-être projetait-il son installation à Québec? Mais ce déplacement n'a pas eu lieu.

265. BRUYOS, père.- *Iontri8-arestak8a Ionskancks N'aieienterihag Gaiatonsera te Gari8toratagon ê On8e Ga8ennotakon.-* Montréal; Mesplet, 1777. *The First Printer*, op. cit., p. 226, numéro 12.

266. *Exercice très dévot envers saint Antoine de Padoue, le thaumaturge de l'Ordre séraphique de saint François. Avec un recueil de quelques principaux miracles.-* Montréal; Mesplet et Berger, 1777.- 88 pages. *Laurentiana*, op. cit., p. 121, numéro 223. Probablement une commande des Récollets.

267. *Officium in honorem Domini Nostri J. C. summi sacerdotis et omnium sanctorum sacerdotum ac levitarum.-* Montréal; Mesplet, 1777.- 13 pages. *Université Mc Gill*, collection Lande S 1969 Roman. Lettre de Montgolfier à Mgr Briand, le 19 janvier 1777:

...J'ai fait imprimer l'Office du Sacerdoce à six cents exemplaires. Je n'attends plus qu'une occasion favorable pour vous en envoyer des paquets.

(*L'Église après la conquête*, op. cit., p. 386.)

268. BONNEFONS, Amable.- *Le petit livre de vie qui apprend à bien vivre et bien prier Dieu.-* Montréal; Mesplet et Berger, 1777.- 459 pages. *Laurentiana*, op. cit., p. 57, numéro 103. Le livre renferme vingt illustrations gravées sur bois.

269. *Catéchisme à l'usage du diocèse de Québec.* Imprimé par l'ordre de Monseigneur Jean-Olivier Briand, évêque de Québec. Première partie contenant le petit caté- chisme ou abrégé de la doctrine chrétienne.- Montréal; Mesplet et Berger, 1777.- 205 pages. Voir *The First Printer*, op. cit., p. 226, no 15.

Montgolfier avait suggéré à Mgr Briand d'accorder le contrat à Mesplet, dans une lettre datée du 19 janvier 1777:

Nous manquons de catéchismes. Notre imprimeur m'a dit qu'il avait eu l'honneur de vous écrire pour avoir la permission d'en imprimer, et que vous l'aviez renvoyé pour en conférer avec moi. Je pense que c'est une oeuvre nécessaire; mais dans ce

aussi des presses de Mesplet un *Office de la Semaine sainte*, une *Neuvaine en l'honneur de saint François-Xavier* et sûrement d'autres petits ouvrages dans cette veine[270]. Comme de nombreux imprimeurs de son époque en Amérique, Mesplet devait prendre des commandes de communautés religieuses pour vivre[271]. Il imprima toutefois en 1778 un livre qui n'en était pas un de dévotion, le *Journal du voyage de M. de Saint-Luc de la*

---

cas, si Votre Grandeur le trouve bon, je croirais que, quoique pour ne dérouter personne il soit à propos de s'en tenir au Catéchisme de Sens, en usage dans votre diocèse, on pourrait en disposer les réponses de façon que chacun renferme en même temps la demande, et forme une proposition qui signifie quelque chose par elle-même: en sorte que ce que les enfants auront appris par coeur renferme une doctrine moins abstraite, et plus durable, et plus intelligible.

Je voudrais aussi que dans chaque article, après avoir imprimé en caractères ordinaires les demandes et réponses les plus nécessaires, on distinguât par des caractères italiques celles qui sont moins essentielles, et dont on pourrait absolument dispenser les personnes les plus grossières et les moins intelligentes. Je vais vous envoyer ci-joint le prospectus et le modèle de ce projet. Votre Grandeur aura la bonté d'ordonner, et je ferai exécuter ce que vous jugerez à propos.

Je crois qu'il faudrait tirer l'édition au moins à deux mille exemplaires. Si Votre Grandeur voulait y mettre un mandement à la tête, pour encourager les curés et les catéchistes, pour exciter les pères et mères, et pour donner l'émulation à ceux-ci, je crois que cela serait bien». Voir *L'Église du Canada après la conquête*, op. cit., pp. 384, 385. Un mandement de Mgr Briand fut effectivement imprimé en tête du catéchisme: *Mandements des évêques de Québec*, op. cit., p. 288.

270. *L'Office de la Semaine sainte*, selon le missel et bréviaire romain. Avec l'explication des sacrés mystères représentés par les cérémonies de cet office. L'ordinaire de la messe, les sept psaumes de la pénitence, les litanies des saints et les prières pour la confession et communion tirées de l'Écriture sainte.- Montréal; Mesplet et Berger, 1778.- 410 pages. *Université McGill* — Livres rares: CUCA 1778.

Dans une lettre à Mgr Briand, le 15 octobre 1777, Montgolfier parle des extraits de cette sorte que Mesplet se dit prêt à imprimer:

Il y a quelque temps, Votre Grandeur me fit l'honneur de me marquer qu'elle souhaiterait faire imprimer un Rituel portatif; et l'imprimeur de Montréal vient de me communiquer ce que vous avez eu la bonté de lui écrire à ce sujet. Voici un projet de ce livret que j'ai reçu... L'imprimeur paiera ses frais par le débit. Une édition de cinq à six cents exemplaires sera sans doute au moins à moitié épuisée dans deux ou trois ans.

(*L'Église du Canada après la conquête*, op. cit., p. 386.)

Ce sont probablement les Jésuites qui ont commandé l'ouvrage suivant: *Neuvaine en l'honneur de saint François-Xavier, de la Compagnie de Jésus, apôtre des Indes et du Japon*.- Montréal; Mesplet, 1778.- 147 pages. *Université McGill*, collection Lande S1972 Roman. Description: Laurentiana, op. cit., p. 301, no 557.

271. Tous les imprimeurs vivaient en partie des contrats et des sectes en Europe et en Amérique. À Québec, Brown dépendait de ces contrats et de ceux du gouvernement colonial. Dans les colonies unies, c'était la même situation. Les livres les plus longs et les plus nombreux qu'on imprimait, surtout en Nouvelle-Angleterre, étaient des ouvrages religieux: sermons, traités, guides pratiques, commentaires de la Bible. Consulter *Histoire des Américains*, op. cit., p. 325. Au sujet des ouvrages imprimés par Brown, voir AUDET, Francis-J.- «William Brown (1737-1789), premier imprimeur, journaliste et libraire de Québec: sa vie et ses oeuvres».- MSRC, 1932, pp. 99 à 101.

Corne, écuyer, dans le navire l'Auguste, en l'an 1761[272]. C'est
le récit du naufrage d'un voilier transportant quelque cent
cinquante notables désireux de regagner la France après la capitulation de Montréal. L'auteur fut l'un des rares survivants de
la tragédie. Luc de la Corne, sieur de Chaptes et de Saint-Luc,
était surnommé le «général des sauvages» parce qu'il était le
grand favori des tribus dont il parlait les langues. Au moment
de la publication du journal de voyage, il était conseiller législatif
depuis 1775[273]. En 1777, à l'instar de Franklin, mais d'une façon
beaucoup plus modeste, Mesplet publiait le premier almanach
de langue française en Amérique, l'*Almanach encyclopédique*,
qui devenait l'année suivante l'*Almanach curieux et intéressant*.
Ces deux almanachs, comptant une soixantaine de pages chacun,
renfermaient, en plus du calendrier, des anecdotes, la liste des
desservants ecclésiastiques, et des tables d'équivalence des
monnaies courantes[274]. Après son naufrage à Chambly, en 1776,
Mesplet avait commandé à Londres du papier qu'on lui expédia
l'année suivante:

> ...je reçu mon papier, racontera-t-il lui-même dans son rapport
> de 1783 au Congrès, et avec l'aide de mes ouvriers et de mon
> intrigue [travail], je me fis un fonds honnête[275].

Le temps était venu pour lui de fonder son propre journal. Le
seul qui existait dans la colonie, la *Gazette de Québec*, qui n'avait
sorti que deux numéros durant le siège[276], avait annoncé, le 8

---

272. *Journal du voyage de M. Saint-Luc de la Corne, écuyer, dans le navire l'Auguste,
en l'an 1761*.- Montréal; Mesplet, 1778.- 40 pages. *Laurentiana*, op. cit., p. 226,
no 423.

273. À titre de «général des sauvages», Saint-Luc de la Corne avait participé à la guerre
américaine. Le Témoin oculaire (Simon Sanguinet) l'accuse même de félonie à l'égard
de Carleton. Il était très obligeant envers Mesplet et Jautard. Ainsi, l'imprimeur,
pour appuyer ses assertions contre Well auprès du gouverneur général, présentera
Saint-Luc comme témoin de ses dires. Quant à Jautard, sa sortie de prison lui sera
facilitée par Saint-Luc qui se portera caution. La version du Témoin oculaire contre
le «général des sauvages» se trouve dans *Invasion du Canada*, op. cit., pp. 51 à
53.

274. *Almanach encyclopédique* ou Chronologie des faits les plus remarquables de l'histoire universelle depuis Jésus-Christ. Avec les anecdotes curieuses, utiles et inté-
ressantes.- Montréal; Mesplet et Berger, 1777.- 60 pages. (*The First Printer*, op.
cit., p. 226, no 11.) *Almanach curieux et intéressant*. Contenant la liste des prêtres
et religieux desservant les églises du Canada; la connaissance des monnaies courantes,
des poids et mesures, et anecdotes, fables, curiosités naturelles.- Montréal; Mesplet
et Berger, 1778.- 60 pages. (*The First Printer*, op. cit., p. 227, no 16.)

275. Mémoire de Mesplet au Congrès, le 1er août 1783: *Papers of Continental Congress*,
op. cit., No 41, vol. 6, p. 309.

276. Durant le siège de Québec, la *Gazette de Québec* avait été publiée les 14 et 21 mars
1776: numéros 569, 570.

août 1776, la reprise régulière de sa parution. Dans son avis au public, l'imprimeur Brown se vantait que son journal avait jusqu'ici mérité le titre de «la plus innocente gazette de la Domination britannique»[277].

Mais Mesplet n'était pas venu dans la colonie pour publier des livres de dévotion et une presse insipide. Il était à un tournant de sa carrière. S'il le voulait, il aurait une vie tranquille, comme imprimeur quasi officiel de l'Église. Il lui avait suffi de paraître pour obtenir la plupart des contrats d'impression des Séminaires de Québec et de Montréal, des Jésuites et des Récollets. Son travail impeccable, son habileté à imprimer des textes non seulement en français, mais en anglais, en latin et en iroquois; sa réussite dans l'illustration de sujets religieux; le respect qu'il avait envers sa clientèle; tout incitait l'Église à recourir à ses services, même si elle gardait la possibilité de s'adresser à l'imprimerie de la *Gazette de Québec*. Mesplet paraissait d'accord, mais dans la mesure où il demeurait libre de penser et de s'exprimer selon son idéal, qui était l'idéal philosophique. Comme il le dira lui-même, dans son rapport de 1783 au Congrès, il lança son journal à l'intention des «honnêtes gens», comme un défi à la «canaille» royaliste qu'appuyait «la puissance du clergé»[278]. Il ne considérait pas sa feuille comme un brûlot, mais comme une tribune de tolérance et d'humanité pour faire progresser l'esprit humain.

---

277. GQ, 8 août 1776, 3e page, col. 2, numéro 571, avec la mention Résurrection.
278. Mémoire de Mesplet au Congrès, le 1er août 1783: *Papers of Continental Congress*, op. cit., No 41, vol. 6, p. 309. Extrait:
    1778, le 4 juin, j'établis un papier public, qui paraissait aux yeux des honnêtes gens, très utile à la ville de Montréal, mais la canaille [royaliste, est-il précisé en astérique] qui s'y trouvait trop souvent dépeinte dans chaque état, tramèrent (sic) une ligue contre moi, et firent agir toute la puissance du clergé auprès de M. Carleton pour me faire chasser de la province...
    À noter que le journal parut non pas le 4 mais le 3 juin 1778.

Deuxième partie

LE DÉFI
PHILOSOPHIQUE D'UN
JOURNAL LITTÉRAIRE

Chapitre 6

Une gazette littéraire

Le 3 juin 1778, le grand rêve de Mesplet se réalisait. Il faisait paraître la *Gazette du commerce et littéraire de Montréal*, le premier organe de diffusion des Lumières au Québec. En dépit de la présence du mot commerce dans le titre même, c'était une gazette essentiellement littéraire, nom qu'elle prendra d'ailleurs deux mois après son lancement. Mesplet choisit le cadre de la littérature pour mener son combat contre «l'erreur et l'ignorance», suivant en cela «les principes de la Philosophie», ainsi que devait les présenter Condorcet dans sa *Vie de Voltaire:*

> ...dans un pays où l'on aime les arts, et surtout les lettres, on tolère par respect pour elles la liberté de penser qu'on n'a pas encore le courage d'aimer pour elle-même[1].

Mesplet se proposait d'éveiller les esprits dans une ville où l'on n'était pas habitué à s'exprimer par écrit. La littérature lui paraissait la meilleure voie pour favoriser l'échange des idées. Sa feuille devint effectivement une tribune paraissant chaque semaine dans son format in-quarto. Il avait fallu cent trente-six ans à Montréal, depuis sa fondation, pour posséder un périodique. À l'époque de la Nouvelle-France, les Sulpiciens avaient demandé la permission d'établir un atelier d'imprimerie, mais

---

1. CONDORCET, *Vie de Voltaire*, M. 1, 288.

elle leur avait été refusée par leur supérieur de Paris[2]. Ils tentaient maintenant de circonvenir Mesplet, et à l'aide d'avantageux contrats, de faire servir l'imprimerie au développement de la dévotion dans la population. À leurs yeux, le journal devait aussi concourir à cette fin, du moins si l'on en juge par leur attitude ultérieure.

Au moment où la *Gazette* de Mesplet était fondée, c'était toujours la guerre entre les colonies unies d'Amérique et la Grande-Bretagne. Cette année 1778 marquait le succès éclatant de la mission de Franklin en France. Le 6 février, Versailles avait conclu un traité d'alliance avec les États-Unis, dans lequel leur indépendance était reconnue. On ne l'apprit en Amérique que trois mois plus tard, dans le temps même où était fondée la

---

2. Voici la réponse que reçut le supérieur des Sulpiciens de Montréal, François Vachon de Belmont, de la part du supérieur de Paris, Louis Tronson:
On a cru qu'il serait inutile de vous envoyer les caractères d'imprimerie que vous demandiez parce qu'on nous a dit que vous ne pourriez pas vous en servir et que les livres ne vous en apprendraient pas assez pour pouvoir réussir.
Cité dans FAUTEUX, Aegidius.- «Les débuts de l'imprimerie au Canada», CD, 16, 1951, p. 19. Les Jésuites avaient seulement formulé le voeu d'avoir une imprimerie, comme le relate le journal de la communauté, à la date du 24 septembre 1665:
Nous concluons en consulte de demander cinq ou six pères pour l'an prochain, de plus un jeune régent ou deux. Item que le père Bechefer continue dans le Montagnais jusqu'à Noël; il se mettra pour lors au Huron et à l'Iroquois. Nous concluons aussi d'écrire pour avoir une imprimerie pour les langues.
The Jesuit Relations and Allied Documents, XLIX Lower Canada Iroquois (1663-1665).- Cleveland; Burrows (Thwaites), 1899.- p. 166. Contrairement aux Jésuites, le gouverneur général Roland-Michel de La Galissonnière avait, lui, présenté sa demande. Voici comment y répond, dans sa lettre du 4 mai 1749, le ministre de la Marine au gouverneur général Jacques-Pierre de La Jonquière:
Monsieur de la Galissonnière a proposé d'établir une imprimerie dans la colonie: laquelle il a représenté devoir y être d'une grande utilité pour la publication des ordonnances et des règlements de police... le roi ne jugeant pas à propos de faire la dépense d'un pareil établissement, il faut attendre que quelque imprimeur se présente pour y pourvoir, et dans ce cas j'examinerai à quelles conditions il pourra convenir de lui donner un privilège.
Cité par ROY, Pierre-Georges.- «L'imprimerie dans la Nouvelle-France», BRH, vol. X, avril 1904, numéro 4, p. 190. L'absence d'imprimerie en Nouvelle-France, alors que presque toutes les possessions britanniques d'Amérique en étaient pourvues, inspire au voyageur Pehr Kalm, en 1749, les réflexions suivantes:
Le fait qu'aucune imprimerie n'ait été encore fondée au Canada, tiendrait, allègue-t-on, à ce que, par ce moyen, aucun livre ou écrit nuisible à la religion, à la royauté ou aux bonnes moeurs ne peut être imprimé et répandu dans le peuple. Rien de tel ne peut se produire par le moyen de textes manuscrits. Mais la raison principale doit être que, dans un pays où les habitants sont encore pauvres, on n'en est pas arrivé à ce niveau à partir duquel un imprimeur trouve un débouché suffisant pour sa production et gagner sa vie; la seconde raison est probablement que la France y trouve son avantage, en laissant le Canada dépendre d'elle.
KALM, Pehr.- *Voyage de Pehr Kalm au Canada en 1749*.- Montréal; Pierre Tisseyre, 1977.- p. 297.

Gazette du commerce et littéraire[3]. Le premier ambassadeur de France aux États-Unis, Conrad-Alexandre Gérard de Rayneval, était acclamé à Philadelphie le 14 juillet. Il était arrivé à bord de l'un des vaisseaux de l'escadre française, dont l'amiral était Charles-Hector d'Estaing[4]. Les bateaux transportaient deux mille hommes de troupe qui se joignirent aux miliciens américains[5]. Auprès du général Washington se trouvait le marquis de La Fayette, désireux de participer à la guerre de l'Indépendance et qui avait été muni d'une chaude recommandation de Franklin, le 25 mai 1777.

> Le marquis de LaFayette, écrivait celui-ci, jeune gentilhomme de grands entourages de famille ici et de grande fortune, est parti pour l'Amérique sur un vaisseau à lui, accompagné de quelques officiers de distinction, afin de nous servir dans nos armées. Il est extrêmement aimé et les voeux de tout le monde le suivent[6].

À vingt ans, Gilbert Mottier de La Fayette avait été nommé major-général par Washington. Avant même de recevoir la nouvelle de la participation de la France à la guerre, le Congrès avait placé le jeune marquis à la tête de «l'armée du Nord», en janvier 1778. La tâche de cette troupe devait être de reprendre le rêve de Richard Montgomery: libérer le Québec du joug britannique. Le manque d'hommes, d'argent et la neige devaient finalement faire annuler l'expédition qui ne dépassa pas Albany[7]. Le 28 octobre 1778, alors que le Congrès réétudiait un plan de La Fayette pour une reprise de cette intervention militaire, l'amiral d'Estaing signait, au nom du roi Louis XVI, une «décla-

---

3. *Journals of the Continental Congress*, vol. XI (1778).- Washington; Government Printing Office, 1908.- p. 468. Il est décidé à la séance du 6 mai 1778 de rendre public le traité. La déclaration recommande aux habitants des États-Unis de considérer «the subjects of France as those of a magnanimous and generous Ally».
4. *Ibid.*, p. 688. Le 14 juillet 1778, Richard Henry Lee est désigné pour faire partie du comité de réception.
5. CASTELOT, André.- *My friend Lafayette, mon ami Washington*.- Paris; Union générale d'éditions, 1975.- pp. 68, 69.
6. VAN DOREN, Carl.- *Benjamin Franklin*.- Paris; Aubier-Montaigne, 1955.- p. 372.
7. *My friend Lafayette*, op. cit., pp. 56 à 63. Les *Journals of the Congress*, op. cit., vol. X, 1778, font état du choix de La Fayette, en compagnie du major général Conway et du brigadier-général Stark pour «conduct the irruption into Canada» [le 23 janvier 1778].
   Voici l'ordre du Congrès, daté du 2 mars 1778, qui mettait fin au projet:
   Resolved, That the Board of War instruct the Marquis de la Fayette to suspend for the present the intended irruption, and at the same time, inform him that Congress entertain a high sense of his prudence, activity and zeal, and that they are fully persuaded nothing has, or would have been wanting on his part, or on the part of the officers who accompanied him, to give the expedition the almost possible effect. *Journals of the Congress*, op. cit., vol. X, 1778, p. 217.

ration adressée à tous les anciens Français de l'Amérique septentrionale». «Vous êtes Français, écrivait-il, vous n'avez pu cesser
de l'être». Entré en guerre aux côtés des Américains contre
l'Angleterre, le roi de France réclamait de la part des Canadiens
«des marques de leur ancien attachement». La proclamation
rappelait à la noblesse qu'un gentilhomme français ne pouvait
servir qu'un seul roi, et au clergé, que la religion avait besoin
d'une protection susceptible de se poursuivre sans appréhension
dans l'avenir. À l'ensemble du peuple, l'amiral affirmait qu'une
monarchie de même foi, de mêmes moeurs et de même langue
constituait une source d'unité incomparable. Se lier à la France
et aux États-Unis dans la présente conjoncture, c'était s'assurer
le bonheur.

> Les Canadiens qui ont vu tomber pour leur défense le brave
> Monsieur de Montcalm pourraient-ils être les ennemis de ses
> neveux, combattre contre leurs anciens chefs, s'armer contre leurs
> parents? à leurs noms seuls, les armes leur tomberaient des mains!

Il faut que les Canadiens, qui sont d'un peuple qui a acquis «le
droit de penser et d'agir», s'engagent plus fermement que jamais
en faveur de la liberté[8]. Des exemplaires de cette proclamation
furent remis à Washington. Puis le Congrès décida, le 5 décembre 1778, de les répandre au Québec. Les premiers exemplaires
ne furent toutefois affichés sur les portes des églises qu'au début
de mai 1779, juste avant la suppression de la *Gazette littéraire*.
Ce fut François Cazeau qui en assura la distribution, en même
temps qu'une Lettre de La Fayette aux Indiens. Ce dernier document, écrit le 18 décembre 1778, invitait les autochtones à s'unir
aux Français pour chasser les Anglais. Le roi de France, affirmait le rédacteur, avait conclu une alliance avec les Américains
et voulait unir «les Colonies et le Canada»[9]. Malgré le départ

---

8. Le Congrès prit connaissance de cette adresse le 5 décembre 1778. *Journals of the
   Congress*, op. cit., vol. XII, 1778, p. 1190. Dans une note en bas de page, le compilateur précise que la traduction anglaise est de John Laurens dans the *Papers of the
   Continental Congress*, No 59, 11, folio 147. Le texte français de la déclaration est
   dans MG 21, volume B 185-1 dans les Papiers Haldimand, APC: «Déclaration du Roi
   de France adressée à tous les Canadiens de l'Amérique septentrionale». Ce texte
   avait été écrit à bord du vaisseau amiral Le Languedoc, en rade de Boston, le 28
   octobre 1778, et imprimé par François Bailey, à Philadelphie. Le «capitaine du
   Congrès», Clément Gosselin, l'avait contresigné, après la signature du comte d'Estaing. Suivait une attestation de la part de l'ambassadeur Gérard, à consulter dans
   MG, 21, volume B 184-2, aux APC.
9. LANCTOT, Gustave.- *Le Canada et la Révolution américaine.*- Montréal; Beauchemin, 1963.- pp. 205 à 209. Un comité du Congrès avait été formé le 5 décembre
   1778 pour s'occuper de la diffusion. Il était composé de William Henry Drayton,

des milices américaines en 1776, l'espoir renaissait en 1778 au Québec dans les coeurs épris de liberté, après le succès diplomatique de Franklin, les interventions de La Fayette et de l'amiral d'Estaing.

Du point de vue de la diffusion des idées philosophiques, l'année 1778 fut marquée par le triomphe de Voltaire à Paris. Celui qui avait formé une ligue, «dont le cri de ralliement était Raison et Tolérance», «pour le progrès de la raison... pour l'accroissement des lumières et la destruction du fanatisme», était l'objet de l'admiration générale[10]. Franklin, alors à Paris, lui présenta son petit-fils à bénir. «God and Liberty», prononça celui dont Condorcet assure:

> On peut le compter parmi le très petit nombre des hommes en qui l'amour de l'humanité a été une véritable passion[11].

Mais ce triomphe ne devait pas faire oublier que la lutte philosophique se poursuivait, et de façon implacable. Quatre ans auparavant, Condorcet n'écrivait-il pas dans l'une de ses *Lettres d'un théologien:*

> Quels crimes ont donc commis ces philosophes contre qui vous voulez exciter la vengeance des rois et la haine des peuples? Ils détruisent, dites-vous, la morale? Oui! ils ont combattu la vôtre; et n'ont-ils pas délivré les hommes du joug d'une morale barbare qui leur interdit comme un crime le seul bien qui puisse faire aimer la vie, d'une morale abjecte qui leur prescrit de se plaire dans l'humiliation et les outrages, d'une morale qui menace des mêmes peines les faiblesses de l'amour et les crimes les plus atroces; qui permet aux prêtres d'égorger les ennemis de leur foi et leur défend d'avoir des femmes légitimes; qui met en paradis les assassins des rois hérétiques, et en enfer les lecteurs de Bayle; qui fonde tous les devoirs des hommes sur un amas de contes aussi ridicules que dégoûtants; qui faisant les prêtres juges de la morale générale et des actions de chaque particulier, n'admet réellement d'autre vertu que ce qui est utile aux prêtres, et d'autres crimes que ce qui leur nuit? Mais la morale qui apprend à être humain et juste, qui ordonne à l'homme puissant de regarder le faible comme un frère et non

Gouverneur Morris et James Lovell. Le même jour le Congrès admettait «That the Reasons assigned by the General [Washington] against an Expedition to Canada, appear... to be well founded and to merit the Approbation of Congress». La question de l'«Emancipation of Quebec» n'est cependant pas oubliée. Il faudrait que Washington vît avec La Fayette la part que la France pourrait y prendre. (*Journals of the Congress*, op. cit., vol. XII (1778), pp. 1190, 1191, 1192.)

10. CONDORCET, *Vie de Voltaire:* M. 1-255.
11. M. 1-276. Voltaire parle lui-même de sa bénédiction dans sa correspondance: D 21101. Lettre au marquis et à la marquise de Florian, le 15 mars 1778.

comme un instrument qu'il peut, à son gré, employer ou briser; mais la morale fondée sur la bienveillance naturelle de l'homme pour ses semblables, sur l'égalité primitive de tous les hommes, quel philosophe l'a attaquée?[12]

Ce texte de Condorcet contient toute l'argumentation que développera Mesplet dans ses journaux durant sa carrière à Montréal. Quant au triomphe de Voltaire — l'année même de sa mort —, il trouvera ici son écho dans la fondation de l'Académie de Montréal.

Dès la publication de son prospectus, la *Gazette du commerce et littéraire* annonçait son rôle d'éveilleur des esprits et de tribune des idées:

> Le citoyen communiquera plus promptement et plus clairement ses idées; de là le progrès des arts en général, et un acheminement à l'union entre les individus.

L'éditeur souhaitait que sa feuille favorisât la littérature, mais aussi le commerce:

> Par ce moyen, on facilitera le commerce, on multipliera les correspondances, on excitera ou on entretiendra une émulation toujours avantageuse.

En fait, cette partie du programme ne sera pratiquement pas mise à exécution dans la *Gazette du commerce et littéraire*, bien que le prospectus ait insisté sur cet aspect:

> Les avantages ne sont pas moindres eu égard aux intérêts particuliers: la facilité d'avertir en tout temps le public des ventes de marchandises, meubles ou bienfonds; de retrouver les effets qu'on croit perdus, et rattraper les nègres fuyards[13]; d'annoncer le besoin que l'on peut avoir d'un commis ou d'un domestique, et plusieurs autres [avantages] que la commodité qu'offre ce projet développera.

À l'origine donc, dans la pensée de Mesplet, son journal devait avoir deux volets: littéraire et commercial. Au chapitre des conditions, «la souscription sera de deux piastres et demie par année». Les souscripteurs ne paieront qu'une piastre d'Espagne par annonce pour trois insertions consécutives. Il en coûtera une

---

12. CONDORCET.- *Lettres d'un théologien à l'Auteur du Dictionnaire des trois siècles*, 1774. Cité dans ROBINET.- *Condorcet: sa vie, son oeuvre.-* Genève; Slatkine Reprints, 1968.- p. 30.
13. L'ami de Bénézet se conformait ici à l'usage. Même lorsqu'il publiera dans la *Gazette de Montréal* des textes contre l'esclavage, Mesplet acceptera les annonces de maîtres vendant des Noirs ou les avis de recherche.

demi-piastre de plus pour les non-abonnés. Il sera loisible à chacun de se procurer dans certains dépôts, non seulement à Montréal mais à Québec et à Trois-Rivières, un exemplaire du journal en versant dix copres[14]. Bref, dans son prospectus imprimé sur une même feuille en français et en anglais, l'éditeur soutenait que son journal permettrait surtout la libre communication des idées. C'était la route que devait emprunter le progrès de l'esprit humain. La presse devait être à l'avant-garde de cette marche. Une presse certes utile, fructueuse pour le commerce, mais surtout collectivement libératrice au niveau de la pensée créatrice:

> Je ne doute pas que ceci ne réveille le génie de plusieurs qui, ou sont restés oisifs, ou n'ont pas communiqué leurs productions n'ayant pu le faire sans le secours de la presse[15].

En sollicitant auprès du gouverneur général Carleton la permission de faire paraître un journal hebdomadaire à Montréal, Mesplet se disait «encouragé par la plus saine partie des citoyens». Il promettait

> d'écarter tout ce qui pourrait porter le moindre ombrage au gouvernement et à la religion. Il n'y sera même fait aucune mention des affaires présentes,

c'est-à-dire de la guerre d'Indépendance des États-Unis[16]. Ce dernier point est très important. C'est à cette condition essen-

---

14. À quoi correspondait le coût d'un abonnement annuel au journal de Mesplet? L'ordonnance du gouverneur général Carleton, datée du 29 mars 1777, mit en vigueur au Québec le cours d'Halifax où le chelin jouait le rôle d'étalon. Pour l'habitant, le chelin et le livre française étaient synonymes. Cinq chelins équivalaient à une piastre espagnole: cette monnaie espagnole, très abondante, provenait des Antilles où l'Amérique du Nord avait une balance favorable. Voir HAMELIN, Jean.- «À la recherche d'un cours monétaire canadien: 1760-1777» dans RHAF, vol. XV, numéro 1, juin 1961.- pp. 25, 26, 33, 34. Si l'on veut savoir ce que signifiaient en valeurs tangibles les 2.50 piastres espagnoles réclamées pour un abonnement annuel à la *Gazette littéraire*, il faut dire qu'il en coûtait dans la province, en 1784, dix chelins par mois pour le service d'un domestique, un chelin pour une livre de saucisses, quatre sous pour une livre de beurre ou une douzaine d'oeufs, un chelin et demi pour se procurer une livre de café. Avec trois chelins, un couple pouvait s'approvisionner de vin pour une semaine. Voir BRUCHESI, Jean.- «Le journal de François Baillargé» dans CD, numéro 19, 1954, pp. 117, 118. (Ce journal est celui d'un peintre-architecte-sculpteur et couvre les années 1784-1800).

15. Le prospectus est composé d'une seule feuille, le recto en anglais et le verso en français. Il est signé Fleury Mesplet, imprimeur, sauf qu'en anglais, il n'y a que l'initiale du prénom. Le titre n'est pas encore fixé: l'imprimeur suggère *Bureau d'avis* ou *Gazette du commerce et littéraire*. Le prospectus ouvre la série de la *Gazette littéraire*, conservée au département des livres rares de l'Université McGill.

16. La demande de Mesplet pour obtenir la permission de publier un journal est adressée au gouverneur général Carleton. Citée dans Mc LACHLAN, R. W.- «Fleury Mesplet, The First Printer at Montreal».- MSRC, 1906.- Document C, numéro 3, p. 236. Tirée de la collection Haldimand aux APC, B 185-1, p. 73.

tielle que l'ancien imprimeur du Congrès pouvait solliciter l'autorisation de publier un journal. Il ne devait donc pas parler du conflit, le grand événement qui préoccupait tous les esprits éclairés dans la colonie et dans le monde. Limité à ce point dans le domaine de l'informaiton, l'imprimeur parvint à susciter l'intérêt pour la littérature et les idées.

> Le 3 juin [1778], rappelait Mesplet lui-même dans son mémoire de 1783 au Congrès, j'établis un papier public qui paraissait, aux yeux des honnêtes gens, très utile à la ville de Montréal[17].

Dans son numéro inaugural, l'imprimeur consacrait la première des quatre pages de son journal à un message adressé aux citoyens[18]. Il exprimait le désir que la gazette constituât un puissant encouragement au développement de l'esprit dans la colonie. Jusqu'ici en effet,

> on peut dire en général que les ports ne furent ouverts qu'au commerce des choses qui tendent à la satisfaction des sens.

Ainsi, il n'y a pas

> encore une bibliothèque ou même le débris d'une bibliothèque qui puisse être regardé comme un monument, non d'une science profonde, mais de l'envie et du désir de savoir.

L'imprimeur incitait ses lecteurs à prendre conscience

> que jusqu'à présent, la plus grande partie [des habitants du Québec] se sont renfermés dans une sphère étroite; ce n'est pas faute de disposition ou de bonne volonté d'acquérir des connaissances, mais faute d'occasion.

Mesplet disait regretter cette situation qui existait «sous le règne précédent», c'est-à-dire avant la conquête britannique, et souhaitait un profond changement, un éveil général des esprits en faveur des sciences et de la littérature. L'imprimeur ne manquait pas de se réjouir du nombre de souscripteurs qui avaient permis le lancement du journal[19]; il affirmait son désir de travailler «pour la satisfaction de tous et de chacun en particulier». Enfin, même si ce premier numéro paraissait plus littéraire que commercial, Mesplet tenterait de rétablir l'équilibre dans les prochains. D'au-

---

17. Mémoire de Fleury Mesplet au Congrès, le 1er août 1783: APC, *Papers of the Continental Congress*, No 41, vol. 6, p. 309.
18. GCL, 3 juin 1778: l'Imprimeur aux citoyens, p. 1, col. 1 et 2, p. 2, col. 1 (pages 1 et 2).
19. Il faut un minimum de deux cents souscripteurs pour permettre à un journal de vivre. C'est le nombre qu'avait visé la *Gazette de Québec* en 1764 et en 1776, en comptant évidemment sur la publicité et les communications gouvernementales.

tant plus que le dessin qui figurait dans l'en-tête du journal valorisait Montréal comme port et comptoir de traite. Dans un écusson ovale, un castor était représenté au travail sur un barrage. À droite de l'écusson, un vaisseau, à gauche des ballots de marchandises sur les quais. Un arc et un carquois indiens ornaient le tout.

Durant son année d'existence, le journal de Mesplet comptera cinquante-deux numéros totalisant deux cent sept pages. En fait, le périodique s'appellera la *Gazette du commerce et littéraire* du 3 juin au 19 août 1778. Puis à partir du 2 septembre 1778, jusqu'au 2 juin 1779, ce sera la *Gazette littéraire*. L'associé Charles Berger n'aura son nom inscrit auprès de celui de Mesplet, comme libraire et imprimeur, que dans la *Gazette du commerce et littéraire*. Il est certain que la suppression du mot commerce du titre du journal exprimait son orientation définitive. L'inventaire du contenu du périodique est éloquent. Voyons la répartition de l'espace attribué aux principaux sujets traités, en fonction du nombre de lignes réservées à chacun[20]. Le domaine littéraire couvre à lui seul 55.11 pour cent de l'espace rédactionnel, à savoir 29.89 pour cent de critique littéraire et 25.22 pour cent de textes littéraires et encyclopédiques. D'autres articles traitent de questions judiciaires (5.60 pour cent), de l'éducation (2.82 pour cent), de la mode (3.47 pour cent). Les interventions de l'imprimeur se limitent à 4.15 pour cent, et les textes officiels de l'Académie de Montréal, à 2.70 pour cent de l'espace. On a réservé 5.99 pour cent aux jeux d'esprit et un mince 4.50 pour cent à la publicité. Tous ces chiffres totalisent 84.34 pour cent de l'espace. Le reste consiste en informations gouvernementales ou locales[21].

---

20. Une colonne en première page (en raison du logo) compte 44 lignes, et une colonne dans les autres pages, 64 lignes. Chaque numéro, à de rares exception près, est composé de quatre pages, dont la première comprend 88 lignes réparties sur deux colonnes, et les autres pages, chacune 128 lignes réparties aussi sur deux colonnes. Durant son année d'existence, la *Gazette littéraire* (ou du commerce et littéraire) a publié 52 numéros dont 49 de quatre pages, deux de cinq pages et un d'une seule page. Ce qui totalise 207 pages. Un numéro de quatre pages comporte 472 lignes de textes, à savoir 88 + (128 × 3). L'ensemble de l'espace durant la durée de la publication a occupé 24 416 lignes en tout, c'est-à-dire (472 × 49) + (600 × 2) + 88. Au cours des douze mois, 401 textes ont été publiés.
21. Les lecteurs que cette étude statistique des contenus intéresserait plus particulièrement tireront sans doute profit des précisions et détails suivants: nous englobons dans les textes littéraires et encyclopédiques, d'une part les poèmes, élégies, rondeaux, sonnets, épîtres, dialogues, maximes, sentences, contes et récits, d'autre part des extraits sur les sciences, par exemple sur la découverte des lettres de l'alphabet (le 3 juin 1778). Quand nous parlons de critique littéraire, il s'agit effectivement d'articles analysant des textes littéraires, les valorisant ou les contestant. Les textes

Le journal de Mesplet n'avait qu'un seul concurrent dans la colonie, dont il a déjà été question, à savoir la *Gazette de Québec*, fondée en 1764. C'était une feuille de nouvelles. La partie littéraire y était négligeable, la plupart du temps limitée à une vingtaine de lignes dans le «Poets Corner». Ce périodique anglo-français, publié hebdomadairement en quatre pages, servait de journal officiel. Durant l'existence de la *Gazette littéraire*, par exemple, les proclamations du gouverneur général Frédéric Haldimand furent données en première page de la *Gazette de Québec*. La plupart des informations concernaient la guerre entre les colonies unies et la Grande-Bretagne. Les dépêches provenaient de Londres et le point de vue de la mère-patrie y était sans cesse mis en valeur. Ainsi Washington était toujours appelé «le général rebelle». Dans le numéro du 7 janvier 1779, il était longuement question de la célébration de l'anniversaire du 31 décembre 1775, rappel de la défaite des milices américaines et canadiennes repoussées devant Québec. Dans le même journal, les 15, 23 et 29 avril, et le 6 mai, une étude tentait de prouver que la situation dans les colonies était meilleure en 1773 qu'elle ne l'était devenue en 1778. De textes philosophiques, la *Gazette de Québec* fit paraître des «extraits du *traité de l'Homme* d'Helvétius», le 3 septembre 1778 et des «réflexions sur les titres, prééminences et cérémonies» de Voltaire, le 15 février 1779. On ne trouvait jamais dans cette feuille d'interpellations entre correspondants, comme dans le journal de Mesplet. En somme, la *Gazette de Québec* était un périodique incapable d'inquiéter le pouvoir de l'Église ou de l'État[22].

---

littéraires et encyclopédiques comptent 6 158 lignes sur un total de 24 416 lignes, soit 25.22 pour cent de l'espace. La critique littéraire fournit 7 299 lignes, soit 29.89 pour cent de l'espace rédactionnel. Les textes littéraires et encyclopédiques de même que la critique littéraire représentent 55.11 pour cent de l'espace de la *Gazette littéraire*. Les textes sur la justice, qui touchent de près ou de loin à l'administration de la justice, totalisent 1 369 lignes, soit 5.60 pour cent de l'espace. On a consacré 690 lignes (2.82 pour cent) à l'éducation. La mode se réserve 849 lignes: 3.47 pour cent de l'espace. Les textes signés l'Imprimeur couvrent 1 014 lignes (4.15 pour cent) et ceux officiellement de l'Académie de Montréal, 660 lignes (2.70 pour cent). Les énigmes et logogriphes prennent 1 463 lignes (5.99 pour cent). Un maigre 4.50 pour cent (1 101 lignes) échoit à la publicité.

22. La *Gazette de Québec — The Quebec Gazette*, du 4 juin 1778 au 10 juin 1779, soit durant à peu près la période d'existence de la *Gazette littéraire*, compte des numéros de quatre pages, dont la plus grande part de l'espace rédactionnel est occupée par des dépêches en provenance de Londres: information politique et militaire officielle en regard de la guerre avec les colonies américaines. La dernière page est toujours réservée à une publicité bien fournie. La plupart des proclamations du gouverneur général Haldimand sont publiées en première page. Voir les numéros des 5, 12, 19 et 26 novembre, des 3, 10, 17, 24 et 31 décembre, des 7 et 21 janvier (numéros 688,

La *Gazette littéraire* fut l'oeuvre conjointe de Fleury Mesplet et de Valentin Jautard. Celui-ci était un homme de lettres que l'imprimeur s'était adjoint après le départ d'Alexandre Pochard, dépité des mauvais traitements et des insultes reçus lors de son emprisonnement. D'origine française lui aussi, Jautard était arrivé en Louisiane en 1763, et en 1768 il recevait à Montréal sa commission d'avocat du gouverneur général Carleton[23]. C'était

---

689, 690, 691, 692, 693, 694, 695, 696, 697, 699). En cas de pénurie d'informations, l'éditeur publie en première page des textes peu compromettants. Par exemple, des extraits des *Mémoires du chevalier d'Éon*, les 3 (numéro 692, 1ère, 2e et 3e pages, 2 col) et 10 décembre (numéro 693, 1ère, 2e pages, 2 col); l'École de la raison — une allégorie, le 4 février 1779 (numéro 701, 1ère, 2e pages, 2 col); La force de la conscience — Histoire pathétique, le 4 mars (numéro 705, 1ère, 2e et 3e pages, 2 col); Réflexions sur la solitude, le 18 mars (numéro 707, 1ère et 2e pages, 2 col); Essai sur les mauvais effets de la lecture sans application, le 25 mars (numéro 708, 1ère et 2e pages, 2 col). Le seul texte philosophique que l'éditeur identifie, «Extrait du Traité de l'homme d'Helvétius» est publié le 3 septembre 1778 dans le numéro 679 (1ère, 2e pages, 2 col). Ce sont des réflexions sur le bonheur: les hommes peuvent «sans être également riches et puissants, être également heureux». Un texte de Voltaire, sans signature, est publié le 18 février 1779, dans le numéro 709 (1ère et 2e pages, 2 col): Réflexions sur les titres, prééminences et cérémonies (M. XVIII, 108-112). Il y est dit que les titres et honneurs ne sont que vanités à moins qu'ils ne soient mérités: «Un honnête homme est le plus parfait ouvrage de Dieu». Quant à l'encens prodigué à Haldimand, voici en exemple, l'extrait d'un article, paru en français seulement, le 7 janvier 1779 (numéro 697, 4e page, col. 2):

....

Émule des savants, jaloux des connaissances,
Tu connais la valeur et le prix des sciences.
Les lettres et la lecture occupent ton loisir.
Voilà ton seul penchant, ton unique plaisir.
Partageant avec nous cette douce habitude
Tu parais désirer que nous aimions l'étude.
Haldimand, Haldimand, quelles Divinités
Ont dirigé tes pas sur ces bords éloignés
Pour y faire briller les Lettres et la Science
À travers les brouillards d'une épaisse ignorance?
Les Dieux te réservaient cet emploi glorieux
Achève ton ouvrage et nous serons heureux.

....

Allusion aux efforts du gouverneur général pour établir la première bibliothèque publique dans la province. Dès le 21 janvier, la *Gazette de Québec* (numéro 699, 3e page, colonnes 1, 2) annonçait la mise sur pied d'un conseil d'administration à cet effet. Les souscripteurs devront verser cinq livres, soit à peu près une piastre espagnole. L'abonnement annuel à la bibliothèque sera de deux livres (ou deux chelins). Voir la note 226.

23. Une annonce, publiée par la *Gazette littéraire* du 14 avril (3e page, colonne 2, page 59) fait mention de la commission d'avocat:
Valentin Jautard, écuyer avocat ès cours, en vertu d'une commission à lui accordée par Son Excellence Guy Carleton, le 30 décembre 1768, avertit le public que quelques infirmités l'ayant empêché d'assister assiduement au Barreau en sa qualité, et de défendre les causes qui lui eussent été confiées, il se propose et offre ses services à ceux qui voudront lui donner leurs confiances, seulement pour

Jautard qui avait accueilli, comme représentant du peuple, le général Montgomery en 1775. Dans la *Gazette littéraire*, il s'illustra entre autres sous le pseudonyme de Spectateur tranquille. Il joua le rôle difficile de premier critique littéraire au Québec, dans une société qui n'avait guère connu de productions de l'esprit. Pour la première fois aussi, un rédacteur énonçait des idées contraires à celles de l'orthodoxie et proposait des images positives des Philosophes, cela publiquement. C'était la première fois encore que l'enseignement était remis en cause. Dans ce court laps de temps d'une année, Jautard s'éleva contre toutes les formes d'injustice dont il était témoin, dénonçant en particulier une magistrature et un clergé pris de panique à la simple évocation de la liberté de pensée. Le surnom de Spectateur tranquille s'inspirait peut-être du *Spectator*, qui avait paru quotidiennement en Angleterre en 1711, 1712 et 1714. Son rédacteur en chef, Joseph Addison avait voulu faire sortir

> la Philosophie des cabinets d'études et des bibliothèques, des écoles et des collèges pour la faire résider dans les clubs et les assemblées, aux tables de thé et dans les cafés.

Les articles de cette feuille, à vocation éducative, étaient des emprunts au journal imaginaire d'un Monsieur Spectator. La façon dont il traitait ses articles montre que Jautard reprenait à son compte cet idéal d'Addison consistant à rendre accessible au plus grand nombre possible la pensée philosophique. Le *Spectator* n'avait cessé d'avoir des rééditions, dont quelques-unes avaient leur place dans des bibliothèques privées de la colonie. Le *Spectator* avait aussi inspiré plusieurs *Spectateurs* français[24].

---

ses consultations et mémoires; ils doivent être persuadés qu'il ne négligera rien pour les intérêts de ceux qui l'emploieront.

Jautard apparaît en Amérique en 1763. Cette année-là, le 5 novembre, il acquiert les biens, meubles et immeubles du Séminaire de Québec aux Illinois. Après le traité de Paris, le dernier missionnaire, l'abbé François Forget-Duverger, avant de quitter les lieux, avait vendu tout le domaine à Jautard, sans autorisation de Paris, ni de Québec. Voir PROVOST, Honorius.- *Le Séminaire de Québec: documents et biographies*.- Québec; Université Laval, 1964.- pp. 255 et 267, notes.

24. GAY, Peter.- *Le Siècle des Lumières*.- Paris; Time-Life, 1979.- pp. 79, 80. La déclaration d'intention de Steele et Addison est publiée dans le numéro 10. Mr Spectator s'exprime ainsi:

I shall be ambitious to have it said of me that I have brought philosophy out of closets and libraries, schools and colleges, to dwell in clubs and assemblies, at tea-tables and in coffee-houses.

I would therefore in a very particular manner recommend these my speculations to all well regulated families that set apart an hour in every morning for tea and bread and butter; and would earnestly advise them for their good to order this paper to be punctually served up and to be looked upon as a part of the tea equipage.

Peut-être le pseudonyme de Jautard avait-il aussi pu être tiré du *Dictionnaire historique et critique* de Bayle, à l'article Eppendorf:

> À ne juger des choses que par les principes de la lumière naturelle, le parti qu'Eppendorf choisit était raisonnable. Il voulait attendre le dénouement de cette affaire, avant de se ranger ou du côté qui soutenait les abus, ou du côté qui les combattait. L'un et l'autre lui paraissaient trop ardents: la tempête lui semblait trop forte de part et d'autre. Il aimait trop la paix pour s'embarquer dans cette guerre de religion. Mais ce fut en vain qu'il espéra de se tenir sur le rivage, *spectateur tranquille* des émotions de cette mer... Elle [la Raison philosophique] nous fait regarder la tranquillité de l'âme, et le calme des passions comme le but de tous nos travaux et le fruit le plus précieux de nos plus pénibles méditations...[25]

Allusion ici aux deux vers célèbres du *De Natura Rerum*, au début du chant II:

> Il est doux, quand sur la vaste mer les vents soulèvent les flots, d'assister de la terre aux rudes épreuves d'autrui.
>
> Suave, mari magno turbantibus aequora uentis,
> e terra magnum alterius spectare laborem[26].

Que Jautard s'en soit inspiré ou non, ce passage de Bayle, où le pseudonyme figure en toutes lettres, se trouve avoir bien du rapport avec la position difficile qui a très souvent été la sienne: il lui fallait savoir garder son sang-froid dans son rôle de rédacteur du premier journal de Montréal, rôle qu'il avait sans doute envisagé lui-même comme une sorte d'arbitrage du conflit des idées. Le pseudonyme choisi donne au premier abord une double impression de passivité: une personne qui n'agit pas mais contemple, et dont le regard même reste empreint de tranquillité. Mais ce sens n'était pas, comme le donnent à penser ses nombreuses interventions, celui auquel songeait Jautard. La

---

(APPIA, Henry et Bernard CASSEN.- *Presse, radio et télévision en Grande-Bretagne.*- Paris; Colin, 1970.- p. 22.) Le *Spectator* fut traduit en français, à Amsterdam, en 1714, sous le titre le *Spectateur français* ou le *Socrate moderne*, qui fut réédité à Paris en 1754. Marivaux inaugura en 1721 un *Spectateur français*, qui parut irrégulièrement pendant deux ans. En 1758, Bastide rédigea le *Nouveau Spectateur*. L'année 1772 vit paraître encore un *Spectateur français* qui fut encouragé par Voltaire. Voir BELLANGER, Claude et autres.- *Histoire générale de la presse française*, tome 1.- Paris; Presses universitaires de France, 1969.- p. 253.

25. BAYLE, Pierre.- *Dictionnaire historique et critique*, tome VI.- Paris; Desoer, 1820.- p. 214.
26. LUCRÈCE.- *De la Nature*, livres I-III.- Paris; Les Belles-Lettres, 1969.- p. 72.

tranquillité dont il s'agit est plutôt un contrôle exercé par la raison dans les situations difficiles. Le Spectateur est un bon conseiller qui ne perd jamais la tête, qui se montre apte à saisir les problèmes les plus complexes parce qu'il possède science et bon sens. Il est celui qui constate et qui agit. Dans les différents textes signés le Spectateur tranquille, soit 13.46 pour cent de l'espace rédactionnel[27], Jautard donne à l'occasion quelques précisions sur lui-même. «Je désire apprendre quoique je touche à mon douzième lustre», assure-t-il au Jeune Canadien patriote le 24 juin 1778[28]. Sur ses goûts littéraires, il confie aux Jeunes Émules des Sciences, le 12 août suivant:

> L'*Énéide* de Virgile me flatte, mais la *Henriade* de Voltaire m'enchante, j'admire les *Satires* de Boileau, et son *Art poétique* fait en moi une impression bien plus forte et plus agréable[29].

De telles préférences trahissent un classicisme décidé. Voici, tirée du numéro du 2 septembre 1778, sa conception de l'homme de lettres:

> Loin de faire un travail d'écrire
> Je m'en fais une volupté,
> Moins délicatement flatté
> De l'honneur de me faire lire
> Que de l'agrément de m'instruire
> Dans une oisive liberté[30].

Disciple d'Horace, à n'en pas douter, Jautard se fait un plaisir d'écrire. Il se définit comme un «esclave de la Vérité», sans timidité et sans arrogance, dans une lettre au Canadien curieux,

---

27. Les articles signés le Spectateur tranquille sont au nombre de 54 et couvrent 3 287 lignes des 24 416 lignes attribuées à l'espace rédactionnel. Mais les textes écrits par Jautard sont plus nombreux. Il a utilisé quelquefois d'autres pseudonymes et il en a signé d'autres de son propre nom. Gardons-nous cependant de croire que tous les textes non signés le Spectateur tranquille soient automatiquement de sa plume. Il y a une variété de styles dans la *Gazette littéraire*. Pour sa part, Jautard a reconnu avoir utilisé comme pseudonymes, en plus du Spectateur tranquille, l'Homme et le Tranquille. Relativement au tempérament flegmatique de Jautard, il en est question dans deux lettres, l'une de lui-même et une autre de Pierre du Calvet, publiées dans GL, 26 mai 1779, 2e page, col. 2 (p. 84) et 4e page, col. 1 (p. 86). Selon l'historien Claude GALARNEAU (DBC, vol. IV.- Québec; Université Laval, 1980.- pp. 421, 422 — notice Valentin Jautard), «les historiens ont jugé sévèrement Valentin Jautard, non pas tant pour son enthousiasme envers les Américains que pour son voltairianisme». Il possédait pourtant «une personnalité sympathique». Et C. Galarneau conclut que Jautard «fut un combattant d'avant-garde dont le courage et l'indépendance d'esprit ne font aucun doute».
28. GCL, 24 juin 1778, 1ère page, col. 2, 2e page, col. 1 (pp. 13, 14).
29. GCL, 12 août 1778, 3e page, col. 1, 2 (p. 43).
30. GL, 2 septembre 1778, 1ère page, col. 1, 2; 2e page, col. 1 (pp. 47, 48).

publiée le 25 novembre 1778[31]. Il précisait au même, le 16 décembre suivant, que son engagement n'avait pas rendu sa carrière facile:

> ...je ne dois ma tranquillité qu'aux adversités auxquelles je serais mortifié qu'aucun homme que j'estime fut exposé. Je vous avoue que pour être parvenu à ce point, il m'a fallu fournir bien des combats. Oh! que mon amour-propre a souffert![32]

Nous aurons l'occasion de voir la tranquillité de Jautard mise à rude épreuve comme critique littéraire. Pour le moment, il faut retenir que, dans la *Gazette littéraire*, il joue le rôle de porte-parole du bon sens, et Mesplet celui de juge impartial. On trouvera un exemple de cette dernière attitude dans le numéro du 24 juin 1778: l'imprimeur y avertit le Jaloux qu'il ne publiera que des textes instructifs et amusants, qu'il ne permettra aucune attaque personnelle contre d'autres citoyens: «Je ne veux pas me faire d'ennemis, et je tâcherai de conserver mes amis»[33].

Pour faire servir son journal à la diffusion des Lumières, Mesplet devait faire preuve d'une grande prudence et de beaucoup d'habileté. C'était une question de survie. Il est temps de parler de la tactique utilisée. Il faut d'abord se rappeler que les religieux étaient obligatoirement les clients majeurs de l'imprimeur-libraire. Dès le début de son installation, ses contrats provenaient des maisons religieuses. Il a déjà été question des ouvrages de dévotion publiés par Mesplet; règlements d'associations pieuses, catéchismes, livres de prières, cantiques. Sa librairie offrait tout ce qu'il fallait pour écrire; comme le Collège de Montréal était dirigé par les Sulpiciens, la clientèle était là aussi du côté des religieux. À titre de libraire, Mesplet annonçait plusieurs livres susceptibles d'intéresser le clergé. Voici une liste parue dans la *Gazette littéraire* du 21 octobre 1778: l'*Anti-Dictionnaire philosophique*, du bénédictin Louis Mayeul Chaudon; le *Dictionnaire de la religion*, du Jésuite Claude-François Nonnotte; les *Lettres de quelques Juifs portugais, allemands et polonais à Monsieur de Voltaire*, d'Antoine Guénée; l'*Autorité des livres du Nouveau Testament contre les incrédules; Réponses critiques à plusieurs difficultés proposées par les nouveaux incrédules*[34]. C'étaient de grands succès de la littérature anti-

---

31. GL, 25 novembre 1778, 2e page, col. 1 (p. 96).
32. GL, 16 décembre 1778, 3e page, col. 2; 4e page, col. 1 (pp. 109, 110).
33. GCL, 24 juin 1778, 2e page, col. 2 (p. 14).
34. GL, 21 octobre 1778, 4e page, col. 1, 2 (p. 78).

philosophique. Et nous verrons comment Mesplet utilisera Chaudon dans la *Gazette littéraire*. Face aux Sulpiciens, Jésuites et Récollets, ses gros clients, il fallait à l'imprimeur — s'il voulait poursuivre son idéal — diffuser les Lumières sans inquiéter. C'est pourquoi il suivit un plan en quatre étapes. Dans un premier temps, la *Gazette littéraire* prit parti contre Voltaire et les Philosophes en général. Ces écrits provoquèrent des réactions favorables (deuxième étape) et défavorables (troisième étape). La dernière phase consistait à faire appel à la raison et à la tolérance, et à dénoncer la bêtise et les abus. Ainsi, comme nous le constaterons ultérieurement, la parution d'articles virulents contre Voltaire provoquera des apologies philosophiques et la fondation d'une académie voltairienne. Enfin, le journal s'attaquera à l'ignorance et à l'injustice. Ce qui conduira à l'arrestation de Mesplet et de Jautard et à la chute de la *Gazette littéraire*. Cette tactique générale, qui vient d'être décrite, on remarquera qu'elle se répercutait souvent dans la facture matérielle du journal. Dans quatorze numéros, du 15e au 28e, la première page est antiphilosophique et des réfutations se trouvent à l'intérieur du journal, comme si la première page était écrite uniquement pour le clergé[35]. Prenons, parmi d'autres, l'exemple du numéro du 28

---

35. Voici la liste des manchettes, c'est-à-dire du sujet majeur traité en première page dans la *Gazette du commerce et littéraire*, puis dans la *Gazette littéraire*, du premier au 52e numéro:
   1.- Message de Mesplet
   2.- Message du Spectateur tranquille
   3.- Avantages d'un papier périodique (Jeune Canadien patriote)
   4.- Première critique littéraire du Spectateur tranquille
   5.- La bibliothèque d'un régiment à Montréal (Nouvel Ami des Sciences)
   6.- Sujet encyclopédique (Canadien curieux)
   7.- Interventions féminines (Philos et Votre Amie)
   8.- Sur l'importance des sciences (Spectateur tranquille)
   9.- Adieux officiels au gouverneur général Carleton
   10.- Sur l'importance des sciences (Spectateur tranquille)
   11.- Bienvenue au gouverneur général Haldimand
   12.- Bienvenue au gouverneur général Haldimand
   13.- Critique littéraire (Spectateur tranquille)
   14.- Critique littéraire (L. B. et Vous)
   15.- Dialogue tiré du *Dictionnaire anti-philosophique*
   16.- Second dialogue tiré du *Dictionnaire anti-philosophique*
   17.- Voltaire I — Analyse de ses ouvrages
   18.- Voltaire II — Analyse de ses ouvrages
   19.- Voltaire — Autoportrait par M. de la B.
   20.- Presse - De la liberté de la presse
   21.- Loi naturelle
   22.- Luxe — Danger du luxe
   23.- Dialogue entre un raisonneur moderne et un capucin
   24.- Naturalisme — Le *Système de la Nature*

octobre 1778. La première page est consacrée entièrement à la
«loi naturelle», article dans lequel Voltaire est présenté comme
l'inspirateur de «tant de déclarations contre la religion, tant de
sarcasmes contre les rois, tant d'attentats contre les moeurs...»
En deuxième page, un correspondant blâme certains Montréalais
d'exalter Voltaire. La troisième page du journal s'en prend à la
philosophie scolastique, «cet amas obscur et confus de sophismes
et de définitions»:

> Un homme après avoir passé plusieurs années dans la recherche
> d'un fantôme de raison, en sort aussi ignorant, mais beaucoup plus
> sot qu'il n'y était entré...
>
> Ô Nature! prie le correspondant, toi seule sera mon école.
> Riant de la folie des hommes dont l'objet s'égare en voulant s'éle-
> ver, je trouverai dans tes admirables variétés le sentier qui pourra
> me conduire à la Raison. Je t'approfondirai, je t'admirerai, tu me
> formeras l'esprit.

Enfin, dans la quatrième et dernière page de ce numéro de la
Gazette littéraire, un correspondant, qui signe «l'Homme sans
préjugé», affirme hautement: «Voltaire est mon idole!»[36].

25.- Au Président de l'Académie (l'Anonyme)
26.- Lettre de Soeur des Anges à Voltaire
27.- L'Anonyme au Canadien curieux
28.- L'Anonyme au Spectateur tranquille
29.- Réponses de M. S. et de l'Étranger à l'Anonyme
30.- L'Académie de Montréal demande sa reconnaissance officielle
31.- Sur les critiques littéraires (le Bon Conseil)
32.- Sur l'Anonyme et le Spectateur tranquille (Moi-j'entre-en-lice)
33.- Réplique du Spectateur tranquille au Bon Conseil
34.- Sur la «guerre littéraire» à Montréal (le Plaisant)
35.- Sur divers plagiats (l'Observateur)
36.- Jugement de l'Académie de Montréal
37.- Précisions de l'imprimeur sur les auteurs
38.- Sur l'appropriation des biens d'autrui (l'Ambitieux)
39.- Réponse de l'imprimeur à l'Ambitieux
40.- Encouragement au Spectateur tranquille (M. S.)
41.- Message aux jurisconsultes de Montréal (le Tranquille)
42.- Le Spectateur tranquille reprend la plume «littéraire»
43.- Moyens de régler les montres
44.- Message aux jurisconsultes de Québec
45.- Pierre du Calvet au public
46.- Convocation auprès de Rouville (Mesplet)
47.- Pierre du Calvet au public
48.- Appui de Pierre A. Indigné au Spectateur tranquille
49.- Réplique du Spectateur tranquille
50.- Suite de l'affaire Sanguinet
51.- Lettre sur la tolérance (l'Ingénu)
52.- Contre le fanatisme (Votre Ami)

36. GL, 28 octobre 1778 (pp. 79 à 82):
    1ère page : Loi naturelle — Dieu l'a placée dans tous les coeurs

Il est évident que Mesplet ne pouvait ouvertement présenter son journal comme un organe de la diffusion des Lumières. Ce fut d'abord un moyen d'expression littéraire. Pour le profane, son combat en était un en faveur de la littérature. Mais à tout moment, les lecteurs sont incités à exprimer leurs sentiments, leurs opinions.

> Un homme sensé, écrit le Spectateur tranquille le 10 juin 1778, communiquera ses idées, cela suffit pour faire penser tous les autres, et peu à peu — car ce n'est pas l'ouvrage d'un moment —, tous raisonneront en s'amusant[37].

Dans le même numéro, l'Ami des Sciences louait le zèle de l'imprimeur pour «la littérature, négligée jusqu'alors dans notre ville» et disait espérer «voir enfin l'ignorance anéantie et la grossièreté disparaître»[38]. Le Jeune Canadien patriote renchérissait le 17 juin:

> Une si louable entreprise prouve combien vous vous intéressez à mettre les Canadiens dans le goût d'écrire, qu'ils n'ont pu posséder qu'imparfaitement jusqu'à cette heure... On sait dans quel engourdissement les sciences ont toujours été et sont encore dans cette province; à l'exception de quelques individus venus d'Europe et d'un petit nombre de jeunes gens que l'on a poussés aux études, le reste des Canadiens vit dans l'ignorance des belles-lettres...[39]

Dans le numéro du 1er juillet, le Nouvel Ami des Sciences donnait l'exemple d'une bibliothèque établie dans un régiment en garnison à Montréal. On y trouvait non seulement des ouvrages sur la guerre, mais des oeuvres de Corneille, Racine, Molière, Voltaire, Régnard ainsi que le *Spectator* d'Addison[40]. Une précision était adressée à l'imprimeur le 15 juillet: la littérature n'intéressait pas seulement les hommes dans la colonie. Se plaignant d'être «d'un sexe à qui les hommes ne permettent pas de raisonner», Philos affirmait que beaucoup de femmes pensaient et écri-

---

2e page : Au Président de l'Académie de Montréal
             Les écoliers de Montréal à l'Ami
3e page : Le Canadien curieux au Spectateur tranquille
4e page : L'Homme sans préjugé à l'imprimeur
             Énigmes et logogriphes
             Annonces

37. GCL, 10 juin 1778, 1ère page, col. 1, 2; 2e page, col. 1 (pp. 5, 6).
38. GCL, 10 juin 1778, 1ère page, col. 1 (p. 5).
39. GCL, 17 juin 1778, 1ère page, col. 1 (p. 9).
40. GL, 1er juillet 1778, 1ère page, col. 1, 2; 2e page, col. 1 (pp. 17, 18).

108

vaient dans la province[41]. Après ce témoignage, il nous reste maintenant à voir comment la critique littéraire servait les Lumières dans la *Gazette* de Mesplet de 1778 à 1779.

Certes, on l'a dit, le journal est axé sur la critique. Mais en raison de la nouveauté de l'expression littéraire dans la province et de l'importance de l'analphabétisme, il fallait promouvoir l'enseignement, encourager l'acquisition de connaissances. La première démarche pour diffuser les Lumières au Québec consista à permettre aux gens de penser, puis à les rendre capables de s'exprimer, et enfin à les inciter à oser le faire.

Jautard, sous le pseudonyme de Spectateur tranquille, était le critique littéraire attitré du journal de Mesplet, ce qui ne l'empêchait pas de temps à autre d'employer des pseudonymes différents et aussi d'être secondé par des correspondants qui n'hésitaient pas à donner leur avis sur telle ou telle production. Jautard entrevoyait son rôle comme celui d'un mentor. Sa fonction, telle qu'il la concevait, paraît tirée de l'*Art poétique* d'Horace:

> L'homme honnête et judicieux blâmera les vers faibles, critiquera les vers durs, mettra, d'un trait transversal de sa plume, le signe noir devant les vers plats, retranchera les ornements prétentieux, exigera qu'on éclaire les passages obscurs, dénoncera ce qui est équivoque, marquera ce qu'il faut changer...[42]

Jautard était un homme cultivé, «éclairé», qui encourageait, mais qui avait horreur de la médiocrité et surtout du plagiat. Il aura à affronter ce dernier problème à quelques reprises. Sa rigueur et sa bonne foi susciteront alors du mécontentement, celui des tricheurs pris en flagrant délit. Voyons Jautard à l'oeuvre.

Dans le numéro du 24 juin, le Spectateur tranquille, tout en blâmant le français incorrect du Jeune Canadien patriote, l'incitait à écrire: «Écrivez, monsieur, engagez vos amis à écrire». Il l'encourageait à se perfectionner, citant Horace, et précisant qu'il fallait apprendre à tout âge[43]. Dans ce même numéro, une sévère appréciation était portée sur un texte de l'Émule des Sciences réformé: «...je vous défends d'écrire en prose, ou écrivez mieux». Même recommandation relative aux vers: «Horace et Boileau ce sont des sentinelles». Et Apollon «a mis le mont

---

41. GL, 15 juillet 1778, 1ère page, col. 1. (p. 25).
42. HORACE.- *Art poétique*, vers 445-449. *Épitres*.- Paris; Les Belles-Lettres, 1961.- p. 225.
43. GCL, 24 juin 1778, 1ère page, col. 2; 2e page, col. 1 (pp. 13, 14).

Parnasse sous la garde de Corneille, Racine, Rousseau, Crébillon et Voltaire»[44]. Jautard était un critique rigoureux. Il établissait les règles à suivre, mais ne méconnaissait pas non plus l'importance de l'imagination. Les Muses sont nécessaires, précisait-il au Canadien curieux, le 29 juillet[45], pour créer la poésie. Il aurait aimé que l'élégie, publiée le 22 juillet précédent, fût plus inspirée. N'avait-elle pas comme objet «la mort d'une demoiselle anglaise de Québec»? Le dernier quatrain donnera une idée du niveau de cette composition:

> Pleure, rossignolet sauvage
> Arrête-toi, petit ruisseau,
> Cesse oiseau, ton tendre ramage,
> Lisette descend au tombeau[46].

Pareille rédaction dénote une certaine indulgence de Jautard pour les productions des poètes en herbe, du moment que la langue est correcte. À l'égard du plagiat, le Spectateur tranquille se montrait vigilant et impitoyable. Ainsi, malgré sa bienveillance pour le Canadien curieux, il n'hésitait pas, dans le numéro du 6 janvier, à dénoncer le *conte de Zélim*, publié le 30 décembre, comme l'oeuvre d'un plagiaire. C'était le récit du jardinier d'un sultan qui redevenait satisfait de son sort après avoir constaté les malheurs attachés au destin de son maître[47]. «L'ennui, écrivait Jautard au Canadien curieux, vous a rendu mauvais copiste ou fade écrivain». Puis il ajoutait:

> Avez-vous cru de bonne foi tromper le Spectateur tranquille? non, le piège était trop grossier. Croyez-vous que je n'ai pas lu l'*Histoire orientale?*

Le Canadien curieux aurait dû ne pas donner le conte de Zélim comme son ouvrage, «mais comme une histoire dont le sens moral pouvait contribuer à instruire»[48]. Le Canadien curieux devait

---

44. GCL, 24 juin 1778, 2e page, col. 1 (p. 14). C'est Jautard qui paraît signer ici le Vrai Ami du vrai.
45. GL, 29 juillet 1778, 2e page, col. 2; 3e page, col. 1 (pp. 34, 35).
46. GL, 22 juillet 1778, 3e page, col. 2 (p. 31).
47. GL, 30 décembre 1778, 2e page, col. 1, 2; 3e page, col. 1 (pp. 116, 117).
48. GL, 6 janvier 1779, 4e page, col. 1, 2 (p. 4).
    Voici le texte intégral de *Zelim:*
        Divine Sagesse! tes influences, plus salutaires à mon âme que la Rosée du matin à la fleur languissante, font revivre dans mon coeur le sentiment de la félicité que le souffle empoisonné de l'illusion faisait évanouir. Je m'égarais sans retour sur les bords de l'abîme, et mon esprit troublé ne formait plus que des idées chimériques, quand tu me présentas l'exemple frappant de Zelim; aussitôt je sortis des ténèbres pour rentrer dans les voies de la vérité. Écoute, ô mon fils! écoute la fidèle histoire de cet infortuné. Lorsque les chaînes du temps s'appe-

soutenir, jusqu'au bout, être le véritable auteur du conte, mais il n'est pas sûr que Jautard se soit trompé. Dans le numéro du

santiront sur tes membres, et que tes cheveux prendront la blancheur des cygnes qui folâtrent sur les bords des vastes étangs, tu rassembleras ta nombreuse famille sous l'ombrage d'un antique sycomore, et tu répéteras ce que je vais te raconter; elle le redira dans la suite à ses enfants, qui le transmettront d'âge en âge jusqu'à la fin des siècles; afin que les hommes apprennent à respecter les décrets du Souverain dispensateur des événements et à ne jamais murmurer contre sa Providence.

Dans les jardins délicieux d'un puissant de la terre, vivait un mortel chéri des dieux, dont l'unique soin, dès son enfance, était d'arroser plusieurs fois le jour les tendres fleurs séchées par les ardeurs du soleil. Dans l'obscurité de sa condition, il était heureux, parce qu'il n'avait point les désirs qui dévorent le coeur des avides humains. Le bonheur qui fuit les lambris dorés vient plus souvent habiter sous le chaume, et se plaît dans la simplicité. C'est lui qui répand la sérénité sur le front du laboureur, tandis que le riche au sein de ses trésors n'offre dans ses regards pâles et livides qu'un objet rempli d'horreur. L'aurore voyait l'heureux Zelim commencer avec plaisir son travail ordinaire, l'astre du jour au terme de sa carrière le laissait occupé à se préparer un repas frugal, jouissant d'un repos plein de charmes que les fatigues de la journée lui rendaient encore plus précieux. Son bonheur était parfait s'il eut été durable. Mais hélas! comme la feuille que le moindre zéphir agite, le coeur de l'homme éprouve de continuelles agitations. Tel est son triste sort, qu'il ne se croit jamais heureux: l'ambition vient le chercher jusque dans les retraites les plus écartées. Pourquoi, dit-il un jour en jetant ses regards sur les vastes palais du Sultan, pourquoi le destin m'a-t-il si mal partagé que de me faire naître dans l'état misérable de jardinier; aussi peu considéré sur la terre que l'atome dans l'immensité de la nature; tandis que d'autres dans l'abondance, les grandeurs et les richesses filent sans inquiétudes les jours les plus fortunés? Oui! le bonheur doit être plus grand sur le trône que dans une chaumière qui me défend à peine des injures des saisons. À peine cette funeste pensée se fut-elle emparée de son esprit que son coeur ne fut plus qu'une mer d'illusions où la félicité vint s'engloutir et se perdre: il devint malheureux. Un soir qu'en plaignant son destin il se promenait à grands pas dans les allées à perte de vue, une force supérieure l'entraîna vers un bois de lauriers, dont le feuillage gardait pendant le jour des ardeurs du midi. De sourds gémissements frappent son oreille; dans sa surprise il avance, il entend distinctement la voix d'un homme plongé dans les eaux de la douleur; il reconnaît le Sultan qui se roulait sur la poussière en s'arrachant la barbe et se frappant la poitrine. Que mon sort est à plaindre, s'écriait-il, je possède des richesses immenses, mon nom fait trembler l'aurore et le couchant, et je suis le plus infortuné des mortels. J'apprends qu'un fils indigne, un fils dénaturé trame contre mes jours; mes serviteurs que j'ai comblés de mes bienfaits me trahissent, et pour comble de malheurs, Fatima, ma bien-aimée, Fatima m'est infidèle; la perfide, en souillant par un crime nouveau la pureté de mes amours, s'unit avec mes ennemis pour me plonger le poignard dans le sein. Ah! cruelle fortune, reprends tes dons empestés puisqu'ils portent avec eux tant d'amertume. Les sanglots lui coupèrent la parole, il se tut. Zelim reste immobile; une foule de pensées s'offrent à son esprit; enfin sa raison perce à travers les sombres nuages qui l'obscurcissaient. Les hauts pins, s'écrie-t-il, sont plutôt frappés de la foudre que le faible roseau. L'aquilon insulte le sommet des montagnes et respecte l'humble vallée; plus le mortel est élevé plus les coups que la fortune lui porte sont terribles. Ô vérité céleste! tu seras désormais gravée dans mon coeur. En finissant ces paroles il se prosterna devant l'Éternel qui avait éclairé son entendement; il l'adora dans sa grandeur et le remercia de ne l'avoir fait naître que simple jardinier. GL, 30 décembre 1778, 2e page, col. 1, 2; 3e page, col. 1 (pp. 116, 117).
En parlant de l'*Histoire orientale* qui aurait inspiré le Canadien curieux, peut-être le Spectateur tranquille faisait-il allusion à *Zadig ou la Destinée, Histoire orientale*

24 mars, la certitude du Spectateur tranquille était cette fois entière lorsqu'il dénonçait un «auteur» lui ayant présenté, comme son oeuvre propre à publier dans la *Gazette*, des stances qu'il avait retrouvées dans le *Journal historique* du mois de novembre 1752[49].

Dans sa critique, Jautard devait faire preuve de beaucoup de doigté pour éviter de tarir l'inspiration et l'activité des correspondants. Il fallait se borner à signaler les erreurs les plus criantes. Comme les jeunes gens utilisaient la presse pour la première fois, il était nécessaire de les encourager à poursuivre: de la poésie, on devait passer à l'échange des idées littéraires et autres. Le Spectateur tranquille insistait pour que la pensée fût exprimée de façon personnelle. Ainsi, dans le numéro du 5 août, il interpellait le Coeur bienfaisant: «Donnez des réflexions de votre crû, je les recevrai, j'y répondrai avec plaisir»[50]. Dans ses remarques aux Jeunes Émules des Sciences, le 12 août, Jautard notait que des jeunes gens n'osaient communiquer leurs productions au journal, de crainte d'être trop sévèrement critiqués. D'autres n'étaient pas abonnés à la *Gazette*, alors qu'ils employaient «une somme plus forte à des plaisirs momentanés». «Cherchez seulement à vous corriger et à vous instruire», conseillait le Spectateur tranquille. Il rappelait que beaucoup d'hommes peuvent avoir une même idée, mais que «la manière de la rendre est toujours différente»[51]. Une critique saine ensei-

---

de Voltaire, plus précisément au chapitre XV où un pêcheur découvre qu'il n'est pas le plus malheureux des hommes, comme il le croyait, et qui commence ainsi:
   À quelques lieues du château d'Arbogad, il se trouva sur le bord d'une petite rivière, toujours déplorant sa destinée et se regardant comme le modèle du malheur.
C'est alors que Zadig rencontre un pêcheur qui se considère «le plus malheureux de tous les hommes». Il a subi des malheurs, semblables dans son état, à ceux que Zelim entend énumérer par le sultan. «Eh quoi! se dit Zadig à lui-même, il y a donc des hommes aussi malheureux que moi!» (M. XXI, 74-77).
Quoi qu'il en soit, il n'est pas question de ce conte de Voltaire dans l'ouvrage *Contes et nouvelles du Canada français, 1778-1859*, tome I (Ottawa, Université d'Ottawa, 1971) où John HARE étudie entre autres le conte de Zelim (pp. 31 à 47). Il demeure dans l'indécision relativement au plagiat. En note, le professeur André Magnan rapproche le préambule de Zelim de celui d'une fable orientale de Saint-Lambert intitulée la Bienfaisance (*Fables orientales*, Paris, 1772):
   À mesure que le temps a fait passer devant mes yeux une plus longue série d'événements, et depuis que la couleur de mes cheveux est comme celle des cygnes qui jouent dans le jardin du roi des rois, j'ai pensé que le Souverain Arbitre de nos destinées, qui fit l'homme et la vertu, ne laissa jamais sans plaisir le coeur de l'homme de bien ni une bonne action sans récompense. Écoutez, ô fils d'Adam, écoutez ce récit fidèle.

49. GL, 24 mars 1779, 2e page, col. 1, 2 (p. 46).
50. GCL, 5 août 1778, 4e page, col. 1 (p. 40).
51. GCL, 12 août 1778, 3e page, col. 1, 2 (p. 43).

gnant à énoncer clairement ses pensées, c'était l'essentiel du travail de Jautard. Cette action s'insérait dans le combat entrepris par la *Gazette littéraire* contre l'ignorance. Combattre l'ignorance, c'était faire la promotion d'un enseignement fondé sur la raison, répandre les connaissances scientifiques et s'opposer à la superstition. Nous trouvons ces trois formes de combat dans le journal de Mesplet.

Dans le numéro du 10 juin 1778, lors de sa toute première intervention, le Spectateur tranquille traitait de l'importance de l'éducation des enfants. Selon lui, elle était négligée partout au Québec. L'adulte croupissait aussi dans l'ignorance. Chez les paysans, formant la majorité de la population, on ne décelait — sauf quelques rares exceptions — aucun souci d'amélioration. Pour transformer cet état de choses il devait y avoir échange d'idées. Le journal pourrait servir efficacement de tribune à cet effet[52]. En écho aux dires du Spectateur tranquille, «Lui Seul» avouait dans le numéro du 17 juin: «Ici, à l'âge de huit ans, ils [les Canadiens] ne connaissent aucun caractère; à dix ans, on craint de leur présenter un ABC»;

> à trente et quarante ans, on ne parle pas français, par conséquent on ne peut l'écrire; il y a plus, on ne sait pas lire[53].

La situation était effectivement déplorable, comme en fera foi en 1789 une enquête gouvernementale, dont il sera question en son temps. Dans sa réponse à «Lui Seul», le 24 juin suivant, le Spectateur tranquille demandait qu'on cessât de déplorer un passé d'ignorance et qu'on passât à l'action en instruisant la jeunesse. «Les jeunes gens [il s'agit des collégiens] ne lisent ni n'écrivent, on ne leur a jamais montré», en français s'entend, «car ils lisent tous et écrivent en latin». Pourquoi ne pas commencer par établir au Collège de Montréal — la seule institution d'enseignement de la ville — «une classe où, deux fois la semaine, il sera donné des instructions sur la langue française et l'orthographe», où il sera possible à chacun de «raisonner et le plus souvent par écrit». Jautard relevait le témoignage d'un collégien:

> ...on ne corrige jamais nos fautes de français, nous ne sommes occupés que des auteurs latins et de leur orthographe.

Ainsi, concluait Jautard, aucun ne connaît de bons auteurs comme Voltaire[54]. Dans une lettre publiée dans le numéro du 22 juillet

---

52. GCL, 10 juin 1778, 1ère page, col. 1, 2; 2e page, col. 1 (pp. 5, 6).
53. GCL, 17 juin 1778, 2e page, col. 1, 2 (p. 10).
54. GCL, 24 juin 1778, 3e page, col. 1 (p. 15).

et adressée au Spectateur tranquille, «Lui Seul» se hérissait contre la suggestion de créer une classe de français au Collège de Montréal: Ce serait un moyen de se «faire détester»[55]. Par qui? Le correspondant ne le précisait pas. Mais comme le Collège de Montréal relevait des Sulpiciens, il était facile de s'en douter. L'opinion de Jautard recoupait celle de d'Holbach qui avait écrit dans son *Éthocratie:*

> Ne vaudrait-il pas mieux qu'un citoyen connût la langue de son pays, que les langues perdues de la Grèce et de Rome[56]?

Consciencieusement, en 1778, Mesplet imprima un «livre pour apprendre à bien lire en français et pour apprendre en même temps les principes de la langue et de l'orthographe»[57].

D'après «Moi Un», qui donnait son opinion dans le numéro du 1er juillet, le Spectateur tranquille devrait cesser de déployer «tant d'efforts pour engager la jeunesse à acquérir la science». C'est «le plus mauvais service» à rendre.

> La science est en nous la source de l'orgueil, l'ignorance au contraire celle de l'humilité... La Philosophie du temps présent, si vantée, nourrit plus de sécurité et de présomption qu'elle n'excite à la vertu, elle est plus vaine que solide... Ô Jeunesse, vous oseriez travailler pour devenir savants! Je crois qu'il suffit, pour vous détourner d'un tel dessein, de vous mettre devant les yeux la félicité promise et même acquise aux ignorants. Bienheureux les pauvres d'esprit, car le Royaume des cieux leur appartient...

Même la connaissance de l'orthographe n'est pas nécessaire. Il s'agit d'écrire comme l'on parle. La connaissance de la langue française engagerait les jeunes

> à en rechercher les beautés dans les divers auteurs. Croyez-vous de bonne foi qu'ils s'arrêteraient aux oeuvres de Fénelon, La Bruyère, et plusieurs autres... dont les productions tendent à former l'esprit et le coeur... non, ils liraient Boileau... Corneille, Racine, Crébillon, et malheur à eux s'ils connaissaient Rousseau: la lecture de la *Nouvelle Héloïse*, les épigrammes et autres pièces les rendraient aussi mauvais que lui... Ils deviendraient assez curieux pour lire Voltaire... Voltaire... le plus savant de notre

---

55. GCL, 22 juillet 1778, 3e page, col. 2; 4e page, col. 1 (pp. 31, 32).

56. HOLBACH, d'.- *Éthocratie ou le Gouvernement fondé sur la morale.*- Amsterdam; Rey, 1776 (Réédition 1973).- p. 188.

57. *Livre pour apprendre à bien lire en français et pour apprendre en même temps les principes de la langue et de l'orthographe.*- Montréal; Mesplet, 1778. Voir TREMAINE, Marie.- *A Bibliography of Canadian Imprints (1751-1800).*- Toronto; University of Toronto Press, 1952.- p. 290.

siècle... mais le plus impie, le plus scélérat, le moins honnête homme...[58]

Cette prise de position pourrait bien n'être qu'un pastiche des arguments des dévots puisque le même rédacteur, Moi Un, dans une réplique à l'Ennemi des Sciences, le 8 juillet, écrit:

> La science n'induit au mal que par accident et par l'abus que l'on en fait. L'ignorance au contraire est la mère-nourrice, non de la simplicité, mais du vice.

Moi Un est décidé à continuer à s'instruire et à exhorter les autres à l'imiter. Il a su profiter du meilleur des grands auteurs. Ainsi, dit-il, «J.-J. Rousseau m'enchantait par son *Héloïse*»[59]. Dans le numéro du 15 juillet, la «Cloche sonnée» avertissait le Curieux honnête qu'il avait tort de vouloir décourager les jeunes de s'exprimer dans la presse.

> Vous ne voulez pas convenir, ajoutait-il, que la nation [canadienne] est ignorante. Je suis un individu de cette nation, et j'avoue que depuis dix ans que je travaille pour acquérir de la science, j'ai honte de savoir aussi peu... mon génie a toujours été enfermé dans une sphère trop étroite[60].

Pour sa part, le 22 juillet, le Spectateur tranquille avouait au Sincère:

> À la vérité, il est des moments où je suis pénétré d'indignation quand je considère l'ignorance de la jeunesse canadienne occasionnée par sa propre faute...[61]

Le 5 août, Jautard répliquait à Moi Un qui avait signé des «réflexions sur l'inutilité des sciences»: celles-ci sont indispensables au bonheur de l'homme. C'est la connaissance qui éclaire la vie.

> Conservez votre ignorance, jouissez du plaisir qu'une imagination dépravée vous représente comme le suprême bien; je ne me reprocherai jamais de mourir ignorant, si j'ai employé la plus grande partie de mes jours à rechercher dans l'étude des sciences le vrai bonheur[62].

Dans un message adressé à l'imprimeur le 7 octobre, «Votre Serviteur» gardait le même ton:

---

58. GCL, 1er juillet 1778, 3e page, col. 1, 2; 4e page, col. 1 (pp. 19, 20).
59. GCL, 8 juillet 1778, 3e page, col. 2; 4e page, col. 1 (pp. 23, 24).
60. GCL, 15 juillet 1778, 2e page, col. 1, 2 (p. 26).
61. GCL, 22 juillet 1778, 2e page, col. 2 (p. 26).
62. GCL, 5 août 1778, 1ère page, col. 1, 2; 2e page, col. 1 (pp. 37, 38).

Les sciences contribuent à épurer les moeurs... l'étude dissipe les ténèbres de l'ignorance et corrige les faux préjugés de l'enfance et d'une mauvaise éducation[63].

Un moyen majeur de répandre les sciences, c'est la bibliothèque publique. On se souvient que l'idée d'un tel établissement fut lancée dès le premier numéro de la *Gazette du commerce et littéraire*. On y revient au cours de l'hiver. Il faudrait mettre sur pied une bibliothèque publique non seulement à Québec, mais encore à Montréal, écrivait le Vrai Citoyen dans le numéro du 13 janvier 1779[64]. Une note rappelait cette suggestion, le 17 février [65]. Dans le numéro suivant, le 24 février, un «père de famille» souhaitait que son fils pût profiter à Montréal d'une bibliothèque publique, qu'on semblait vouloir faire fonctionner seulement à Québec[66]. Nous reviendrons sur cette question. lorsque nous traiterons spécifiquement de la fondation de cet établissement dans la capitale.

D'après la *Gazette* de Mesplet, la superstition entrave le combat contre l'ignorance. Le Spectateur tranquille, écrivant à R. D. le 15 juillet, reconnaissait que «pour perdre un sage, il ne faut qu'un bigot»[67]. Jautard recevait d'un philosophe inconnu de Québec, le 12 août, la profession suivante:

À la sombre misanthropie
Je ne dois pas mes sentiments.
D'une fausse philosophie
Je hais les vains raisonnements.
Et jamais la bigoterie
Ne prononce mes jugements[68].

Sous le pseudonyme de l'Homme[69], Jautard présentait à l'Observateur, le 9 septembre, un projet de publication du *Traité des Bénéfices* de Fra Paolo Sarpi, dont il avait découvert un exemplaire de 1685 dans «une mauvaise bibliothèque» appartenant à des «gens qui ne savaient pas lire». «Si j'étais fortuné, écrivait-il, je voudrais en faire imprimer deux ou trois cents

---

63. GL, 7 octobre 1778, 3ᵉ page, col. 2; 4ᵉ page, col. 1 (pp. 69, 70).
64. GL, 13 janvier 1779, 3ᵉ page, col. 1 (p. 7).
65. GL, 17 février 1779, 4ᵉ page, col. 2 (p. 28).
66. GL, 24 février 1779, 2ᵉ page, col. 1 (p. 30).
67. GCL, 15 juillet 1778, 4ᵉ page, col. 1 (p. 28).
68. GCL, 12 août 1778, 3ᵉ page, col. 2 (p. 43).
69. Confirmation de l'emploi de ce pseudonyme par Jautard lui-même dans la réponse du Spectateur tranquille à Moi-je-suis-en-lice: GL, 2 juin 1779, 2ᵉ page, col. 2; 3ᵉ page, col. 1, 2; 4ᵉ page, col. 1 (pp. 90, 91, 92).

exemplaires»[70]. Or Fra Paolo rapportait les origines scandaleuses des richesses de l'Église. Comme cet intrépide religieux, devait rappeler le roi de Prusse dans son *Éloge de Voltaire* du 16 novembre 1778, Voltaire avait dit «que souvent les passions influent plus sur la conduite des prêtres que l'inspiration du Saint-Esprit»[71]. On voit par cet exemple comment le journal de Mesplet pouvait, tout en étant une feuille littéraire, devenir un organe de combat.

Un périodique des Lumières ne pouvait pas ne pas lutter contre l'ignorance. Mais il se devait aussi de manifester son opposition à l'injustice. À l'instar de Voltaire et de Beccaria, mais dans le contexte plus modeste de son poste de rédacteur de la *Gazette littéraire*, Jautard va s'élever contre le manque d'équité des tribunaux. Dans ces circonstances, le journal affrontera le juge Hertel de Rouville, ce puissant personnage jouissant de l'appui de l'Église et de l'État, royaliste à outrance, ennemi juré de toute liberté d'opinion et par conséquent de l'esprit philosophique.

Traçant le portrait d'un bon juge, d'Holbach écrivait en 1776 dans son *Éthocratie:*

> La dignité d'un magistrat consiste dans ses lumières, dans son intégrité, dans ses vertus; il est grand lorsqu'il se montre au-dessus des petitesses qui remplissent les têtes rétrécies[72].

Rouville n'était ni digne, ni grand. On a vu comment sa nomination avait scandalisé les notables de Montréal. Voici le portrait du magistrat que brossera en 1784 le négociant et juge de paix Pierre du Calvet dans son *Appel à la Justice de l'État:*

> M. de Rouville est un gentilhomme canadien, mincement initié dans les mystères de la jurisprudence française, et, à ce titre, personnage peu compétent pour la judicature; mais d'un génie si

---

70. GL, 9 septembre 1778, 3e page, col. 1, 2 (p. 53).
71. *Éloge de Voltaire* par Frédéric II, lu à l'Académie royale des sciences et belles-lettres de Berlin, le 16 novembre 1778, reproduit dans M-1,141:
   Voltaire, qui avait employé toutes les ressources de son génie pour prouver avec force l'existence d'un Dieu, s'entendit accuser à son grand étonnement d'en avoir nié l'existence. Le fiel que ces âmes dévotes répandirent, si maladroitement sur lui, trouva des approbateurs chez les gens de leur espèce, et non pas chez ceux qui avaient la moindre teinture de dialectique. Son crime véritable consistait en ce qu'il n'avait pas lâchement déguisé dans son Histoire les vices de tant de pontifes qui ont deshonoré l'Église; de ce qu'il avait dit avec Fra Paolo, avec Fleury et tant d'autres, que souvent les passions influent plus sur la conduite des prêtres que l'inspiration du Saint-Esprit...
72. *Éthocratie,* op. cit., p. 81.

impérieux, d'un caractère si superbe, d'une humeur si identifiée avec le despotisme, qu'elle le trahit partout, non seulement sur les tribunaux de justice, où elle peut dogmatiser et trancher de la souveraine [manière], sans contrôle, mais dans le commerce même de la vie civile, et jusque dans le sein de sa famille. Au reste, homme tout pétri et boursoufflé des prétentions de l'amour-propre, préoccupé de ses prétendues lumières, entier dans ses jugements, intolérant [à l'égard] de la plus juste et de la plus humble opposition, grand formaliste, partial, non seulement de système réfléchi, mais d'instinct, assez chaud pour ses amis, que j'appellerai plus pertinemment ses clients et ses protégés, mais tout de flammes et de volcans contre ses ennemis, que son âme, naturellement vindicative, ne juge jamais assez punis[73].

C'était on s'en souvient ce Rouville qui avait failli être exilé à Boston par le général Wooster en 1776. Indépendamment du fait que Pierre du Calvet ait été victime d'un manque d'équité de Rouville, le portrait qu'il en trace coïncide avec les témoignages d'autres contemporains[74].

Ce fut justement une manoeuvre judiciaire douteuse à l'égard de Du Calvet qui déclencha l'intervention du journal de Mesplet. Dans le numéro du 7 avril 1779, sous le pseudonyme de Tranquille, Jautard dénonçait l'irrégularité d'un avis arbitral, déposé aux greffes de la Cour des plaidoyers communs du district de Montréal. Cette décision, mettant en cause Du Calvet et François Ribot de Londres, devait être connue en février 1779. Elle l'avait été le 27 mars et, suprême injustice, elle obligeait à l'exécution le 1er mars. Selon Jautard, la sentence — d'ailleurs très rigoureuse —, prononcée contre Du Calvet, était nulle en raison des délais rapportés[75]. Dans le numéro du 14 avril, Du Calvet lui-même s'adressait au public, puis à l'imprimeur. Au premier, il disait l'impossibilité où il était de reprendre possession des documents qu'il avait produits devant le tribunal d'arbitrage. Dans son message à l'imprimeur, Du Calvet annonçait qu'il avait été victime d'une tentative d'assassinat, sa maison ayant été assiégée par une bande de fiers-à-bras durant la nuit du 7 au 8 avril. Le négociant offrait une somme de cent piastres d'Espagne pour la dénonciation des coupables, de façon, écrivait-il, que tous les citoyens aient «l'avantage de la sécurité»[76]. Le 21 avril,

---

73. DU CALVET, Pierre.- *Appel à la justice de l'État.*- Londres, 1784.- pp. 90, 91.
74. Se rappeler les réactions défavorables des notables, lors de sa nomination comme juge à Montréal.
75. GL, 7 avril 1779, 1ère page, col. 1, 2; 2e page, col. 1, 2 (pp. 53, 54).
76. GL, 14 avril 1779, 1ère page, col. 1, 2; 2e page, col. 1 (pp. 57, 58).

Mesplet publiait dans son journal la fable de l'âne portant des reliques, où Rouville paraissait visé:

D'un magistrat ignorant
C'est la robe qu'on salue[77].

Dans le numéro du 28 avril, l'avocat Simon Sanguinet — celui-là même qui avait fait circuler une lettre royaliste clandestine en 1776 — était attaqué par le Spectateur tranquille. Sanguinet avait annoncé que Marie-Louise Simonnet lui avait fait cession de ses biens. Jautard considérait cette donation comme «assez singulière», puisque «cette fille est d'un esprit très faible pour ne pas dire imbécile». «Comment a-t-elle pu distinguer les conditions de la cession?» demandait Jautard. D'après lui,

tout ce qui a été fait à l'égard de cette succession est contre les lois, les coutumes et l'esprit général de la société...[78]

Dans la feuille du 5 mai, le Spectateur tranquille recevait un solide appui de la part de Pierre A. Indigné: Marie-Louise Simonnet était bien une faible d'esprit «depuis son arrivée en ce pays, obligée pour ainsi dire de mendier son pain». Devenue «héritière en partie d'une succession considérable», elle a abandonné ses droits «pour la vie et l'habit». Par ses «intrigues», Sanguinet s'est de sa pleine autorité immiscé dans la succession et s'est «élevé à la curatelle». En sa qualité de curateur, «il a fait vendre des fonds dont la rente suffisait pour nourrir la fille»[79]. Dans le numéro du 12 mai, le Spectateur tranquille annonçait à Pierre A. Indigné qu'on se proposait d'intenter une action contre Simon Sanguinet devant la Cour supérieure de Québec. Le geste de Sanguinet lui paraissait «l'effet de l'ignorance ou de l'avidité»[80]. Le 19 mai, le Spectateur tranquille rappelait au public que Marie-Louise Simonnet était une femme qu'il fallait défendre:

Depuis trente ans et plus, elle a été abandonnée à elle-même, et le plus souvent dans la dernière des misères...[81]

Dans le même journal, des Citoyens avertissaient qu'ils surveillaient une autre succession «d'un très haut prix», celle de Joseph Duplessis: «La mère a un droit réel de faire annuler le testament

77. GL, 21 avril 1779, 3e page, col. 1 (p. 63). C'est la fable XIV, livre cinquième. *Oeuvres de Jean de Lafontaine*, tome I.- Paris; Hachette, 1883.
78. GL, 28 avril 1779, 4e page, col. 1 (p. 68).
79. GL, 5 mai 1779, 1ère page, col. 1 (p. 69).
80. GL, 12 mai 1779, 4e page, col. 1, 2; 5e page, col. 1, 2 (pp. 76, 77).
81. GL, 19 mai 1779, 1ère page, col. 2 (p. 79).

de son fils». L'avocat Pierre Foretier était impliqué dans cette affaire[82].

Rouville décida alors de frapper un grand coup. Il fit rayer Jautard du barreau. Celui-ci prit connaissance de la décision, alors qu'il se présentait en Cour des plaidoyers communs pour défendre Pierre du Calvet. Voici comment Jautard raconte les faits dans le journal du 26 mai:

> J'ai hésité longtemps à mettre sous presse le prétendu affront qui m'a été fait jeudi dernier dans la chambre d'audience. Je vous assure, avant d'entrer en détail, que je n'en ai pas été affecté; l'air indifférent avec lequel je l'ai reçu ne se dément pas. Aussi je ne me suis décidé d'en parler que par les différents propos qui se tiennent. Et je vais en donner un détail exact.
>
> La Cour n'étant pas ouverte, je m'assis dans une place où j'ai droit en vertu des commissions [d'avocat] de Son Excellence Guy Carleton. Cependant, je n'allais en Cour que pour voir ce qui se passerait dans quelques affaires de conséquence qui m'étaient confiées. À peine fus-je assis qu'un des juges [Edward Southouse] — qui ne l'était pas alors puisque comme je l'ai dit la Cour n'était pas ouverte — m'adressa la parole et me dit, suivant l'interprétation faite par son confrère [Rouville — Celui-ci traduisait la déclaration de son collègue anglophone Southouse: il n'y avait que ces deux juges à la Cour des plaidoyers communs], «qu'il avait été fait une motion tendant à ce que je n'occupe aucune des places propres aux avocats». Je répondis qu'à la vérité je n'avais pas ma commission dans ma poche... Il me fut répondu que quand je l'aurais, ce serait égal. Je demandai qui avait fait cette motion. Il me fut répondu qu'on n'avait pas de compte à me rendre. J'ajoutai que c'était sans doute quelque ennemi. La réponse fut: Vous n'avez pas de plus grands ennemis que vos écrits. Je répliquai que ma signature seule devait prouver ma production. Il fut répondu que je n'avais pas besoin de signer, et que mon style était connu. Vous êtes suspect au gouvernement, fut-il ajouté.
>
> Je prévis alors d'où partait le coup. Mais comme la blessure me faisait honneur, je dis: Une place ou l'autre m'est indifférente. Et dans l'instant, on substitua au même lieu un cantinier [restaurateur]».

Jautard tente d'analyser l'attitude des juges.

> Doit-on annoncer une motion faite à huis-clos et — sans en donner communication à la partie — décider qu'elle est juste, et condamner? Non. C'est contre la loi et l'équité.

---

82. GL, 19 mai 1779, 1ère page, col. 2; 2e page, col. 1 (pp. 79, 80).

Doit-on condamner qui que ce soit sans lui faire connaître son adversaire? Non. Il fallait donc le nommer afin que l'accusé puisse se pourvoir contre lui pour dommage...

Pouvait-on faire une motion hors de la Cour? Non. Les juges n'étaient pas compétents, n'étant pas despotiques.

A-t-on pu annoncer que j'étais suspect au gouvernement, sans que le gouvernement même ne l'ait annoncé?

N'ayant jamais aucune raison de me proscrire, le gouvernement s'est tû. Mes ennemis ont profité de son silence et de mes occupations, ayant concentré en eux toute l'autorité. Ils ont fait tout leur possible pour me nuire, et ont réussi en partie. Mais j'ai vécu, je vis encore. Et quelques efforts qu'ils fassent, quelques injustices qu'ils commettent à mon égard, à quel point qu'ils poussent l'envie et la jalousie, quel que soit leur crédit, il est encore en ma possession plume, encre, papier, ma tête, ma main et mes amis. Oui, mes écrits m'ont fait honneur. Il est vrai qu'ils m'ont fait des ennemis, mais que m'importe! Je préfère la gloire à l'intérêt, l'honnête médiocrité à l'abondance que la cupidité ou l'ambition démesurée procure. Je dirai vrai. Je déchirerai, ou du moins ferai-je tous mes efforts pour déchirer le voile épais qui couvre les injustices, les prévarications[83].

Ce compte rendu confirme que c'était à cause de ses écrits que Jautard était considéré comme «suspect»: «Vous n'avez pas de plus grands ennemis que vos écrits». Le rôle de délateur de Rouville n'était pas nouveau. N'était-ce pas à la suite de la dénonciation des propos «antiroyalistes» de Thomas Walker qu'il avait obtenu ses fonctions à la présidence d'un tribunal? Dans le dialogue entre Jautard et le juge, il ne fut pas question de tel ou tel écrit en particulier. C'était l'ensemble des textes encourageant les Lumières qui était en cause. À la fin de son compte rendu, dans la *Gazette littéraire* du 26 mai, Jautard fait état de sa détermination de lutter contre l'injustice à l'échelle de cette petite société, à l'exemple de Voltaire qui avait défendu tant de victimes du fanatisme et du despotisme.

Ce fut justement ce rôle de justicier des Lumières qui valut à Jautard une lettre ouverte de Du Calvet, publiée dans le numéro même du périodique où il expliquait au public sa radiation secrète du barreau.

J'ai appris, écrivait Du Calvet, le compliment déplacé qui vous a été fait jeudi dernier par les juges de la Cour des plaidoyers communs. J'en suis plus affecté que vous-même, puisque dans

83. GL, 26 mai 1779, 2ᵉ page, col. 2; 3ᵉ page, col. 1 (pp. 84, 85).

l'instant il me fut rapporté que vous l'aviez reçu avec votre tranquillité ordinaire — que vous aviez assaisonné d'un flegme irritant. Je vous ai trouvé, j'ai reconnu l'homme, mais non l'homme faible, mais celui qui — se devant tout entier à lui-même — rend à chacun la justice qui lui est due, sans exception de personne. Plusieurs citoyens sont indignés. On vous reproche de n'avoir pas répondu ironiquement, sans toutefois manquer aux égards dûs. Mais tout considéré, je crois que vous avez pris le parti le plus sage, puisque vous n'eussiez pu trouver un Fraser [John Fraser, juge de 1764 à 1775] sur le siège de Montréal. On trouvait en ce gentilhomme une source inépuisable de savoir, de probité et de dignité; de quelque nature que soient les différends que j'ai eus avec lui, je ne peux me dispenser de rendre à ses rares qualités l'hommage qui lui est dû. Il est, et vous devez vous en être aperçu, tant de confusion dans les affaires, ou pour mieux l'expliquer, tant d'insolence dans les mouvements qui tendent à leur définition, que je n'y comprends rien.

Il m'a été dit, ajoutait Du Calvet, qu'aucun n'avait paru applaudir à la conduite des juges, sinon les sieurs Sanguinet, Gray et Foretier. Cela ne m'a pas surpris, et j'en dirai les raisons en son temps.

Du Calvet se déclarait d'autant plus heureux d'appuyer son avocat Jautard que celui-ci avait subi cet affront en voulant défendre ses intérêts:

Je sais très bien, monsieur Jautard, que connaissant parfaitement mes affaires, la manière négligente et même préjudiciable dont on les traitait vous engagea par bienveillance pour moi à vous trouver en cour pour connaître tout ce qui se passerait à ce sujet. Mais je n'ai pas prévu, ainsi que vous, que vous entriez dans le lieu où vos ennemis s'attribuent une autorité suprême. Quelle figure deviez-vous espérer faire dans ce cercle? Vous deviez savoir être parfaitement connu sous le nom du Spectateur tranquille. Et que sous cette dénomination vous avez attaqué l'honorable Forestier (sic) et le vénérable Sanguinet. Qu'en dépouillant l'un et l'autre, vous brisiez un nuage qui couvrait bien des irrégularités et quelque chose de plus. Joignez à cela la liaison intime de tous. Que deviez-vous espérer? Vous qui seul osez dire la vérité, vous qui luttez opiniâtrement contre les abus; vous qui seul êtes l'écueil contre lequel se brisent toutes les passions des individus, ils ont intérêt de vous anéantir — s'il était possible — afin de dérober aux yeux des personnes éclairées leur conduite.

Du Calvet montrait ensuite que l'action dont était victime Jautard était le résultat d'un complot. Il était lui-même l'objet de la malveillance des ennemis du journaliste.

Dans l'instant, précisait Du Calvet, le sieur Sanguinet sort de chez son ami [Rouville], sans doute pour lui faire ses remerciements. Il n'oublie pas de rendre la même visite à son confrère [Southouse]. Je crois que le sujet de l'intimité est de nous nuire également. En vous empêchant de travailler, ils m'empêchent de me défendre. Ils plaident eux-mêmes contre moi et démontrent (sic) leur partialité. Je vous avoue ingénument que cette démarche ne m'a pas surpris. Ignoriez-vous que les juges se sont attribués le pouvoir de changer la salle d'audience en une salle de compagnie où il est permis de faire compliments, insultes ou enfin tout ce qui est seulement suivant leur goût et leur caprice: être poli envers quelques-uns et insulter les autres. J'ai été moi-même exposé à ce désagrément, à cette différence que, m'étant retiré, on n'a pas fait mettre à ma place un cantinier, ainsi que l'on a fait à votre égard.

Dans sa conclusion, Du Calvet réaffirmait son estime envers Jautard, l'assurait de son entier appui et annonçait une lettre destinée aux juges Rouville et Southouse, lettre ouverte qui suivait effectivement la première.

Je me résouds difficilement à vous écrire, disait Du Calvet aux magistrats. Mais vous me contraignez à le faire par votre acharnement à me nuire. Je croyais pendant ce temps qu'un peu de réflexion vous ramènerait à vous mêmes, mais j'ai attendu inutilement ce retour. Ainsi, je fus obligé d'en venir à ce point. Si vous trouvez dans la lettre quelques vérités désobligeantes, ne vous en prenez qu'à vous-mêmes.

Du Calvet s'élevait tout d'abord contre l'attitude partiale des juges dans les causes qui le concernaient directement.

Suivant votre manière d'agir, écrivait-il, vous démontrez (sic) si clairement votre indisposition que je ne peux en douter. Je sais que dans les causes pendantes en cour, vous vous comportez non comme des juges, mais comme des avocats de mes parties adverses. M'étant présenté moi-même en cour pour défendre mes causes, vous m'avez contraint pour ainsi dire de me retirer parce que, ayant voulu parler pour leur défense, vous m'avez imposé silence. Et pour ne pas manquer à la cour, je partis, vous m'avez distingué des autres individus en me privant du droit général, naturel et conforme aux ordonnances de la province. Votre dessein était de m'expulser de la cour ainsi que vous l'avez fait, ou de m'exposer à être compromis par quelques propos un peu vifs. Mais je sais trop bien le respect dû à la cour...

Du Calvet donnait un autre exemple de partialité:

Vous avez obligé de rayer dans mon mémoire ces mots «tissu de mensonges», et vous avez souffert depuis qu'il fût lu devant vous un libelle diffamatoire auquel vous avez applaudi par un sourire.

Victime de cet esprit de partialité, Du Calvet confia ses causes à Jautard:

> Ne voulant m'exposer à de nombreux désagréments, en conformité à l'ordonnance, je constituai monsieur Jautard pour défendre, en vertu d'une procuration. Vous l'avez reçu; il suivit mes causes dans deux audiences, mais il était trop bien instruit. Vous avez trouvé à propos de l'exclure sous des prétextes frivoles, puisque vous n'avez pas daigné les rendre publics.

Du Calvet rappelait ici les marques de mépris prodiguées à Jautard. Et dans sa conclusion, il osait indiquer les coupables:

> Votre familiarité avec Simon Sanguinet est connue puisque, à la cour même, vous ne l'appelez que mon ami. Rien ne me surprend, mais il est des choses qui révoltent. Cet homme se vante même que monsieur Rouville et lui ont expulsé monsieur Jautard du barreau[84].

Nous le verrons, lorsqu'il sera plus particulièrement question de la chute du journal de Mesplet, l'exemplaire du périodique du 26 mai — celui contenant les lettres de Jautard et de Du Calvet — sera expédié par Rouville au gouverneur général Haldimand, comme preuve du mépris de la *Gazette littéraire* envers les tribunaux. Ces lettres ouvertes ne faisaient en fait que dénoncer un despotisme judiciaire bien connu à Montréal et déploré d'un grand nombre. Mais Rouville jouissait de tels appuis auprès des gouverneurs généraux que deux enquêtes successives, en 1787 et en 1790 — dont nous ferons état subséquemment — ne parvinrent pas à ébranler sa position, malgré des preuves évidentes de l'indignité de sa conduite comme juge. Ardent, ayant confiance en son bon droit, Jautard remerciait Du Calvet, dans le dernier numéro de la *Gazette littéraire* (2 juin 1779), de sa prise de position en sa faveur et disait espérer découvrir «le noeud de l'intrigue et que nous le trancherons»[85].

Durant douze mois, Montréal eut donc un journal d'esprit philosophique qui suscita un éveil littéraire et idéologique. Animé

---

84. GL, 26 mai 1779, 4e page, col. 1, 2; 5e page, col. 1 (pp. 86, 87).
85. GL, 2 juin 1779, 3e page, col. 1 (p. 91).
    Dans leur notice sur René-Ovide Hertel de Rouville, dans le DBC, vol. IV, op. cit., pp. 370-374, Pierre Tousignant et Madeleine Dionne-Tousignant présentent ce juge pouvant «exercer impunément ses fonctions de magistrat, malgré toutes les plaintes et les critiques», comme bénéficiaire d'un «système d'administration de la justice mis en place en vertu de l'Acte de Québec»: «ce régime, faute d'aucune séparation ni d'aucun contrôle des pouvoirs, en favorisait la concentration aux mains du gouverneur et d'une petite oligarchie». «Ceux qui disposaient des faveurs des gens en place pouvaient jouir d'une immunité presque sans borne».

par la plume alerte de Valentin Jautard, le périodique devint une tribune de libre expression, sauf dans le domaine politique qui lui était interdit. La feuille inquiéta, dès ses débuts, les tenants de l'orthodoxie religieuse. L'imprimeur Fleury Mesplet dut procéder avec habileté pour maintenir son journal à flot contre vents et marées. Dans le chapitre suivant, nous verrons comment l'idéal voltairien inspirait la *Gazette littéraire* et comment cet idéal suscita la haine d'hommes qui ne pouvaient le tolérer.

Chapitre 7

L'idéal voltairien

Organe des Lumières, la *Gazette littéraire* s'inspire plus particulièrement de l'esprit voltairien. Cet idéal s'exprime dans l'ensemble du journal, mais il a pris un relief particulier au cours de la lutte philosophique dans laquelle s'est trouvé engagé le périodique. Le combat s'amorce autour d'une académie fondée en l'honneur de Voltaire. Le gouvernement colonial n'est pas défavorable à l'esprit voltairien. C'est le clergé qui se hérisse. Non seulement il combattra l'Académie de Montréal, mais il travaillera à la chute de la *Gazette littéraire* et à l'emprisonnement de l'imprimeur. Ce chapitre propose la relation de cette lutte philosophique.

La mort de Voltaire avait à peine été connue dans la colonie — la *Gazette de Québec* l'annonçait le 17 septembre 1778[86] —

---

86. GQ, 17 septembre 1778, 2ᵉ page, col. 2 (numéro 681):

   Le 30 du mois dernier [la dépêche est du 11 juin] mourut à 11 heures du soir, à Paris, dans la maison du marquis de la Villette, le célèbre M. Arouet de Voltaire, âgé de 85 ans. Le lendemain, son corps fut embaumé et porté à minuit vers Ferney, lieu de la résidence, dans laquelle église il avait souhaité à (sic) être enterré; à sa demande son coeur sera gardé dans la chapelle du château de Villette. Son apothicaire lui avait envoyé une fiole d'opium mélangé convenablement pour prendre en se couchant; mais malheureusement son domestique la cassa; et afin de le cacher à son maître, alla chez un apothicaire acheter la même quantité d'opium pur, ce que (sic) l'infortuné poète ayant pris au lieu de la composition, lui (sic) fut très fatal, quoiqu'il ait vécu près de quatre jours après. Tel (sic) a été la fin de l'écrivain le plus agréable et du génie le plus universel du présent siècle.
   Sans nous arrêter aux inexactitudes sur le décès et les funérailles de Voltaire, notons la transmission relativement rapide pour l'époque de l'information. Remarquons aussi l'estime des rédacteurs pour «le génie le plus universel du présent siècle».

que Fleury Mesplet et Valentin Jautard fondaient en mémoire de lui une académie à Montréal. Ce fut après la publication dans la *Gazette littéraire* des 16, 23 et 30 septembre, des 7 et 14 octobre d'extraits de l'*Anti-Dictionnaire philosophique* de Louis Mayeul-Chaudon, que l'Académie de Montréal faisait publiquement état de son existence. Dans une lettre adressée officiellement à l'imprimeur le 21 octobre, le secrétaire de l'organisme défendait les positions de Voltaire et affirmait que le propre de l'académie était de s'inspirer de son esprit.

> Nous vous avertissons, écrivait-il, qu'une assemblée d'un petit nombre d'hommes de lettres par les soins qu'ils prennent pour devenir savants — Académie jusqu'à présent inconnue dans ce pays — se sont proposés et se proposent de fournir toutes les raisons pour détruire tous les ridicules que vous donnerez libéralement à un homme que vous devez aimer et respecter... Voltaire a levé le voile qui couvrait les vices et les crimes dont l'homme en général se parait. En démasquant, il a choqué. Chacun s'est reconnu aux traits sous lesquels il les a peints. Il était l'écueil du fanatisme, par conséquent ennemi de l'enthousiasme et de la superstition. Voilà son premier crime! Ennemi du despotisme, par conséquent des grands, historien trop véridique, critique sans fard, poète, physicien, enfin universel, il sut tout, parla de tout. Il était profond. Aucun homme ne peut lui disputer avec raison ces titres glorieux...[87]

Cet éloge de Voltaire — qui s'accordait avec de nombreux autres parus à l'occasion de sa mort — montre à l'évidence qu'il existait à Montréal des notables fortement pénétrés des idées voltairiennes. Ils admiraient Voltaire non seulement comme un grand nom de la littérature, mais aussi et surtout comme un penseur. C'était Voltaire dans tous ses moyens d'expression qu'ils aimaient. Si, selon eux, sa mémoire était attaquée, c'était parce qu'il s'était élevé contre la forme superstitieuse de la religion. Les nouveaux académiciens admiraient le courage qu'il avait manifesté en combattant pour la vérité et la liberté. Ils ne laisseraient pas ternir dans cette colonie la réputation de cet esprit universel. L'*Anti-Dictionnaire philosophique* qu'on utilisait pour tâcher d'y parvenir était qualifié de «caho de fadaises» enfanté

---

87. GL, 21 octobre 1778, 2ᵉ page, col. 1, 2 (p. 76). Signature: L. S. P. L. R. T. Avant l'annonce de cette fondation, les textes antiphilosophiques suivants, tirés de l'*Anti-Dictionnaire philosophique* de Chaudon, avaient été publiés: Dialogue entre Voltaire et son valet de chambre (le 16 septembre); Second dialogue des mêmes (le 23 septembre); Analyse d'ouvrages de Voltaire (le 30 septembre); Suite de l'analyse précédente (le 7 octobre); Portrait de Voltaire (le 14 octobre).

par «le préjugé, le fanatisme, la superstition la plus outrée, l'ignorance». Pour que l'Académie de Montréal pût opérer en toute liberté, ses membres sollicitèrent l'approbation du gouverneur général, dans une lettre publiée le 30 décembre:

> Nous supplions Votre Excellence de recevoir le sincère hommage de notre société. Le désir de nous instruire nous a fait rechercher mutuellement. Nous nous sommes rencontrés, et amis des sciences, nous nous proposons de contribuer autant qu'il sera en nos lumières, à exciter l'émulation des jeunes gens. Pour y parvenir, il ne manque à notre entreprise que l'approbation de Votre Excellence[88].

Nous verrons plus loin comment les Sulpiciens se sont opposés avec succès à l'octroi de cette approbation officielle.

Ce qu'était l'Académie, ce qu'elle n'était pas? Le secrétaire répondit à cette double question à «l'Auteur de l'adresse au président de l'Académie», dans la *Gazette littéraire* du 4 novembre. Les injures que cet auteur avait adressés aux académiciens ne pouvaient être applaudies que «des bigots, des fanatiques et des politiques de religion». Il avait insinué que l'Académie était formée de libertins parce qu'elle honorait Voltaire et que «ses systèmes en général favorisent les égarements».

> Vous vous trompez, rétorquait le secrétaire, ce corps est composé de peu de membres, mais honnêtes, jouissant d'une liberté sociale, bienfaisants, ennemis de la calomnie et de la médisance, charitables suivant leurs moyens, amis fidèles, ennemis compatissants, trop estimés pour n'être pas haïs. Tels sont les membres qui la composent, il n'en sera jamais admis d'autres[89].

En confirmant l'acceptation de deux candidats, le secrétaire précisait, dans le journal du 11 novembre, les buts de l'organisme:

> Notre corps se doit à lui-même, et encore plus à la société. Le désir de nous instruire est inséparable du soin d'instruire les autres. Comment remplir ces deux objets? Jusqu'à présent, sous des noms empruntés, nous avons aiguillonné la jeunesse canadienne; plusieurs de nous ont fait des choses pour exciter cette noble émulation que nous désirons tous avec ardeur... notre société fait ombrage parce qu'elle ouvre le sentier des sciences, jusqu'à présent inconnu dans ce pays... Je n'ignore pas les mouvements jaloux du petit corps scolastique de cette ville... Nous aimons les sciences, il faut donc, suivant notre institution, encourager les émules...

---

88. GL, 30 décembre 1778, 1ère page, col. 1 (p. 115).
89. GL, 4 novembre 1778, 3e page, col. 2; 4e page, col. 1 (pp. 85, 86).

Les académiciens doivent travailler

> à lever le voile épais de l'ignorance qui obscurcit et anéantit, pour ainsi dire, la raison de tout individu[90].

Dans une lettre adressée aux deux mêmes candidats, le 2 décembre, le secrétaire rappelait encore l'idéal de l'Académie:

> Le dessein de rompre les liens de l'ignorance, dans un pays où le préjugé tient la place de la raison... est téméraire dans l'exécution. Essayer de déchirer ce voile épais qui enveloppe tant de génies, est une tentative d'autant plus difficile à conduire à la fin, que ces mêmes génies, susceptibles de bonnes impressions, sont gouvernés par des caractères hauts, présomptueux: la plupart ignorants et payant de leur suffisance seulement. Gémissez avec nous du peu d'émulation qui règne dans cette colonie, faisons tous ensemble des efforts pour l'exciter; que chacun de nous porte le flambeau de ses lumières pour dissiper les ténèbres de l'ignorance, que nous devons regarder comme une maladie épidémique[91].

On voit que l'idéal de l'Académie se rapproche beaucoup de celui de la *Gazette littéraire* elle-même, puisqu'il est question de lutter contre l'ignorance et pour la diffusion des sciences. L'Académie se donne pour tâche de répandre les lumières de la raison, surtout au sein de la jeunesse, malgré les obstacles de la superstition, répondant en cela aux caractéristiques de ce genre d'institution qu'avait énoncées Voltaire huit ans auparavant dans les *Questions sur l'Encyclopédie:*

> Les académies dans les provinces ont produit des avantages signalés. Elles ont fait naître l'émulation, forcé au travail, accoutumé les jeunes gens à de bonnes lectures, dissipé l'ignorance et les préjugés de quelques villes, inspiré la politesse, et chassé autant qu'on le peut le pédantisme[92].

Concrètement, l'Académie était composée de bourgeois cultivés, à l'esprit philosophique, qui se considéraient comme d'honnêtes gens au service de la société. Ils avaient comme adversaires implacables les ordres religieux, ce «petit corps scolastique», jaloux de son propre pouvoir sur la pensée et les idées.

---

90. GL, 11 novembre 1778, 2e page, col. 2; 3e page, col. 1, 2 (pp. 88, 89). Selon le rédacteur, avant même la fondation de l'Académie, des voltairiens avaient passé à l'action à Montréal, entre autres en écrivant dans la *Gazette* de Mesplet pour encourager les jeunes Canadiens à penser par eux-mêmes et à s'exprimer. Une telle affirmation met en relief l'étroitesse des liens entre le journal et les futurs académiciens.
91. GL, 2 décembre 1778, 3e page, col. 2; 4e page, col. 1, 2 (pp. 101, 102).
92. M. XVII, 53.

Quels candidats souhaitait l'Académie? En voici deux qui se sont présentés par l'entremise de la feuille de Mesplet, le 4 novembre 1778: le Sincère et le Canadien curieux, tous deux de Québec, posaient hardiment leur candidature, prétendant avoir

> assez de connaissances sur les principes de Montesquieu, Voltaire, Raynal et autres auteurs dont les ouvrages font honneur à l'humanité[93].

Ces candidats furent effectivement acceptés et ils en remerciè-rent les autres académiciens le 25 novembre. Ils se disaient heureux de constater le

> zèle patriotique qui vous porte à jeter dans cette colonie les semences des arts et de la littérature... Noble soin! digne entre-prise! il nous semble entendre la voix du Canadien vous adresser ces paroles: C'est donc à vous généreux Libérateurs, qu'était réservé la gloire de briser les chaînes qui tenaient notre raison sous le joug honteux de l'ignorance! Vous en déchirez le voile obscur, nous allons jouir de la lumière; nous allons connaître les trésors de la science, et notre esprit va se développer en s'ornant des connaissances dont l'Être suprême l'a rendu susceptible. Sans votre secours, nous ramperions encore dans cette obscurité qui nous faisait mépriser de l'Étranger, notamment de cette nation si jalouse de l'ornement des belles-lettres. Nous ferons voir enfin que l'ignorance qu'elle nous a reprochée jusqu'ici ne provient pas de la grossièreté de notre entendement, mais du défaut d'édu-cation que nous n'avons pu nous procurer jusqu'à ce moment... Nous commençons à sentir les impressions de la lecture des livres choisis dont quelques particuliers enrichissent le pays, mais en trop petit nombre pour être comparés à l'utilité que l'on pourrait retirer des bibliothèques publiques qui devraient se trouver dans nos villes[94].

Les candidats de l'Académie devaient donc être des adeptes de la Philosophie des Lumières et se réclamer de préférence de la philosophie voltairienne. Ils devaient vivre de ces principes et les répandre. Le meilleur moyen serait de constituer des biblio-thèques publiques, comme le souhaitait aussi la *Gazette litté-raire*. En attendant, les oeuvres des Lumières se répandaient par le biais de certains Philosophes, à Montréal et à Québec. À titre de libraire, Mesplet devait certes avoir sa part dans cette diffusion dont parlaient le Canadien curieux et le Sincère. Ceux-ci, dans leur lettre de remerciement, exprimaient avec des accents

---

93. GL, 4 novembre 1778, 2e page, col. 2 (p. 84).
94. GL, 25 novembre 1778, 2e page, col. 1, 2 (p. 96).

vibrants, un contentement et une espérance qui n'étaient pas feints. La fondation de l'Académie leur paraissait le signe d'un éveil de l'esprit, susceptible de revaloriser les Français d'Amérique jusqu'ici sclérosés par l'ignorance. Les deux nouveaux académiciens envisageaient l'action de Mesplet, Jautard et des autres membres comme celle de libérateurs: enfin «nous allons jouir de la lumière», «connaître les trésors de la science».

L'examen de la *Gazette littéraire* permet d'entrevoir ce qu'ont pu être les rôles respectifs de Mesplet et de Jautard au sein de l'Académie. Dans la lettre d'acceptation des candidatures du Sincère et du Canadien curieux, publiée le 11 novembre, le secrétaire de l'Académie précisait que les nouveaux élus obtenaient le droit «d'insérer leurs productions dans le papier périodique». Ils devaient toutefois s'identifier dans «une lettre particulière adressée à l'imprimeur», sur la discrétion duquel, était-il dit, ils pouvaient compter. Ils ne seront «connus que du président et du secrétaire de l'Académie»[95]. On peut vraisemblablement en conclure que Mesplet occupait l'une ou l'autre de ces fonctions, puisqu'il devait être au courant de l'identité des candidats. Quoi qu'il en soit, l'imprimeur s'était engagé à publier les textes des académiciens. Dans la *Gazette littéraire* du 2 décembre, le secrétaire de l'Académie rapportait la décision suivante:

> ...il ne sera inséré dans la feuille aucun écrit de quelque nature qu'il puisse être, quelque matière qu'il traite, que lorsqu'il aura été lu et corrigé, s'il le faut, par «Votre Ami», un des membres de notre corps. Qu'il soit expressément prohibé au sieur imprimeur, membre de la société, d'en insérer aucun dans la feuille sans ce préalable[96].

Ainsi, l'Académie voulait exercer un contrôle sur les productions de ses membres, avant publication, pour en améliorer, semble-t-il, la qualité. On aura remarqué au passage que Mesplet était clairement identifié comme «membre de l'Académie», comme Jautard devait l'être à son tour le 9 décembre. À cette date en effet, le journaliste avouait au Canadien curieux qu'il avait l'honneur d'être membre de la société de pensée[97]. Dans le numéro du 16 décembre d'ailleurs, le Spectateur tranquille parlait au même correspondant, cette fois au nom de l'Académie:

---

95. GL, 11 novembre 1778, 2ᵉ page, col. 2; 3ᵉ page, col. 1, 2 (pp. 88, 89).
96. GL, 2 décembre 1778, 3ᵉ page, col. 2; 4ᵉ page, col. 1, 2 (pp. 101, 102).
97. GL, 9 décembre 1778, 4ᵉ page, col. 1, 2 (p. 106).

Quant à la nouvelle Académie, elle n'est pas feinte, et le projet est formé et exécuté autant que les circonstances le permettent. Je n'ignore pas les difficultés qui se présentent tous les jours. Cet établissement, tout avantageux qu'il est pour la généralité, paraît préjudiciable en particulier, mais qu'importe, nous espérons avec la patience et la persévérance en venir à bout. Quand nous n'aurions que l'agrément d'avoir préparé le champ et jeté la semence, ce sera une grande satisfaction. On n'abat jamais un gros arbre d'un seul coup de hache[98].

Jautard se souvenait peut-être de ce propos de d'Holbach dans la *Politique naturelle* en 1773:

Ne désespérons pas de son activité [celle de l'esprit humain], attendons un sort plus doux du progrès des Lumières; s'il ne nous est pas permis de changer nos propres destinées, semons pour la postérité...[99]

Dans le numéro du 30 décembre, le Spectateur tranquille répondit de nouveau au nom de l'Académie au Canadien curieux qui avait suggéré l'organisation de concours littéraires et la tenue de séances publiques. Le journaliste expliqua que le Collège de Montréal s'opposait à la participation de ses collégiens à toute forme de concours littéraires: on avait même expulsé de l'établissement des jeunes gens qui avaient écrit dans la *Gazette littéraire*. L'Académie devait lutter contre cette «indigne politique qui tend à éterniser pour ainsi dire l'ignorance». Pas de concours littéraires possibles donc, et pas de séances publiques non plus, car à Montréal «le préjugé détruit tout!» «Avec qui pourrions-nous conférer? entre nous, voilà tout»[100]. On perçoit au travers de la relation de ces faits le rejet de l'Académie et de ses activités par les Sulpiciens. Pour l'annoncer, l'Académie empruntait la voix de Jautard. Et le secrétaire lui-même le défendra contre l'Anonyme — dont il sera question bientôt — dans un message destiné aux «gens sensés» dans la *Gazette littéraire* du 6 janvier 1779:

C'est donc en vain que vous êtes occupé
De couvrir d'un sombre nuage
Son esprit qui malgré son âge
N'en saurait être enveloppé.
Il ne le trouble pas, en lui pas d'impatience;

---

98. GL, 16 décembre 1778, 3e page, col. 2; 4e page, col. 1 (pp. 109, 110).
99. HOLBACH, d'.- *La politique naturelle ou Discours sur les vrais principes du gouvernement*.- New York; Verlag, 1971 (Réédition de 1773).- p. 228.
100. GL, 30 décembre 1778, 3e page, col. 1, 2 (p. 117).

La Vérité le guide et lui sert de flambeau.
S'il consulte sa conscience,
Elle lui sert de juge et jamais de bourreau[101].

Allusion au rôle du Philosophe, tel qu'il est défini dans l'*Ency-clopédie*. Même s'il marche la nuit, le Philosophe est toujours «précédé d'un flambeau», la raison. Il ne vise qu'à servir l'humanité.

> Le Philosophe est donc un honnête homme qui agit en tout par raison, et qui joint à un esprit de réflexion et de justice, les moeurs et les qualités sociables[102].

S'inspirant officiellement de l'esprit de Voltaire, l'Académie de Montréal se voulait le regroupement des «philosophes» de la colonie. Le corps se manifestait par ses diverses interventions dans la *Gazette littéraire:* textes littéraires, répliques, énoncé d'un programme d'action. L'atelier de Mesplet devenait ainsi l'organe de la diffusion des Lumières au Québec, un de ces centres évoqués par Diderot dans l'*Interprétation de la nature:*

> Nos travaux doivent avoir pour but, ou d'étendre les limites des places éclairées, ou de multiplier sur le terrain les centres de lumières[103].

Quatorze seulement des cinquante-deux premières pages de la *Gazette littéraire* feront place à des textes antiphilosophiques, la plupart tirés de l'*Anti-Dictionnaire philosophique* de Chau-don. Cette attaque sera limitée à une période s'étendant du 16 septembre au 16 décembre 1778. Sous couvert d'abattre Voltaire, elle permettra d'en parler ouvertement, de le rendre intéressant et d'en faire apparaître l'importance dans la mesure même où l'on s'acharne à ce point contre lui. Cette façon de procéder peut aiguiser la curiosité de la jeunesse et l'inciter à découvrir cet auteur défendu. D'autre part, la vague antiphilosophique, qu'elle ait été imposée à Mesplet ou qu'il l'ait créée artificiellement, aura de toute façon pour conséquence de permettre l'apparition de l'Académie de Montréal, qui fera officiellement la promotion des idées voltairiennes dans la colonie. Mesplet tirera de l'*Anti-Dictionnaire philosophique* les textes les plus vivants, ce qui incitera le Jésuite Bernard Well à se lancer dans la mêlée sous le pseudonyme de l'Anonyme. Celui-ci deviendra vite la risée

---

101. GL, 6 janvier 1779, 3e page, col. 1, 2 (p. 3).
102. *Encyclopédie*, article Philosophe, vol. XII, pp. 509-511.
103. DIDEROT.- *Oeuvres philosophiques.*- Paris; Garnier, 1964.- p. 189 (*De l'Interprétation de la nature*, XIV).

des académiciens et devra se retirer de l'arène en menaçant l'imprimeur de représailles. Comme nous le verrons par une lettre à son évêque, Montgolfier lui-même reconnaîtra la défaite littéraire de Well et l'insignifiance de son combat.

La littérature antiphilosophique couvre 12.58 pour cent de l'espace de la *Gazette littéraire,* y compris les 2.70 pour cent de textes signés l'Anonyme, et cela durant les douze mois d'existence du journal[104]. La plus grande partie de la propagande antivoltairienne, soit seize textes, est extraite de l'*Anti-Dictionnaire philosophique,* cette mine dont nous avons déjà parlé[105]. Quant à l'Anonyme — le Jésuite Well, alors âgé de 54 ans[106] —, son premier article n'apparaît que dans le journal du 18 novembre. L'Anonyme disparaîtra de la scène le 6 janvier après avoir écrit une dizaine de textes, la plupart contre l'imprimeur, le journaliste et l'Académie. Avant d'examiner brièvement la production du Jésuite, voyons quels extraits de l'*Anti-Dictionnaire philosophique* Mesplet a donnés dans son journal. Nous aurons de la sorte une idée de l'opinion qu'avaient les religieux de Voltaire et de ses ouvrages. Il est présenté comme un bon écrivain, mais

---

104. La matière antiphilosophique remplit 12.58 pour cent de l'espace, soit 3 073 lignes sur 24 416. Dans ces 3 073 lignes, l'Anonyme (Well) en compte 661. Par matière antiphilosophique nous entendons tous les extraits de l'*Anti-Dictionnaire philosophique* de Chaudon, plus les exposés de l'Anonyme, de l'Homme éduqué (le 10 mars), du Sincère moderne (les 5 et 26 mai), de Louis Decourville (le 12 mai), de l'Ami des Hommes (le 19 mai) et de Moi (le 26 mai).

105. Voici le titre exact du dictionnaire de Chaudon: Anti-Dictionnaire philosophique, pour servir de commentaire et de correctif au *Dictionnaire philosophique,* et aux autres livres qui ont paru de nos jours contre le christianisme: ouvrage dans lequel on donne en abrégé les preuves de la religion, et la réponse aux objections de ses adversaires, avec la notice des principaux auteurs qui l'ont attaquée, et l'apologie des grands hommes qui l'ont défendue.- Quatrième édition corrigée, considérablement augmentée, et entièrement refondue sur les mémoires de divers théologiens. À Paris, chez Saillant et Nyon, libraires rue Saint-Jean-de-Beauvais, 1775, tomes I, II, 552 p. chacun.- BNQ, département des livres rares, RES, BE, 116. C'est cette édition qui a été utilisée par Mesplet dans la *Gazette littéraire,* et non pas celle, sous le titre de *Dictionnaire anti-philosophique,* imprimée en 1774 à Avignon par la succession sa tante la veuve Girard et Antoine Aubanel: BNQ, département des livres rares, RES, BE, 70.

106. Le père Bernard Well était né en Belgique le 2 septembre 1721. Ayant enseigné à Mans et à Cambrai de 1746 à 1752, il partit pour le Canada en 1756, après quatre ans d'études théologiques. De Québec, il passa à Montréal en 1759. (Voir ROCHEMONTEIX, Camille.- *Les Jésuites de la Nouvelle-France au XVIIIe siècle,* tome II.- Paris; Picard, 1906.- p. 235, note.) L'ouvrage du père Carlos Sommervogel, la *Bibliothèque de la Compagnie de Jésus* (tome VIII et suppléments, Bruxelles-Paris, Schepens et Picard, 1898) ne fait pas mention du père Well. Ni la *Bibliothèque des écrivains de la Compagnie de Jésus ou Notices bibliographiques* des pères Augustin et Alois Backer (Liège, Grandmont-Donders, 1861).

impie. Les dialogues imaginés par Chaudon ne réussissent guère à conjurer l'attirance que peut exercer le génie de Voltaire: un esprit curieux pourrait fort bien se sentir incité à le lire après avoir pris connaissance des extraits publiés par Mesplet. Et ceux qui avaient lu Voltaire, comme les académiciens — que Mesplet et Jautard pouvaient probablement fournir d'ouvrages philosophiques[107] — ne pouvaient que sourire des maladroites tentatives de Chaudon d'imiter la façon d'écrire du Patriarche pour le discréditer par des calomnies. Procédons chronologiquement pour saisir l'image de Voltaire et la perception de ses idées que pouvait retenir un lecteur de Chaudon dans la *Gazette littéraire*, du 16 septembre au 2 décembre 1778. N'oublions surtout pas que plusieurs avaient eu la possibilité de lire des oeuvres de Voltaire et qu'ils pouvaient déceler la sottise de certaines outrances. Le lecteur trouvait en outre des textes favorables à Voltaire dans le même journal. Les 16 et 23 septembre, c'est d'abord un dialogue entre Voltaire et son valet de chambre Dubois. Celui-ci tente de convaincre son maître de ne pas utiliser les armes les plus basses contre les auteurs qui s'en prennent à ses ouvrages: ces ripostes n'ont-elles pas eu pour résultat d'intensifier la vente des livres de ses adversaires, parmi lesquels Nonnotte, Bergier et l'auteur de l'*Anti-Dictionnaire philosophique*, Chaudon lui-même[108]? Dans le numéro du 30 septembre, le lecteur prend connaissance d'une biographie où Voltaire est présenté comme l'écrivain d'ouvrages impies dont suit la liste commentée: l'*Épitre à Uranie, Oedipe*, la *Henriade*, les *Lettres philosophiques*, l'*Essai sur les moeurs et l'esprit des nations* — «le plus grand monument de l'irréligion» —, le *Dictionnaire philosophique, Candide*, la *Pucelle d'Orléans*, la *Défense de mon*

---

107. Dans un article sur «les relations franco-canadiennes après la conquête» (RUL, mars 1956, vol. X, numéro 7, pp. 592-595), Gustave LANCTOT met fin au mythe de la pénurie de livres français à la suite de la cession de la Nouvelle-France à la Grande-Bretagne. Tous les ouvrages pouvaient pénétrer dans la colonie, via Londres. C'est seulement le petit nombre de lecteurs qui restreignait l'importation. De toute façon, les ouvrages philosophiques circulaient au sein de la bourgeoisie. Des hommes comme Mesplet et Jautard et d'autres Français venus s'établir à demeure aidèrent à cette propagation. La lecture de Voltaire et de l'*Encyclopédie* était courante chez des notables canadiens, comme Joseph Papineau, le père de Louis-Joseph Papineau. «...les livres ne manquaient pas depuis la conquête, puisqu'en 1771, Mgr Briand constatait même une trop grande diffusion des ouvrages nuisibles».

108. GL, 16 septembre 1778, 1ère page, col. 1, 2; 2e page, col. 1, 2; 3e page, col. 1 (pp. 55, 56, 57); GL, 23 septembre 1778, 1ère page, col. 1, 2; 2e page, col. 1, 2 (pp. 59, 60). Source: ADP, tome I, pp. XL-XLVIII (Dialogue premier entre M. de Voltaire — l'abbé Bazin — et son valet de chambre); tome II, pp. 516-522 (Second dialogue entre l'abbé Bazin et Dubois).

oncle. La *Gazette littéraire* du 7 octobre poursuit «l'analyse» des ouvrages qui proviennent tous «d'un bel esprit et non d'un bon esprit»[109]. Dans le même numéro, Chaudon dédouble Voltaire distinguant l'homme et l'auteur: le premier est sans foi ni loi, le second est superficiel et sans profondeur[110]. Vient ensuite «la relation d'un voyage aux Délices par un Chinois» qui trouve à reprendre dans l'esprit et le corps («une momie») de Voltaire[111]. Toujours dans le numéro du 7 octobre, le maître est de nouveau confronté à un domestique, soucieux cette fois de s'enrichir à ses dépens en vendant l'un de ses manuscrits, sous prétexte que Voltaire est lui-même malhonnête[112]. Le 14 octobre, «M. de la B...» nous apprend que le XIXe siècle ne reconnaîtra pas le génie de Voltaire, comme c'est le cas au XVIIIe siècle[113]. Par ailleurs, Chaudon fait état de la communion pascale à Ferney en 1769, geste considéré comme scandaleux[114]. Dans un dialogue sur la liberté de la presse, paru le 21 octobre 1778, le même Chaudon, sous le masque du Censeur, tance vertement l'Admirateur (des Philosophes). Seuls, d'après le bénédictin, les hommes de lettres qui ne sont pas «les ennemis du christianisme et de l'État» doivent être libres d'écrire. Les autres devraient avoir le sort du chevalier de la Barre «enivré de ce malheureux poison» des Philosophes des Lumières. Tout commentaire est ici superflu de cette barbare approbation de la décapitation d'un adolescent coupable de ne pas s'être découvert devant une procession du Saint Sacrement[115]. La *Gazette littéraire* du 28 octobre propose les réflexions de Chaudon sur «la loi naturelle». «Il y a un ordre immuable qui règle les devoirs de l'homme». Les Philosophes

---

109. GL, 30 septembre 1778, 1ère page, col. 1, 2; 2e page, col. 1, 2; 3e page, col. 1 (pp. 63, 64, 65); GL; 7 octobre 1778, 1ère page, col. 1, 2 (p. 67). Source: ADP, tome II, pp. 489-497 (Voltaire I — Analyse fidèle de ses ouvrages, et de l'esprit qui les lui a dictés).

110. GL, 7 octobre 1778, 1ère page, col. 2; 2e page, col. 1 (pp. 67, 68). Source: ADP, tome II, pp. 497-499 (Voltaire II — Portraits divers de l'Auteur du *Dictionnaire philosophique*, par M. Q...)

111. GL, 7 octobre 1778, 2e page, col. 1, 2 (p. 68). Source: ADP, tome II, pp. 500, 501 (Voltaire II — Relation d'un voyage aux Délices par un Chinois).

112. GL, 7 octobre 1778, 2e page, col. 2; 3e page, col. 1 (pp. 68, 69). Source: ADP, tome II, pp. 503-505 (Voltaire II — Très humble requête d'un ancien domestique de M. de Voltaire à son cher maître).

113. GL, 14 octobre 1778, 1ère page, col. 1, 2 (p. 71). Source: ADP, tome II, pp. 502, 503 (Voltaire II — Autre portrait par M. de la B.).

114. GL, 14 octobre 1778, 1ère page, col. 2; 2e page, col. 1, 2; 3e page, col. 1. Source: ADP, tome II, pp. 505-509, 513-515 (Voltaire II — Relation importante de la communion de M. de Voltaire...)

115. GL, 21 octobre 1778, 1ère page, col. 1, 2; 2e page, col. 1 (pp. 75, 76). Source: ADP, tome II, p. 228-232 (Presse — De la liberté de la presse).

font «valoir avec raison cette loi naturelle, mais ils l'observent presque aussi peu que la loi révélée». C'est le cas de Voltaire[116]. Le numéro du 4 novembre met en garde contre les «dangers du luxe». «Voltaire prétend que le luxe est avantageux aux États». D'après «les sages anciens et modernes», «le luxe est non seulement le corrupteur de la vertu mais encore le destructeur des empires»[117]. Le 11 novembre, nous entendons un «dialogue entre un raisonneur moderne et un novice capucin» où celui-ci répond de façon orthodoxe aux objections des Philosophes — et de Voltaire évidemment — contre la vie monacale[118]. De «courtes réflexions sur le *Systèmes de la nature*» de d'Holbach concluent à la condamnation de cet ouvrage, le 18 novembre. Voltaire, avance Chaudon, a certes «porté quelques coups à ce nouveau système», mais c'est parce que son propre athéisme est «plus radouci et plus artificieux». Les voltairiens ne pouvaient que sourire de cette accusation, en se remémorant la prière à Dieu qui clôt le *Traité sur la Tolérance*[119]. Enfin, les 25 novembre et

---

116. GL, 28 octobre 1778, 1ère page, col. 1, 2; 2e page, col. 1 (pp. 79, 80). Source: ADP, tome II, pp. 14 à 17 (Loi naturelle — Dieu l'a gravée dans tous les coeurs).

117. GL, 4 novembre 1778, 1ère page, col. 1, 2; 2e page, col. 1 (pp. 83, 84). Source: ADP, tome II, pp. 17-20 (Luxe — Dangers du luxe).

118. GL, 11 novembre 1778, 1ère page, col. 1, 2; 2e page, col. 1, 2 (pp. 87, 88). Source: ADP, tome II, pp. 483-488 (Voeux — Dialogue entre un raisonneur moderne et un novice capucin).

119. GL, 18 novembre 1778, 1ère page, col. 1, 2; 2e page, col. 1 (pp. 91, 92). Source: ADP, tome II, pp. 125-129 (Naturalisme — Courtes réflexions sur le *Système de la nature*).
Voici la prière tirée du *Traité sur la Tolérance*, M. XXV, 107, 108:
Ce n'est donc plus aux hommes que je m'adresse; c'est à toi, Dieu de tous les êtres, de tous les mondes et de tous les temps; s'il est permis à de faibles créatures perdues dans l'immensité, et imperceptibles au reste de l'univers, d'oser te demander quelque chose, à toi qui as tout donné, à toi dont les décrets sont immuables comme éternels, daigne regarder en pitié les erreurs attachées à notre nature; que ces erreurs ne fassent pas nos calamités. Tu ne nous a pas donné un coeur pour nous haïr, et des mains pour nous égorger; fais que nous nous aidions mutuellement à supporter le fardeau d'une vie pénible et passagère; que les petites différences entre les vêtements qui couvrent nos débiles corps, entre tous nos langages insuffisants, entre tous nos usages ridicules, entre toutes nos lois imparfaites, entre toutes nos opinions insensées, entre toutes nos conditions si disproportionnées à nos yeux, et si égales devant toi; que toutes ces petites nuances qui distinguent les atomes appelés hommes ne soient pas des signaux de haine et de persécution; que ceux qui allument des cierges en plein midi pour te célébrer supportent ceux qui se contentent de la lumière de ton soleil; que ceux qui couvrent leur robe d'une toile blanche pour dire qu'il faut t'aimer ne détestent pas ceux qui disent la même chose sous un manteau de laine noire; qu'il soit égal de t'adorer dans un jargon formé d'une ancienne langue, ou dans un jargon plus nouveau; que ceux dont l'habit est teint en rouge ou en violet, qui dominent sur une petite parcelle d'un petit tas de boue de ce monde, et qui possèdent quelques fragments arrondis d'un certain métal, jouissent sans orgueil de ce qu'ils appellent grandeur

2 décembre, Chaudon nous dévoile la lettre d'une prétendue tante de Voltaire, Soeur des Anges, à son célèbre neveu pour l'inciter à «respecter la religion et ceux qui la pratiquent»[120]. Tels sont les extraits que Mesplet a fait paraître, presque toujours en première page, pour satisfaire le clergé et inciter du même coup à lire Voltaire. Les religieux se rendirent compte que cette utilisation chaque semaine de l'*Anti-Dictionnaire philosophique* ne suffisait pas à enrayer dans la ville les progrès de l'esprit des Lumières, puisque les réactions des lecteurs aux textes mêmes de Chaudon fournirent à Mesplet et à Jautard occasion et motif de fonder la première académie voltairienne en Amérique. Le Jésuite Well se lança alors dans la mêlée. Il était déjà tard: son premier article ne parut que le 18 novembre. L'Académie était fondée, les voltairiens tenaient le haut du pavé, l'*Anti-Dictionnaire philosophique* serait relégué dans les livres oubliés. Ce fut alors que Well apparut, plagiant Nonnotte et tentant de se mesurer non pas seulement à Jautard et à Mesplet, mais à Voltaire lui-même.

L'imprimeur laissa à Well toute la corde voulue pour se pendre. Il lui donna même l'entière première page du journal, les 9 et 16 décembre 1778. Mais sa prose ne réussit à convaincre personne, comme en témoigne la réaction d'Henriette Canadienne dans le numéro du 13 janvier[121]. D'où la menace que fit le Jésuite et que mit à exécution le Sulpicien Montgolfier de supprimer cette *Gazette littéraire* qu'il avait été impossible de contrôler de l'intérieur ou de faire désapprouver par le public-lecteur. Le premier texte de l'Anonyme fut donc publié le 18 novembre. C'était une lettre adressée au Canadien curieux le

---

et richesse, et que les autres les voient sans envie; car tu sais qu'il n'y a dans ces vanités ni de quoi envier, ni de quoi s'enorgueillir.

Puissent tous les hommes se souvenir qu'ils sont frères! Qu'ils aient en horreur la tyrannie exercée sur les âmes, comme ils ont en exécration le brigandage qui ravit par la force le fruit du travail et de l'industrie paisible! Si les fléaux de la guerre sont inévitables, ne nous haïssons pas, ne nous déchirons pas les uns les autres dans le sein de la paix, et employons l'instant de notre existence à bénir également en mille langages divers, depuis Siam jusqu'à la Californie, ta bonté qui nous a donné cet instant.

120. GL, 25 novembre 1778, 4e page, col. 2 (p. 98); GL, 2 décembre 1778, 1ère page, col. 1, 2 (p. 99). Source: ADP, tome II, pp. 270-274 (Religieuses — Lettre de la Soeur des Anges, religieuse de l'Annonciade, à M. de Voltaire son neveu).
121. GL, 13 janvier 1779, 2e page, col. 2 (p. 6).- Henriette Canadienne remarque de Well:
Cet esprit jaloux du bon sens, ennemi par conséquent des sciences... fait rire, mais c'est de lui-même... j'aimerais mieux à ma toilette, un quatrain du Spectateur tranquille, qu'une ode de l'Anonyme...

blâmant d'avoir comme «idole» un écrivain qui met en doute l'immortalité de l'âme et la liberté humaine. Il autorise ainsi «l'homme à se laisser aller au crime, à s'y tranquilliser et à y étouffer tous remords»[122]. L'Anonyme passe vraiment à l'attaque, le 25 novembre, en s'en prenant au président de l'Académie, au Spectateur tranquille et de nouveau au Canadien curieux. Il reprochait au premier l'esprit voltairien des académiciens. Quant au Spectateur tranquille, il lui conseillait de ne pas prendre Voltaire comme guide. Well prétendait, par ailleurs, démasquer «l'idole» du Canadien curieux:

> Ton Auteur, Uranie, organe du serpent
> Fut un jeune vautour couvé par la vipère.
> Sous un masque étranger fertile en coups de dent
> Il joignit au venin les horreurs de Mégère:
> De ce souffle empesté sortit un fiel affreux.
> Sans honte, sans pudeur, de l'antre ténébreux
> Sa Pucelle adopta tout ce qu'on peut d'obscène
> Et devint de l'ordure ainsi l'infâme reine.
> Tel fut l'homme à talents suscité par l'Enfer
> Pour vomir des leçons dignes de Lucifer[123].

C'est un bon échantillon de la versification de Well, et surtout de son appréciation de Voltaire qui, bien plus qu'un hérétique, est l'émissaire du diable et finalement l'ennemi de Dieu lui-même. Il puise dans l'arsenal habituel des adversaires de Voltaire, entre autres la dénonciation d'ouvrages comme l'*Épitre à Uranie* ou la *Pucelle d'Orléans*. On notera toutefois, qu'à la différence de Chaudon, Well reste incapable du moindre humour. Sa «poésie» et sa prose antivoltairiennes sont rigides comme des formules d'exorcisme. C'est un apostolat contre la diffusion des Lumières qu'il dit lui-même exercer. Il jubile lorsqu'il croit comprendre que le Canadien curieux «commence à mépriser Voltaire».

> Je me saurais même gré du stratagème, écrit-il le 9 décembre, si par là je réussis à l'attacher à la lecture d'un livre, d'autant plus propre à l'instruire qu'il dévoile au parfait une partie des méprises, des contradictions et des erreurs de l'Oracle des esprits superficiels de nos jours.

Si le Canadien curieux se convertit, il est dangereux pour lui de rester académicien:

---

122. GL, 18 novembre 1778, 2e page, col. 2; 3e page, col. 1 (pp. 92, 93).
123. GL, 25 novembre 1778, 1ère page, col. 1, 2; 2e page, col. 1 (pp. 95, 96).

Membre de l'Académie qui l'encense [il s'agit de Voltaire], vous n'en faites pas dites-vous, votre idole: je vous en félicite, mais convenez que cette qualité à laquelle vous paraissez aspirer, jointe à l'immortalité promise à Voltaire, en la compagnie de l'inimitable et vertueux Fénelon, devait vous en faire soupçonner partisan déclaré. Prenez garde! on épouse aisément les opinions du corps auquel on s'attache: je suppose que vous n'imiterez pas Voltaire à qui les oui et les non coûtaient si peu, qu'il changeait plus souvent de sentiments que de linge (...) Voltaire a été ennemi de la liberté de l'homme. Continuez à lire l'abbé Nonnotte, vous y apprendrez que les dogmes de la spiritualité de l'âme, de son immortalité, de sa liberté ne sont pas problématiques comme Voltaire voudrait en plus d'un endroit l'insinuer.

Well priait le Canadien curieux de convenir que Voltaire niait le Saint Esprit et qu'il n'était qu'un flambeau «souvent ténébreux»[124]. Quand l'Anonyme encourageait, dans cet article, le Canadien curieux à poursuivre la lecture de Nonnotte, il faisait allusion au fait que son correspondant l'avait pris en flagrant délit de plagiat des *Erreurs de Voltaire:* la dénonciation avait été faite dans le journal du 2 décembre, à l'intention du Plagiaire Anonyme[125]. Well ne releva pas cette accusation. Il était en mission et celle-ci était d'écraser Voltaire et les diffuseurs de ses idées dans la colonie, ainsi qu'il s'en expliquait dans un poème, publié dans la *Gazette littéraire* du 16 décembre:

---

124. GL, 9 décembre 1778, 1ère page, col. 1, 2; 2e page, col. 1, 2 (pp. 103, 104).
125. GL, 2 décembre 1778, 2e page, col. 1, 2 (p. 100):
    Vous avez copié dans les ouvrages de l'abbé Nonnotte une douzaine de phrases éparses, que vous avez mutilées, pour leur donner quelque liaison et vous pensez nous faire croire qu'elles sont de votre cru! La ruse est grossière.
    Voici les preuves de plagiat que donne le Canadien curieux: a) extrait de la réponse de Nonnotte aux Philosophes insulaires auxquels Voltaire fait dire que l'âme est une horloge que Dieu nous a donné à gouverner, dans le second tome des *Erreurs de Voltaire;* b) dix-sept lignes «copiées mot pour mot de l'*Anti-Dictionnaire philosophique*, au chapitre de l'Immortalité de l'âme, pages 497, 500»; c) «seize lignes recueillies dans le chapitre Liberté de l'*Anti-Dictionnaire philosophique*»; d) «extrait de cinq lignes au chapitre 11 sur la Liberté, dans les *Erreurs de Voltaire*, page 96». Après cette énumération, à partir d'un seul article du père Well, le Canadien curieux s'écrie:
    Le reste n'est pas plus de vous; je suis certain de l'avoir lu dans les mêmes ouvrages; mais ma foi, je suis las de feuilleter; la nuit est fort avancée.
    Le Canadien curieux renvoie Well au 27e chapitre des *Mélanges de littérature*, tome IV, pour qu'il trouve le véritable sens de la comparaison que fait Voltaire de l'âme à une horloge. Il avait en vue, dans l'édition de 1756 de ces *Mélanges* (édition Cramer, Genève), le texte dont les éditeurs de Kehl ont fait la section IX de l'article Âme de leur prétendu «Dictionnaire philosophique». (Voir M. XVII, 155, n. 1 et surtout 158, fin du premier paragraphe.) L'article de Well incriminé par le Canadien curieux est le premier paru (GL, 18 novembre 1778, 2e page, col. 2; 3e page, col. 1, (pp. 92, 93).

Doux, patient comme un berger
Je hais qui sonne l'alarme.
Mais le casque de l'étranger
Le dit parfait gendarme:
Il gémira de ma chanson.
Je sais ce qui le blesse:
La foi dirige ma raison.
Je crois, prouve, professe.
....
Réfutant l'erreur de mon mieux
J'instruis et j'édifie.
....
Mais quoique je puisse souffrir
Je ne rends pas les armes
Résolu de vivre et mourir
Bon censeur des gendarmes.

Ce poème, assez nébuleux, voulait exprimer la mission confiée
à Well de réfuter «l'erreur» de la doctrine philosophique. Sa foi
lui permettra de mettre à la raison ces «gendarmes» étrangers
— Mesplet et Jautard — qui voudraient régenter la pensée. Sa
piété et son savoir parviendront à les maîtriser et à préserver
la bergerie comme un berger «doux, patient». Ailleurs dans le
même numéro, l'Anonyme donnait ce conseil à Jautard: «Spectateur, lisez Nonnotte. Voltaire a-t-il osé y répliquer? Non»[126].
Enfin, Mesplet donnait la parole une dernière fois à Well, dans
le numéro du 6 janvier. La fureur du Jésuite éclatait dans des
propos qu'il adressait aux «gens sensés»:

> N'avouerez-vous pas, Messieurs, que voici une façon d'agir qui
> tient de l'extravagance? Elle n'en est que plus digne du papier
> périodique de Montréal: faire des questions qui tendent à frapper
> toutes religions, et déclarer en même temps qu'on n'imprimera
> pas la réponse... chercher à se persuader que l'âme, les anges,
> Dieu même sont aussi matériels qu'un caillou, c'est ce qui est digne
> des Petites-Maisons...

---

126. GL, 16 décembre 1778, 1ère page, col. 1, 2; 2e page, col. 1 (pp. 107, 108). Il était
faux de prétendre, comme Well, que Voltaire n'avait jamais osé répliquer à Nonnotte.
Il était devenu dans l'oeuvre voltairienne le symbole même de l'obscurantisme.
Voltaire le faisait surgir, de façon inopinée, comme une marionnette grotesque,
comme Patouillet ou Larcher. Ainsi, dans les *Honnêtetés littéraires*, M. XXVI,
Nonnotte est montré comme faisant partie avec zèle d'«un tas de gredins qui jettent
de loin leurs ordures à ceux qui cultivent les lettres avec succès» (p. 140). Il «manque
de bonne foi» (p. 141) et surtout il est «ignorant dans les choses les plus connues»
(p. 145). C'est dans les *Honnêtetés littéraires* que nous trouvons une biographie du
fils du crocheteur de Besançon, au service des Jésuites (p. 151).

À l'occasion de cette dernière intervention, l'Anonyme adressait ce poème à Jautard:

C'est donc avec raison que je suis occupé
À dissiper l'épais nuage
Dont votre esprit malgré votre âge
Est lourdement enveloppé.
Il se trouble et s'agite avec impatience
Pour fuir la vérité qui lui sert de flambeau.
Mais il ne peut quitter la conscience
Qui lui sert à la fois de juge et de bourreau.

Après avoir montré en Jautard un esprit perdu dans une obscurité totale [en fait le fameux «péché contre l'esprit» qui ne se pardonne pas], Well se disait déterminé à répondre à «tous ces avortons des beaux-arts» qui protestent dès qu'il s'agit d'imprimer ses écrits. Dans un second texte rimé, l'Anonyme tentait de ridiculiser la demande de reconnaissance officielle de l'Académie:

....

Âne ou cheval, bête vaut bête;
Pour dire injure, en crier au plus fort,
Il ne faut pas d'esprit à votre tête.

....

Remarquons ici une malice de l'imprimeur: il a affecté d'un astérique le mot âne avec un renvoi en bas de page indiquant: «ou l'Anonyme». Dans les huit dernières lignes de ce «poème» adressé directement au président de l'Académie, il est écrit que «les beaux-arts, le bon sens et la religion» rougissent d'une telle fondation[127]. L'allusion que faisait, au début de son intervention, le Jésuite Well aux difficultés d'être publié était une référence à un avis que lui donnait Mesplet dans le numéro du 23 décembre:

Vous vous plaignez trop souvent que, dans chaque feuille, divers auteurs vous injurient; je conviens que vous avez raison. J'en ai cherché la cause, et je l'ai trouvée dans vos écrits. Aucun n'est à l'abri de vos critiques, vous n'avez aucun égard pour qui que ce soit, pourquoi voulez-vous que les autres aient du ménagement pour vous? J'ai trouvé le moyen de vous tranquilliser... ne mettre dans la feuille aucune de vos productions, si elles ne sont signées de votre propre main...[128]

Well refusera de s'identifier. Il fera calligraphier de ses articles, par les élèves du collège des Sulpiciens, pour les répandre. À ce

---

127. GL, 6 janvier 1779, 2e page, col. 1, 2 (p. 2).
128. GL, 23 décembre 1778, 2e page, col. 2; 3e page, col. 1 (pp. 112, 113).

propos, l'imprimeur, dans le journal du 6 janvier, avertissait les copistes de l'Anonyme de porter attention aux textes qu'ils transcrivaient. Ainsi on lisait le mot paresse au lieu du mot presse dans un article de Well[129]. L'Anonyme expulsé, on pouvait lire ce poème sans signature dans le numéro du 13 janvier:

> La Raison est un bien pour nous
> Quand nous savons en faire usage.
> C'est une rose entre les mains du sage,
> C'est une épine entre les mains des fous[130].

La lutte philosophique, telle qu'elle s'exprime dans la *Gazette littéraire*, donne l'impression de l'affrontement de deux clans, nettement circonscrits, l'un «philosophique» et l'autre «anti-philosophique». Une analyse systématique du journal de Mesplet conduit à percevoir un tel manichéisme. Les nuances ne sont pas le fait des correspondants. L'Anonyme a une attitude extrêmement tranchée. Et le Spectateur tranquille, d'une façon plus habile, n'en prend pas moins position du côté des Philosophes. Les «ennemis» de Mesplet et de Jautard, d'après ceux-ci, forment une coterie acharnée à leur perte. Le manque de nuances, que reflète la *Gazette littéraire*, paraît être l'écho d'une vive réaction contre les Lumières, diffusées pour la première fois d'une manière organisée à Montréal. La correspondance de Montgolfier exprime la position intransigeante du supérieur des Sulpiciens et seigneur de Montréal. Il est certes probable que la réalité quotidienne, toujours plus complexe, n'offrait pas des oppositions aussi nettement tranchées entre «bons» et «méchants»; mais nous nous en tenons ici aux documents dépouillés et à l'image de la lutte philosophique que projettent le journal et la correspondance des intéressés.

Quand la *Gazette littéraire* parut — quatre ans après le premier appel du Congrès aux habitants du Québec, qui avait répandu pour la première fois au sein de la population les principes philosophiques —, l'opinion paraissait ouverte aux Lumières. La feuille de Mesplet n'était pas un simple journal pour dilettantes. Au contraire, elle visait à développer les facultés intellectuelles des Canadiens en luttant contre l'analphabétisme chez le peuple, en répandant les oeuvres de Voltaire et d'autres Philosophes dans le milieu de la bourgeoisie pensante. Depuis le départ de Franklin en 1776, au nom de l'Église, l'évêque de

---

129. GL, 6 janvier 1779, 1ère page, col. 2 (p. 1).
130. GL, 13 janvier 1779, 4e page, col. 2 (p. 8).

Québec tentait de reprendre en main les Canadiens «insoumis», pro-rebelles, c'est-à-dire la majorité: c'est alors que Mesplet sortit son journal. Dès l'abord, l'opposition cléricale souhaita sa disparition. Mais elle mit du temps à l'obtenir parce que le gouvernement britannique se targuait de faire respecter la liberté de la presse. Voyons donc comment on s'y prit pour harceler les fondateurs de la première presse des Lumières au Québec; comment Mesplet et Jautard exprimèrent les difficultés que suscitaient leurs ennemis; quelle était la nature de ces opposants, et ce que leur correspondance dévoile de leurs manoeuvres secrètes.

La *Gazette du commerce et littéraire* avait à peine deux mois d'existence, que l'imprimeur se sentait obligé d'adresser ce message au public, le 19 août 1778:

> ...Depuis peu j'ai eu un nouveau sujet qui m'oblige à cesser de donner ma *Gazette:* cette dernière époque, en partie, m'a décidé. Je n'ai déjà que trop d'ennemis, — la moindre démarche, quoiqu'innocente, en augmentant le nombre —, et je me dois tous les soins pour me mettre à l'abri de la persécution.
>
> Cependant, je continuerai, si je suis autorisé du gouvernement, et encouragé par un plus grand nombre de souscripteurs. J'aime mieux sacrifier mes intérêts que de m'exposer à plus de disgrâce, et j'ose me flatter que les mêmes personnes qui ont applaudi à mon entreprise, sur l'établissement d'un papier périodique, loueront mon désistement[131].

Dès ce premier texte, Mesplet parlait d'une persécution, qui prenait la forme d'une surveillance de tous les instants: la moindre de ses démarches était interprétée négativement. S'il avait des ennemis — pas tellement nombreux mais puissants —, il pouvait déjà compter sur des amis loyaux, et c'était à eux qu'il s'adressait pour continuer la publication de son journal. Il suggérait à mi-mots d'exercer des pressions auprès du gouvernement. Ce qui sera fait. Une pétition des notables de Montréal en faveur de Mesplet et de son activité produira le résultat escompté. La *Gazette littéraire* reprendra vie. L'ordre d'expulsion donné contre Mesplet et Jautard sera annulé[132]. Ceux-ci, après avoir prêté le

---

131. GCL, 19 août 1778, 1ère page (unique), col. 2 (p. 45).
132. L'ordre d'expulsion de Mesplet avait été signé par Carleton le 24 juin 1778, le mois même de la fondation de la *Gazette du commerce et littéraire*, comme en fait foi une lettre du brigadier-général Powell, datée du 25 juin 1778. Haldimand précise, le 29 juin suivant, que l'ordre de bannissement s'applique aussi à Jautard: le journaliste et l'imprimeur devront quitter la province avant le 15 septembre. Voir APC, MG 21, Papiers Haldimand, B 80: lettre du brigadier-général Powell à Carleton, le 25 juin 1778; lettre du gouverneur général Haldimand à Powell, le 29 juin 1778.

serment d'allégeance, pourront reprendre leur travail[133]. Mais qu'est-ce qui avait pu inquiéter dans les neuf premiers numéros de la *Gazette du commerce et littéraire?* Dès le départ, le journal se présentait comme un forum d'idées. Déjà il était question de l'amélioration de l'enseignement. Les lecteurs étaient incités à penser, mais surtout à exprimer leurs opinions par écrit. C'était nouveau à Montréal et inadmissible pour les religieux. Aucun d'eux, comme bien l'on pense, n'avait signé la pétition en faveur de Mesplet.

Enfin, la *Gazette* reparaissait le 2 septembre avec cet avis de l'imprimeur au public:

> L'interruption du papier périodique a donné matière à bien des propos avantageux, chacun a raisonné suivant ses idées, et la plus grande partie sans connaissance des raisons pour lesquelles je l'ai interrompu. Je ne chercherai pas à détruire, par un long raisonnement, les différentes opinions; je dirai seulement que je dois à l'équité de Son Excellence, et au témoignage sincère de plusieurs citoyens respectables, la liberté de le continuer. Il me reste donc 1) à prouver à Son Excellence, combien je suis reconnaissant. Je ne pourrai peut-être pas remplir ce devoir autant que je [le] désire, mais je ferai tout ce qui sera en mon pouvoir pour la convaincre que je suis pas indigne de ce bienfait; 2) à témoigner aux respectables citoyens, qui ont bien voulu s'intéresser pour

---

133. Voici en quels termes ce serment d'allégeance était formulé dans l'Acte de Québec:
Je... promets et jure sincèrement que je serai fidèle et porterai vraie allégeance à Sa Majesté le roi George, que je défendrai de tout mon pouvoir contre toutes conspirations perfides et tous attentats quelconques, dirigés contre sa personne, sa couronne et sa dignité; et que je ferai tous mes efforts pour découvrir et faire connaître à Sa Majesté, ses héritiers et successeurs, toutes trahisons et conspirations perfides et tous attentats que je saurai dirigés contre lui ou chacun d'eux et tout cela, je le jure sans aucune équivoque, subterfuge mental ou restriction secrète, renonçant pour m'en relever, à tous pardons et dispenses de personne ou pouvoir quelconques.
Ainsi que Dieu me soit en aide!
(BAUDOUIN, Jean-Louis et Yvon RENAUD.- *La constitution canadienne — The Canadian Constitution.*- Montréal; Guérin, 1977.- p. 18.)
La prestation de ce serment était l'une des conditions imposées par Haldimand pour revenir sur son ordre d'expulsion. L'autre était l'obligation de soumettre les textes de la *Gazette littéraire* à une censure préalable:
And that the printer submit without fall or reserve whatever he shall print or cause to be printed during the present Rebellion of the Neighbouring Colonies, to the inspection of such person as His Excellency shall be appointed for that purpose, and that he on no account pretend to print any thing which shall not first be so inspected, nor anything which such inspection shall signify his disapprobation...
Ordre émis le 24 août 1778. Collection Haldimand. Cité dans *The First Printer*, op. cit., document C, numéro 8, p. 239.

moi, ma gratitude. C'est ce que je m'efforcerai de faire, en me rendant utile à tous et chacun suivant mon état[134].

Dans cet avis Mesplet admettait que, sans l'appui de «plusieurs citoyens respectables» auprès du gouverneur général Haldimand, il n'aurait pu reprendre la publication de son journal. La formule journalistique de Mesplet avait plu à cette clientèle «éclairée» et assez puissante pour contrebalancer l'influence délétère du clergé et de la noblesse, dont le royalisme n'avait aucune consonance libérale. Mais cette reprise du journal ne signifiait pas que les opposants avaient déposé les armes. D'où une nouvelle intervention de Mesplet qui fait appel au «tribunal de la Raison», le 18 novembre:

> Le papier périodique de Montréal est l'écueil où se brisent tous les préjugés... Les uns parlent ouvertement de brûler la cervelle de l'imprimeur, les autres prétendent que le Spectateur tranquille est l'auteur de toutes productions ...Les différentes menaces de quelques particuliers, quoiqu'elles tendent à troubler ma tranquillité, ne m'intimident pas. Observant avec soin de n'insérer rien contre la religion, les moeurs, l'État ou le gouvernement, je n'ai rien à craindre... Mais tous s'érigent en censeur, les uns dans un cercle de jeunes gens, les autres dans une compagnie farcie de préjugés, et les derniers dans des lieux où règne une licence effrénée[135].

Cette fois la persécution prenait le visage très précis de la violence. La fondation de l'Académie n'était certes pas étrangère à cet état de chose. Depuis la reprise de la *Gazette littéraire*, des textes antiphilosophiques remplissaient les premières pages. La critique littéraire devenait de plus en plus rigoureuse, et des plagiaires avaient été démasqués. À travers l'action de l'Académie, les textes philosophiques et antiphilosophiques, l'esprit des Lumières se frayait un chemin, ce qui n'était pas sans inquiéter l'orthodoxie religieuse. L'imprimeur Fleury Mesplet était au centre de ce tumulte intellectuel, de ce combat des idées où chacun censurait l'autre. Mais aux yeux de l'imprimeur, la *Gazette littéraire* était libre de préjugés. Il désignait d'ailleurs allusivement les censeurs de son journal: un cercle de jeunes gens, une compagnie farcie de préjugés et un club de libertins, sans préciser davantage. C'est assez toutefois pour marquer l'effervescence que causait la *Gazette littéraire* dans le petit monde intellectuel de Montréal.

---

134. GL, 2 septembre 1778, 1ère page, col. 1 (p. 47).
135. GL, 18 novembre 1778, 3e page, col. 2; 4e page, col. 1 (pp. 93, 94).

Dans le numéro du 23 décembre, Mesplet dénonçait nommément l'un de ses ennemis: le Jésuite Bernard Well. Il l'interpellait sous son pseudonyme de l'Anonyme. En exigeant du moins qu'il signât ses textes, Mesplet précisait le pourquoi de cette mesure:

> J'espère par là me mettre à l'abri de ce dont vous me menacez; vous avez avancé en présence de personnes dignes de foi, que votre Chanson des Échecs paraîtrait dans la *Gazette* ou que vous feriez arrêter ma presse. Je ne doute nullement de votre pouvoir. Quelles raisons pourriez-vous porter contre moi? Car vous ne pouvez exécuter ce projet sans autorité! Ma conduite irréprochable, et l'équité d'un bon gouvernement doivent me tranquilliser[136].

C'était maintenant publiquement, en décembre 1778, qu'un dignitaire religieux — Well était supérieur des Jésuites à Montréal —, menaçait de faire supprimer le journal. Davantage en fait, puisque le mot presse était employé dans le sens d'imprimerie. Nous verrons plus loin quelle était cette fameuse Chanson des Échecs que Well voulait publier. Dans le numéro du 30 décembre, Mesplet fit paraître la fable du chat et de la souris, qui semblait une réponse moqueuse aux manigances de l'Anonyme:

> Le prudent sait tirer son bien
> Même de l'ennemi qui pense à le détruire[137].

L'imprimeur récidivait le 13 janvier en publiant la fable du corbeau et des oisons, où l'on paraissait faire allusion à la «robe noire» Well:

> On humilie ainsi l'impudence et l'audace
> D'un orgueilleux sans éducation
> Qui tout enflé par son ambition
> Ne se souvient plus de sa crasse
> ....
> Quelque corbeau vêtu pourrait y voir sa honte
> Et sa confusion[138].

Pour sa part, le Spectateur tranquille, dans le numéro du 10 février, signait un article intitulé «À mes ennemis»:

> Je n'ai pas encore pu pénétrer les raisons qui m'ont procuré tant d'ennemis, et encore moins développer les moyens qu'ils emploient pour me détruire. Chaque jour est témoin d'une nouvelle cons-

---

136. GL, 23 décembre 1778, 2e page, col. 2; 3e page, col. 1 (pp. 112, 113).
137. GL, 30 décembre 1778, 3e page, col. 2 (p. 117).
138. GL, 13 janvier 1779, 4e page, col. 1 (p. 8).

piration. Ma fermeté les irrite, et ne trouvant aucune voie pour parvenir à leur dessein d'une manière ouverte, ils ont ourdi des trames secrètes pour me priver du moyen de subsister. Je sens les coups sans pouvoir assurer quel est celui ou ceux qui me les portent; mais

Ainsi que dans la tempête,
Surpris au milieu des mers,
Le Nocher voit sur sa tête
Briller le feu des éclairs;
L'air siffle, la foudre gronde,
Une obscurité profonde
Lui dérobe la clarté;
Protégé du Dieu qu'il implore
Il espère jouir encore
Du repos qu'il a quitté.
— Traduit de l'Ode d'Horace, Otius divos, etc.

Tel au milieu de mes ennemis, je serai à l'abri d'une chute désagréable, en conservant une conduite et des moeurs aussi irré-prochables que j'ai fait jusqu'à présent. Ils ne peuvent m'ôter, quoiqu'ils fassent, la moindre partie de mon peu de talents; il est vrai qu'ils m'ôtent l'avantage commun à tous les hommes d'en jouir pour subsister...

Que le lecteur éloigne de son idée que l'ambition ou d'honneur ou de richesses guide ma plume, non; je ne désire qu'une honnête tranquillité en travaillant...[139]

Personne à Montréal ne paraît alors avoir une plume aussi habile que celle de Jautard. Il a facilement eu raison de ceux qui l'af-frontaient dans la *Gazette littéraire*. Il avait fait mordre la pous-sière à des polémistes de l'orthodoxie. Comme ses adversaires ne réussissaient pas sur ce terrain, ils décidèrent de le détruire en lui enlevant son moyen de subsistance. Les ennemis de Jautard agissaient dans l'ombre. Le Spectateur tranquille sentait chaque jour se détériorer sa situation professionnelle: la fuite de clients qui, par exemple, devaient être avertis de ne pas se fier à un hérétique. Dans ce message, Jautard avouait être dans l'impos-sibilité de gagner même modestement sa vie.

Dans le numéro du 3 mars, l'Ingénu encourageait le Spec-tateur tranquille à poursuivre sa tâche:

...vous n'êtes pas le seul homme que les serpents de l'envie cher-chent à mordre; mais il arrive souvent que leur venin rejaillit sur eux-mêmes, surtout quand la personne à laquelle ils en veulent

---

139. GL, 10 février 1779, 3ᵉ page, col. 1, 2 (p. 23).

marche toujours dans la carrière de l'honneur, et ne regarde ces insectes venimeux que comme des frelons importuns mais guère à craindre. Enfin, je vous répète encore d'écrire toujours, et je vous prie de laisser là tous ceux qui dorénavant voudront vous détourner de nous communiquer vos lumières[140].

En réponse à l'Ingénu, le Spectateur tranquille se disait, le 10 mars, très sensible à cette incitation à reprendre la plume.

Je suis cependant bien embarrassé, car mes ennemis sont aussi jaloux de mes écrits que de ma personne; ils sont continuellement levés contre moi, et leur dessein est tel qu'ils désireraient m'ôter les moyens de pouvoir acheter papier, plume et encre; ils réussiront bientôt, car il ne me restait plus que la feuille que j'emploie pour vous répondre, et un petit trognon de plume; j'ai fait de l'encre avec de la suie, encore ai-je eu bien de la peine à en trouver dans ma cheminée, ma cuisine n'étant pas garnie de bois, par conséquent moins de feu.

Vous trouverez peut-être extraordinaire que dans une telle situation je conserve autant de flegme; mais que ferai-je, faut-il attaquer l'Être suprême, et lui reprocher de ce qu'il ne verse pas sur moi autant de bienfaits qu'il en répand sur quelqu'autre? ...il faut nécessairement se soumettre à ses décrets et ne pas murmurer. Dirai-je publiquement quels sont mes ennemis? quelles voies ils ont suivies pour me perdre? tous les moyens qu'ils ont employés et qu'ils emploient tous les jours? à quoi aboutiront mes plaintes? à les aigrir. J'aurai toujours tort. Ces hommes se servent de cornemuse et j'ai la voix basse; j'ai de la peine à me faire entendre, il faut donc garder le silence...[141]

Jautard avouait à l'Ingénu que ses ennemis avaient réussi, en le réduisant à une extrême pauvreté, à lui enlever jusqu'aux moyens de s'exprimer. Il connaissait ses adversaires. Ils occupaient une position élevée et il ne pouvait vraiment rien contre eux. La raison ici n'avait aucune part. Ses ennemis n'avaient pas tort parce qu'ils étaient puissants. Et la puissance à Montréal est entre les mains de Montgolfier et de Rouville. Dans le numéro du 17 mars, un correspondant qui signait M. S. envoyait aussi au Spectateur tranquille un message d'encouragement:

Vous avez fait de vos ennemis un portrait frappant, et j'ai connu par les recherches que j'ai faites qu'il était d'après nature. Non, de tels hommes ne sont pas dignes des dons de la fortune: reposez-

---

140. GL, 3 mars 1779, 2e page, col. 2; 3e page, col. 1, 2 (pp. 34, 35). Au sujet du pseudonyme de l'Ingénu, il est évident que c'est un rappel du Huron, ami du bon sens et de la liberté, du conte de Voltaire: M. XXI, 247-304.
141. GL, 10 mars 1779, 3e page, col. 2 (p. 39).

vous, Monsieur, sur son instabilité; il peut être un temps où le voile qui couvre tant de vices sera déchiré. Les hommes vertueux rempliront les places que la jalousie leur a enlevées. oh! si cet heureux temps arrive, je serai au comble de mes voeux, puisque je fais du bonheur de mes amis la base du mien. Ne vous obstinez pas à faire des efforts pour vaincre vos ennemis, ils seraient inutiles. Méprisez vos ennemis, mais je vous prie de ménager vos amis; vos entretiens littéraires les flattent...[142]

Le 14 avril, le Spectateur tranquille avouait à l'Ingénu que leurs ennemis poursuivaient avec acharnement leur campagne contre l'imprimeur et lui-même:

...on nous menace d'être mis sous la presse; le tirage serait un peu dur, car mes os ne sont pas tendres! Qu'importe! allons toujours un train honnête, que nos ennemis rougissent de leur acharnement à nous détruire, que notre constante fermeté réjouisse nos amis, et vivons dans la tranquillité que procure aux âmes bien nées le témoignage certain de la conscience.

Vous avez agi avec prudence quand vous avez décidé qu'il n'était pas possible de dissiper les préjugés de l'enfance; cependant je crois que le temps pourra en dissiper une partie; les moeurs changent, et le changement des moeurs anéantit, ou du moins affaiblit les préjugés. Ce n'est pas, à la vérité, l'ouvrage d'un jour; mais nos arrière-neveux goûteront cet avantage...[143]

Enfin, Rouville intervient officiellement dans cette campagne, comme le raconte Mesplet, en première page du numéro du 21 avril:

Jeudi, 15 du courant, un des juges de la Cour des plaidoyers communs envoya chez-moi un homme qui dit à mon épouse: «Monsieur Mesplet est-il ici?» Elle répondit: «Non. Il est en ville». «Monsieur de Rouville, dit-il, voudrait lui parler. Il est à l'audience». Mon épouse envoya un domestique chez un ami où j'étais qui me rapporta la commission. Je ne fis aucune difficulté à me transporter en cour, ne prévoyant qu'un juge ou une cour ait le droit de citer un citoyen par devant elle sans une sommation, suivant l'ordonnance, et encore moins l'admonester dans un cas où la cour même, où le juge prétend être partie.

À mon arrivée en cour, je fus cité par Monsieur de Rouville, un des juges, lequel me dit que la cour n'entendait pas qu'aucun individu osât réfléchir sur la conduite ou sur les jugements de la cour; qu'il était dans le papier périodique un écrit qui n'était pas de son goût — Je ne doute pas un seul instant que ce ne soit celui

142. GL, 17 mars 1779, 2e page, col. 1 (p. 42).
143. GL, 14 avril 1779, 2e page, col. 1, 2 (p. 58).

151

signé l'Infortuné, qui répondait à une question à laquelle la cour n'avait rien trouvé à redire —. Je répondis que je savais à quoi m'en tenir; que le gouvernement m'avait autorisé et prescrit des bornes dans lesquelles je me renfermerai. À cela il me fut répondu que pour cette fois-ci on passerait outre, mais que si cela continuait, le juge de la Cour des plaidoyers communs ordonnerait à l'avocat du roi de sévir contre moi et la presse. Je répondis que j'irais mon droit chemin[144].

Rouville exerçait donc publiquement des pressions sur l'imprimeur, le menaçant des rigueurs de la loi, pour la publication d'un article que Mesplet croyait être une production de l'Infortuné, mais ce ne fut pas précisé par le tribunal. L'article en question, publié le 14 avril et adressé au Tranquille, manifestait la tristesse d'un correspondant de L'Assomption, qui constatait les irrégularités entachant l'avis arbitral remis à Pierre du Calvet, comme on l'a vu au chapitre précédent[145]. À la suite du compte rendu de sa rencontre avec Rouville, Mesplet avertit les auteurs qu'à l'avenir il observerait les mesures suivantes:

Il ne sera écrit dans la feuille aucun paragraphe tendant à procurer l'instruction publique [c'est-à-dire à informer judicieusement].

Aucune réflexion sur la conduite des personnes préposées par le gouvernement pour l'administration de la justice, leurs jugements fussent-ils même reconnus et prouvés avoir été rendus contre les lois, parce que ce ne sont pas de nos affaires, et vous devez vous soumettre et ne considérer leur décision qu'avec les yeux de la foi.

Aucun ouvrage qui tendra à détruire ou même donner la moindre atteinte à leur infaillibilité.

Aucun écrit où il paraîtra que l'on tenterait à diminuer le despotisme civil qu'ils s'attribuent; vous devez le respecter.

Rien enfin qui puisse obliger les individus de se renfermer dans les bornes du devoir, du pouvoir et de l'honnêteté.

(...)

Enfin, Messieurs les Auteurs, écrivez, mais n'écrivez rien qui puisse donner échec à mon bien-être; ayez soin de ne pas démasquer les hommes tels qu'ils sont, ou du moins, ornez-les de couleurs agréables. Cela vous coûtera peu; vous leur plairez, c'est tout ce qu'il faut, et je ne serai plus chagriné. On n'ose vous attaquer,

---

144. GL, 21 avril 1779, 1ère page, col. 2; 2e page, col. 1 (pp. 61, 62).
145. GL, 14 avril 1779, 2e page, col. 2 (p. 58).

tout le fardeau tombe sur mes épaules; partagez-le du moins avec moi, ou ne m'exposez pas à le porter[146].

Malgré l'humour dont sait faire preuve Mesplet, cet avis aux auteurs montre bien que pour l'imprimerie à Montréal c'est désormais le bâillon ou la disparition. Pour la première fois depuis la fondation du journal, un grand découragement saisit l'imprimeur qui publiait l'annonce suivante dans la *Gazette littéraire* du 28 avril:

> Les persécutions continuelles que me procure la presse, les ennemis qu'elle me suscite, le peu de bénéfices que j'en retire sont des raisons suffisantes pour ne pas conserver des effets qui deviennent plus onéreux que lucratifs; je me déplais dans les controverses. Encore, si elles ne tournaient pas à mon préjudice, je ne dirais rien, mais accablé sous le poids de l'envie, et ne désirant que ma tranquillité, je donne l'avertissement suivant: je désire qu'un autre puisse recueillir plus de fruits d'un aussi excellent arbre.
>
> À vendre
>
> Deux presses, et tout ce qui dépend de l'art, hors les ouvrages imprimés, et en supposant que l'acquéreur n'eût pas une connaissance suffisante de l'art de l'imprimerie, je m'oblige de l'aider de mes conseils à ce sujet sans aucune rémunération.
>
> Ceux qui voudront en faire l'acquisition s'adresseront à Monsieur Foucher, écuyer, avocat, lequel est autorisé à faire telles conditions, et accepter celles qui lui seront offertes si elles conviennent. Argent comptant[147].

Cette annonce était publiée de nouveau le 5 mai[148]. Il est à noter que Mesplet désirait cesser d'être imprimeur, mais non libraire. Il ne paraît pas avoir nécessairement renoncé au projet de diffusion des Lumières. Mais il souhaitait ne plus assumer les rôles d'imprimeur et d'éditeur du journal. Il fallait vraiment que les «persécutions» fussent «continuelles».

Dans la *Gazette littéraire* du 5 mai, Mesplet et Jautard tentent à nouveau de dialoguer avec leurs ennemis. Le Spectateur tranquille d'abord:

> Je n'ignore pas vos anciennes démarches pour me nuire, et encore moins celles que vous faites tous les jours pour me détruire; mais ne devriez-vous pas être satisfaits? Vous m'avez vu gémir sous le poids de votre oppression, que fallait-il de plus pour assouvir votre

---

146. GL, 21 avril 1779, 2ᵉ page, col. 1 (p. 62).
147. GL, 28 avril 1779, 4ᵉ page, col. 1, 2 (p. 68).
148. GL, 5 mai 1779, 4ᵉ page, col. 2 (p. 72).

cupidité. Privé par vos intrigues de mon bien-être, vous avez triomphé publiquement de ma médiocrité; vous avez méprisé mes talents et fait tout ce qu'il vous a plu pour me rendre odieux au gouvernement. Vous avez réussi. Ce rang que vous tenez est le boulevard de vos entreprises, le préjugé sert de chevaux de frise, et la jalousie de rempart... mais aussi avez-vous le droit de vous offenser de mes écrits, et pouvez-vous m'empêcher d'écrire? m'ôterez-vous ce droit qui ne dépend de qui que ce soit, et que tout individu peut s'arroger: vous direz peut-être que je suis trop véridique, que je devrais jeter un voile sur les défauts des autres...[149]

Dans ce texte en faveur de la liberté de la presse, Jautard interpellait ceux qu'il appelait ironiquement «mes amis». Il semble que la charge portait principalement contre Rouville dont «le rang» était bien «le boulevard» de ses entreprises contre le Spectateur tranquille. Pour sa part, Mesplet répondit au Sincère moderne qui, dans le numéro du 5 mai, conseillait à l'imprimeur de garder son imprimerie, mais de cesser la publication de la *Gazette littéraire*.

> ...il est d'autres sujets qui peuvent vous occuper, écrivait le Sincère moderne. Les *Journées du chrétien*, les *Heures de vie*, les *Cantiques*, les ABC, tant en latin qu'en français, les différentes *Neuvaines*, les *Oraisons de sainte Brigitte*, les *Catéchismes*, les *Rudiments*, les *Vies des Saints* que vous vous étiez proposé de mettre sous la presse l'année dernière. Tout cela et plusieurs autres ouvrages édifiants suffiront pour entretenir vos presses. Je crois bien que le peu de débit empêchera que vous ayez un grand profit; mais aussi si vous mangez votre pain sec ce sera sans trouble. Si vous couchez sur la paille, vous y dormirez sans inquiétude...[150]

Il s'agit certes ici d'une plume cléricale: Mesplet devrait consacrer son énergie à imprimer et à répandre des oeuvres de dévotion. Le Sincère moderne paraît même être l'un des Sulpiciens puisqu'il est au courant d'un projet d'impression d'une *Vie de Saints* qu'ils paraissent être les seuls à pouvoir commander. Le texte est clair, d'un style différent de celui de Well. Le message est le suivant: si l'imprimeur veut gagner sa vie, il doit être au service de la foi catholique. L'intervention du Sincère moderne survenait après l'annonce de la vente des presses de l'imprimeur. Celui-ci répliqua qu'il ne pouvait continuer à imprimer dans un tel contexte:

---

149. GL, 5 mai 1779, 3e page, col. 1, 2 (p. 71).
150. GL, 5 mai 1779, 3e page, col. 2; 4e page, col. 1 (pp. 71, 72).

154

Pouvez-vous me reprocher d'avoir, après trois ans de persécution, pris la résolution d'y mettre fin? Il paraît, Monsieur, que vous ne connaissez pas le terrain, les pièges tendus pour me perdre, les démarches faites pour m'appauvrir, et les brigues pour m'anéantir ne vous sont pas connues. Mais moi, qui n'ignore ni le nombre, ni la qualité, ni le pouvoir de mes ennemis, j'ai lieu, et je dois m'en défier pour conserver le peu que je possède. Je ne les ai connus que parce que le vil plaisir de me nuire les a enthousiasmés, et par ce moyen ils se sont fait connaître. Avant, ils me faisaient des politesses, et j'eus (sic) regardé le moindre soupçon comme une injure; aussi je ne me livre plus si aisément. Je veux bien supposer que vous êtes sincère... mais... je pourrais vous supposer être du nombre de mes ennemis. Votre conseil m'est suspect, et je ne me déciderai à le suivre que lorsque vous vous serez fait connaître. Il m'est arrivé si souvent, dans ce pays-ci, que l'on me tendait la main gauche, et que la droite était munie d'un poignard, que je ne me fie plus qu'à la Providence et aux honnêtes citoyens qui m'honorent de leur protection... je persiste dans le dessein de me défaire d'un bien qui me nuit par les persécutions continuelles de mes noirs ennemis[151].

Mesplet a donc eu à souffrir des intrigues d'une coterie. Il n'a découvert ses ennemis que par leurs propres aveux. Il s'appuie sur la Providence, sa propre droiture et celle des «honnêtes citoyens».

Dans le numéro du 12 mai, Jautard justifiait son attitude devant l'opinion:

Les murmures de certaines personnes contre mes écrits m'ont trop souvent frappé les oreilles pour ne pas les faire cesser en donnant les raisons solides qui me justifient.

Il est blâmé parce que ses critiques n'épargnent personne. Pourtant ses ennemis l'ont «réduit à l'oisiveté». Il n'a pu exercer que difficilement sa profession d'avocat.

...fallait-il être trois ans oisif pour leur plaire! Je n'aurais pu m'y résoudre et ma santé aurait périclité. J'ai donc saisi toutes les occasions de la conserver, ce que je ne pouvais faire qu'en écrivant. Mais, me dira-t-on, vous auriez dû choisir d'autres sujets; ne pouviez-vous écrire sans blesser qui que ce soit... Mais quel est celui qui peut décider de mon intention et scruter mon coeur? Si j'ai fait mettre sous la presse des écrits qui attaquent quelque particulier, les faits qui sont détaillés étaient connus... Je me suis

---

151. GL, 5 mai 1779, 4ᵉ page, col. 1 (p. 72).

renfermé dans ce qui est vrai, quel reproche peut-on me faire? ...je ne doute pas que le public me rendra justice[152].

Mais les ennemis ne désarmaient pas. Dès le 19 mai, l'un d'eux annonçait publiquement la disparition de la presse libre pour le 3 juin. L'Ami des Hommes précisait à l'imprimeur:

> Savez-vous qu'il est temps, plus que temps que le 3 juin arrive pour voir la fin du papier périodique...

Et cet avertissement se terminait par un souhait à l'égard du Spectateur tranquille:

> ...qu'il soit donc moins philosophe, plus ou moins tranquille, et qu'il ne dévoile plus les défauts des autres[153].

De son côté, le 26 mai, Moi-j'entre-en-lice blâmait les articles les plus «philosophiques» de Jautard:

> Vous avez commencé par décrier la jeunesse canadienne, vous avez parlé de faire imprimer le *Traité des Bénéfices* de Fra Paolo, vous avez traité sur la matérialité de l'âme... vous avez parcouru la vaste carrière des défauts de l'humanité... vous pénétrâtes jusque dans le sanctuaire de la justice... les actions publiques et particulières vous ont occupé... Vous vous êtes fait estimer à la vérité, mais en même temps vous vous êtes fait craindre et haïr.

Moi-j'entre-en-lice conseillait à Jautard de se taire[154].

À l'Ami des Hommes, qui annonçait la cessation du journal littéraire pour le 3 juin, comme cela s'est effectivement produit, Mesplet rétorqua le 26 mai qu'

> il est avantageux pour la société en général qu'il [le journal] continue. Il m'est onéreux à la vérité et me fait tous les jours de nouveaux ennemis, tant mieux, des ennemis tels que les miens, causés par une si noble cause ne peuvent que me faire honneur par la suite et m'attirer l'estime des honnêtes gens. Pourquoi a-t-on des défauts et même des vices? Ci-devant l'obscurité assurait l'impunité, mais aujourd'hui les hommes de toute qualité seront plus réservés dans leur conduite, leurs actions seront réglées suivant l'esprit social. Je n'ignore pas que plusieurs en murmurent, mais quels sont-ils? ceux sans doute qui craignent que leurs actions deviennent publiques; mais cette espèce d'hommes est-elle à ménager? non, leur malédiction ne m'importe pas; qu'ils me maudissent ou qu'ils me bénissent, cela m'est indifférent. Le Spectateur tranquille rit des efforts impuissants de ses ennemis, qui,

---

152. GL, 12 mai 1779, 1ère page, col. 1, 2 (p. 73).
153. GL, 19 mai 1779, 3e page, col. 2; 4e page, col. 1 (pp. 81, 82).
154. GL, 26 mai 1779, 3e page, col. 1, 2 (p. 85).

156

suivant vous, sont des hommes que l'ambition ou l'intérêt dirige, et par conséquent qui ne sont à craindre que par leurs intrigues secrètes. Je crois bien que beaucoup de ces personnes regardent la *Gazette* avec indignation. J'ai parlé au Spectateur tranquille, il m'a dit qu'il ne daignait pas vous répondre; que votre conseil était nuisible, qu'il n'ignore pas les propos ridicules que les jaloux tenaient contre lui pour le rendre odieux; mais tant qu'il ne verra pas imprimer ces prétendus griefs, il n'en démordra pas; que ces grands parleurs — diseurs de rien — écrivent, il ne craindra pas de leur répondre; que ne le font-ils, ce serait le moyen de le convaincre, s'il se taisait il se rendrait coupable, et que son intention était seulement de s'amuser et d'amuser les autres; qu'il observerait exactement de ne dire que la vérité. Quant au conseil d'être plus ou moins philosophe, je n'ai pu tirer de lui qu'un sourire moqueur: moraliser un auteur, c'est laver la tête à un maure[155].

Cette intervention de Mesplet, dans le numéro du 26 mai, est extrêmement importante puisque c'est la profession de foi du diffuseur des Lumières au Québec. L'imprimeur formule clairement sa position. Il admet que son combat lui attire de nombreux ennemis, mais cette «si noble cause» ne peut que lui faire honneur et lui susciter «l'estime des honnêtes gens». Le rôle de la presse n'est-il pas de dissiper l'obscurité qui couvre la malfaisance anti-sociale? L'Ami de la Vérité ne doit se préoccuper ni des malédictions, ni des bénédictions des méchants. Mais il y a des intrigues secrètes. Ces adversaires sont opposés à l'existence même d'un journal comme la *Gazette littéraire*, en raison de la liberté d'expression qu'elle maintient. Donnant un compte rendu d'un échange avec le Spectateur tranquille, Mesplet précise que c'est à titre de Philosophe que Jautard est attaqué. C'est sans crainte que le Spectateur tranquille est déterminé à poursuivre son action, car il s'appuie sur la Raison et la Vérité.

Dans le dernier numéro, celui du 2 juin 1779, Mesplet publiait sans signature un article intitulé Tant pis, tant mieux, qui reflétait l'incertitude où se trouvaient l'imprimeur et le rédacteur, de pouvoir poursuivre leur travail. Voici ce texte qui met en lumière toutes les difficultés qu'il y avait à sauvegarder la liberté d'expression dans la colonie:

Le papier périodique est sur le point d'être interrompu, tant pis! Plusieurs disent le contraire, qu'étant applaudi généralement, il sera continué, tant mieux! On emploie tout pour anéantir l'imprimeur et la presse, pour priver par ce moyen le public de s'éclai-

155. GL, 26 mai 1779, 5ᵉ page, col. 1, 2 (p. 87).

rer et de s'instruire, tant pis! Les personnes de bon sens diront à cela, le bon droit de l'imprimeur, l'utilité de la presse et l'équité d'un gouvernement éclairé empêcheront l'effet, tant mieux!

On se plaint qu'il règne trop de liberté dans les écrits et que les auteurs ne ménagent personne, tant pis! Mais aussi dit-on que cette naïveté est absolument nécessaire, et qu'il est à propos de châtier les moeurs en riant, tant mieux!

Dans l'imprimerie on met les hommes à la presse, on les écorche vifs, tant pis! Mais c'est pour rendre meilleur, tant mieux!

Le Spectateur tranquille est haï, et tous les ouvrages dans lesquels il critique trop ouvertement lui font bien des ennemis, tant pis! Mais tous les honnêtes gens que la bonne conduite a mis à couvert de ses coups l'estiment tout plein, tant mieux!

La dernière production de l'Ingénu a fait murmurer contre l'auteur et l'imprimeur, tant pis! Mais l'un et l'autre dédaignent tous ces propos lourds et n'y font pas la moindre attention, tant mieux!

On dit que le Spectateur tranquille aurait dû ménager un peu plus Simon Sanguinet comme son frère, et qu'il devait se taire puisqu'il ne lui en revenait rien de plus. Et on l'accuse même d'avoir agi pour un esprit de vengeance, tant pis! Mais le Spectateur, dit-on, avait raison de se venger d'un homme qui ne mérite pas le moindre coup d'oeil d'un honnête homme. Et les observations du Spectateur l'ont fait connaître par conséquent mépriser, tant mieux! Il est prouvé qu'il a usurpé une succession, tant pis! Mais aussi il paraît clair qu'il restituera honnêtement au centuple, tant mieux! Plusieurs n'approuvent pas que Pierre du Calvet, écuyer, ait mis au jour tant de vérités qui n'étaient pas connues, et il est blâmé d'avoir tout dit, tant pis! Mais ses intérêts particuliers et le bien public l'ont obligé de le faire. Et toutes ses démarches ont procuré l'avantage qu'il en attendait, tant mieux!

On n'a pas été dupe du Sincère... Son adresse est ironique, et s'il était connu on pourrait le rembarrer. Et je crois qu'il s'en repentirait, tant pis! Mais ne pourrait-il pas faire encore pis, et si cela arrivait que dirait-on, tant mieux!

Tous les petits saints se sont ligués contre le papier périodique, les auteurs et imprimeurs, tant pis! Mais les grands saints les couvrent de leurs ailes, sub umbra alarum eorum ambulant, tant mieux!

Ainsi, tout bien considéré, on trouvera du tant pis et du tant mieux. Tant pis pour les uns et tant mieux pour les autres[156].

---

156. GL, 2 juin 1779, 3e page, col. 1, 2 (p. 91).

Dans ce chant du cygne de la *Gazette littéraire*, il est question de la mise en péril du journal parce qu'il s'appuie sur la raison et la vérité. Par sa suppression, on veut priver «le public de s'éclairer et de s'instruire» et faire cesser la «liberté dans les écrits». Une ligue de «petits saints» (religieux et dévots) travaille à la chute du périodique. Mais l'imprimeur et le journaliste gardent l'espoir que le gouvernement «éclairé» — «les grands saints» — saura les préserver des fureurs des gens d'Église et de leurs acolytes, Rouville, Sanguinet et autres. Le rédacteur revient sur l'intervention de certains auteurs, en particulier le Spectateur tranquille, défenseur des opprimés, que les honnêtes gens «estiment tout plein». Pierre du Calvet et l'Ingénu sont salués comme des champions de la liberté d'expression. Quant au Sincère (moderne) qui conseillait à Mesplet de se limiter à imprimer et à vendre des ouvrages de piété, personne n'a été dupe de son sermon. Enfin, l'auteur de l'adieu de la *Gazette littéraire* espère que «le bon droit de l'imprimeur, l'utilité de la presse et l'équité d'un gouvernement éclairé» empêcheront la chute d'une presse libre à Montréal.

Dans ce dernier numéro, Mesplet publiait aussi une ordonnance de l'Absolu-sans-revenu à l'imprimeur et aux auteurs où, en trois articles, était esquissée la charte de la nouvelle *Gazette littéraire* que souhaitaient les religieux. Voici ces trois articles:

> J'ordonne que l'imprimeur ne mettra sous la presse que les écrits qui tendent à l'édification et non à l'instruction; qu'il lui sera seulement permis de tirer des ouvrages indifférents ou de dévotion.

> Je défends à aucun des auteurs, et spécialement au Spectateur, soi-disant Tranquille, d'épier les actions des individus, soit de ceux qui ne tiennent que rang ordinaire, que ceux qui occupent les premières places; et afin de le priver de la critique qu'il aime tant, il est défendu à tout marchand, du gros ou en détail, de vendre au dit Spectateur, plumes, encre ou papier, soit directement ou par interposition de quelque autre personne.

> Si à l'avenir quelqu'un ou quelqu'une contrevenait à la présente ordonnance, la peine principale retombera sur l'imprimeur, et si le point de la contravention est assez conséquent, après lui avoir interdit l'usage des bras afin qu'il ne commette pas [de] nouveaux délits, il est ordonné que pour éviter qu'il crie à l'injustice, la langue sera percée avec les plus gros poinçons qui se trouvent dans son imprimerie, et ensuite [il] sera interrogé pour dire le

nom et surnom des auteurs pour que ceux-ci soient punis suivant mes lois[157].

En dépit de son tour ironique, ce texte définit assez bien ce que serait le journal souhaité par les adversaires de la *Gazette littéraire:* une feuille destinée aux dévots, ne renfermant que des articles édifiants et aucune critique. Le rôle de l'imprimeur se bornerait à imprimer, en plus de cette sorte de périodique, des livres de piété.

L'établissement de la *Gazette littéraire* à Montréal signifia le début de la lutte philosophique au Canada. Tenants et adversaires des Lumières s'affrontèrent dans ses pages. Aucune ambiguïté ne subsiste toutefois: l'espace rédactionnel réservé aux textes philosophiques est supérieur à ceux des opposants. De plus, la majeure partie de la prose antiphilosophique, tirée de l'*Anti-Dictionnaire philosophique*, suscita un regroupement des forces des Lumières dans l'Académie de Montréal, fondée expressément en l'honneur de Voltaire. Dans le chapitre suivant, nous verrons comment les adversaires de l'esprit philosophique, vaincus par la plume de leurs opposants, manoeuvrèrent pour mettre un frein à la diffusion des Lumières au Québec.

---

157. GL, 2 juin 1779, 3e page, col. 2; 4e page, col. 1 (pp. 91, 92).

Chapitre 8

Le long emprisonnement

Il n'était pas facile de faire tomber un journal comme la *Gazette littéraire* dans une colonie britannique où la liberté de la presse était reconnue. D'autant plus que le périodique s'était conformé aux directives gouvernementales en ne traitant aucunement de la guerre entre la Grande-Bretagne et les colonies unies. Il remplissait au mieux son rôle de journal littéraire. Le gouverneur général Haldimand lui-même était plutôt favorable aux Lumières: il fondera en effet la première bibliothèque publique au Canada, facilitant ainsi l'accès aux oeuvres de Voltaire et des autres Philosophes. Au point de vue politique, une grande nervosité régnait dans la colonie en raison de l'entente intervenue entre la France et les États-Unis pour lutter ensemble contre la Grande-Bretagne. Par l'entremise de l'amiral d'Estaing, les Canadiens étaient incités à se libérer du joug britannique. Au mois de mai, la Lettre de l'amiral français commençait à circuler dans la province. Pour les prêtres et les magistrats, résolus à arrêter la diffusion des Lumières, l'atmosphère se prêtait à faire valoir que les promoteurs étaient d'origine française et qu'ils nourrissaient des idées semblables à celles de Franklin.

Cette opposition, il est bon de le souligner, avait commencé avant la fondation de la *Gazette du commerce et littéraire*. Déjà des ennemis implacables intriguaient contre Mesplet à en croire le Montréalais qui adressait cette lettre anonyme à l'imprimeur, le 24 février 1778:

161

Comme vous n'ignorez pas les vicissitudes de la vie, puisque vous les avez éprouvées en différents temps par les coups que vos ennemis ont voulu vous porter, vous vous en êtes préservé jusqu'à ce jour. Et je souhaite que vous les pariez de nouveau, car les ennemis cherchent tant par eux-mêmes que par leur influence auprès des grands, de vous faire tout le tort possible. Ils exercent les faux témoignages, l'irréligion et l'inhumanité.

L'on vous prévient, ajoutait le correspondant, de vous tenir sur de sages gardes dans un temps d'orage où la jalousie et la calomnie de vos adversaires est inexprimable (sic). J'ai été à même d'entendre le fiel et le venin qu'ils ont contre vous; ils vous déchirent et voudraient vous anéantir s'ils le pouvaient, sur les soupçons que l'on dit que vous êtes de l'opinion des colonies unies. Voilà le crime dont vous êtes accusé...

Le rédacteur assurait à Mesplet que le gouverneur général Carleton, malgré les rapports négatifs qu'il recevait à son sujet, ne lui était pas défavorable en raison de «son esprit tranquille et humain». Si l'imprimeur avait éventuellement l'intention de se rendre à Québec pour s'expliquer, des citoyens s'occuperaient de lui assurer une garde pour sa sécurité[158].

Au moment où cette lettre était adressée à Mesplet, en février 1778, l'imprimeur avait produit des livres et brochures de dévotion et publiait chaque année un almanach. Mais des royalistes comme Rouville et Sanguinet ne pouvaient tolérer celui qui avait travaillé pour la liberté au nom du Congrès. Il était dans les habitudes de Rouville de dénoncer secrètement certaines personnes au gouverneur général pour leur tiédeur — comme nous l'avons déjà montré. Il obtenait ainsi la confiance et surtout les bonnes grâces du pouvoir. De plus, à cette date, il était sûrement question de lancer un journal et Montgolfier ne paraît pas en avoir été partisan. Déjà une certaine opposition se dessinait du côté des religieux qui craignaient comme la peste — on l'a constaté avec l'échec de la mission Franklin à Montréal — la liberté d'expression. La lettre du Montréalais anonyme à Mesplet laisse entendre qu'il y avait danger pour la sécurité et même la vie de l'imprimeur, puisque des citoyens étaient prêts à lui constituer une garde lors de ses déplacements à l'extérieur de la ville. Pour nuire à Mesplet auprès de Carleton, Rouville rappelait sans cesse, semble-t-il, les fonctions qu'il avait exercées comme impri-

---

158. Lettre non signée adressée à Mesplet par un citoyen de Montréal, le 24 février 1778. Citée dans *The First Printer*, op. cit., document C, numéro 2, p. 235. Tirée de la collection Haldimand aux APC, série B, vol. 185.

meur du Congrès. Le magistrat ne manquait pas d'en conclure que Mesplet était demeuré fidèle à l'idéal de liberté des colonies unies. C'était bien pour ses idées «philosophiques» qu'on faisait à Mesplet «tout le tort possible». Selon le correspondant inconnu, les ennemis de l'imprimeur auraient voulu l'«anéantir». Finalement, ils avaient réussi, on s'en souvient, à obtenir du gouverneur général Carleton un ordre d'expulsion, qui était édicté juste avant le départ du représentant du roi et peu après la fondation de la *Gazette du commerce et littéraire*. Ce dernier fait est confirmé par une lettre adressée au brigadier-général B. C. Powell, le 25 juin 1778. Dans sa réponse — alors que Carleton se trouvait toujours à Québec —, le nouveau gouverneur Haldimand précisait que le journaliste devait être banni en même temps que l'imprimeur. Mesplet faisait donc paraître un dernier numéro de la *Gazette du commerce et littéraire* le 19 août. Une vingtaine de notables de Montréal adressèrent alors une pétition au gouverneur général en faveur de Fleury Mesplet, pétition qui faisait justice de toutes les calomnies dont avait été victime l'imprimeur:

> Nous soussignés, citoyens de Montréal, représentons humblement à Votre Excellence la mortification que nous cause le départ de sieur Fleury Mesplet, imprimeur de cette ville. L'ordre à lui donné verbalement par le général P... [Powell] de quitter la province sous trois mois nous a surpris. La conduite qu'il a tenue depuis son arrivée en ce pays, la régularité de ses moeurs paraissaient nous assurer de le conserver plus longtemps et devoir le mettre à l'abri d'une telle disgrâce.
>
> S'il est des raisons d'État qui ne soient parvenues à notre connaissance, nous ne disons rien. Mais il est notre concitoyen, continuellement sous nos yeux. Nous sommes témoins de toutes ses démarches, et nous ne saurions lui faire aucun reproche. Son zèle pour procurer de l'instruction et de l'amusement en donnant un papier périodique nous marque un bon patriote. La loi qu'il s'est imposée de ne traiter des matières qui ne regardent ni l'État ni la religion nous prouve sa délicatesse. Nous n'y voyons que des instructions pour les jeunes gens et du plaisir pour tous.
>
> Nous supplions Votre Excellence d'avoir égard à notre très humble représentation et d'être persuadé (sic) que si Fleury Mesplet eût à notre connaissance donné lieu à ce traitement, nous regretterions à la vérité un homme aussi utile...[159]

---

159. Pétition de notables de Montréal en faveur de l'imprimeur Fleury Mesplet, adressée au gouverneur général Haldimand le 17 août 1778. Citée dans *The First Printer*, document C, numéro 7, p. 238. Tirée de la collection Haldimand, aux APC, série B, vol. 185.

La pétition était signée, en «hommage à la Vérité», par Longueuil, Vallée, Dumas, Saint-Georges-Dupré, Pillet, Foucher, Périnault, Delisle, Lambert, Saint-Omer, Lemoyne, Berret, Londireaux, Vienne, Guay, Lafontaine, Latour, Bonnefoi, Lartigue[160].

Il faut porter attention à ce témoignage et le garder à l'esprit lorsque l'on prendra connaissance — lors de l'emprisonnement à Québec — du portrait que Pierre de Sales Laterrière dessinera de Mesplet, le représentant comme un homme indigne. Nous avons ici le témoignage de vingt notables qui attestent des bonnes moeurs de l'imprimeur, de sa compétence, de son honnêteté intellectuelle. Des notables qui se mettent de l'avant pour le secourir de toute leur influence. On n'agit ainsi qu'avec une personne qui a su s'attirer notre amitié et qui a fait la preuve de son esprit de travail et de son utilité envers la société. Les bourgeois qui avaient signé cette pétition ne comptaient certainement pas pour rien dans la colonie, puisqu'ils réussirent à faire suspendre, le 24 août, par le gouverneur général Haldimand, l'ordre d'expulsion. Une seule condition: Mesplet et Jautard devaient prêter le serment d'allégeance au roi d'Angleterre avant le 15 septembre. C'est ce qu'ils firent. Mesplet put ainsi poursuivre son travail d'éditeur et d'imprimeur, mais il lui fut ordonné de soumettre ses articles à la censure gouvernementale avant publication dans le journal, et cela tant que durerait le conflit avec les colonies unies. En raison du départ du censeur pour Londres, la mesure ne fut toutefois pas appliquée[161]. Mais un censeur ecclésiastique veillait: Montgolfier, supérieur des Sulpiciens et seigneur de Montréal.

---

160. Les signatures prouvent que Mesplet avait su inspirer confiance. Nous relevons des noms qui seront ceux d'amis indéfectibles pour l'imprimeur: Longueuil, Dumas Saint-Martin, Pierre Mézière, Antoine Foucher, Périnault, Jean-Guillaume Delisle. Longueuil était probablement le propriétaire de l'atelier, rue Capitale. Dumas Saint-Martin était très lié avec Pierre du Calvet. Pierre Mézière était un notaire influent puisqu'il avait été au nombre des douze citoyens qui avaient signé la capitulation de Montréal en 1775. Il était le père du futur rédacteur Henri Mézière. Foucher, un autre notaire, avait comme fils Charles, qui devait s'opposer en 1790 au juge Rouville. Périnault devait un jour remuer ciel et terre pour que Mesplet eût un dédommagement du Congrès. Delisle, un autre notaire, devait être délégué à Londres, en 1784, et se lier avec Du Calvet pour solliciter une nouvelle constitution. Parmi ceux qui n'ont pas encore été cités, notons Saint-Georges-Dupré, toujours présent dans les documents, quand il s'agissait de faire un geste civique.

161. Le nom du censeur Gordon apparaît dans une lettre du gouverneur général Haldimand à Cramahé, le 26 septembre 1778. Dans cette lettre toutefois, contrairement à ce que croit McLachlan, ce n'est pas la *Gazette littéraire* qui est blâmée, puisqu'elle n'a jamais publié «an account of Association in Ireland», mais la *Gazette de Québec*. (*The First Printer*, op. cit., document C, numéro 9, p. 239. Tirée de la collection Haldimand aux APC, série B, vol. 185.)

Montgolfier apparut officiellement comme ennemi du diffuseur des Lumières dans une lettre adressée au gouverneur général Haldimand, le 2 janvier 1779, à la suite de la demande de reconnaissance officielle de l'Académie de Montréal.

J'ai vu avec étonnement dans une espèce de *gazette littéraire* de Montréal, en date du 30 décembre [1778], écrivait Montgolfier, la hardiesse qu'on a eu (sic) de présenter à Votre Excellence une adresse sans signature au nom d'une certaine académie naissante, société que je crois être absolument idéale, et dont les membres au moins sont entièrement inconnus du public, à moins que ce ne soit par certains écrits prétendus littéraires, donnés sous des noms empruntés, qui depuis longtemps infectent ce papier périodique. Les auteurs ne gagneraient pas sans doute à se faire connaître. Et il semble qu'ils n'ont pas d'autre but que de corrompre l'esprit et le coeur des jeunes gens en les retirant de la subordination et du respect qu'ils doivent à leurs maîtres, par les traits satiriques qu'ils ne cessent de lancer contre le Collège de Montréal — qu'il a plu à Votre Excellence d'honorer des marques distinguées de votre protection —; par les éloges continuels que vos académiciens donnent à des auteurs impies et proscrits; par leur hardiesse à mépriser la foi et à mettre en question jusqu'à l'immortalité de lâme (sic)!

Tous ces traits, poursuivait Montgolfier, n'annoncent que trop un dessein formé de jeter du trouble dans votre province, et de saper, s'il était possible, les fondements de toutes les religions, si nécessaires, même dans l'ordre purement politique, à la tranquillité des peuples et à la conservation des États. Et cette vue commence à alarmer un grand nombre des plus honnêtes citoyens de cette ville.

Oserais-je, Monsieur, conclut le seigneur ecclésiastique, réclamer votre autorité pour mettre fin à cette licence, soit en interdisant entièrement cette gazette, soit en nommant à l'imprimeur un censeur de confiance qui eut également à coeur les intérêts de la religion, de l'État et des bonnes moeurs. Le zèle de Votre Excellence pour tous ces grands principes me fait espérer cette grâce...[162]

---

162. Lettre de Montgolfier à Haldimand, le 2 janvier 1779: APC, MG 21, Papiers Haldimand, B. 72-1.
    Montgolfier avait alors 66 ans. Dans sa notice parue dans le DBC, vol. IV, op. cit., Lucien Lemieux fait une brève allusion au fait que «Montgolfier se préoccupa aussi de l'influence, à Montréal, des philosophes français du siècle des Lumières». Le biographe ne retient de la lettre adressée au gouvernement général que l'opposition à la *Gazette littéraire* (p. 588). Pourtant, en empêchant la reconnaissance officielle de l'Académie, Montgolfier détruisait le projet à sa base même. Daniel Roche a bien montré l'importance que prend l'obtention d'un statut pour l'institution académique:

Dans cette lettre, Montgolfier réclame la suppression de la *Gazette littéraire*, et il avance comme motifs «les éloges continuels» donnés à «des auteurs impies» (Il s'agit ici uniquement de Voltaire, puisqu'il a été le seul à recevoir des éloges dans le journal de Mesplet), le mépris de la foi et la discussion des dogmes comme celui de l'immortalité de l'âme. Par là, Montgolfier s'oppose à la liberté de pensée et à la liberté d'expression dont fait preuve la *Gazette littéraire*. Il ne fait pas état des textes de l'*Anti-Dictionnaire philosophique*, ni mention des articles anti-voltairiens de Well. Celui-ci vient en effet de perdre son combat dans le périodique. La bataille doit se continuer sur un autre plan. La première phase sera de paralyser l'activité de l'Académie de Montréal, présentée comme un corps dangereux, susceptible «de corrompre l'esprit et le coeur des jeunes gens», les incitant à l'insubordination, sabotant ainsi le travail d'éducateurs des Sulpiciens au Collège de Montréal. En fait, le dessein secret de l'imprimeur serait «de jeter du trouble dans votre province». Pour ce, il s'attaque aux dogmes non seulement du catholicisme romain, mais de toutes les religions, même celle du roi. Montgolfier rappelle discrètement que l'Église de la province a pu, par son loyalisme, assurer la conservation du territoire à la Grande-Bretagne. Au cas où il ne parviendrait pas à obtenir la suppression de la *Gazette littéraire*, à titre d'organe des Lumières, Montgolfier suggère la solution de rechange d'une censure préalable, qui serait exercée par un homme de confiance ayant «à coeur les intérêts de la religion, de l'État et des bonnes moeurs». Nous verrons que le candidat-censeur de Montgolfier n'était nul autre que Rouville.

...l'obtention des statuts est pour le groupe, qui a lutté pour les obtenir et avoir une reconnaissance officielle, une garantie de durée. On passe d'un stade inorganique, soumis aux irrégularités des situations qui dépendent seulement des bonnes volontés individuelles, à un stade organisé, garanti par le gouvernement représenté sur le plan local par l'intendance. Un saut qualitatif a été fait de la simple assemblée de beaux esprits qui a pu devenir société littéraire, à l'académie qui désormais durera indépendamment de ses membres. Les académiciens ne sont pas immortels pour se séparer du commun des mortels, mais pour enraciner leur oeuvre collective dans la durée.

L'académie devient une personne morale, elle pourra avoir des biens, recevoir des subventions et des dons. À ce stade, l'activité savante ne dépend plus du caprice, et les collections, les cabinets, les bibliothèques sont placés sous la garantie d'une personnalité collective.

...l'obtention de lettres patentes est encore au XVIIIe siècle la seule méthode pour être reconnu «d'utilité publique» mais aussi pour pouvoir prendre place dans le cadre de la société d'ancien régime...

ROCHE, Daniel.- «Milieux académiques provinciaux et société des Lumières» dans *Livre et société dans la France du XVIIIe siècle*.- Paris; Mouton, 1965.- pp. 107, 108.

Après avoir rédigé sa lettre au gouverneur général, le même jour, le Sulpicien en adressait une autre à son évêque. C'était en fait une copie de la première avec le commentaire suivant:

Entre plusieurs gazettes de Montréal, qui me chagrinent depuis longtemps, je vous envoie les deux dernières, dont vous pourriez faire usage auprès de Son Excellence s'il (sic) n'en avait pas lui-même (sic) des exemplaires.

Oserais-je, Monseigneur, vous prier de conférer avec lui (sic) ou avec M. Cramahé pour chercher de concert un moyen propre à arrêter le désordre dont il est ici question, et qui ne peut être que très funeste à la religion.

Si l'on trouve bon de nommer un censeur, je n'en trouve pas ici de plus propre à cela que M. de Rouville, soit en sa qualité de juge, ou en celle de commissaire de la paix. La commission est désagréable en elle-même, mais j'espère qu'il s'en chargerait volontiers pour le bien de la chose.

On dit que c'est M. Cugnet qui, de Québec, fait dans ces gazettes le personnage du Canadien curieux; qu'un nommé Chotard [Jautard], ci-devant avocat à Montréal, mais aujourd'hui avocat sans cause, ayant été interdit par M. le général Carleton, est le Spectateur tranquille. Il ne conviendrait pas à un homme grave d'entrer en lice dans des papiers publics avec de pareils auteurs. Ce serait même les exposer à dire des choses encore plus mauvaises.

Les écoliers de Montréal, quoique souvent provoqués, ont leurs devoirs à faire. Et les maîtres doivent être occupés à des choses plus convenables à leur état.

Le père Well, sous la qualité d'Anonyme, leur a souvent répondu. Il aurait mieux fait de se taire. Car quoiqu'il n'ait rien dit d'absolument mauvais, il n'a fait que des verbiages. Et toute la clique s'est révoltée contre lui, et on en est venu à refuser d'imprimer ses ouvrages. C'est le moindre de tous les maux.

J'avais toujours espéré que cette *Gazette*, en la méprisant comme elle le mérite, tomberait d'elle-même. Mais comme il m'a paru qu'on cherchait à lui ménager la protection du gouvernement, j'ai cru qu'il était à propos d'aller au devant des coups. Notre gouverneur décidera si ma démarche est convenable, et vous serez à même de supprimer l'une et l'autre lettre, si vous trouvez quelque chose de déplacée[163].

Alors que, dans sa lettre à Haldimand, il est question de l'Académie, Montgolfier se concentre sur la *Gazette littéraire* dans celle qu'il adresse à son évêque. Il lui demande de conférer avec

163. Lettre de Montgolfier à Mgr Briand, le 2 janvier 1779: ACAM, correspondance de Montgolfier (1776-1789), 201-115, 779-1.

le gouverneur général ou son secrétaire, Hector-Théophile Cramahé, pour «arrêter un désordre» «très funeste à la religion». Si la suppression du journal n'est pas décidée, qu'au moins la censure soit confiée à Rouville, qui apparaît dans cette lettre comme l'homme de confiance de Montgolfier. Il n'est pas question de Mesplet, mais nommément de Jautard, de Cugnet et de Well, dont le Sulpicien connaît les pseudonymes. C'est avec un souverain mépris qu'est présenté Jautard, «avocat sans cause», «ci-devant avocat à Montréal», ne méritant pas d'être l'interlocuteur d'un «homme grave» comme Cugnet, l'un des grands érudits de la colonie[164]. Quant au père Well, qui a eu sans cesse l'appui de Montgolfier — même les collégiens étaient enrégimentés pour transcrire ses textes —, il est très peu apprécié: «il n'a fait que des verbiages». Il est évident qu'il a dû baisser pavillon devant la vivacité de la plume de Jautard: «toute la clique s'est révoltée contre lui». Enfin, à titre de pédagogue, le Sulpicien s'inquiète de l'agitation que provoque le journal dans le milieu collégial. En conclusion, il avoue qu'il n'a toujours eu que du mépris pour ce périodique, mais que ce sentiment s'est changé en crainte quand il a perçu que le mouvement philosophique pourrait obtenir la protection du gouvernement: «j'ai cru qu'il était à propos d'aller au devant des coups». Pour prouver à son évêque la méchanceté de la *Gazette littéraire*, Montgolfier joint à son commentaire les numéros des 23 et 30 décembre. Dans le premier exemplaire, Well, sous le pseudonyme de l'Anonyme, est la tête de Turc des correspondants. Dans le numéro du 30 décembre, le rôle littéraire de l'Académie est mis en vedette.

Dans une nouvelle lettre à son évêque, datée du 6 janvier, Montgolfier rectifiait certaines informations données précédemment:

> ...Je vous disais que dans la *Gazette* de Montréal, M. Cugnet faisait de Québec le personnage du Canadien curieux, on me dit aujourd'hui que ce monsieur avait d'abord fait le personnage du Sincère, mais que depuis quelque temps il n'écrit plus, et que c'est un fils de M. Panet[165] qui fait le Canadien curieux. Quel que soit

---

164. François-Joseph Cugnet (1720-1789), probablement le personnage «grave» dont il est question dans la lettre de Montgolfier, avait composé des traités sur les lois en usage au Canada avant la conquête. Il avait été nommé secrétaire de langue française auprès du gouverneur général et du conseil, le 24 février 1768, poste qu'il occupa jusqu'à son décès. Voir *A Bibliography of Canadian Imprints*, op. cit., p. 90.
165. «Un fils de M. Panet». Il s'agit probablement d'un fils de Claude Panet qui avait été nommé juge à Québec, en même temps que Rouville à Montréal.

ce Curieux, il me paraît que c'est un jeune homme qui se gâte l'esprit et le coeur. Ce serait lui rendre un grand service si on pouvait le détourner de cette Académie. Peut-être que les différents reproches humiliants qu'on lui fait dans la *Gazette* de ce jour pourront contribuer à le détourner.

L'Anonyme, que j'ai eu l'honneur de nommer ci-devant à Votre Grandeur, n'ayant pu faire imprimer ses écrits, avait pris le parti de faire plusieurs copies manuscrites qu'il avait répandues dans le public. Ce qui a engagé le gazettier à leur donner place dans la feuille de ce jour, que je vous envoie ci-jointe, pour en faire l'usage que vous jugerez à propos[166].

Il est probable que Montgolfier avait un informateur au sein de l'Académie de Montréal, pour connaître ainsi les noms des auteurs se cachant derrière certains pseudonymes dans la *Gazette littéraire*, en particulier le Sincère et le Canadien curieux, tous deux de Québec. Dans cette lettre, le Sulpicien ménage le Jésuite Well qui tente de nouveau de reprendre la plume dans le journal de Mesplet. Montgolfier indique l'appui qu'il reçoit au Collège de Montréal de la part de jeunes copistes.

L'entente Montgolfier-Well est aussi dévoilée dans une lettre que Mesplet adressait, le 4 janvier 1779, au secrétaire du gouverneur général:

Je me vois obligé, écrit-il, de vous importuner des persécutions que j'essuie de différentes personnes au sujet de mon papier périodique, telles persécutions [si violentes] que [malgré tous les moyens] que j'ai pris pour me mettre à l'abri, je n'ai pas réussi.

Le père Well, Jésuite, sous le nom de l'Anonyme, a donné plusieurs productions que j'ai mis par complaisance dans la feuille. J'ai reçu tant de reproches que j'ai été obligé de refuser de nouvelles. Je vous envoie copie d'une, dont [que] j'ai cru à propos de ne pas exposer au public à tous égards. M. Montgolfier paraît prendre parti pour le père Well, et en conséquence m'a fait des reproches très vifs et m'a menacé d'écrire à Son Excellence pour m'en défendre la continuation.

Qu'il est disgracieux pour moi d'avoir tant d'ennemis sans sujet. Mon papier est sous vos yeux. Je n'ai rien touché qui regarde le gouvernement. Et je peux dire avec vérité que ces messieurs seuls cherchent à me nuire. J'espère, Monsieur, qu'il vous plaira prévenir Son Excellence, et que vous voudrez bien opposer à leur petite tyrannie les sentiments nobles et équitables qu'il vous a plus me témoigner.

---

166. Lettre de Montgolfier à Mgr Briand, le 6 janvier 1779: ACAM, correspondance de Montgolfier, 901-115, 779-2.

Mesplet joignait à cette lettre la «copie d'une production du père Well, Jésuite, signée l'Anonyme, qui m'a été présentée pour la première fois en présence de M. de Saint-Luc La Corne», ce «général des sauvages», auteur du récit d'un naufrage publié par l'imprimeur:

Chanson du jeu des échecs

Sur le jeu que j'ai dans les mains,
Le sort n'étend pas ses caprices;
Ce sort qui, parmi les humains,
Couronne si souvent les vices.
Combien d'hommes aux premiers rangs
Que le seul hasard a fait grands.

Les Rois ont des fous pour Soldats,
Qui les servent dans chaque armée.
Messieurs ne vous en plaignez pas,
Puisque dans plus d'une assemblée
Les hommes seraient bien heureux
De n'en pouvoir compter que deux.

Les fous sont placés près du Roi.
Un tel Roi peut-il être sage?
Des courtisans, quand je les vois,
Je reconnais ici l'image.
Jamais s'il s'agit d'un bon choix,
De deux sots n'écoutez pas la voix.

Le Chevalier change souvent
De couleur et de contenance.
Dans son bizarre changement,
Reconnaissons notre inconstance.
À tous moments, sans le savoir,
Nous passons tous du blanc au noir.

Le Roi fait un pas chaque fois,
Jamais il n'en fait davantage.
Pour notre bonheur tous les rois
Devraient suivre un pareil usage.
Quand on gouverne les États,
On doit s'avancer pas à pas.

Vous avez pris un de mes pions,
Et moi je vais prendre un des vôtres.
Tout ce qu'aux autres nous faisons
Nous devons l'attendre des autres.
Quand pièce à quelqu'un l'on fera,
Pièce pour pièce il vous jouera.

Je ne sais pour quelle raison
Le Roi n'est pas avec la Reine.

170

Tandis qu'il garde la maison
Madame court la prétentaine...
Échec et mat!... Il doit souffrir.
Pourquoi laisser sexe courir?[167]

Dans cette lettre, Mesplet déclare que ses persécuteurs sont les membres du clergé («ces messieurs seuls»). Il pointe du doigt deux de ses adversaires, Montgolfier et Well qui, selon lui, sont de connivence. L'imprimeur fait état d'interventions personnelles de Montgolfier interférant dans son travail. Il parle aussi de pressions exercées par Well. Mesplet dénonce leur «petite tyrannie», mais aussi leur persécution et celle de leurs alliés à son égard, et cela à cause de son journal. Il se dit incapable de s'en délivrer seul et fait appel au gouvernement. Pour convaincre du mauvais esprit de ses adversaires, l'imprimeur envoie au gouverneur général une copie de la fameuse Chanson du jeu d'échecs composée par Well. Il est évident que ce texte vise Haldimand lui-même, si l'on connaît le moindrement sa carrière. La chanson dit: «Combien d'hommes aux premiers rangs que le seul hasard a fait grand». D'origine suisse, Haldimand avait été avant tout un soldat de métier au service du roi d'Angleterre. La chanson dit: «Les rois ont des fous pour soldats». À titre de gouverneur général, Haldimand était le représentant du roi. La chanson dit: «Les fous sont placés près du roi». Haldimand avait rempli diverses fonctions: «Le Chevalier change souvent de couleur et de contenance». Enfin, que signifie cette allusion dirigée contre George III: «Je ne sais pour quelle raison le roi n'est pas avec la reine»? Mesplet a été circonspect en ne publiant pas ce texte. Sous prétexte de commenter les pièces d'un jeu d'échecs, l'auteur blâme le roi et ses soldats, parmi lesquels Haldimand compte pour le premier dans la colonie; il est «le fou du roi», «le chevalier changeant», comme dit la chanson.

Voici, datée du 15 février 1779, la réponse du gouverneur général à Montgolfier:

J'ai reçu dans son temps l'honneur de votre lettre du 2 janvier, et je vous dois, Monsieur, bien des excuses pour avoir tardé aussi

---

167. Lettre de Mesplet à Haldimand, le 4 janvier 1779: APC, MG 21, Papiers Haldimand, B 185-1, p. 79. La Chanson du jeu des échecs renferme des allusions à la carrière de Frédéric Haldimand. Au sujet de cette carrière, voir la notice conjointe de Stuart R. J. Sutherland, Pierre Tousignant et Madeleine Dionne-Tousignant dans le DBC, op. cit., vol. V, pp. 977 à 995. Haldimand était alors âgé de 60 ans et il avait derrière lui une quarantaine d'années de loyaux services.

longtemps à y répondre. Mais outre des occupations pressantes, l'affaire en question méritait d'être bien réfléchie.

Dans le principe, je m'étais proposé d'arrêter tout à fait immédiatement la prise du sieur Miplet [Mesplet], dont l'abord dans cette province méritait plutôt châtiment qu'un accueil favorable. Mais vous savez, Monsieur, les sollicitations qu'on me fit à Montréal pour m'engager à lui permettre d'y rester.

Pour l'empêcher de tomber davantage dans un travers où il paraît fort incliner, et jusqu'à ce que je puisse prendre d'autres mesures, je lui ai fait défendre très expressément d'attaquer la religion ou le clergé; de ne rien insérer dans sa feuille qui put choquer les bonnes moeurs ou fomenter la discorde parmi les peuples qui, par toutes sortes de raisons, devraient soutenir les intérêts d'un gouvernement qui les a protégés, et sous les auspices duquel la province s'est améliorée beaucoup, au-delà de ce qu'elle avait jamais fait auparavant.

Comme je connais votre zèle et l'attachement que vous avez pour ce même gouvernement, et que j'ai une parfaite confiance en votre prudence et discrétion, je vous prie, Monsieur, de veiller de près aux publications de cet imprimeur, et de m'avertir au plus tôt s'il lui arrive encore de s'écarter de la conduite qui lui a été prescrite de ma part.

Monseigneur l'évêque, je suis persuadé, vous aura fait part des démarches que j'ai faites à l'égard du père Well, et les avis que j'ai donnés aux révérends pères jésuites. J'espère que ces messieurs ne donneront plus prises sur eux, et que j'aurai à l'avenir tout lieu d'être content de leur conduite[168].

Cette lettre annonce qu'un sursis est accordé à Mesplet et à la *Gazette littéraire*. Selon Haldimand, il n'y a donc pas matière à sévir. Le gouverneur décide qu'il n'y aura pas de censure préalable, comme le réclamait Montgolfier. Mais celui-ci est chargé du rôle de censeur secret; il devra scruter le journal et signaler au gouverneur général tout écrit contre la religion, le clergé, les bonnes moeurs et la paix publique. Mesplet a lui-même été averti de redoubler de prudence. Quant à Well, Haldimand formule ce qui paraît bien être un blâme touchant non seulement sa personne mais aussi toute la Compagnie de Jésus dans la colonie. Il semble que le gouverneur général soit au courant d'une cabale montée par ces religieux contre Mesplet et la *Gazette littéraire*. En fait, Montgolfier n'a pu obtenir aucune des solutions préconisées contre la presse. Haldimand lui rappelle même que ce sont les notables

168. Lettre du gouverneur général Haldimand à Montgolfier, le 15 février 1779: APC, MG 21, Papiers Haldimand, B 66, p. 102.

de Montréal qui ont supplié le gouvernement de leur conserver l'imprimeur, alors qu'il avait été question de l'expulser de la colonie. Haldimand garde le silence sur l'Académie de Montréal mais il ne la reconnaîtra pas.

Après ces efforts de Montgolfier, c'est Rouville qui entre en scène. Le 27 mai, le juge sollicita l'intervention du gouverneur général contre la *Gazette littéraire*, son imprimeur, Jautard et Du Calvet:

> Par la lettre que j'ai reçue de M. Cramahé de la part de Votre Excellence, écrit Rouville, et que dans son temps j'ai communiquée à M. Southouse mon collègue, nous avons non seulement été patients comme nous en étions requis de la part de Votre Excellence, mais nous avons été sourds à bien des discours de la part de l'imprimeur et de Jottard [Jautard] qui tendaient à nous insulter.

> Nous croyons Monsieur que cet imprimeur et Jottard et le sieur du Calvet mettent le comble à la mesure et se croient en droit de nous insulter et de braver le gouvernement sous la protection duquel nous avons l'honneur d'exercer et d'exercer de notre mieux.

> Comme officiers de ce gouvernement, nous croyons faire ce qui est en notre pouvoir pour rendre la justice aux sujets du roi, et qu'il appartient au gouvernement seul de s'enquérir de notre conduite et juger si les reproches et réflexions proposés contre nous sont justes et calomnieux. Votre Excellence jugera, par la *Gazette* ci-incluse, [si] la conduite des auteurs qui y sont souscrits est tolérable ou si elle mérite d'être réprimée.

> Votre Excellence le croirait à peine, que Jottard et Mesplet ont eu l'audace de se présenter aujourd'hui à la chambre d'audience dans la ville, sans doute [en vue] de prouver à la populace qu'ils n'avaient rien à craindre, et que l'on pouvait sans danger insulter les magistrats; ou, à dessein de nous provoquer à leur dire quelque chose qui peut marquer de la passion afin de s'en prévaloir.

> Notre façon de penser, tout à fait opposée à aucune mesure violente, nous a fait ne prendre aucune attention à leur présence. Nous espérons, conclut Rouville, que Votre Excellence se déterminera à prendre un parti à l'égard des desportements de ces hommes insolents[169].

Il est clair que Rouville n'en est pas à sa première plainte contre Mesplet et consorts puisqu'il se réfère à de précédentes recom-

---

169. Lettre de Rouville à Haldimand, le 27 mai 1779: *The First Printer*, op. cit., document C, numéro 14, pp. 242, 243. Tirée des Papiers Haldimand aux APC.

mandations du gouverneur général de faire preuve de patience. Cette fois, selon Rouville, il faut sévir. Le juge se présente comme une victime — solidairement avec son collègue Southouse[170], de Mesplet et de Jautard. Il est abreuvé d'insultes et contient sa colère, mais sa patience est à bout. Comme une nouvelle preuve de la mauvaise conduite de l'imprimeur et du journaliste à son égard, il envoie un exemplaire de la *Gazette littéraire* du 26 mai, où Jautard raconte le mépris dont il a été l'objet en cour, et où figurent les deux lettres d'appui de Pierre du Calvet, textes, on l'a vu, qui font état de la partialité de la magistrature à Montréal. Rouville réclame, sans oser écrire le mot, des sanctions contre Mesplet, Jautard et Du Calvet. Même si le ton en est contenu, le réquisitoire est assez violent pour qu'on sente que seule la suppression de la *Gazette littéraire* et l'emprisonnement des «accusés» puissent satisfaire la «longue patience» de Rouville. Bref, le juge souhaite sans le dire l'anéantissement de ses ennemis, comme Montgolfier dans sa lettre du 2 janvier. Rouville invoque la nécessité de faire respecter la magistrature. On se souvient que pourtant il était alors de notoriété publique que l'administration de la justice était défectueuse, à tel point qu'une enquête était envisagée[171].

Dès le 1er juin, Haldimand répondit en un français chancelant à la lettre de Rouville du 27 mai:

> Je vous prie d'être assuré vous-même, et d'assurer monsieur Southouse, qu'en toutes les occasions je me ferai un véritable devoir et plaisir de soutenir les officiers du roi, surtout quand ils agissent avec la modération que vous avez montrée en cette occasion, et qui est de toutes manières louable. En recevant ma lettre, vous apprendrez la manière dont je m'y suis pris pour arrêter le cours des insolences des sieurs Jautard et Mesplet. Je souhaite de tout mon coeur que cet exemple ait l'effet sur les esprits qui, on doit désirer, qu'il confirme aux ceux qui sont bien disposés (sic), ramène les chancelants et donne une juste terreur aux malintentionnés envers un gouvernement dont le plus grand défaut a peut-être été d'avoir trop de douceur[172].

---

170. L'avocat Edward Southouse avait été nommé juge de la Cour des plaidoyers communs à Montréal, le 22 août 1776. Il comprenait difficilement le français. Il demanda une fonction au conseil exécutif, ce qui lui fut refusé. Il retourna à Londres, sa ville d'origine, en 1789. Voir ROY, Pierre-Georges.- *Les juges de la province de Québec.-* Québec; Imprimeur du roi, 1933.- p. 509.
171. La première enquête sur l'administration de la justice n'aura lieu qu'en 1787.
172. Lettre du gouverneur général Haldimand à Rouville, le 1er juin 1779: APC, MG 21, Papiers Haldimand, B 185-1, p. 90.

Contrastant avec le retard apporté à répondre à Montgolfier, le délai a été cette fois court[173]. En fait, Rouville a obtenu des lettres de cachet contre l'imprimeur et le journaliste. Il n'est question ni de libelle ni d'outrage dans la missive du gouverneur général, mais d'insolence. La double arrestation est destinée à servir d'exemple. Il s'agit de mettre un frein à la liberté d'expression: il faut faire «effet sur les esprits» et donner «une juste terreur aux malintentionnés». Montgolfier a réussi à mettre un cran d'arrêt à la diffusion des Lumières en utilisant — selon l'habitude de l'Inquisition — le bras séculier.

Le jour même où il adressait la lettre à Rouville, soit le 1er juin, Haldimand ordonnait au major John Nairn, commandant à Montréal, d'arrêter Fleury Mesplet et Valentin Jautard comme traîtres: «traiterous practices». Ils devaient être emprisonnés séparément et sans aucune communication avec l'extérieur. On devait saisir en même temps tous leurs papiers. Quant à l'imprimerie, elle devait être mise sous scellés. Les deux prisonniers devaient être envoyés à Québec sous bonne garde, à la prochaine occasion[174]. Dans les instructions qui accompagnaient les mandats d'arrestation, Haldimand ordonnait le secret pour, disait-on, éviter la fuite de Mesplet et de Jautard, et mettre la main sur tous les papiers qu'ils possédaient. L'imprimeur et le journaliste devaient être traités avec humanité, mais il était défendu de leur procurer plumes, encre et papier. Surtout, dès que Mesplet et Jautard seraient capturés, il faudrait en avertir le juge Rouville[175]. Ces ordres circonstanciés laissent voir quelle importance avaient les deux prévenus à Montréal. Si l'on n'avait pas craint des réactions, on n'aurait pas agi aussi secrètement. Il est ordonné d'emprisonner les inculpés incommunicado. On les privera de tout moyen d'expression. Leurs papiers, livres, journaux seront saisis. Rouville devait superviser l'opération. Arrêtés vendredi matin, le 4 juin, le lendemain du premier anniversaire de fondation de la *Gazette littéraire*, Mesplet et Jautard étaient incarcérés dans

---

173. En fait, la réponse du gouverneur général a été d'une rapidité exceptionnelle pour l'époque. Selon le journal d'un conseiller législatif (GM, 5 mars 1789, 3e page, col. 2), il fallait cinq jours pour aller de Montréal à Québec, en voiture, au printemps. La lettre de Rouville, datée du 27 mai, reçoit sa réponse datée du 1er juin; cette réponse est arrivée sûrement avant ou le 4 juin même puisque l'arrestation de Mesplet et de Jautard a eu lieu à cette dernière date.
174. Lettre du gouverneur général Haldimand à John Nairn, major commandant à Montréal, le 1er juin 1779: APC, MG 21, Papiers Haldimand, B 185-1, p. 87.
175. Lettre du gouverneur général Haldimand à John Nairn, le 1er juin 1779: APC, MG 21, Papiers Haldimand, B 185-1, p. 92.

le couvent des Jésuites qui servait de prison, à proximité d'une aile où habitait le père Well lui-même qui les avait menacés de faire taire leurs presses. Le 6 juin, escortés d'un peloton de soldats, les deux prisonniers étaient placés à bord d'un vaisseau à destination de Québec, via Sorel. Selon le rapport du major Nairn à Haldimand, Mesplet et Jautard n'avaient opposé aucune résistance à leur arrestation, et celle-ci n'avait suscité «aucune alarme», comme on le craignait[176].

Haldimand crut devoir expliquer cette double détention au ministre des Colonies George Germain, dans une lettre datée du 7 juin, soit avant même l'arrivée des prisonniers à Québec:

> La conduite turbulente et séditieuse d'une cabale à Montréal m'a aussi obligé à emprisonner deux Français nommés Mesplet et Jaubard [Jautard]; le premier est un imprimeur envoyé ici par le Congrès en 1774[177] pour publier et distribuer leurs lettres, le second a été avocat et est un aventurier sans principes.

Ces arrestations, d'après Haldimand, serviront d'exemples pour mettre un frein à «l'esprit licencieux» qui commençait à reparaître. Le gouverneur général disait regretter qu'on n'eût pas sévi dès 1775 et 1776 contre des démocrates de la trempe de Mesplet et de Jautard. De toute façon, la double arrestation s'est faite dans l'intérêt du roi, du public et de la province[178]. De simples arrestations de droit commun n'auraient pas nécessité la démarche du gouverneur général auprès du ministère dont il souhaitait l'approbation. Celui qui fondera la première bibliothèque publique au Québec est conscient de brimer la liberté d'expression, d'être surtout le premier gouverneur général à supprimer la liberté de la presse dans la province. Lui, qui approuvera l'introduction des grandes oeuvres des Philosophes des Lumières, met derrière les verrous les diffuseurs de cet esprit eux-mêmes. Dans sa lettre, il explique sa décision en invoquant une cabale à Montréal. En effet, deux partis s'affrontaient: les adeptes des Lumières et les traditionalistes appuyés par l'Église. Après de longues tergiversations — depuis son installation comme gouverneur général — Haldimand pencha en faveur

---

176. Lettre de Nairn à Haldimand, le 6 juin 1779: APC, MG 21, Papiers Haldimand, B 161, p. 18.
177. Inexactitude. La première Lettre du Congrès aux habitants du Québec a bien été publiée en 1774, mais Mesplet, après un séjour à Québec durant l'hiver 1774-75, ne s'est installé à Montréal qu'en 1776.
178. Lettre du gouverneur général Haldimand à lord George Germain, le 7 juin 1779: APC, MG 21, Papiers Haldimand, B 54, p. 85.

des derniers, étant plus assuré de leur loyalisme envers la Grande-Bretagne. Il obtempéra finalement à leur désir d'«anéantir» l'imprimerie et l'imprimeur. On aura remarqué que les motifs des arrestations donnés par Haldimand sont différents dans les lettres adressées au ministre, à Rouville et à Nairn. Le sacrifice de la liberté de pensée était le prix que le roi de la libre Angleterre devait payer à la loyauté de l'Église romaine au Québec. Mesplet et Jautard en furent les victimes.

Leur incarcération, dans la «prison de la prévôté» à Québec, durera plus de trois ans. Ils faisaient partie d'un certain nombre de Canadiens emprisonnés par ordre du gouverneur général. Celui-ci, le 25 octobre 1780, dans une lettre adressée au secrétaire d'État, lord George Germain, déclarait:

> Je me suis trouvé dans la pénible nécessité d'emprisonner plusieurs personnes, coupables d'avoir correspondu avec les rebelles ou de les avoir aidés à s'enfuir, et j'ai de bonnes raisons d'en soupçonner beaucoup d'autres, coupables des mêmes pratiques...

Si, dans cette lettre, Haldimand ne donnait aucun chiffre, il avançait celui de 200 Canadiens, coupables de trahison, dans une lettre envoyée au même ministre le 13 septembre 1779. Il s'agissait d'habitants qui avaient accompagné les milices américaines et le gouverneur demandait s'il était possible de leur accorder le pardon pour leur permettre de rentrer au pays. Mais, pour les prisonniers politiques, il n'est pas question, comme il le précisait dans sa lettre du 25 octobre, de jouir de l'habeas corpus, ce qui venait d'ailleurs, disait-il, d'être refusé à Charles Hay et François Cazeau qui en avaient fait la demande:

> On devrait sans doute mettre en jugement dans un délai restreint, les personnes accusées de crimes, mais en temps de guerre ou d'insurrection, ce serait une entreprise maladroite[179].

Dans son *Appel à la Justice de l'État*, publié en 1784, Pierre du Calvet, qui avait été arrêté le 27 septembre 1780, affirmera: «...je pouvais y compter par centaines les compagnons de mes fers, tirés des classes les plus respectables des citoyens». Et Du Calvet en nomme une vingtaine, qu'il considère comme les plus

---

179. Lettre du gouverneur général Haldimand à Germain, le 25 octobre 1780: DOUGHTY, Arthur G. et Adam SHORTT.- *Documents concernant l'histoire constitutionnelle du Canada.*- Ottawa; Imprimeur du roi, 1911.- p. 469. Lettre du gouverneur général Haldimand à Germain, le 13 septembre 1779: APC, MG 21, Papiers Haldimand, B 54, pp. 149, 150. La réponse de Germain à cette dernière lettre est datée du 17 mars 1780. Voir aux APC, MG 21, Papiers Haldimand, B 50, pp. 63, 64.

importants et, parmi ceux-ci, Jautard et Mesplet[180]. À ces prisonniers civils s'ajoutaient les prisonniers de guerre, ce qui força le gouverneur général à transformer en prisons entre autres le couvent des Récollets et un vaisseau dans le port de Québec. Les prisonniers civils, s'il faut s'en tenir aux lettres réclamant leur libération, n'étaient pas au nombre de la majorité analphabète de la colonie. D'autant plus que souvent Haldimand leur reprochait d'avoir correspondu avec les «rebelles»[181]. Le courrier du général Haldimand compte aussi des dénonciations de royalistes contre leurs compatriotes favorables aux Fils de la Liberté. Nous possédons, par exemple, la délation de Louis Godefroy de Tonnancour, de Trois-Rivières, contre Mesplet et Jautard. Dans une lettre à Haldimand, le 15 juin 1779 — une dizaine de jours après la double arrestation —, le délateur assurait que l'imprimeur et le journaliste avaient distribué des exemplaires de la proclamation du comte d'Estaing qui «pourraient être sortis de leur boutique»[182]. Parallèlement aux arrestations, la colonie était le théâtre de mouvements continuels de détachements militaires: des patrouilles parcouraient sans cesse les rives du Saint-Laurent et de la Chaudière pour surveiller les habitants[183].

---

180. *Appel à la Justice de l'État*, op. cit., p. 151.
181. Les Papiers Haldimand renferment des listes de «prisonniers rebelles», c'est-à-dire de miliciens américains ainsi que des listes de «prisonniers arrêtés sous soupçon d'avoir porté les armes avec les rebelles» (Voir RAC, 1888, pp. 945-948, 952-954). Parmi ces prisonniers «militaires», il y avait des femmes, des enfants et des vieillards (RAC, 1888, pp. 280, 953, 954). Les prisons étaient dans un état déplorable, selon les rapports datés du 17 septembre 1778 du grand jury (RAC, 1889, p. 119). En raison du grand nombre de prisonniers, le vaisseau Canceaux et une partie du couvent des Récollets servirent de lieux d'incarcération, comme le confirment entre autres le capitaine Schank et le père Berey (RAC, 1888, suppl. p. 46). De nombreuses pétitions et les lettres des prisonniers civils et de leurs parents prouvent que beaucoup de ces gens n'étaient pas dans la classe des analphabètes (Exemples: RAC, 1888, suppl., pp. 42-47; RAC, 1888, p. 974; RAC, 1889, pp.88, 90). Haldimand donne des ordres pour scruter la correspondance des «accusés» de haute trahison (RAC, 1888, suppl., p. 43). Plusieurs lettres sont confisquées lors des arrestations et d'autres interceptées (RAC, 1888, suppl., p. 42; RAC, 1888, pp. 956, 966).
182. Lettre de Tonnancour à Haldimand, le 15 juin 1779: APC, MG 21, Papiers Haldimand, B 170, p. 60. Nous retraçons des délations de cette sorte dans les Papiers Haldimand. Par exemples, dénonciation de Thomas Walker par Jean-Baptiste Bruyère (RAC, 1888, p. 954); du même par Joseph Deschamps et Germain LeRoux (RAC, 1888, p. 955); de Joseph Casavant par Michel Guillemette (RAC, 1888, p. 955); de Pierre Lajeunesse par Jean Mainville (RAC, 1888, p. 957); de Pierre du Calvet par N.-C. Jolibois (RAC, 1888, suppl., p. 46); du même par Pierre Roubaud (RAC, suppl., pp. 48-51); de Pierre Foretier par F.-J. Cugnet (RAC, 1888, suppl., p. 46).
183. ROY, J.-Edmond.- *Histoire de la seigneurie de Lauzon*, tome III.- Lévis; Roy, 1900.- pp. 67, 68.

Nous ferons appel aux témoignages de Pierre du Calvet et de Pierre de Sales Laterrière pour donner une idée de la rigueur de l'incarcération. Du Calvet devait être détenu à part, mais Laterrière partagea la geôle même de Mesplet et de Jautard, «dans la prison d'État, batterie du diable». C'était «un bas de prison, fort malsain, de 33 pieds carrés», éclairé «par quatre carreaux de vitre, devant lesquels on avait placé une sentinelle», et où il y avait «des souris en assez grand nombre»[184]. Quatre personnes devaient être confinées ensemble dans cet endroit durant environ trois ans: Mesplet, Jautard, Laterrière et Charles Hay, un tonnelier de Québec. Ils divisèrent les lieux «en quatre cabinets, outre une chambre commune de compagnie, et chacun avait fait fermer son cabinet, et y faisait comme chez lui ce qu'il voulait»[185]. «Le sort à la Bastille est moins terrible que celui réservé aux prisonniers dans les prisons de Québec», devait déclarer Du Calvet dans son *Appel à la Justice de l'État*[186]. D'abord jeté dans la cale d'un vaisseau dans le port de Québec, il avait ensuite été incarcéré dans la même prison que Mesplet, mais dans une autre pièce que Laterrière nomme «une vilaine chambre de l'ancienne prison, appelée prison de la reine du temps du gouvernement français»[187]. Du Calvet lui-même nous décrit l'endroit à la troisième personne:

> Son nouvel appartement représentait l'image d'un vrai tombeau, inabordable aux rayons du soleil, et empreint d'une humidité si infecte, qu'il semblait n'être pas fait pour être le domicile d'une créature raisonnable; aussi le gouvernement français l'avait-il destiné à une écurie à chevaux. C'était en effet une voûte spacieuse à rez de chaussée, pavée de grosses pierres brutes, parée plutôt déparée par une longue enfilade d'une douzaine de grands vilains lits à la dragonne, flanquée de cinq à six larges auges pleines jusqu'à la gorge de balayures, de guenillons moisis et pourris, de cendres et autres immondices de toutes espèces. Quelques-unes de ces cuves avaient même, de longue main, servi de chaises d'affaires, à cette file de goujats, prisonniers, devanciers de M. du Calvet, dans cet abominable lieu et recelaient encore les ordures humaines, dont on les avait comblées[188].

Du Calvet est enfin transféré

184. LATERRIÈRE, Pierre de Sales.- *Mémoires de Pierre de Sales Laterrière et de ses traverses*.- Montréal; Leméac, 1980 (Réédition de 1873).- pp. 112 à 115.
185. *Ibid.*, p. 119.
186. *Appel à la Justice de l'État*, op. cit., pp. 157, 158.
187. *Mémoires de Laterrière*, op. cit., p. 117.
188. *Appel à la Justice de l'État*, op. cit., pp. 4, 5.

au couvent des Récollets, dont l'aile du bâtiment, destinée auparavant aux chaînes et aux fustigations des moines réfractaires,
avait été convertie en prison militaire d'État. La garde en était
confiée à son premier geôlier monacal, le père Berey, homme qui,
sous le froc et la cucule, cache non seulement le coeur brutal d'un
dragon, mais l'âme féroce d'un bourreau...[189]

Laissons pour le moment Du Calvet avec ses religieux-
geôliers et retournons auprès de Mesplet et de Jautard. Laterrière est le seul qui ait portraituré l'imprimeur et le journaliste.
C'est pourquoi il faut nous arrêter à son témoignage et savoir
un peu auparavant qui était ce Laterrière, qui l'écrivit trente-
deux ans après l'événement. Il avait obtenu la direction des forges
Saint-Maurice, après la fuite de son patron Christophe Pélissier,
craignant d'être accusé d'avoir pactisé avec les Fils de la Liberté.
Puis Laterrière avait séduit la femme de Pélissier et en avait
fait sa maîtresse. Il s'attribuait une fausse généalogie, s'était
donné un faux nom et se prétendait médecin alors qu'il n'avait
ni diplôme, ni expérience de cet art[190]. Les personnages qu'il
met en scène dans ses mémoires sont dessinés sans beaucoup de
nuances. Ainsi, il ne rapportera que les qualités de son troisième
compagnon de cellule, Charles Hay. Il noircira à outrance son

---

189. *Ibid.*, p. 6. Le père Claude-Charles Félix de Berey était commissaire provincial
des Récollets — il écrivait quelquefois «général» — depuis 1775. D'après son
biographe, Pierre-Georges Roy, il conduisait ses religieux «comme un colonel
commande son régiment». Il faisait observer les règles franciscaines «par la force
brutale». La conséquence de cette attitude cruelle?
   le père Berey, par son entêtement, sa raideur et, disons le mot, par le peu de
   discipline qu'il gardait lui-même, provoqua la désorganisation de sa communauté,
   et des chicanes qui forcèrent parfois les évêques de Québec à intervenir.
   En plus de son titre de «général» des Récollets, Berey avait été nommé aumônier
   militaire par le gouvernement, en 1775. Cette même année, il devint geôlier: un
   certain nombre de prisonniers de guerre américains furent confiés à sa garde, dans
   son couvent. Le père Berey recevait du gouvernement anglais une riche pension
   de cinq cents louis par année (Voir ROY, Pierre-Georges.- «Le père Claude-Charles
   de Berey».- BRH, vol. L, Lévis, novembre 1944, numéro 11, pp. 331-333; BRH,
   vol. L, Lévis, décembre 1944, numéro 12, p. 353). Berey publiera, le 7 novembre
   1784, une réplique «aux calomnies de Pierre du Calvet contre les Récollets de
   Québec». Il nie tout ce que dit Du Calvet sur la dureté de son emprisonnement et
   l'abreuve d'insultes: «coeur fourbe», «âme noircie», «lèvres empoisonnées», «bouche
   sacrilège». Du Calvet est celui que «le malin esprit anime et dirige». Il est «le
   sicaire du père du mensonge» (Voir RAC, 1889, pp. 52 à 58: «Réplique par le père
   de Berey aux calomnies de Pierre du Calvet contre les Récollets de Québec»: document tiré des APC, MG 21, Papiers Haldimand, B-205, p. 274 et suiv.).
190. MALCHELOSSE, Gérard.- «Mémoires romancés».- CD, numéro 25, Montréal,
   1960.- pp. 105-107, 118, 123, 124. Dans cette étude fouillée, l'auteur prouve que les
   Mémoires de Laterrière sont en grande partie bâtis sur le mensonge. On notera
   que Christophe Pélissier, le patron de Laterrière, était né en 1730 à Lyon. Il était
   donc un contemporain et un compatriote de Mesplet.

gendre[191]. Prévenu de cette tendance, examinons successivement avec attention les portraits de Mesplet et de Jautard qu'il considère, il le dit lui-même, comme deux ennemis. Voici le journaliste:

> L'éducation de ce Jautard était solide sans être accomplie. Il était satirique et sophistiqué comme un avocat, avec un front d'airain que rien n'étonnait, ivrogne, faux et menteur comme le diable et grand épicurien; il haïssait tout ce qui était anglais, pour quelle raison? je ne l'ai jamais pu savoir. En outre, il était plein de préjugés, jésuite surtout et fort mauvais ami[192].

Nous savons que Jautard était en fait un homme cultivé, aimant les idées claires et sachant les défendre avec habileté. Il savait manier l'humour et l'ironie, et il était sans grande indulgence pour la médiocrité qu'il ne tardait pas à mettre à nu. Il était alors impitoyable. C'était un penseur qui cherchait la paix, mais que son esprit de justice plaçait toujours en position de combat. Il est hors de doute que les importuns l'impatientaient. Il n'accordait pas son amitié facilement, semble-t-il; quand cela se produisait, il était prêt à tout pour la maintenir. Voyons maintenant le portrait que dessine Laterrière de l'imprimeur:

> Mesplet différait de Jautard par l'éducation: son talent, c'était d'être ouvrier-imprimeur; il avait des connaissances pourtant, mais il s'en faisait accroire, et ne parlait que d'après son rédacteur; d'ailleurs fourbe et menteur presque autant que celui-ci, et d'un génie méchant; si son épouse, qui était très respectable, ne l'avait pas adouci, il aurait été coupable de bien des choses indignes d'un honnête homme[193].

Alors que Laterrière parle de Hay, comme d'un «maître-tonnelier», il présente ici Mesplet comme un «ouvrier-

---

191. *Mémoires de Laterrière*, op. cit., pp. 118-119 (sur Hay), 204 et suiv. (sur le gendre).
192. *Ibid.*, p. 118. Dans sa notice sur Jautard (DBC, vol. IV, op. cit., pp. 421, 422), Claude Galarneau présente le journaliste comme un «personnage vilipendé de l'histoire du Québec». On peut dire que Laterrière n'y est pas étranger, car sa version a été répétée telle quelle par les érudits de la petite histoire. C. Galarneau situe bien Jautard comme «l'animateur de l'intelligentsia montréalaise», de «ces citoyens éclairés luttant contre l'obscurantisme, contre la présence un peu lourde des Sulpiciens qui prétendent détenir le gouvernement de l'intelligence à Montréal».
193. *Idem.* Claude Galarneau, dans sa notice sur Mesplet (DBC, vol. IV op. cit., pp. 575-577), revient comme dans sa notice sur Jautard sur l'opposition sulpicienne: «...le supérieur des Sulpiciens, Étienne Montgolfier, n'aime pas du tout ces hommes qui lui disputent le gouvernement des intelligences». Mesplet est dit un excellent imprimeur «doublé d'un esprit éclairé au sens du XVIIIe siècle». Surtout, C. Galarneau reconnaît à Mesplet son rôle de diffuseur des Lumières: «Les deux gazettes de Mesplet ont été le centre des Lumières à Montréal».

imprimeur». Il est pourtant un maître-imprimeur: n'est-il pas venu de Philadelphie en compagnie de deux «ouvriers-imprimeurs» à son service? Il avait des connaissances supérieures mêmes à celles que son art exigeait. Il avait plus de fierté que d'arrogance. Il manifestait une droiture capable d'inspirer de la sympathie. Rappelons-nous Bénézet et Berger à Philadelphie, la confiance reçue de Franklin. S'il avait été fourbe et menteur, il n'aurait pas obtenu l'hommage des notables de Montréal. Il n'avait pas un génie méchant, mais beaucoup de courage pour affronter les nombreuses difficultés que le destin lui ménageait. Ses écrits montrent un homme épris de liberté et ennemi du despotisme sous toutes ses formes. Certes, il était engagé dans un combat. Et quand sa vie est en jeu, il faut se défendre. Mais les colères de Mesplet n'étaient que l'expression du refus de l'oppression. Marie Mesplet a sûrement discuté avec lui de la diffusion des Lumières. Cette compagne a pu l'aider. Elle dialoguait toujours avec un homme honnête, ardent, ayant en horreur la calomnie et dont on ne voit pas pourquoi Laterrière insinue qu'il aurait pu commettre «des choses indignes». Après avoir dessiné leurs deux portraits, il nous montre Mesplet et Jautard vivant dans leur prison. Ils sont présentés comme deux ivrognes qui se seraient sans cesse disputés avec le paisible Laterrière, «presque toutes les après-midis tirant sur le soir». Comble d'horreur! Jautard aurait demandé en mariage la maîtresse de Laterrière, qui nous apprend à cette occasion que le gouverneur général en était venu à permettre aux femmes de visiter leurs maris. Du moins pour Mesplet, Hay et lui-même, puisque Jautard n'était pas marié[194]. Mais, au début, l'emprisonnement avait été extrêmement rigoureux, comme nous le constaterons dans une lettre de Mesplet adressée au gouverneur général. Pour des intellectuels comme Mesplet et Jautard, la vie était réellement intenable avec un compagnon de cellule comme Laterrière, ignorant et si rempli de lui-même qu'il fait dire à Haldimand dans ses mémoires: «Quel dommage qu'un tel génie [il s'agit de lui-même] soit enfermé! S'il était notre ami, il pourrait être très utile!»[195]. La fausseté de ses affirmations est sensible encore quand il attribue l'emprisonnement de Mesplet et de Jautard à un article publié le 2 juin, alors que leur arrestation avait été décidée avant même cette parution. Comment Laterrière aurait-il pu donner une telle

---

194. *Ibid.*, pp. 118 à 120.
195. *Ibid.*, p. 123.

version s'il avait parlé sérieusement au journaliste et à l'imprimeur au cours de leur longue incarcération en commun? Voici comment il les présente dans ses mémoires:

> ...je vis arriver dans ma chambre, comme prisonniers d'État aussi, un avocat appelé Jotard (sic) et un imprimeur appelé Fleury Mesplet, inculpés le premier d'être rédacteur et le second imprimeur d'un papier connu sous le nom de Tant pis, tant mieux, du genre libellique, qui se permettait d'attaquer la sage politique du gouvernement anglais, et surtout de combattre le despotisme du Suisse Haldimand[196].

Tout de suite, Laterrière fut à couteau tiré avec le journaliste et l'imprimeur, qui ne cessèrent de se plaindre de ses violences auprès du gouverneur général qui, d'après les mémoires mêmes de Laterrière, s'exclamait en parlant de lui: «Que faire? Le mettre en prison! Il y est déjà; qu'il y reste donc[197]!»

Dès le 15 juillet 1779, durant l'incarcération rigoureuse de son époux, Marie Mesplet, de Québec, adressait la lettre suivante au gouverneur général Haldimand:

> Supplie, très humblement, Marie Mirabeau, épouse de Fleury Mesplet, imprimeur de Montréal, détenu en prison de cette ville.
>
> S'il est disgracieux pour moi d'être obligée d'importuner Son Excellence, il est encore bien plus douloureux d'avoir un juste motif de le faire. Le triste état où me réduit la détention de mon mari ne me permet pas de me taire plus longtemps. La perspective est trop effrayante pour ne pas m'épouvanter. Sans recours ni fortune, pour ainsi dire étrangère dans ce pays, je n'avais de ressource que dans son industrie. [Celle-ci] devient inutile par sa détention. Je connais la quantité et la qualité de ses ennemis, mais je serai assez discrète pour les taire. Leurs efforts réitérés ont produit le funeste effet qu'ils en attendaient. Il a succombé sous le poids de l'envie et de la jalousie.

---

196. *Ibid.*, pp. 117, 118. En écrivant dans ses mémoires «un papier connu sous le nom de *Tant pis, tant mieux*, du genre libellique», Laterrière devait créer une certaine confusion dans l'esprit des historiens du début du XXe siècle. Ainsi en fut-il de Benjamin Sulte. Il écrivit dans son *Histoire des Canadiens-français* (tome VII, pp. 135-136):
    Fleury Mesplet entreprit de publier une gazette du «genre libellique», selon que s'exprime un annaliste du temps. Le rédacteur fut un nommé Valentin Jotard ou Joutard, avocat de Montréal où s'imprimait la feuille nouvelle sous le titre de: *Tant pis, tant mieux*, premier journal entièrement français publié en Amérique. Archivistes et amateurs d'histoire se mirent à chercher un introuvable *Tant pis, tant mieux*, jusqu'à ce que le premier biographe de Mesplet, McLachlan, ait eu le bon sens de feuilleter la *Gazette littéraire*. Voir *The First Printer*, op. cit., p. 212.
197. *Mémoires de Laterrière*, op. cit., p. 119.

S'il était coupable, j'irais aux pieds de Votre Excellence implorer sa bonté et demander des grâces, mais certaine de son innocence, je demande un acte de justice: que ses papiers soient inspectés, qu'il soit même fait une [enquête] régulière de sa conduite et de ses moeurs. Je ne doute pas que sous peu de jours le jugement qui interviendra lui sera favorable et que je possèderai un second moi-même qui m'est encore plus cher parce qu'il est mon époux et que mon bien-être dépend de lui. Je me flatte que Son Excellence fera droit à mon humble représentation et que son équité s'opposera à ce que sous ses yeux on immole, pour ainsi dire, la fortune de quelques particuliers à la jalousie et l'ambition de quelques autres. Je continuerai — car je ne peux rien ajouter — des voeux sincères que je fais pour la prospérité de Son Excellence[198].

Cette lettre exprime la conviction que Mesplet est la victime de puissants ennemis, désireux de l'empêcher de poursuivre son action de diffusion des Lumières. Marie Mesplet parle de jalousie, d'envie et d'ambition. Pour la jalousie, on peut songer à celle du supérieur des Sulpiciens, résolu à défendre leur monopole sur la pensée. Pour l'envie et l'ambition, on pense à Rouville, leur bras séculier, avide de se faire valoir politiquement en dénonçant le plus d'adversaires possibles au soupçonneux Haldimand, et déterminé comme juge à ne souffrir aucune contradiction. D'après Marie Mesplet, une enquête serrée sur les moeurs et les agissements de son mari ne pourrait qu'établir son innocence. C'est pourquoi elle la sollicite, en représentant la misère qui la guette, elle «pour ainsi dire étrangère dans ce pays», ainsi que le sort injuste infligé à Mesplet, «un second moi-même qui m'est encore plus cher parce qu'il est mon époux».

L'enquête réclamée n'a pas lieu. Mesplet peut enfin lui-même adresser une requête à Haldimand, le 26 septembre 1780, soit après quinze mois d'une sévère détention durant laquelle on l'avait bercé de l'illusion d'une libération prochaine. Il réclame avec force sa liberté en lançant le cri de l'innocence. Voici sa lettre:

Fleury Mesplet, prisonnier, a l'honneur de représenter à Votre Excellence qu'il a été arrêté par ses ordres le 4 juin 1779, et que depuis ce temps il a été réservé si strictement pendant les premiers mois de sa détention qu'il ne lui fut pas possible de faire parvenir

---

198. Lettre de Marie Mesplet à Haldimand, le 15 juillet 1779: APC, MG 21, Papiers Haldimand, B 185-1, p. 95.

ses plaintes à Votre Excellence[199]. L'hiver s'écoula dans une triste position, mais il lui restait encore la consolation de croire que l'arrivée des bâtiments mettrait fin à sa peine. On lui repaissait l'imagination de cet espoir qui calmait un peu son chagrin. Encore lui restait-il alors quelque petit moyen de subsister.

Toutes ses espérances sont évanouies: les bâtiments sont arrivés, ses moyens épuisés, sa santé altérée, son épouse seule dans un pays qui lui est inconnu, sans parents, sans amis, sans bien et sur le point d'être réduite dans l'état le plus critique. Ces tristes considérations ont affaibli la résolution que son innocence lui inspirait. Il a recours à l'autorité et à l'équité de Votre Excellence. Quoi! Se refuserait-elle à rendre à un innocent persécuté la liberté qui lui a été ravie par la malice de ses ennemis, à un citoyen la faculté de subsister par son travail et de préserver une épouse chérie, tant par devoir que par inclination, de la misère à laquelle elle est exposée? Non! Je ne l'ai jamais cru. Je supplie Votre Excellence, avec toute la confiance possible, de lui accorder sa liberté sous telles conditions qu'il lui plaira. Il l'espère de votre autorité et de votre équité[200].

Il est plausible que Mesplet ait attendu un ordre de libération de Londres, qui aurait pu refuser les explications données par Haldimand. Mesplet croyait son innocence d'une telle évidence que, durant un an, il a vécu de cet espoir. Sa lettre marque l'amertume où il se trouve de dépendre uniquement de la volonté toute-puissante du gouverneur général. Sans fortune, sa santé ébranlée, sa femme dans la misère: «Ces tristes considérations, il le dit lui-même, ont affaibli la résolution que son innocence lui inspirait». Réduit à merci, il réclame à Haldimand sa liberté «sous telles conditions qu'il lui plaira». Pour sa part, le 27 février 1781, face à sa «triste situation» de prisonnier, Jautard implorait du secours auprès de «messieurs les avocats français de cette ville». Il manque «non seulement de l'utile, mais du nécessaire». Il réitérait sa demande dans la *Gazette de Québec*, le 8 mars suivant, et d'une façon plus pressante encore[201]. «Détenus dans

199. Cette requête de Mesplet à Haldimand confirme la rigueur de l'incarcération. Arrêté le 4 juin 1779, l'imprimeur n'eut la permission d'écrire — et seulement au gouverneur général — que le 26 septembre 1780. Lors de leur arrestation, le major Nairn avait été averti de priver Mesplet et Jautard d'écriture et de lecture. Une requête, signée conjointement par Mesplet et Laterrière, adressée à Haldimand le 30 avril 1781, fait état de la sévère claustration des prisonniers et réclame qu'ils puissent au moins sortir dans la cour de la prison.
200. Lettre de Fleury Mesplet à Haldimand, le 26 septembre 1780: APC, MG 21, Papiers Haldimand, B 185-1, pp. 97, 98.
201. Lettre de Jautard à l'avocat Berthelot de Québec, datée du 27 février 1781, APC, MG 21, Papiers Haldimand, B 185-1, p. 102; lettre de Jautard aux avocats français de Québec, le 8 mars 1781, APC, MG 21, Papiers Haldimand, B 185-1, p. 104.

les prisons militaires de cette ville», Mesplet et Laterrière signaient en commun, le 30 avril 1781, une lettre adressée à Haldimand. Ils représentaient que leur

> confinement a été strictement clos depuis deux ans et plus, à la réserve de trois mois environ pendant lequel temps la liberté de la cour nous fut accordée l'été dernier.

Ils réclamaient le droit de prendre l'air à l'extérieur «dans une saison aussi favorable»[202].

Le 7 août 1782, Mesplet et Jautard envoyaient à Haldimand la supplique suivante, qui voulait être l'écho de la précédente adressée le 26 septembre 1780:

> Supplient humblement
>
> Valentin Jautard et Fleury Mesplet ont l'honneur de représenter à Votre Excellence qu'ils auraient été arrêtés par ses ordres le 4 juin 1779.
>
> Que depuis un si long intervalle, ils auraient seulement présenté à Votre Excellence leur très humble pétition en date du 26 septembre 1780 dans laquelle, après avoir détaillé le triste état où leur fortune et leur santé était réduite par une si longue détention, les suppliants concluaient à ce qu'il plut à Votre Excellence accorder leur élargissement. Cette pétition fut sans succès.
>
> Qu'il s'est écoulé près de deux ans sans que les suppliants aient fait aucune démarche. Certains de leur innocence, ils ont attendu patiemment un temps où ils pourraient se justifier.
>
> Que si leur situation était triste en septembre 1780, combien déplorable ne doit-elle pas être aujourd'hui: leur fortune pour ainsi dire anéantie, leur tempérament ruiné, au point de perdre tout espoir de le rétablir, ne leur restant de consolation que la certitude de leur innocence, par conséquent d'être sans remords.
>
> Les suppliants espèrent qu'il plaira à Votre Excellence prendre ce que dessus en sa considération et en conséquence ordonner que leur procès soit instruit. Et dans le cas où Votre Excellence ne jugerait pas à propos d'ordonner l'instruction de leur procès, qu'il lui plaise accorder aux dits suppliants soussignés leur élargissement[203].

Mesplet et Jautard font, dans cette lettre, état de leur innocence et de la situation très critique à laquelle ils sont réduits. Haldimand a décidé de les laisser pourrir dans ses prisons. C'est en

---

202. Lettre de Mesplet et de Laterrière à Haldimand, le 30 avril 1781: APC, MG 21, Papiers Haldimand, B 185-1, p. 105.
203. Lettre de Jautard et de Mesplet à Haldimand, le 7 août 1782: APC, MG 21, Papiers Haldimand, B 185-1, pp. 106, 107.

vain qu'ils réclament procès ou élargissement. Leur long silence n'a profité qu'à leur bourreau.

Ce même été, Marie Mesplet lançait un cri de détresse à Haldimand:

> Marie Mirabeau, épouse de Fleury Mesplet, se confiant en votre bonté et humanité envers les affligés prend la liberté d'importuner Votre Excellence pour lui représenter sa triste situation. Étrangère dans ce pays, et après avoir consommé tout son peu de bien pour son propre besoin et celui de son mari, se trouve maintenant sans ressource, et hors d'état de satisfaire aux emprunts qu'elle a été obligée de faire pour se soutenir. C'est pourquoi, mon général, elle se flatte que Son Excellence voudra bien donner l'élargissement à son mari, qui vous en aura, Monseigneur, une éternelle obligation, et pour sûreté de sa conduite à venir, elle se flatte de trouver et fournir deux cautions agréables au gouvernement, qui répondront de sa conduite[204].

Cette lettre devait porter fruit. Est-ce la description de la situation déplorable de Marie Mesplet, témoignage vivant à Montréal de l'inhumanité du gouverneur général? Sont-ce les deux répondants de la conduite de l'imprimeur? Un fait est certain: l'imprimeur obtenait sa libération le 1er septembre 1782[205].

Peu après le départ de Mesplet, Jautard écrivait, le 19 septembre, au secrétaire du gouverneur général. Le prisonnier exigeait que lui fût communiqué le motif précis de son incarcération. Il faisait allusion à une requête et à une lettre antérieures, demeurées sans réponse. En passant, Jautard faisait remarquer à son correspondant: «Je sais qu'il m'est permis de penser, mais j'ignore si je dois dire ce que je pense»[206]. C'était bien pour avoir dit ce qu'il pensait, pour avoir exercé son droit à la liberté d'expression que Jautard était emprisonné. Au seuil

---

204. Lettre de Marie Mesplet à Haldimand, été 1782: APC, MG 21, Papiers Haldimand, B 185-1, p. 119.
205. Mémoire de Mesplet au Congrès, le 1er août 1783: *Papers of Continental Congress*, No 41, vol. 6, p. 303:
   ...Cette même canaille «royaliste» et même protecteur (sic) «le clergé» continuèrent de me persécuter, et sollicitèrent si fort auprès de M. Haldimand qu'ils parvinrent à me faire arrêter, le 4 juin 1779, et je fus conduit dans les prisons militaires de Québec où j'ai resté jusqu'au 1er septembre 1782, encore suis-je sorti fugitivement, sans quoi j'y serais peut-être encore.
   Fugitivement n'a pas ici le sens d'évasion, mais plutot d'une permission tacite de quitter la prison sans remplir les formalités administratives. Car Haldimand ne pouvait justifier cette arrestation, rejetant l'idée même de procès.
206. Lettre de Jautard à Matthews, le 19 septembre 1782: APC, MG 21, Papiers Haldimand, B 185-1, pp. 108, 109.

d'un long hiver à passer dans son cachot, le journaliste écrivait de nouveau au secrétaire, le 2 novembre 1782. Il rappelait ses différentes et inutiles démarches auprès du gouverneur général pour connaître les motifs de son emprisonnement et obtenir la tenue d'un procès ou son élargissement. Il disait souhaiter plutôt un procès

> puisqu'alors je connaîtrai mes accusateurs. Le public les connaîtrait aussi, et je suis certain que le jugement qui interviendrait les couvrirait de honte.

Jautard représentait la longueur de son incarcération qui avait ruiné sa santé et l'avait «réduit à une extrême misère»[207]. Nouveau cri de détresse de Jautard, le 18 novembre, inspiré par son désespoir de passer l'hiver en prison[208]. Sur la double intervention du «général des sauvages» Saint-Luc de la Corne et de François Baby, Haldimand consentait à sa libération, le 8 février 1783. Voici la lettre qu'adressait, avant son départ de Québec, Valentin Jautard au gouverneur général:

> Comme il a plu à Votre Excellence accorder à messieurs de Saint-Luc et Baby mon élargissement, je prends la liberté de vous en faire mes très humbles remerciements. Je ferai en sorte, Monsieur, de me comporter de manière que la critique la plus sévère ne trouvera aucun sujet de censure et dans le cas où ma conduite serait répréhensible, je prie Votre Excellence d'accepter ma parole d'honneur que je rentrerai dans les prisons, ou à Montréal ou à Québec, au premier ordre qu'il lui plaira me faire notifier. Mais je prie Votre Excellence d'ajouter foi au rapport que vous en fera Monsieur de Saint-Luc, sous les yeux duquel je serai préférablement à tout autre.
>
> Si je peux être utile en quelque chose à l'avantage du gouvernement, suivant mes talents, je m'y emploierai du meilleur de mon coeur...[209]

Jautard est demeuré emprisonné cinq mois de plus que Mesplet. Sans doute Marie et Fleury Mesplet ont-ils fait des démarches pressantes auprès de Saint-Luc, leur voisin rue Capitale[210], et

207. Lettre de Jautard à Matthews, le 2 novembre 1782: APC, MG 21, Papiers Haldimand, B 185-1, pp. 110 à 112.
208. Lettre de Jautard à Matthews, le 18 novembre 1783: APC, MG 21, Papiers Haldimand, B 185-1, p. 113.
209. Lettre de Jautard à Haldimand, le 8 février 1783: APC, MG 21, Papiers Haldimand, B 75-1, p. 6.
210. Saint-Luc de la Corne demeurait à proximité de l'atelier de Mesplet, rue Saint-Paul. Cette domiciliation est précisée dans la «Déclaration du fief et seigneurie de l'isle de Montréal au papier terrier du domaine de Sa Majesté en la province de Québec en Canada, faite le 3 février 1781 par Jean Brassier, prêtre de Saint-Sulpice» reproduite dans *Montréal 1781*.- Montréal; Payette, 1969.- p. 24.

conseiller législatif, pour qu'il se porte caution en faveur de Jautard, condamné à passer un quatrième terrible hiver dans une prison insalubre. C'est un homme épuisé et brisé (on le voit à son style) qui a écrit la lettre de remerciements à Haldimand. Sa soumission paraît totale. Tel n'est pas le fait de Pierre du Calvet.

Dans son *Appel à la Justice de l'État*, qu'il publiera à sa sortie de prison, il adressera une épître à Haldimand, dont l'extrait suivant donne une idée de la fureur qui l'anime:

> Vous m'avez confiné sans pitié, pendant 948 jours, dans les horreurs et les douleurs cuisantes d'une infâme prison: vous avez livré au pillage la brillante fortune dont je jouissais, à la gloire de ma droiture, comme le fruit mérité de mon industrie et de mes travaux; vous avez fait jouer toutes sortes de ressorts pour entamer et détruire mon honneur, quoique sans succès et à votre honte: en vain les plus honnêtes gens de la province offraient leurs fortunes et leurs personnes pour garant de mon innocence passée et à venir; en vain je réclamais juridiquement mon jugement; en vain j'insistais à grands cris d'être transporté en Angleterre pour y être livré à toute la rigueur des lois, si je les avais violées. Non; votre barbare coeur s'est montré inexorable à toute demande judicielle. Ce n'est pas la justice ni ma justification que vos passions voulaient; elles ne respiraient que ma destruction; et ma captivité prolongée pouvait seule en être le triste prélude et l'incontestable garant[211].

Dans ce même document, Du Calvet précisait que l'«inquisition d'État établie à Québec» par Haldimand était plus effroyable que «les inquisitions d'Espagne et de Portugal, au plus fort de l'exaction de leur fanatisme monacal»[212]. Comme on l'a précédemment, Du Calvet fut spécialement sous la surveillance du «général» des Récollets, le père Berey. Celui-ci claquemura son prisonnier dans l'infirmerie que Du Calvet, dans son *Appel à la Justice de l'État* qualifiait de

> cloaque général où les moines périodiquement, et quelquefois par bandes, venaient dans les jours fréquents de leurs infirmités et de leurs purgations, se décharger de leurs ordures.

Au-dessus du cachot de Du Calvet, on interna deux fous qui faisaient du vacarme jour et nuit, et incommodaient le prisonnier de leurs excréments coulant par des fissures du plafond. Berey refusa de faire nettoyer — même contre argent comptant — la

---

211. *Appel à la Justice de l'État*, op. cit., p. 45. Du Calvet ne sera libéré que le 2 mai 1783: voir l'ordre de libération, APC, MG 21, Papiers Haldimand, B 205, p. 192.
212. *Appel à la Justice de l'État*, op. cit., p. 153.

cellule de Du Calvet, durant deux années révolues[213]. Aussi le prisonnier de Berey rappellera-t-il dans l'*Appel à la Justice de l'État*, ces deux vers de la *Pucelle d'Orléans:*

> J'eus pour ami le cochon de saint Antoine
> Céleste porc, emblème de tout moine[214].

Du Calvet considérait comme un séjour en enfer son emprisonnement dans un monastère. Il ne pouvait qu'applaudir aux dénonciations que faisait Voltaire de certains ordres religieux, par exemple, en 1752, dans un *Fragment des instructions pour le prince royal de...:*

> Vous ne pouvez, sans rire de pitié, entendre parler de ces troupeaux de fainéants tondus, blancs, gris, noirs, chaussés, déchaux, en culottes ou sans culottes, pétris de crasse et d'arguments, dirigeant des dévotes imbéciles, mettant à contribution la populace, disant des messes pour faire retrouver les choses perdues, et faisant Dieu tous les matins pour quelques sous...[215].

Certes, le «général» des Récollets se défendra d'avoir fait subir des humiliations à Du Calvet, cet huguenot qui était tombé en son pouvoir, mais nous savons, par les témoignages de ses propres religieux, que Berey les conduisait comme un colonel dur et cruel[216].

Jautard aussi n'avait pas été sans prendre conscience que l'Église se félicitait de son emprisonnement et de celui de tous les esprits «éclairés» comme Du Calvet. Ainsi s'explique ce poème vengeur que le journaliste écrivit, probablement en prison, contre l'évêque de Québec, Mgr Briand:

> Buridan n'était qu'une bête
> auprès de notre Briand.
> Par Dieu, quelle bonne tête!
> C'est du ciel un vrai présent.
> Au mandat de la croisade
> armons-nous mes chers amis.

---

213. *Ibid.*, pp. 7, 8.
214. VOLTAIRE.- *La Pucelle d'Orléans*. Dans les Oeuvres complètes, tome VIII (Genève, 1970), chant XX, p. 567, vers 225. On remarquera que Du Calvet a faussé le décasyllabe en écrivant le «cochon de saint Antoine». alors que Voltaire avait naturellement écrit «le porc de saint Antoine». Dans l'*Appel à la Justice de l'État* (p. 8), la citation est précédée de cette remarque:
   ...qu'on pardonne ici à M. du Calvet de rappeler la caricature sous laquelle le fameux Voltaire peignait dans leur vrai coloris, tous les torchons monacaux dans sa *Pucelle.*
215. VOLTAIRE.- *Fragment des instructions pour le prince royal...:* M. XXVI, 441.
216. Voir note 189.

Boston n'est qu'une promenade.
Ces mutins seront soumis.

Nous voyons bien leur défaite
apurée pour le certain.
Ils n'observent pas nos fêtes
et n'adorent pas nos saints.

Le prélat dit de combattre.
Pourrions-nous donc balancer?
La foi, dit-il, va s'abattre
si vous osez refuser.

Vous perdrez les indulgences
que j'accorde chaque fois
d'un coeur plein de vaillance
quand à l'autel je parois

Les Jésuites sans les nommer
subiront sans contredit
l'anathème lancé de Rome
si vous n'êtes pas soumis.

Marchons en bons fanatiques.
Allons nous faire égorger
puisque la foi politique
de nos sorts veut décider.

Les indulgences plénières
nous conduiront sûrement
à l'éternelle lumière
si nous sommes obéissants.

En dépit de la vraie gloire
portons nos pas en avant.
Dans le temple de mémoire
nous serons mis tristement.

Et par nos braves prouesses
dans les combats, méritons
qu'on augmente avec largesse
du prélat la pension[217].

Cette satire nous présente l'évêque de Québec, effectivement pensionné par le roi, prêchant une «guerre sainte» contre les Fils de la Liberté. Au mois de janvier 1781, Mgr Briand avait adressé une lettre circulaire à ses curés, les incitant à ne pas faiblir dans leur foi royaliste et les conviant à se faire délateurs à l'occasion.

---

217. Pièce versifiée sur Mgr Briand: APC, MG 21, Papiers Haldimand, B 185-1, pp. 135, 136.

Je croirais vous faire l'injure la plus atroce, leur écrivait-il, si je vous soupçonnais d'être capables de violer le serment de fidélité fait à un gouvernement sous lequel nous avons été heureux jusqu'ici. Veillez donc! Et si vous découvrez des traîtres, loin de les cacher, faites-les connaître comme vous l'avez juré[218].

Cette lettre circulaire avait été suscitée par une lettre que le gouverneur général avait adressée à l'évêque pour lui faire part de ses craintes:

Bien que je sois sensible à la bonne conduite du clergé en général pendant l'invasion de la province en l'année 1775, je sais très bien que depuis que l'on a su que la France avait pris part à la lutte, et depuis que l'adresse du comte d'Estaing et une lettre de monsieur de LaFayette aux Canadiens et aux Indiens ont été répandues dans la province, un grand nombre de prêtres ont changé d'opinion. Et dans le cas d'une autre invasion, ils adopteraient, je le crains, une autre attitude[219].

L'avenir ne justifia pas ces craintes.

Les derniers prisonniers, y compris Du Calvet, furent libérés le 2 mai 1783[220]. En fait, la guerre avait pratiquement pris fin au mois de juin 1782, avec l'arrivée à New York de Carleton, porteur d'instructions lui ordonnant de se restreindre à des mesures défensives[221]. La Grande-Bretagne et les États-Unis devaient passer un traité provisoire le 30 novembre 1782. Jusqu'à la dernière minute, les États-Unis avaient espéré que le Québec ferait partie du même ensemble politique qu'eux[222].

Il est à noter que, dans le temps même où les diffuseurs des Lumières, Mesplet et Jautard, et de nombreux notables «éclairés» étaient mis sous verrous, les grandes oeuvres des Philosophes pénétraient officiellement dans la colonie par le canal de la première bibliothèque publique, dont la *Gazette du commerce et littéraire* avait suggéré la fondation, dès son premier numéro. L'Académie de Montréal avait aussi appuyé le projet. Malgré les réticences de l'Église, Haldimand décidait l'établissement d'une bibliothèque publique dans la capitale. Il exposait ainsi ses

218. GAGNON, C.-O. et Henri TÉTU.- *Mandements, lettres pastorales et circulaires des évêques de Québec*, tome II.- Québec, 1887.- p. 303.
219. McILWRAITH, J. N.- *Frederick Haldimand.*- Toronto, 1906,- p. 128. Cite la lettre du gouverneur général Haldimand à Mgr Briand.
220. Du Calvet fut l'un des derniers à être libéré, avec Charles Hay. Voir note 211.
221. LANCTÔT, Gustave.- *Le Canada et la Révolution américaine.*- Montréal; Beauchemin, 1965.- p. 236.
222. TRUDEL, Marcel.- «Le traité de 1783 laisse le Canada à l'Angleterre».- RHAF, vol. III, 1949-50, pp. 187, 188.

motifs dans une lettre à son ami le général de Budé, un des chambellans de George III, le 1er mars 1779:

> Le peu de ressources de la place, l'ignorance des gens qui, je le constate tous les jours, est bien le plus grand obstacle à vaincre pour les amener à comprendre leurs intérêts et leur devoir, m'ont donné l'idée d'établir une bibliothèque publique. J'ai réussi à convaincre l'évêque et le supérieur du séminaire de l'avantage qui en résulterait. Ils sont entrés dans mon idée, et, en même temps que plusieurs autres prêtres, presque tous les marchands anglais et un bon nombre de Canadiens, ils ont signé la souscription que j'avais fait ouvrir[223].

Dans une autre lettre, écrite le lendemain, cette fois à l'agent de la province à Londres, Richard Cumberland, Haldimand revenait sur le fait que c'était la grande ignorance de la population qui l'incitait à mettre sur pied la bibliothèque:

> Dans la conviction où j'étais que l'ignorance des habitants de ce pays était la cause principale de leur conduite mauvaise et de leur attachement à des intérêts qui leur sont évidemment préjudiciables, j'ai cherché à encourager une souscription en faveur d'une bibliothèque publique et je dois dire que l'on a répondu à cet appel au-delà de toute attente. Une assez jolie somme a déjà été souscrite, et lorsque le projet sera suffisamment mûri par l'expérience, je ne doute pas qu'il contribuera grandement à créer un meilleur accord de sentiments et une complète union d'intérêts entre les anciens et les nouveaux sujets de la Couronne[224].

Ainsi, comme les rédacteurs de la *Gazette littéraire* qu'il devait faire emprisonner deux mois plus tard, Haldimand croit qu'un combat contre l'ignorance s'impose. Les ecclésiastiques se soumettent à la volonté du gouverneur général, mais de mauvaise grâce. Montgolfier écrivait à Mgr Briand:

> Je vous avoue, Monseigneur, que si je contribue à cet établissement, ce ne serait qu'à contre coeur, et par un pur motif de politique chrétienne. Je suis intimement convaincu que dans tous les établissements de l'imprimerie et de bibliothèque publique, quoiqu'ils aient en eux-mêmes quelque chose de bon, il y a toujours plus de mauvais que de bon, et qu'ils font plus de mal que de bien,

---

223. Lettre du gouverneur Haldimand à Budé, le 1er mars 1779. Citée dans FAUTEUX, Aegidius.- *Les bibliothèques canadiennes.*- Montréal; Arbour et Dupont, 1916.- p. 23.
224. Lettre du gouverneur Haldimand à Richard Cumberland, le 2 mars 1779: *Les bibliothèques canadiennes*, op. cit., p. 24.

même dans les lieux où il y a une certaine police pour la conservation de la foi et des bonnes moeurs[225].

Montgolfier se disait donc foncièrement opposé à la diffusion des connaissances (profanes) soit par l'imprimerie, soit par la bibliothèque. La même logique l'avait conduit à combattre l'action de Mesplet et de Jautard. Il ne pouvait admettre la liberté de pensée, sous quelque forme qu'on la proposât. Il ne s'inclinait devant Haldimand que par «pur motif de politique chrétienne», c'est-à-dire parce qu'il pliait devant une puissance supérieure à la sienne. Celle-là même qu'il avait utilisée, par l'entremise de Rouville, pour se débarrasser de Jautard et Mesplet. Dès le 15 janvier 1779, selon la *Gazette de Québec*, un bureau de direction de la nouvelle bibliothèque publique était mis en place[226]. Dans sa lettre adressée au général de Budé le 1er mars 1779, Haldimand précisait:

...j'ai chargé les directeurs de la bibliothèque de dresser un catalogue que j'envoie à M. Cumberland du Board of Trade, agent de cette province, avec un crédit de 500 livres sterling. Si ce dernier s'en occupe assez diligemment, nous espérons recevoir les livres l'hiver prochain. C'est ma profonde conviction que cet établissement sera des plus avantageux et mérite d'être encouragé[227].

Le lendemain, Haldimand priait l'agent du Canada à Londres de faire l'achat des livres nécessaires à la bibliothèque[228]. Les volumes achetés par Cumberland arrivèrent à Québec, à l'automne de 1780[229]. D'après le premier catalogue de la bibliothèque, publié en 1785, elle contenait mille huit cent quinze livres, dont mille un en français. Parmi ces ouvrages, figuraient bon nombre de livres des Philosophes, dont l'*Encyclopédie*, les oeuvres complètes de Voltaire et celles de Rousseau[230].

225. Lettre de Montgolfier à Mgr Briand. Citée dans DROLET, Antonio.- *Les bibliothèques canadiennes (1604-1960)*.- Montréal; Cercle du livre de France, 1965.- p. 91.
226. GQ, 21 janvier 1779, 3e page, col. 1, 2, numéro 699.
227. Lettre du gouverneur général Haldimand à Budé, le 1er mars 1779. Citée dans FAUTEUX, *Les bibliothèques canadiennes*, op. cit., pp. 23, 24.
228. Le gouverneur général Haldimand écrit à Cumberland, le 2 mars 1779:
    Les messieurs qui ont été choisis comme administrateurs par la majorité des souscripteurs, connaissant votre goût pour les lettres [Cumberland était un dramaturge], vous sollicitent d'acheter en leurs noms les livres dont ils vous envoient la liste, d'y ajouter ceux que vous jugerez convenables, et, en un mot, de les aider de vos avis et de votre appui...
    Citée dans FAUTEUX, *Les bibliothèques canadiennes*, op. cit., p. 24. On voit par là que l'accès à des livres de langues française n'offrait pas de difficultés réelles sous le gouvernement colonial britannique. Haldimand commanda autant de livres français que de livres anglais, comme le montrera le catalogue.
229. FAUTEUX, *Les bibliothèques canadiennes*, op. cit., p. 25.
230. *Ibid.*, pp. 27, 28. Consulter le *Catalogue of English and French Books in the Quebec*

Premier organe des Lumières au Québec, la *Gazette littéraire* n'aura vécu que douze mois: après en avoir célébré l'anniversaire, Fleury Mesplet et Valentin Jautard sont emprisonnés durant plus de trois ans. La lutte philosophique, engagée par le journal et l'Académie voltairienne de Montréal, paraît se terminer abruptement. Mais elle sera reprise par Mesplet au lendemain de sa libération. La *Gazette de Montréal* prendra la relève de la *Gazette littéraire* avec autant de courage, mais avec plus de liberté. Journal d'informations et de commentaires, la *Gazette de Montréal* entreprendra entre autres des combats pour l'obtention d'une nouvelle constitution, la diminution de la superstition, l'établissement d'un enseignement public et la réforme de la magistrature. Le périodique sera dans le même temps un écho de la Révolution française dont l'action inspirera un mouvement réformiste canadien. L'atelier de Mesplet ne cessera qu'à la mort de celui-ci, d'être le centre de rayonnement de l'idéal voltairien dans la province de Québec. C'est ce que nous verrons dans la troisième partie de cet ouvrage, qui s'ouvre sur les difficultés que rencontre Mesplet pour fonder un nouveau journal dont l'influence sera considérable et qui saura garder sa fidélité envers Voltaire.

Library at the Bishop's Palace where the rules may be seen.- Québec; New Printing, 1808.- 40 pages. Dans ce catalogue, nous relevons les oeuvres complètes de Voltaire (40 vol. - 1775), de Rousseau (23 vol. - 1782), de Fontenelle (11 vol. - 1766), de Marmontel (11 vol. - 1777, de Pope (8 vol. - 1773), de Montesquieu (7 vol. - 1779), d'Helvétius (5 vol. - 1781), de Hume (2 vol. - 1764). On pouvait aussi trouver sur les rayons des ouvrages de Boulanger (d'Holbach), de Bolingbroke, de Bentham, de Franklin, de Locke, de Beccaria, de Buffon, de Paine, de Raynal, de Brissot, de Condorcet, de Bernardin de Saint-Pierre, de Beaumarchais. Il y avait évidemment l'*Encyclopédie* (35 vol. - 1765). Et quelques ouvrages antiphilosophiques dont l'*Anti-Dictionnaire philosophique* de Chaudon et les *Erreurs de Voltaire* de Nonnotte. La bibliothèque publique avait son siège au palais épiscopal, mais celui-ci avait été entièrement loué à l'État par l'évêque, qui demeurait au Séminaire de Québec. Voir *Les mandements des évêques de Québec*, op. cit., pp. 82, 83. Dans le choix des livres de la bibliothèque Haldimand, il n'était évidemment pas tenu compte du fait que le pape Benoît XIV eût censuré l'édition des *Oeuvres de Voltaire* en 1753 ni que son successeur, Clément XIII, dix ans plus tard, ait condamné *De l'esprit* d'Helvétius, l'*Émile* de Rousseau, les ouvrages de d'Holbach et l'*Encyclopédie*. Voir PRÉCLIN, Edmond.- *Le XVIIIᵉ siècle: les forces internationales.* Paris; Presses universitaires de France, 1952.- pp. 662, 664. Enfin, au moment où Haldimand fondait la première bibliothèque publique au Québec, il y en avait déjà une cinquantaine dans les territoires anglophones d'Amérique du Nord. Voir LACOUR-GAYET, Robert.- *Histoire des États-Unis.-* Paris; Fayard, 1970.- pp. 129, 130.

Troisième partie

LA GAZETTE
DE MONTRÉAL

Chapitre 9

Face aux créanciers

À sa sortie de prison, Mesplet tenta de rétablir sa situation financière gravement compromise. Il entreprit des démarches auprès du Congrès pour obtenir certains dédommagements. Puis il conclut une nouvelle entente avec son associé Charles Berger. Mais ces mesures, dont nous verrons le détail, ne devaient pas empêcher la mise à l'encan de ses biens, y compris l'instrument même de la diffusion des Lumières, l'imprimerie.

Marie Mesplet avait obtenu du gouverneur général la permission de faire fonctionner les presses durant l'incarcération de son mari. La parution de l'*Almanach curieux et intéressant* a pu se poursuivre, de même que l'impression du calendrier. En 1781, sortait également des presses de Mesplet un manuel anglo-mohawk, commandé par Daniel Clause, surintendant des Affaires indiennes au Canada[1]. Marie Mesplet devenait ainsi la

---

1. Voir BUONO, Yolande.- *Imprimerie et diffusion de l'imprimé à Montréal (1776-1820):* mémoire de maîtrise en bibliothéconomie.- Montréal; Université de Montréal, 1980.- p. 29. *Almanach curieux et intéressant pour l'année 1781.-* Montréal; chez Fleury Mesplet, imprimeur et libraire.- 48 p. Conservé à la *Bibliothèque nationale du Québec*, département des livres rares (RES AG32). Cet almanach contient un calendrier (avec fêtes, lever, coucher du soleil, lunaisons); idée générale du globe de la terre; des éclipses du soleil et de la lune; avis utile qu'on doit tirer du miroir; bons mots et faits curieux; histoires choisies, la loterie de Jupiter; un logographe; une chanson, l'Éloge du café; annonce de livres de dévotion et d'abécédaires en vente à la librairie de Mesplet.

première femme-éditeur au Québec. Mais ces travaux ne suffi-saient pas à la faire vivre, de même que son mari prisonnier, comme elle le précisait à Haldimand dans une lettre déjà citée: elle se trouvait en 1782 «sans ressources, et hors d'état de satis-faire aux emprunts» qu'elle avait été obligée de contracter[2].

C'est pourquoi, dès le 1er août 1783, Mesplet adressait un mémoire au Congrès, dans lequel il réclamait des compensations monétaires, jugeant que la source de son infortune actuelle était dans l'ordre qu'il avait reçu des représentants des colonies unies de venir installer une imprimerie à Montréal. Dans ce document, Mesplet racontait les difficultés de son voyage, de son établis-sement, ainsi que sa double arrestation due à «tous ces animaux que l'on nomme royalistes» qui «tramèrent une ligue contre moi, et firent agir toute la puissance du clergé»[3]. On voit qu'à ses yeux il avait été persécuté en raison de ses opinions sur les libertés et qu'il est aussi bien conscient du rôle du clergé dans sa destruc-tion. Le 27 mars 1784, l'imprimeur adressait de nouvelles repré-sentations au Congrès. Rappelant encore une fois ses tribula-tions, il souhaitait «telle indemnisation et secours» que la géné-rosité des représentants jugerait à propos de lui accorder. Mesplet insistait sur le fait qu'il avait été embauché officiellement par le Congrès, qu'il avait été à son service et qu'à Montréal, «il s'oc-cupa uniquement à favoriser la cause des États-Unis, jusqu'à l'évacuation de la province par leur armée». Emprisonné

> durant l'espace de trois années et demie pendant lequel temps il s'est vu priver non seulement de toute commodité, mais même souvent des nécessités de la vie; la cessation d'armes lui a fait retrouver la liberté de sa personne, mais lui a ôté les moyens d'en jouir, qui ne peuvent lui être rendus que par la justice, l'équité et la générosité du respectable Congrès...

Mesplet précisait qu'il ne possédait comme fortune que cinq mille dollars en papier du Congrès:

---

2. Lettre de Marie Mesplet à Haldimand, été 1782. APC, *Papiers Haldimand*, B 185-1, p. 119.
3. Mémoire de Fleury Mesplet au Congrès, le 1er août 1783: *Papers of the Continental Congress*.
   On this day [le 1er octobre 1783], as the indorsement indicates was read the memorial of Fleury Mesplet, printer, dated Montreal, August 1, 1783 and referred to Mr Samuel Holten, Mr Arthur Lee and Mr Abraham Clark. It is in no 41, folio 305, and the letter transmitted, of the same date, is in no 78, XVI, folio 365. According to Committee Book no 186, the committee was discharged, November 1.- *Journals of Congress*, vol. XXV - 1783 (1922), p. 636, note 1.

Je dois aux environs de deux mille dollars, que je ne peux payer avec ce papier [sans valeur au Canada], de sorte que je me trouve dans l'impossibilité à pouvoir y faire honneur[4].

Devant le silence du Congrès, Mesplet se rendit à Philadelphie, puis à New York où siégeait le gouvernement des États-Unis. À Philadelphie, il réussit à obtenir les témoignages de citoyens, confirmant ses dires, puis une lettre de recommandation d'un ancien président du Congrès. Le 31 mars 1785, des citoyens de Philadelphie attestaient en effet, devant le juge de paix Coram John Miller, la véracité des déclarations de l'imprimeur aux représentants de la nation: P. G. Breton et James Valliant certifiaient que Mesplet avait bien quitté Philadelphie pour Montréal en mars 1776 et qu'il avait embauché un homme de lettres, deux ouvriers-imprimeurs et un domestique[5]. Pour sa part, le traducteur John Germon attestait que le Congrès s'était engagé à payer les dépenses de Mesplet:

> Son Excellence John Hancock, ancien président du Congrès, a fait en ma présence — comme j'agissais à titre d'interprète dudit Mesplet — la promesse au nom du Congrès de défrayer le coût de toutes dépenses raisonnables, susceptibles d'être faites dans la tâche qui lui était confiée, et que le Congrès lui verserait une indemnité équitable pour les difficultés qui l'attendaient[6].

4. Mémoire de Fleury Mesplet au Congrès, le 27 mars 1784: *Papers of the Continental Congress*, No 41, vol. 6, pp. 336, 337.
   On this day [le 15 mai 1784], as the endorsement indicates, the Memorial of Fleury Mesplet was referred to the Committee of the States; read in committee July 26 and ordered to lie. It is in the *Papers of the Continental Congress*, No 41, VI, folio 337. — *Journals of Congress*, vol. XXVII - 1784 (1928), p. 385, note 1.
   Un autre mémoire fut présenté par Mesplet à la fin de l'hiver 1785:
   [Le 11 mars 1785] The following committees were appointed: Mr Samuel Holten, Mr Richard Dobbs Spraight and Mr Zephaniah Platt, on Fleury Mesplet's memorial while was read this day. This committee was renewed April 11. The petition is in No 41, VI, folio 36. — *Journals of Congress*, vol. XXVIII - 1785 (1933), p. 148.
5. Attestation de P.-G. Breton et James Valliant, le 31 mars 1785:
   We the Subscribers, certify to all whom it may concern, that Mr Fleury Mesplet, printer in the city of Philadelphia, has set off the said city for Montreal in Canada, in the month of March 1776, in the capacity of a printer for the United States, and that he has taken with him, his family, furnitures, press and every other things belonging to his printing office; and we do further certify that he has engaged to go with him, the following persons, viz: Mr Alexander Pochard, a gentleman of learning; MMssrs John Grey [Gray] and Hers [Herse], both as journey men printers, and one servant. - APC, *Papers of the Continental Congress*, No 41, vol. 6, p. 353.
6. Attestation de l'interprête John Germon, le 31 mars 1785:
   I, the underwritten, do certify that Mr Fleury Mesplet, a printer from Philadelphia, was sent in the same capacity by Congress to Canada, with orders to settle at Montreal — That he had along with him a compositor, two pressmen and a servant.- That His Excellency John Hancock, late President of Congress

Un autre citoyen de Philadelphie, Étienne Fournier, informait le Congrès, qu'après une enquête auprès des marchands à Montréal, à savoir Loubet, Marrassé, Meyrand, Desautels et LeGuay, il pouvait certifier que, depuis son arrivée au Canada, Mesplet avait sans cesse été l'objet de vexations, d'une surveillance continuelle et s'était trouvé dans l'incapacité d'échapper à ses ennemis[7]. Joseph-H. Périnault confirmait les faits, en rattachant les arrestations de juin 1776 et de juin 1779 à la même cause[8]. De son côté, Isaac Melchor affirmait avoir fréquemment entendu dire, l'hiver et le printemps derniers au Canada, que Mesplet avait grandement souffert pour la cause de la liberté. Son emprisonnement rigoureux n'avait pris fin qu'à la conclusion de la paix[9].

did in my presence — as I was attending as interpreter to the said Mesplet — promise him in the name of Congress, to defray every reasonable expense to which he might be subjected in his then present situation, and that Congress would besides give him an adequate compensation for his pains and the disadvantages attending his removal.- APC, *Papers of the Continental Congress*, No 41, vol. 6, p. 367.

7. Attestation d'Étienne Fournier, le 31 mars 1785:
    I, the underwritten, do certify that all persons to whom I have spoken about Mr Fleury Mesplet, have assured me that ever since he arrived into Canada, he was continually labouring under various vexations, and that among others, Messieurs Loubet, Marrassé, Meyrant, Deshautelle [Desautels], and Legay [LeGuay], merchants at Montreal, have all assured me that Mr Mesplet was continually surrounded by spies and enemies from whom it was altogether impossible for him to escape, that besides, it is well known to the whole town, that Mr Mesplet has sold goods in the way of his trade, for Continental currency, and that he even gave gold and silver in exchange for paper money.- APC, *Papers of the Continental Congress*, No 41, vol. 6, p. 371.

8. Attestation de Joseph-H. Périnault, le 31 mars 1785:
    I, the underwritten, do hereby certify that sometime in the month of May 1776, Mr Fleury Mesplet came to Montreal, in order to set up a printing office. That some time in the month of June then next following — the time when the American troops evacuated that place — persons were employed by the British Government in order to watch very closely the said Fleury Mesplet, which they did for the space of eight days, afterwards, he was taken with all his workmen and confined for twenty-six days. That at the expiration of that period, the said Fleury [Mesplet] on the earnest sollicitation of his friends, was released, but still very closely watched and deprived of all the means to make his escape out of the province. That on the third of June 1779, he, the said Fleury [Mesplet], was again apprehended on suspicion, and sent to the jail of Quebec, where he was kept confined for the space of three years and a half, consecutive, and was not released until the happy event of the peace took place.- APC, *Papers of the Continental Congress*, No 41, vol. 6, p. 351.

9. Attestation d'Isaac Melchor, le 31 mars 1785:
    During my stay last winter and spring in Canada, I frequently heard Mr Mesplet's name mentioned as one of the sufferers in the American cause during the late war, and that he had been confined at Quebec upwards of three years and not liberated until peace. I also understood from several well disposed to the American Revolution — as well at Quebec as Montreal — that Mr Mesplet was considered as an American and had given proofs of his attachment to the Independance of the United States.- APC, *Papers of the Continental Congress*, No 41, vol. 6, p. 351.

Le 1er avril 1785, un notable de Philadelphie, Thomas Mifflin, ancien président du Congrès, écrivait au député Hardy, de Virginie, siégeant au Congrès à New York, une lettre de recommandation en faveur de Mesplet dans laquelle il l'engageait à assister l'imprimeur montréalais dans ses démarches auprès du Congrès, «dans toute la mesure où cela lui paraîtrait juste et raisonnable». Mesplet y était présenté comme «l'un de ces infortunés étrangers galvanisés par les promesses de zélés whigs en 1776» et qui avait servi au Canada comme imprimeur, ce qui lui avait valu un long emprisonnement et la ruine[10].

À New York, à la demande du comité du Congrès chargé d'étudier ses réclamations, Mesplet fournit dans un Mémoire le plus de précisions possibles sur son départ de Philadelphie et son établissement à Montréal. Nous connaissons ainsi la genèse de son aventure et les influences du Congrès qui ont joué en sa faveur: celles de Franklin, Hancock, Chase et Thomson. Nous y saisissons la foi sans bornes de Mesplet, sa conviction sincère que les libertés américaines s'étendraient au Québec: «I always flattered myself that the American arms would be victorious in that province»; «I supported my pain with firmness and flattering myself with the hopes of seeing at last that province united to the thirteen States»; «The triumph of America over the tiranny of Great Britain is all my satisfaction I desire». Animé de la plus vive ardeur — sans exiger qu'aucune avance de fonds de la part du Congrès pour son établissement à Montréal —, il part avec

---

10. Lettre de Thomas Mifflin au député Hardy, de Virginie, datée du 1er avril 1785:

The bearer, Mr Fleury Mesplet, is one of those infortunate strangers who depending upon the hasty promises of zealous whigs in 1776 went to Canada as a printer — or agent — for the United States, was in consequence of his exertions imprisoned three years and half and finally ruined.

He has presented a Memorial to Congress with an estimate of his losses and wishes to have your friendly aid in support of his claim. The ostensible situation I was in last year has exposed me to the attacks of strangers who have claims on the justice or generosity of Congress, and it is but seldom that I am so fortunate as to avoid a disagreable interference. The present case is one of those I cannot parry. You will therefore forgive me for introducing Mr Mesplet to you with my request, that you will assist him in his application to Congress so far as it may appear just and reasonable.- APC, *Papers of the Continental Congress*, No 41, vol. 6, p. 357.

Mifflin s'était occupé de la traduction de la seconde Lettre du Congrès imprimée par Mesplet. Voir la note 145, dans la première partie.

le titre d'imprimeur du Congrès. Après avoir affronté la dureté du climat et un naufrage, il parvient à destination au moment où les milices américaines sont chassées hors du Québec, et dans l'impossibilité aussi, en raison de la détérioration de son papier et de ses presses, d'imprimer la plus petite ligne sur la liberté. Ses effets sont saisis; il est emprisonné avec ses gens durant vingt-six jours. Même après sa sortie de prison, il reste étroitement surveillé et se voit de nouveau incarcéré pendant trois ans et trois mois sous le fallacieux prétexte qu'il avait «printed and rendered public the Manifesto of the Count d'Estaing». Son emprisonnement a été terrible: «I suffered such miseries as humanity forbide to cite». Maintenant son «oppressor» Haldimand lui a rendu la liberté, mais elle lui est devenue intolérable: il est non seulement ruiné, mais il a aussi la douleur de voir «the province of Canada remain to the power of Great Britain». C'est l'écroulement de toute espérance chez Mesplet. Dès sa sortie de prison, il a écrit le 4 août 1783 à Hancock et à Thomson qui avaient soutenu sa candidature comme imprimeur du Congrès. Mais il n'a reçu aucune réponse. Pas de nouvelle non plus de Mifflin, à qui il s'était adressé le 31 mars 1784. Devant ce silence, des amis lui ont conseillé de se présenter en personne devant les représentants des États-Unis. C'est ce qu'il fait, malgré les frais que cela lui occasionne, car il espère obtenir du Congrès «the Justice due to a zealous servant»[11].

Le relevé des dépenses, qu'a annexé Mesplet à son mémoire, s'étend de 1776 à 1782: il englobe son déplacement de Philadelphie à Montréal en 1776; ses premiers jours d'installation; son emprisonnement en 1776; son activité limitée de 1776 à 1779; son emprisonnement à Québec de 1779 à 1782. L'imprimeur réclame en tout au Congrès un montant de 3 543.12 livres, dont 1 971.12 livres en frais de subsistance pour sa femme et lui durant son emprisonnement à Québec; 772 livres pour le voyage Philadelphie-Montréal, y compris le premier emprisonnement; 600 livres pour la période 1777-1779 et 200 livres pour le paiement du contrat

---

11. APC, *Papers of the Continental Congress*, No 41, vol. 6, p. 341. Ce mémoire a été présenté au comité Holten-Spraight-Platt entre le 11 mars et le 11 avril 1785. Ce comité, formé le 11 mars, était en effet dissous le 11 avril:
[Le 11 avril 1785] The following committees were appointed... Mr Samuel Holten, Mr John Henry and Mr Pierse Long, on Fleury Mesplet's memorial. This was a renewal of the committee of March 11, with Henry and Long in place of Richard Dobbs Spraight and Zephaniah Platt. The committee was discharged April 15 and the memorial referred to the Board of Treasury.- *Journals of Congress*, vol. XXVIII - 1785 (1933), p. 246.

d'embauche des deux ouvriers-imprimeurs en 1776-1777. Parmi les créanciers de Mesplet à Montréal, figurent le tailleur Desautels pour 600 livres, le courrier Aubord pour 200 livres, le marchand Foretier pour 263.12 livres. On a remarqué que Mesplet réserve presque 2 000 livres sur les 3 543.12 réclamées, à sa subsistance et à celle de sa femme durant son emprisonnement à Québec: c'est la principale cause de sa ruine[12]. La somme d'argent demandée par l'imprimeur ne paraît pas extravagante si l'on considère que, le 11 avril 1785, le Congrès accordait à Thomas Walker une compensation au montant de 1 500 dollars, en plus des sommes qu'il avait déjà reçues[13].

Finalement, le comité d'étude du mémoire de Mesplet soumit la question au Conseil du trésor (Board of Treasury) qui décida de consentir à l'imprimeur un versement de 426 dollars, qui ne remboursait que le transport du groupe de Philadelphie à Montréal, en précisant que le Congrès avait déjà versé 200 dollars à cet effet en 1776. En présentant cette décision, approuvée par le Congrès le 27 mai 1785, le comité se dit incapable de juger

---

12. *Papers of the Continental Congress*, No 41, vol. 6, p. 364. Dans ce relevé de ses dépenses, Mesplet calcule ses frais en livres selon le cours de Pennsylvanie. Les 3543.12 livres réclamées équivalent à 9450 dollars. Une livre en Pennsylvanie vaut 2.66 dollars. Voir Mc LACHLAN, R. W.: «Fleury Mesplet, The First Printer at Montreal».- MSRC, 1906.- p. 215.

13. Resolved that the Board of Treasury take order for the payment of 1 500 dollars to Mr Thomas Walker.
Résolution précédée des remarques suivantes:
   That Mr Walker, for many years previous to the late war was of the magistracy of the province of Quebec and a reputable merchant at Montreal. That at the earliest period of disagreement between the late Colonies and Great Britain, Mr Walker took a decided part in favor of the principles that justify the separation of the two countries and by an uniform conduct gave an example of patriotism to the friends of liberty in Canada, which drew upon him the barbarous resentement of the military then stationed in that country.
   Mr Walker industriously circulated the address of Congress to the people of the province of Quebec in the year [la date manque] under circumstances of imminent danger and for his active support of the measures recommended by Congress, was imprisoned by Gen. Carleton on a charge of treason, loaded with heavy irons and liberated only by the arrival of General Montgomery in Canada. His house and store were burnt at the time of his arrest, and his goods plundered by a party of armed men.
   Upon obtaining his freedom he aided the forces and sent against Quebec, and advanced of his remaining property for their convenience. The committees are sensible that Congress by a resolve of April 23, 1783, pointed out a mode of compensating Canadians for sufferings during the late war; but they are of opinion that the losses and peculiar suffering of Mr Walker, and his present situation, authorize a compensation in addition to that proposed by the resolve aforesaid...
   - *Journals of Congress*, vol. XXVIII - 1785 (1933), pp. 245, 246.

des autres réclamations de Mesplet[14]. Sur place depuis trois mois, l'imprimeur, à cette annonce, fut désespéré. Dans un nouvel appel. qui est un cri de détresse, il supplia les représentants de faire preuve de pitié, sinon de générosité. Le texte, écrit le 2 juin 1785, fut lu le même jour devant le Congrès. Dans la situation misérable, dit Mesplet, où l'a plongé son incarcération pour la cause de la liberté, il n'a aucun autre recours que de s'adresser aux représentants du peuple américain. Sinon, dès son retour à Montréal, il sera la proie de ses créanciers. Le montant alloué, 426 dollars, couvre à peine les dépenses des démarches qui ont été nécessaires pour solliciter l'aide du Congrès; il lui a fallu en effet non seulement défrayer le coût du voyage Montréal-Philadelphie, aller-retour, mais encore son séjour et celui d'un ami (peut-être Jautard) qui l'accompagne. Mesplet prie les membres du Congrès «to grant him your benevolence and deign to render him life and happiness by rendering him your justice...»[15]. Cet appel ne trouva aucun écho[16].

Franklin lui-même ne pourra rien obtenir du Congrès. Celui-ci ne devait jamais accuser réception de sa demande de liquidation des dépenses qu'il avait faites en Europe à titre d'ambassadeur. De plus, le Congrès avait refusé au petit-fils de Franklin, Temple, un poste dans la diplomatie où il avait commencé à exceller à Paris. Le Philosophe exprimait ainsi, en 1788, la peine que lui causait une telle attitude du Congrès:

> Je connais un peu de ces assemblées changeantes, et je sais comme on ignore les services rendus par les prédécesseurs, comme on se sent peu obligé de tels services; je n'ignore pas l'effet que peuvent avoir, pour oblitérer les dits services, les insinuations malveillantes, artificieuses et réitérées d'une ou deux personnes envieuses

---

14.   ...the Board not being competent to determine on the merit of such claims the same can only be submitted to the wisdom and benevolence of Congress.
    From this state of facts the Board submit the following resolution. That the sum of four hundred and twenty six 45/90 dollars should be paid to Mr Fleury Mesplet on account of expenses attending the transporting himself, family and printing utensils from Philadelphia to Montreal.- *Journal of Congress*, vol. XXVIII - 1785 (1933), pp. 305, 306.
    Le rapport du Conseil du trésor du 25 avril 1785 est lu le 26 avril suivant. L'adoption de la décision du versement de quatre cent vingt-six dollars à Mesplet a lieu le 27 mai 1785. Voir *Journals of Congress*, vol. XXVIII - 1785 (1933), p. 398.

15. *Papers of the Continental Congress*, No 41, vol. 6, p. 409.

16. *Journals of Congress*, le 2 juin 1785:
    Note.- On this day, as the indorsement states, was read a petition of Fleury Mesplet dated June 2, on the subject of his claim as printer in Montreal. It was referred to the Committee of the Week and on June 13 ordered to be filed. It is in No 41, VI, folio 409.

et méchantes, pendant le séjour du serviteur à l'étranger, auprès des autres membres, fussent-ils les plus équitables, les plus candides et eussent-ils les dispositions les plus honorables[17].

Le Congrès de 1785 n'était plus celui de 1776 qu'avait connu Mesplet, assez enthousiaste pour changer tout son or et son argent en papiers du Congrès, et partir sur de simples promesses de remboursement. L'appel de Mesplet était noyé dans la masse de dizaines d'autres demandes provenant de Canadiens qui avaient aidé de quelque façon les Fils de la Liberté. Dans sa lettre d'appui à Mesplet, Thomas Mifflin précise que l'imprimeur avait été manoeuvré par des whigs exaltés, ce qui n'allait pas inciter le comité d'étude du mémoire soumis par Mesplet à une grande générosité. Effectivement, les membres de ce comité ont tenu compte du seul déplacement de l'imprimeur de Philadelphie à Montréal, et nullement des nombreuses épreuves qu'il avait subies pour la cause de la liberté, se disant cyniquement incapables de les évaluer.

Ce qu'il faut retenir des démarches de Mesplet auprès du Congrès, c'est le nombre d'amis fidèles, «éclairés», qui l'ont appuyé tant à Philadelphie qu'à Montréal. Dans cette ville, nous voyons Loubet, Marrassé, Meyrand, Desautels et LeGuay répondre favorablement à une enquête sur l'imprimeur. Le notaire LeGuay est le père de celle qui deviendra la belle-mère de Mesplet en 1790. Marrassé interviendra pour conclure une entente heureuse avec Charles Berger. Desautels sera à l'origine d'une saisie qui délivrera Mesplet de ses dettes. À Philadelphie, l'imprimeur recevait les témoignages favorables de citoyens comme J.-H. Périnault, Isaac Melchor, P.-G. Breton, James Valliant, John Germon et Étienne Fournier. Mais l'affaire classée par le Congrès ne l'est pas pour Mesplet. Le 29 août 1792, encore, il conclura une entente avec le marchand new-yorkais John Jacob Astor pour qu'il se charge de réclamer auprès du Congrès les 3 543 livres dues à Mesplet, moins les 400 piastres espagnoles déjà payées. Il était convenu qu'Astor recevrait comme dédommagement la moitié de la somme perçue[18]. Le fait qu'un important marchand de fourrures comme Astor ait accepté d'aider Mesplet montre de quelle considération celui-ci jouissait à Montréal. On notera

---

17. VAN DOREN, Carl.- *Benjamin Franklin.*- Paris; Aubier-Montaigne, 1956.- p. 493.
18. Entente conclue entre John Jacob Astor et Fleury Mesplet, le 29 août 1792. Étude des notaires Delisle et Lukin. Cité dans Mc LACHLAN, R. W.- «Some Unpublished Documents Relating to Fleury Mesplet».- MSRC, 1921, pp. 92, 93.

aussi qu'un autre trafiquant notable, Alexander Henry, contre-signait l'accord. Mais Astor n'obtint aucun succès dans cet ultime effort fait au nom de Mesplet pour obtenir justice du Congrès, comme en fait foi la remise de sa procuration au notaire Pierre Lukin, le 22 août 1793[19].

Alors qu'il était complètement ruiné et qu'il tentait, en désespoir de cause, de récupérer l'argent que lui devait le Congrès, Mesplet recevait à Montréal, au mois de septembre 1784, son associé de 1776, le marchand Charles Berger qui rega-gnait définitivement la France. Il désirait conclure une entente pour le remboursement du prêt consenti à l'imprimeur avant son départ de Philadelphie. Le 3 novembre 1784, Berger et Mesplet mettaient sur pied un comité d'arbitrage, composé des négo-ciants Jean Dumas Saint-Martin, Joseph Borel, Joseph Périnault et Joseph Perrault[20]. Ces quatre notables, après s'être adjoint le trafiquant de fourrures Benjamin Frobisher[21], en venaient à la conclusion, le 27 novembre suivant, que Mesplet était rede-vable à Berger d'une somme de 28 842 livres, neuf sols[22]. Une reconnaissance de dettes, signée par Mesplet le 29 décembre 1784, nous apprend que Berger a consenti à ramener la somme de 28 842 livres à 10 000 livres (ou chelins anciens). L'imprimeur s'engageait, conjointement avec Marrassé, à rembourser 2 800 chelins dès le mois de juin. Il verserait les 7 184 autres chelins au cours des deux années à venir, délai qu'il pourrait respecter

---

19. Bris de contrat entre John Jacob Astor et Fleury Mesplet, le 22 août 1793. Étude du notaire Lukin. Cité dans «Unpublished Documents Relating to Mesplet», pp. 92, 93.
20. Entente entre Fleury Mesplet et Charles Berger, le 3 novembre 1784. Étude du notaire Pierre Mézière, ANQM. Cité dans *The First Printer*, op. cit., pp. 262, 263. Dans cette entente, Mesplet et Berger instituent un comité d'arbitrage pour étudier leurs droits respectifs dans la société fondée à Philadelphie en 1776, avant le départ de l'imprimeur pour Montréal. Mesplet nomme comme arbitres les négociants Jean Dumas Saint-Martin et Joseph Borel. Pour sa part, Berger désigne les négociants Joseph Périnault et Joseph Perrault. Ces arbitres doivent prononcer un jugement dans les quinze jours (temps qui est prolongé, avec l'accord des deux parties).
21. Benjamin Frobisher fut l'un des fondateurs du fastueux Beaver Club en 1785. Voir HUBERT-ROBERT, Régine.- *L'épopée de la fourrure.*- Montréal; Éditions de l'Arbre, 1945.- pp. 178 à 184.
22. Les arbitres Jean Dumas Saint-Martin, Joseph Borel, Joseph Périnault et Joseph Perrault décidèrent de s'adjoindre un cinquième arbitre, Benjamin Frobisher, «pour éclaircir nos doutes et balancer nos opinions». Après l'examen des comptes, ils en vinrent à la conclusion que Mesplet était redevable à Berger d'une somme de vingt-huit mille huit cent quarante-deux livres et neuf sols. Sentence des arbitres sur la société Mesplet-Berger, le 27 novembre 1784. Etude du notaire Pierre Mézière, ANQM. Cité dans *The First Printer*, op. cit., pp. 263, 264.

dans la mesure où le Congrès le rembourserait. Berger était prêt à accepter un prolongement de délai[23]. Enfin, le 16 février 1785, Berger nommait comme ses procureurs à Montréal, Louis l'Hardy, l'ami intime de Mesplet[24], et Jacques-Clément Herse, l'ouvrier-imprimeur venu jadis de Philadelphie[25]. En fait, Berger ne retirera aucun profit de son association avec Mesplet et n'y gagnera que de voir son nom attaché à celui de l'imprimeur dans l'histoire de la diffusion des Lumières au Québec. D'ailleurs, Berger était sensible aux infortunes de Mesplet. Son humanité s'exprime dans cette phrase, extraite de l'entente finale conclue devant notaire, le 29 décembre 1784:

> ...le dit sieur Berger ayant déclaré que la remise qu'il faisait au dit Mesplet était en considération des pertes et des malheurs qu'il avait éprouvés dans ses affaires, à quoi il est très sensible...

Après cet associé, ce fut au tour d'une quinzaine de créanciers de réclamer leurs dûs: marchands de vivres, tailleurs, postiers, hommes de loi, etc. Le 9 juillet 1785, tout juste de retour de New York où le Congrès avait rejeté ses demandes, Mesplet leur proposait un compromis: un délai de paiement de quatre années, ce qui lui permettrait de «gagner sa vie» et de leur remettre les mille livres — cours d'Halifax — qu'il leur devait[26].

---

23. Berger, on le sait, se contenta d'une somme de dix mille chelins anciens (ou livres), laquelle une fois payée par le dit Mesplet, il sera entièrement quitte et déchargé envers le dit sieur Berger, de toutes dettes et affaires quelconques avec lui du passé jusqu'à ce jour...
   Mesplet s'engageait, conjointement avec Marassé, à verser deux mille huit cents chelins dès le mois de juin prochain. (Reconnaissance de dettes de Fleury Mesplet envers Charles Berger, le 29 décembre 1784. Greffe du notaire Pierre Mézière, ANQM. Cité dans *The First Printer*, op. cit. pp. 264, 265.)
24. Louis l'Hardy se trouve sur la liste des sept amis, «faute de parents», choisis pour s'occuper de la succession de Fleury Mesplet, le 21 février 1794. Il sera nommé curateur. Les autres amis sont le notaire Jean-Guillaume Delisle, Charles Lusignan, Jean-Baptiste Tison-père, François Desrivières, l'avocat Louis-Charles Foucher et Pierre Fisette. (Acte de renonciation de Marie-Anne Tison-Mesplet à la succession de Fleury Mesplet, le 21 février 1794. Greffe du notaire Jean-Guillaume Delisle, ANQM. Cité dans «Unpublished Documents Relating to Mesplet», pp. 93, 94.)
25. Berger, avant de s'embarquer pour l'Europe, nomme comme procureurs Louis l'Hardy et Jacques-Clément Herse,
   marchands de cette ville, auxquels il donne conjointement ou séparément pouvoir de, pour lui et en son nom, toucher et recevoir du sieur Fleury Mesplet, imprimeur et libraire... la somme de sept mille deux cents chelins, ancienne monnaie de cette province, à lui due par ledit sieur Mesplet...
   (Procuration accordée par Charles Berger, le 16 février 1785. Greffe du notaire Jean-Guillaume Delisle, ANQM. Cité dans *The First Printer*, op. cit., p. 266.)
26. Projet de compromis présenté par Mesplet, le 9 juillet 1785. Greffe de François LeGuay, ANQM. Cité dans *The First Printer*, op. cit., p. 267.

Mais le principal créancier, le tailleur Joseph Desautels[27], refusa ce compromis et obtint du tribunal la vente à l'encan des biens de l'imprimeur. Le 21 novembre 1785, Montgolfier faisait sonner les cloches — comme c'était la coutume — pour avertir la ville et les faubourgs de Montréal que le juge Rouville, de la Cour des plaidoyers communs, avait ordonné la saisie des effets de Fleury Mesplet. Les intéressés se rassemblèrent donc chez l'imprimeur, rue Capitale, place du Marché, où le huissier Garnot céda un à un les biens «au plus offrant et dernier enchérisseur»[28].

Dans cette vente, le principal créancier, Desautels — qui avait été en fait le premier bailleur de fonds de la *Gazette littéraire* (puisque le prêt remontait au 29 juillet 1778) — fit l'acquisition de l'imprimerie de Mesplet au grand complet, y compris les deux presses. Il prit aussi possession de tous les ouvrages de dévotion de la librairie, et quatre autres citoyens se partagèrent la papeterie. Aucun ouvrage des Philosophes des Lumières ne fut mis en vente. L'ordre de saisie avait été donné le 22 juillet 1785, ce qui avait certes permis de mettre à l'abri la bibliothèque et d'autres choses précieuses. D'autant plus que la vente était organisée par le notaire Antoine Foucher — une relation de Mesplet — et surveillé par le notaire François LeGuay, autre ami de l'imprimeur. Il reste que des objets de première nécessité furent alors enlevés au couple Mesplet. Parmi les acquéreurs, au nombre de huit, il y avait Valentin Jautard qui, depuis le 13 octobre 1785 — quelques semaines seulement avant la saisie —, demeurait chez l'imprimeur[29]. Jautard réussit à racheter quelques meubles: une table, huit chaises, une horloge. Sans doute était-ce en signe de tendresse envers Marie Mesplet qu'il acquit sept caisses de bouquets de fleurs, la volière et le coffre de voyage[30]. À sa libération de prison, Jautard avait épousé, le

---

27. Une somme de 8 738 livres est due à Desautels. Parmi les «amis de Mesplet», Lusignan a prêté 540 livres, Delisle 64.16 livres, le menuisier Fisette 150 livres, Du Calvet 616 livres. (Liste des créanciers de Fleury Mesplet, datée du 9 juillet 1785. Greffe du notaire François LeGuay, ANQM. Citée dans *The First Printer*, op. cit., p. 268.) Dans une reconnaissance de dette, datée du 30 août 1784, Mesplet reconnaît avoir reçu de Desautels un prêt de 8 000 livres, le 29 juillet 1778, portant intérêt à cinq pour cent. (Greffe du notaire François LeGuay, ANQM. Cité dans *The First Printer*, op. cit., pp. 266, 267.)

28. Vente des biens de Fleury Mesplet, le 21 novembre 1785: Greffe du notaire François LeGuay, ANQM. Cité dans *The First Printer*, op. cit., pp. 268 à 270.

29. GM, 13 octobre 1785, 4e page, col. 2, numéro VIII.

30. Vente à l'encan des biens de Mesplet, *The First Printer*, op. cit., pp. 269, 270. Notons que la presse qu'utilisait Mesplet était la presse à deux coups, ainsi nommée parce qu'il fallait deux opérations successives pour imprimer sur un côté toute la surface d'une feuille. Celle-ci exigeait une impression recto-verso. Ce n'est qu'à partir de

23 août 1783, Marie Thérèse Bouat, veuve de Gannes[31]. Chez l'imprimeur, il disposait d'un bureau d'écrivain public. Il avait complètement abandonné le journalisme, comme nous le constaterons en évoquant la fondation de la *Gazette de Montréal*.

Pour sa part, peu après son élargissement, le 2 mai 1783, Pierre du Calvet s'était rendu à Londres pour protester contre les entraves mises à l'exercice des libertés dans la colonie. Il dénonçait en particulier le despotisme du gouverneur général Haldimand qu'il accusait d'avoir emprisonné arbitrairement tous les dissidents. Du Calvet réclamait l'établissement d'une constitution démocratique, susceptible de favoriser la liberté de pensée et la liberté d'expression. Il exigeait aussi un enseignement public ouvert à tous et la liberté de la presse. Nous verrons plus loin en détail quelle sorte de constitution nouvelle il entrevoyait. Pour le moment, il faut prendre conscience de ce que Du Calvet était un adepte des Lumières. Il n'avait pas craint de se compromettre dans la lutte finale de la *Gazette littéraire*. En

---

1780 que la presse à un coup commença à se répandre en Europe. Et comme Mesplet n'a pas acheté une nouvelle presse, depuis son arrivée à Montréal en 1776, nous croyons que son travail de diffusion se faisait laborieusement avec la presse à deux coups. (Voir CHARLET, Louis et Robert RANG.- «L'évolution des techniques des origines à 1820» dans *Histoire générale de la presse française*, tome I.- Paris; Presses universitaires de France, 1969.- pp. 14 à 16.)

31. Me Valentin Jautard, écuyer, avocat ès cour dans la province de Québec, demeurant à la côte Saint-Paul près Montréal et dame Marie-Thérèse Bouat demeurant aussi en cette ville, aussi pour elle en son nom d'autre part. Lesquelles parties de l'avis et consentement de leurs amis et amies, savoir de la part de Me Valentin Jautard, MM. Louis Lardy [l'Hardy] et Jacques-Clément Herse, négociants de cette ville, rue Notre-Dame. Et de la part de dame Marie-Thérèse Bouat, Jean-Baptiste Miller et dame Marie-Amable Roy, demeurant aussi en cette ville au faubourg Saint-Joseph de cette ville. Ont fait ensemble les traités et conventions qui suivent, savoir que le dit Me Jautard et la dite dame Marie-Thérèse Bouat se sont promis et promettent de se prendre pour mari et femme par nous et lois de mariage, et celui faire célébrer en face de l'Église le plus tôt que faire ce pourra avisé et délibéré entre eux. Pour non commun en biens, les futurs époux, mais par pure et simple amitié qui se portent et se sont portés les futurs époux dès avant la passation icelui, ils se font par la présente donation pure et simple et irrévocable de tous leurs biens présents et à venir, en tels biens et tels endroits qu'ils se trouveraient ou pourraient se trouver... pour en jouir pour le survivant en toute propriété comme de choses à lui appartenant, et en disposer comme de son propre [bien], sans qu'aucun [ne puisse] inquiéter le survivant des dits futurs époux. Car ainsi a été accordé et convenu entre les parties...
Remarquons que les deux témoins de Jautard sont l'Hardy, l'ami de Mesplet, et Herse, l'ouvrier-imprimeur venu de Philadelphie en compagnie de Mesplet, en 1776. Il est question dans le contrat d'une amitié ancienne entre Jautard et Marie-Thérèse Bouat. (Contrat de mariage entre Valentin Jautard et Marie-Thérèse Bouat, veuve de Gannes, le 23 août 1783. Étude du notaire Le Guay, ANQM.)

Grande-Bretagne, il décida — pour se faire entendre — de publier un recueil de lettres qu'il titra *Appel à la Justice de l'État*[32]. Il appuyait ses assertions de citations de Puffendorf, Grotius et Locke[33]. Du Calvet désirait la tenue d'une «enquête générale». Il soutenait que, sur les cent mille habitants du Québec, il n'y en avait qu'un millier «que l'appât d'un gain sordide tient dans la corruption pour rendre les autres esclaves». Ceux-ci

---

32. DU CALVET, Pierre.- *Appel à la Justice de l'État*.- Londres, 1784. Voici le plan de cet ouvrage inspiré de l'esprit des Lumières:
   1- Introduction (vie de Du Calvet)
   2- Lettre au roi George III
      Sur le bord de ma fosse, creusée d'avance sous mes pieds par la violence de la tyrannie, mon jugement est l'unique espérance qui me reste pour mourir au moins avec honneur et content (p. 21).
   3- Lettre au Prince de Galles
   4- Lettre au Secrétaire d'État, lord Sydney
   5- Deuxième lettre au Secrétaire d'État
   6- Lettre au général Haldimand
      Les lois irritées vous réclament et vous attendent à Londres pour vous demander compte de ces horreurs... (p. 46)
   7- Troisième lettre au Secrétaire d'État
   8- Quatrième lettre au Secrétaire d'État
   9- Lettre aux Canadiens (pp. 65 à 252)
  10- Question du baron Masères aux «députés» de la province de Québec
  11- Cinquième lettre au Secrétaire d'État
  12- Sixième lettre au Secrétaire d'État
  13- Lettre circulaire adressée à la Chambre des Lords et aux Communes
  14- Lettre aux habitants du Canada, tant anciens que nouveaux.
33. Voici ces citations tirées de l'*Appel à la Justice de l'État:*
     Puffendorf.- Sur le droit de conquête. «Il ne reste aux conquérants que deux sorts civils à faire aux peuples conquis»; «les laisser sous la nouvelle domination dans l'économie de leur premier gouvernement, qu'ils avaient légitimé, par leur consentement tacite, sous leur premier souverain»; «les associer, de gouvernement, aux propres sujets du conquérant, mais par une association complète de privilèges, de prérogatives et droits quelconques, des anciens sujets». Ce dernier «arrangement une fois décidé... le conquérant a cessé de l'être pour devenir simplement et légitimement roi; et qu'un roi n'est pas le maître de changer à son choix la constitution de son empire sans l'intervention libre des sujets» (pp. 186 à 188).
     GROTIUS.- «En vertu du contrat social, les peuples ne doivent à l'État leurs fortunes, leurs vies, et tout ce qu'ils font, que parce que l'État leur fait part de ses privilèges, de ses places, de ses récompenses, des dons de sa protection, en un mot de tout ce qu'il est lui-même; sans ce retour ordonné de reconnaissance et de justice, les peuples deviendraient de vrais esclaves nationaux, réduits à se morfondre, s'épuiser, se consumer tout à fait pour un État qui les traiterait en étrangers et en bâtards, en les privant de leur part à cet héritage public qui est, et doit être, de propriété commune et universelle dans tout État...» (pp. 189, 190).
     Locke.- «Un gouvernement qui aurait deux balances, une de faveur pour des domaines privilégiés, et l'autre de rigueur pour d'autres portions de sa domination, annoncerait une manie d'administration, c'est-à-dire sa honte présente et sa ruine prochaine» (p. 190).

gémissent sous le poids du joug de l'oppression et de l'esclavage le plus horrible que l'on puisse dépeindre aux yeux de l'humanité[34].

Du Calvet prévoyait la violente réaction du clan Rouville:

> À la première démarche que la publication de ces réflexions pourrait susciter, la faction bruyante et courroucée des Mabane, des Fraser, des de Rouville (sic) et de quelques mercenaires flatteurs, en place, va sur le champ sonner l'alarme dans tout le Canada; je la vois d'avance volant de rue en rue, y promenant ses chagrins et ses frayeurs, qu'elle s'engagera d'universaliser et d'approprier à tous les coeurs, à la faveur du tumulte et du vacarme; je la suis de l'oeil, frappant de porte en porte, une adresse à la main, fabriquée dans les forges de l'imposture et du mensonge, concertés ensemble pour soutenir le triomphe de la tyrannie, du despotisme, et faire signer, à force de souplesse, de menaces et d'artifices, aux citoyens effrayés et surpris, que l'administration du général Haldimand a été l'administration de la justice, de l'humanité, de la bienfaisance, et que le gouvernement actuel est le seul gouvernement sagement combiné pour votre liberté, votre félicité, votre gloire[35].

C'est exactement ce qui s'est passé, lors du regroupement des seigneurs contre l'établissement d'une chambre d'assemblée, comme nous le verrons en traitant de la nouvelle constitution. Pour Du Calvet, le moment de l'action était arrivé:

> Il faudrait transmettre ma grande lettre [adressée aux Canadiens] à toutes les paroisses de la colonie; les curés devraient en faire la lecture à leurs paroissiens: mais le curé est trop politique chez nous; c'est beaucoup qu'il ait osé parler une fois pour lui-même [en faveur du recrutement sacerdotal à l'étranger] dans le mémorable mois d'avril dernier; les capitaines de milice sont vendus, par leurs places, au gouverneur: il n'y a pas de service patriotique à espérer de ces créatures à gages. Eh! bien, Messieurs, que les plus zélés patriotes d'entre vous envoient une analyse des matières principales de ma lettre dans les paroisses; rien de plus aisé; il n'y a qu'à faire ouvrir les yeux sur le bien général à des Canadiens; ils concourront tous à cet objet une fois connu. Vous êtes sur les lieux; vous pouvez mieux juger que moi des voies de moment les mieux ajustées au succès: mais défiez-vous toujours des flatteurs, des mignons en place, des despotes subalternes, vendus chez vous par l'intérêt au Despotisme régnant. C'est là la peste et la perte de la colonie...[36]

---

34. *Appel à la Justice de l'État*, op. cit., pp. 240 à 242. Extrait reproduit en note d'une lettre de Du Calvet à lord North.
35. *Ibid.*, pp. 237, 238.
36. *Ibid.*, p. 326. Dernière lettre de Pierre du Calvet aux Canadiens, le 19 juillet 1784.

Du Calvet ajoute «qu'il n'y a rien de sacré à l'intérêt, pas même le culte de l'Être suprême». Lui qui est protestant a toujours suivi des principes d'équité «qui sont de toutes les religions»[37]. Dans cette lettre, qui clôt son *Appel à la Justice de l'État*, Du Calvet invitait les Canadiens à sortir de leur esclavage:

> Si, imitant le passé, vous êtes les spectateurs oisifs et insensibles des événements, eh bien! votre province va être pour longtemps confirmée dans son esclavage, jusqu'à ce que le désespoir au moins lui suscite des vengeurs... quant à moi, à Dieu ne plaise que je reparaisse dans une province, tandis qu'on y sera exposé à être impunément assassiné chez soi... c'est à vous à voir s'il vous convient de vivre dans un vrai coupe-gorge où personne ne peut être un seul moment assuré de sa fortune, de sa liberté, de son honneur et de sa vie...[38]

De toute évidence, ces déclarations montrent en Du Calvet un déiste, ainsi que les souhaitait Voltaire, animé d'un grand amour de l'humanité, et luttant avec courage pour les libertés essentielles, les libertés de pensée et d'expression.

Mesplet, Jautard et Du Calvet font partie de ces Français que l'Église suspecte volontiers dans la mesure où ils propagent dans la colonie l'esprit des Lumières. L'attitude de Montgolfier n'est pas unique, si l'on en juge par la lettre suivante de l'évêque de Québec, Mgr Briand, adressée le 6 septembre 1782 à «un de ces Français prétentieux, nouvellement arrivés dans le pays, qui font la loi et en imposent aux pauvres gens»[39].

> J'avais ordonné à M. Vézina [le curé de Saint-Henri près de Québec] de prendre par écrit les dépositions des rapports qui me parviennent sur votre compte depuis deux ans, vos dires et vos propos tenus même publiquement, en toutes occasions, soit au sortir de la messe, soit dans les noces et festins. Vos entretiens particuliers sont des plus insolents vis-à-vis votre évêque...
>
> À qui vous adressez-vous? À des gens simples, ignorants, qui, vous sachant Français, croient que vous êtes savant et vous écoutent comme un oracle... je les ai toujours rencontrés [la plupart des Français venus dans la colonie] opposés à l'obéissance et à la docilité, parce qu'ils s'imaginaient sottement qu'ils s'acquièreraient de la gloire et de la réputation auprès des habitants...

37. *Ibid.*, p. 327.
38. *Ibid.*, pp. 327, 328.
39. Lettre de Mgr Briand à «un de ces Français prétentieux, nouvellement arrivés dans le pays, qui font la loi et en imposent aux pauvres gens», datée du 6 septembre 1782: GOSSELIN, Auguste.- *L'Église du Canada après la conquête*, tome II (1775-1789).- Québec; Laflamme, 1917.- pp. 234 à 236.

...vous êtes un mauvais sujet, vous vous faites gloire de retarder l'édifice (sic) d'un temple du Seigneur et de résister à votre évêque. Continuez, je n'ai besoin ni de votre travail, ni de vos lumières... Quelles que sottises que vous ayez vomies contre moi, je n'ai pas oublié que Dieu m'avait chargé de votre âme, et ordonné de travailler, sans me rebuter, à votre salut. C'est ce qui m'a engagé, avant d'aller plus loin, à m'humilier devant vous, et à vous écrire cette lettre... sachez que [si vous ne vous repentez pas] j'userai de tous les pouvoirs que Notre-Seigneur Jésus-Christ m'a communiqués, et que je vous déclarerai publiquement déchu de la noble qualité d'enfant de Dieu et de l'Église, vous, toute votre famille, et tous ceux qui opiniâtrement adhèreront et demeureront attachés à votre rébellion et vos sentiments.

(...)

Nous ordonnons à M. Vézina de vous lire cette lettre en présence des marguilliers, syndics, et anciens de la paroisse. Si elle ne vous touche pas, on la lira publiquement au prône pendant trois dimanches, et il vous en enverra certificat, signé, et de votre conduite: après quoi nous procéderons ainsi que de raison.

Cette lettre officielle laisse apercevoir combien l'Église était portée à l'intolérance en ce qui regardait la liberté d'expression; comment une enquête inquisitoriale de la pensée était instituée, pour conduire ensuite à une forme d'excommunication. L'acharnement se fait sentir surtout contre ces «Français prétentieux» (le texte généralise), la plupart «opposés à l'obéissance et à la docilité», ce qui dans le vocabulaire de Mgr Briand est probablement une façon de flétrir l'attachement au bon sens et l'opposition à la superstition. Ici, pour écraser un opposant, l'évêque se dit prêt à utiliser «tous les pouvoirs que Notre-Seigneur Jésus-Christ» lui a communiqués. Cet épisode peut donner une idée de la puissance cléricale à laquelle se heurtait Mesplet. Il était, quant à lui, bien déterminé à poursuivre la diffusion des Lumières malgré tous ses déboires. La *Gazette littéraire* lui avait valu un atroce emprisonnement. Il n'avait pourtant cessé de rêver d'un autre journal. Ce sera la *Gazette de Montréal*, qui propagera de nouveau au Canada l'esprit des Lumières.

Chapitre 10

Fondation d'un nouveau journal

La *Gazette de Montréal — The Montreal Gazette,* que lançait Mesplet le 25 août 1785, paraîtra, sous sa direction, à une interruption près, jusqu'au 16 janvier 1794. C'est une feuille hebdomadaire d'information, semblable au premier coup d'oeil à la *Gazette de Québec.* Comme ce journal, le nouveau périodique est bilingue et se limite le plus souvent à quatre pages. Successeur de la *Gazette littéraire,* la *Gazette de Montréal* ne lui ressemble que par l'esprit philosophique qui l'anime. La littérature cède le pas à l'information et aux commentaires. Il n'y a plus de rédacteur-vedette, comme le Spectateur tranquille. Le seul intervenant notable est l'imprimeur lui-même. Le nom d'un rédacteur reste toutefois attaché à la *Gazette de Montréal;* c'est celui d'un jeune journaliste, Henri Mézière. Mais sa présence n'est sensible, dans les colonnes du journal, que de façon espacée. De l'esprit philosophique du périodique vont découler toutes ses prises de position à l'égard du régime politique et du système social du Québec: luttes pour une nouvelle constitution, contre la superstition, pour un enseignement public ouvert à tous, pour des tribunaux équitables. De concert avec la *Gazette de Québec* et le *Quebec Herald,* Mesplet donnera une information événementielle sur la Révolution française. Mais les commentaires de la *Gazette de Montréal* seront plus nombreux et plus rigoureux contre l'aristocratie et le clergé.

Dans son prospectus, Mesplet dit vouloir publier enfin un grand journal d'information dans la colonie, faisant fi de l'existence de la *Gazette de Québec,* alors sous la gouverne de William Brown, et désignant la *Gazette de Montréal* comme l'héritière de la *Gazette littéraire:*

Il y a peu d'États en Europe, écrit-il, qui n'aient leur gazette, pourquoi ce pays si étendu n'aurait-il pas la sienne? Le papier périodique de 1778 avait déjà pris; les souscriptions eussent été beaucoup plus nombreuses l'année suivante, sans une catastrophe dont il est inutile de parler. Le même zèle pour le bien public existe et la tranquillité dont cette province jouit donne un nouvel encouragement; il m'a semblé, et le public sentira, qu'on ne peut se rendre véritablement utile qu'en se chargeant d'un travail aussi pénible dont il peut résulter des avantages essentiels.

On avait réussi à intéresser les citoyens dans la dernière [La *Gazette littéraire*]. La circonstance est plus favorable: les correspondances ouvertes de toutes parts procureront des matériaux bien différents et en plus grande quantité; les nouvelles littéraires y trouveront une place; celles du continent de l'Amérique et de l'Europe, que l'on se propose de faire en sorte de recevoir chaque mois, rendront la feuille intéressante, et rien ne sera épargné pour remplir ce dernier objet.

Il faut convenir de l'étendue de l'entreprise; elle pourrait même être taxée de témérité. Car qui ne tremblerait pas au moment de paraître devant le public, juge toujours redoutable. Aussi je sens la nécessité d'implorer son indulgence et le prie de me tenir compte de la pureté de mon intention, et des efforts que je ferai pour la remplir.

Dans tout ce qui sera inséré dans cette *Gazette,* j'observerai inviolablement d'avoir toujours présente l'image auguste de la Vérité, et de ne pas tomber dans la licence. Je ferai mes efforts pour rendre le style simple et correct; mais aussi mes lecteurs observeront qu'on n'écrit pas aussi bien sur les bords du fleuve Saint-Laurent que sur les rives de la Seine.

Malgré la difficulté de trouver des traducteurs, je me propose de donner la *Gazette* en français et en anglais. Si l'on considère les frais qu'exige l'impression dans ces deux langues, la beauté du papier, du caractère, l'exactitude de la correction qui demande beaucoup plus d'attention dans ce pays-ci où l'orthographe n'est pas encore bien connue; si, dis-je, l'on considère les soins que cette entreprise exige de l'imprimeur, le public sera convaincu qu'il n'aura rien négligé pour se rendre digne de sa bienveillance, et que la souscription est médiocre[40].

---

40. Aucune date n'est indiquée dans le prospectus, mais il est probable qu'il a été publié au début du mois d'août 1785, puisqu'il annonce le premier numéro de la *Gazette de Montréal* pour le 25 du courant et que ce dernier numéro a paru le 25 août 1785.

Mesplet se propose donc de fournir à ses lecteurs le plus d'informations possible, en provenance de l'Amérique et de l'Europe. Ses «nouvelles littéraires» proviendront toutes du monde des Philosophes. On aura noté qu'il n'éprouve le besoin de justifier son entreprise que «devant le public, juge toujours redoutable», et qu'il jure de ne servir que la Vérité. Sa feuille s'exprimera en français et en anglais dans un «style simple et correct», malgré le défi que cela peut représenter dans un pays «où l'orthographe n'est pas encore bien connue». Éclairé par la Vérité, Mesplet n'a pas fait mentir les promesses de son prospectus.

L'imprimeur précise que les circonstances sont devenues plus favorables pour la *Gazette de Montréal*, qu'elles ne l'avaient été pour la *Gazette littéraire*. En effet, la Grande-Bretagne a reconnu l'indépendance des États-Unis. La période qui s'ouvre est exaltante pour les bâtisseurs de la démocratie. Une nouvelle conception de la société va s'exprimer dans des constitutions politiques visant le bonheur du plus grand nombre. La Révolution française lancera dans le monde son message de liberté et d'égalité. Pour rendre compte de ces bouleversements, Mesplet reçoit de Londres, de Paris et de New York les journaux de grande information et aussi une presse idéologique d'avant-garde. Il est abonné à la *London Gazette*, la feuille britannique officieuse; il peut compter aussi sur le *Courrier de l'Europe*, une feuille franco-britannique[41]. Pour les États-Unis, Mesplet s'inspire entre autres du *New York Journal*, un périodique d'origine patriote; du *Daily Advertiser*, du *Morning Post*, donnant des informations spécialement destinées aux négociants; du grand

---

Le prospectus est en fait un journal-modèle: il se compose de quatre pages. La première est consacrée au message de Mesplet, en anglais dans la colonne un et en français dans la colonne deux. On lit ensuite en première page — avec suite en deuxième — un article en faveur de l'enseignement primaire. Un long morceau intitulé «Conversation entre un Parisien et un sauvage» court dans les 2e, 3e et 4e pages. Enfin, dans cette dernière page, on trouve une liste d'ouvrages en vente à la librairie, dont la *Henriade*.

41. Fondée en 1665, la *London Gazette* remplissait les fonctions d'organe officiel du gouvernement. On y trouvait des proclamations royales, des renseignements de caractère administratif, les nominations aux postes civils et militaires. Les événements étaient rapportés sans commentaire. (Voir APPIA, Henry et Bernard CASSEN.- *Presse, radio et télévision en Grande-Bretagne*.- Paris; Colin, 1970.- pp. 18, 19,) La publication du *Courrier de l'Europe* commença à Londres en 1776. Il contenait entre autres, en français, des extraits fidèles des cinquante-huit gazettes qui paraissaient dans la capitale britannique toutes les semaines. Brissot en fut l'un des rédacteurs. (Voir HATIN, Eugène.- *Histoire politique et littéraire de la presse en France*, tome III.- Paris; Poulet-Malassis-de Broisse, 1859.- pp. 401, 403.)

quotidien de New York, le *Diary* ou *Mercantile Advertiser*, et du *Courrier de Boston*[42]. Dès les débuts de la Révolution française, Mesplet se situe dans le courant philosophique de «gauche» en publiant des extraits des *Révolutions de Paris*, de la *Chronique de Paris* et du *Courrier* de Gorsas[43]. Mesplet dispose aussi à l'occasion de correspondances particulières à Philadelphie, New York, Lyon et Bruxelles[44]. Voici un avis de l'imprimeur, paru

---

42. Le *New York Journal* fut l'un des journaux importants de la guerre de l'Indépendance. Il fit partie en 1788 des feuilles antifédéralistes qui s'opposèrent à la ratification de la nouvelle constitution. (Voir MOTT, Frank Luther.- *American Journalism (1690-1940)*.- New York; Macmillan, 1947.- pp. 113, 119.) Le *New York Daily Advertiser*, fondé le 1er mars 1785, cessa sa publication en 1809. Sa première page était réservée à la publicité. *Ibid.*, pp. 116, 117. Le *Morning Post* fut le premier quotidien fondé à New York, le 23 février 1785. Il cessa sa parution quotidienne en 1792. *Ibid.*, p. 116. *The Mercantile Advertiser*, d'abord nommé le *Diary*, était sous le patronage des marchands. Il avait été fondé à New York, en 1792, par Samuel London, un ardent propagandiste de la Révolution française. Le *Mercantile Advertiser* devint le journal du genre au plus fort tirage à New York. *Ibid.*, p. 133. Le *Courrier de Boston*, pour lequel Mesplet recueillait des abonnements, avait comme fondateur le libraire et éditeur Joseph Nancrède, un important diffuseur des Lumières aux États-Unis. Le journal — qui dura six mois — avait comme devise: «L'utilité des deux Mondes». À titre de libraire, Nancrède répandit entre autres les oeuvres de Voltaire, Rousseau, Condorcet, Condillac, Montesquieu et Brissot. Né en 1761 près de Fontainebleau, Joseph Guérard de Nancrède fut professeur de langue française à Harvard en 1787. Il composa la première anthologie d'auteurs français pour les États-Unis. (Voir FRANKLIN V., Benjamin.- *Boston Printers, Publishers and Booksellers: 1640-1800*.- Boston; Hall, 1939.- pp. 377, 378.)
43. La publication des *Révolutions de Paris* commença au mois de juillet 1789. Son épigraphe, que reproduira Mesplet, était: «Les grands ne nous paraissent grands que parce que nous sommes à genoux... Levons-nous!» Le fondateur de cette feuille était le libraire Prudhomme, emprisonné à plusieurs reprises antérieurement pour avoir propagé des écrits révolutionnaires. Les *Révolutions de Paris* donnent
    le tableau le plus complet, le plus exact, le plus impartial, des agitations de la capitale pendant les premières et les plus dramatiques années de la Révolution.
    Ce journal a beaucoup combattu pour la liberté de la presse, témoin cet extrait des «Instructions sur la liberté absolue de la presse», tiré du numéro 110 de l'année 1791:
    Dans quelque état que se trouve la chose publique, n'en désespérez pas, tant qu'elle aura pour sentinelle la liberté absolue de la presse.
    (Voir *Histoire politique et littéraire de la presse en France*, op. cit., tome VI, pp. 317 à 338.) La *Chronique de Paris*, fondée le 24 août 1789, était l'un des quotidiens les mieux faits de la capitale. Parmi les rédacteurs, citons Condorcet qui, à partir du 17 novembre 1791, donna le compte rendu des séances de l'Assemblée nationale. La *Chronique de Paris* publiait en outre des articles variés, une correspondance et des faits divers.- *Ibid.*, tome V, pp. 224, 225, 238. Le *Courrier de Paris* avait vu le jour le 5 juillet 1789 sous le titre de *Courrier de Versailles à Paris et de Paris à Versailles*. Il s'appela successivement *Courrier de Paris dans les provinces et des provinces à Paris*, puis *Courrier des 81 départements*, le 3 juillet 1790. Son fondateur, Gorsas, en fit une feuille républicaine après la fuite du roi.- (Voir *Histoire générale de la presse française*, op. cit., pp. 428, 450, 451.)
44. Il s'agit d'une correspondance particulière qu'avait Mesplet avec des informateurs à Paris (par exemple GM, 16 mars 1786, 2e page, col. 2, numéro XI; 30 juin 1791, 3e page, col. 2, numéro XXVIII), à Lyon (par exemple, les numéros du 31 août 1786,

dans la *Gazette de Montréal* du 3 janvier 1793, qui laisse percevoir le cheminement de l'information:

> L'imprimeur a reçu des gazettes par la dernière malle de New York, avec des nouvelles de Londres jusqu'au 6 octobre [1792], qui rapportent que des lettres — reçues le même jour de Paris, de plusieurs maisons respectables, qui en rendent l'authenticité incontestable, datées de Paris le 3 octobre 1792 —, donnent les détails suivants...[45]

Une dépêche de Paris prenait donc trois mois pour parvenir à Mesplet, et encore s'agit-il dans ce cas-ci d'une communication rapide. Le décalage pouvait varier de trois à cinq mois, selon les saisons, pour l'information venant de Londres. Celle en provenance de Philadelphie et de New York pouvait mettre de un à deux mois pour atteindre Montréal.

Dans un texte destiné aux souscripteurs, publié le 8 décembre 1785, Mesplet explique comment il recueille et trie son information. Il a établi des relais

> tant dans l'Amérique du Nord que dans celle du Sud comme les voies les plus courtes et les plus sûres pour recevoir des nouvelles de toute l'Europe. Jusqu'au mois dernier, nous avons reçu assez assidûment les papiers de ces deux parties... Vous n'ignorez pas, messieurs, qu'il est impossible de trouver dans cette province autant de faits et assez curieux pour remplir chaque semaine la feuille... Dans nombre de gazettes que nous avons reçues, il est assez de matière, mais nous sommes obligés dans cette quantité de faire un choix.

Les nouvelles étrangères venant de trop loin nous laissent d'autant plus indifférents «que du bon ou du mauvais succès il ne peut en résulter pour nous aucun bien ni mal». Par ailleurs,

> l'Amérique du Nord est très stérile en nouvelles, celle du Sud ne nous présente que des malheurs... Mais faudra-t-il toujours vous mettre sous les yeux des images aussi tristes, et tendre notre papier de noir... notre intention n'est pas d'ennuyer ou d'affliger. La difficulté de trouver des traducteurs du français en anglais nous met dans l'impossibilité de donner les nouvelles que nous

---

2e page, col. 2, XXXV; 23 novembre 1786, 2e page, col. 2, XLVII; 31 mai 1787, 3e page, col. 2, XXII), à Philadelphie (par exemple, les numéros des 7 décembre 1786, 3e page, col. 2, XLIX; 28 décembre 1786, 2e page, col. 2, LII), à Québec (par exemple, le numéro du 6 septembre 1787, 2e page, col. 2, XXXVI). Au début de ces dépêches, il est précisé la plupart du temps: Lettre d'un tel à un ami ou un citoyen de Montréal.

45. GM, 3 janvier 1793, 1ère page, col. 2, numéro 1.

trouverions dans différentes gazettes en français comme celles de France, de Hollande, *Courrier de l'Europe*, etc., dans les deux langues, et par conséquent nous sommes obligés de les extraire des gazettes anglaises et américaines souvent partiales. Aucune pièce de littérature n'a pu encore être traduite... [Dans les circonstances] nous croyons ne pouvoir mieux faire que de donner en français seulement les morceaux qui, faute de traducteur, ne pourront être mis en anglais; mais tout ce qui sera extrait des papiers anglais — à la poésie près — sera traduit en français...[46]

Le désir de Mesplet est donc de donner une information solide, c'est-à-dire non déformée par la propagande politique. Il le fait pour la partie française de son journal. Mais c'est plus difficile pour la section anglaise, parce qu'il n'a pas de traducteur du français à l'anglais.

Des diverses interventions de Mesplet, on peut conclure qu'il était seul maître à bord de son vaisseau. Le départ se fait toutefois avec difficulté, et l'imprimeur ne le cache pas. Quand le journal aura pris son rythme de croisière, nous retrouverons le Mesplet hardi de la *Gazette littéraire*, mais cette fois sans l'emploi de tactiques susceptibles de lui ménager les bonnes grâces du clergé. C'est à visage découvert qu'il informe, qu'il renseigne, qu'il fait la promotion des Lumières. Dès le début, ses ennemis ont voulu entraver son action par l'intervention des créanciers. Mais ce n'était qu'un arrêt momentané, comme il en fait part aux souscripteurs dans le numéro du 24 novembre 1785:

> Vous serez sans doute surpris de ne pas recevoir cette semaine la *Gazette*. Mais j'espère que vous ne m'en saurez pas mauvais gré, puisque ce n'est pas l'effet de ma négligence ni de ma mauvaise intention. Je dois à moi-même et au public beaucoup d'exactitude, et je pense que jusqu'à ce jour, aucun de vous messieurs ne peut me faire de reproches. Un dérangement dans mes affaires — que je crois vous connaissez tous — a suspendu mon travail, et m'a mis dans l'impossibilité de fournir aujourd'hui ce à quoi je suis obligé envers vous. Je me flatte, messieurs, que la semaine prochaine, je vous dédommagerai autant qu'il sera en mon pouvoir, et continuerai avec le même zèle à vous donner des preuves de mon assiduité[47].

---

46. GM, 8 décembre 1785, 4e page, col. 2, numéro XVI.
47. GM, 24 novembre 1785, 1ère (et unique) page, numéro XIV. Texte pleine page en français seulement. Les presses, achetées par Desautels, avaient été vendues à Édouard-Guillaume Gray qui les avait «prêtées» à Mesplet, comme le précise l'inventaire des biens après décès de l'imprimeur:
> L'imprimerie complète, ainsi qu'il est mentionné dans l'état remis par Édouard-Guillaume Gray, écuyer, qui a prévenu qu'elle lui appartenait, l'ayant laissé à M. Mesplet pour s'en servir seulement...- (Voir *The First Printer*, op. cit., p. 287.)

Cette interruption était bien pardonnable, puisque le 21 novembre 1785, trois jours auparavant, les biens de Mesplet avaient été vendus par ordre de Rouville, sur les instances du prêteur Desautels, comme nous l'avons relaté. À ce sujet d'ailleurs, Mesplet et Desautels se sentent obligés de signer conjointement l'avis public suivant dans la *Gazette de Montréal* du 2 novembre 1786:

> Comme certains hommes parvenus, sans éducation, et même d'une conduite blâmable, se plaisent à calomnier envers les soussignés qui depuis plus d'une année s'entretiennent (sic), et veulent insinuer dans le public que la somme due par le sieur Fleury Mesplet, suivant une obligation passée par devant notaire, en faveur du sieur Joseph Desautels, serait une somme supposée et qu'il y aurait un contre-billet: c'est pourquoi on prie ces infâmes calomniateurs à prouver le fait (sic), même dans la *Gazette*, sans quoi ils doivent être considérés comme des imposteurs, marqués d'infamie, et méprisables à tous égards[48].

Cet avis n'a été suivi d'aucune réplique. Par ailleurs Desautels, avant et après la saisie, a toujours gardé de bonnes relations avec Mesplet. Peut-être la saisie était-elle la seule façon de libérer l'imprimeur de ses dettes, accumulées en raison de son incarcération. De toute façon, Desautels et les autres créanciers n'ont jamais voulu le faire emprisonner pour dettes. Mais la vie restait difficile pour l'imprimeur. Cinq ans après sa sortie de la prison d'État, il se confie à ses souscripteurs dans son message du nouvel an, le 4 janvier 1787:

> Que peut-on espérer pour étrennes d'un imprimeur infortuné qui, depuis son établissement dans cette ville, n'a eu que des chagrins et des pertes? que ses sincères et affectionnés remerciements à tous les messieurs souscripteurs, et à ceux qui l'ont fait travailler ci-devant. Peut-être que cette année lui sera plus avantageuse et que le nombre des souscripteurs à la *Gazette*, qui lui a été onéreuse jusqu'à présent, augmentera.
>
> Il ne perd pas courage, malgré toutes ses adversités, et se flatte que par sa ponctualité, sa diligence, sa fidélité envers le gouvernement et envers ceux qui lui feront l'honneur de l'employer, il méritera un plus grand encouragement à l'avenir[49].

À l'occasion de la nouvelle année, dans la *Gazette* du 30 décembre 1790, Mesplet rappelle à ses souscripteurs l'idéal qui l'anime:

---

48. GM, 2 novembre 1786, 4e page, col. 2, numéro XLIV.
49. GM, 4 janvier 1787, 3e page, col. 2, numéro 1.

Mon principal soin surtout sera de redoubler mes efforts pour inspirer à votre jeunesse, qui voudra bien lire mes feuilles, le goût de l'étude et des sciences, l'amour de la vraie vertu, et la connaissance de ses obligations envers la société. Exciter son émulation a toujours été mon désir: je le continuerai avec d'autant plus de zèle, que j'ai eu la satisfaction de voir dans le cours de cette année presque écoulée, plusieurs de ses productions qui font honneur à cette nouvelle colonie.

...Notre presse, ouverte à la réfraction des abus, de l'intolérance et de la superstition, entretiendra toujours une croyance nécessaire et de la plus grande conséquence pour le bien commun et la sûreté de la justice...[50]

C'est la profession de foi d'un Philosophe, qui ne craint plus les moyens de pression des dévots. Voici la réplique qu'il fait à l'un d'eux, dans la *Gazette* du 6 janvier 1791:

En conformité à vos ordres, je vous ai rayé du nombre de mes souscripteurs, et comme j'étais occupé à cela, deux honnêtes citoyens vous ont remplacé. Si vous pensiez dévotement avec quelques autres m'ôter le pain de la bouche, vous voyez que vous ne réussirez pas[51].

Plusieurs des messages de l'imprimeur ont trait à l'exercice par lui-même d'une censure préalable. Il explique pourquoi tel article n'a pu être publié. Ainsi, dans le numéro du 10 juin 1790, l'imprimeur avertit le public du rejet d'un «chiffon» non publiable:

Comme j'ai beaucoup d'estime pour les personnes qui ont bien voulu honorer ma *Gazette* de leurs souscriptions, je n'ai pu me résoudre à leur présenter cet essaim d'imbécillités et de platitudes dont une seule a suffi pour me donner mal au coeur, une autre pour me mettre la bile en mouvement et une troisième enfin pour me tenir lieu de séné et de rhubarbe, tellement que peu s'en est fallu que le papier qui m'avait ainsi remué et tourmenté ne fût condamné à boire son ouvrage; mais une propriété si curieuse m'a engagé à le conserver pour épargner en temps et lieu à mes souscripteurs les frais souvent très coûteux d'une purgation entière et complète. Le chiffon est au service de qui voudra...[52]

Le 9 décembre 1790, Mesplet refuse de publier le texte «Histoire véritable», à moins que l'auteur ne s'identifie[53]. Dans l'ensemble, l'imprimeur se méfie de ceux qui se cachent derrière l'anonymat pour médire ou calomnier.

---

50. GM, 30 décembre 1790, 3e page, col. 2, numéro LIII.
51. GM, 6 janvier 1791, 2e page, col. 2, numéro I.
52. GM, 10 juin 1790, 4e page, col. 2, numéro XXIV.
53. GM, 9 décembre 1790, 5e page, col. 2, numéro L.

Mesplet ne peut compter sur une collaboration assidue de rédacteurs, comme au temps de la *Gazette littéraire*. Valentin Jautard s'en explique dans la *Gazette de Montréal* du 1er septembre 1785:

> La *Gazette* vient d'éclore, me dites-vous, et je n'y ai encore vu aucune de vos productions. Vous voudriez sans doute que j'essaie de charmer mes jours misérables par les douceurs de l'étude, que je ne laisse pas, pour me servir de vos propres termes [ceux probablement de Mesplet] périr mes talents dans l'inaction. J'approuve votre conseil, mais qu'il est difficile de le suivre. Il fut un temps où l'amour de la réputation donnait des forces à mon génie et le rendait fertile. J'étais même attiré par l'éclat d'un nom. Mais aujourd'hui je ne suis pas assez heureux pour m'occuper de la gloire. Je voudrais même, s'il était possible, être ignoré du monde entier. J'ai trop tardé à me faire un asile où je ne puisse rencontrer que moi-même, mais j'y travaille.
>
> Quand je me rappelle tout ce que j'ai souffert, dois-je écrire ou répandre des pleurs? Il faudrait que j'aie tout oublié ou que j'aie perdu tout sentiment. Le souvenir du malheur passé m'agite continuellement, et ne me laisse pas assez de tranquillité pour me livrer à mes pensées. Ajoutez que les années ont affaibli mon génie, qu'une si longue inaction a consumé mes forces. Un champ, le plus fertile de la nature, si le soc ne le renouvelle, ne produira que de l'herbe et des ronces. Si le coursier reste longtemps oisif, il sera bien moins léger, et verra les rivaux le devancer dans la carrière. Si le vaisseau reste longtemps à sec sur le rivage, il pourrit et se décompose. Ainsi, je désespère de redevenir ce que j'ai été et de retrouver mes faibles talents; mes forces m'abandonnent. De longues souffrances tuent le génie, l'effraient quelquefois.
>
> Mais malgré toute mon application, je m'aperçois que mes ouvrages se sentent du malheur de l'auteur. Vous me direz que j'ai réussi autrefois. Mais n'est-ce pas ce même succès qui fut la base de ma perte? Quand j'ai fait un si cruel naufrage, il m'est permis de détester et de fuir les mers. En outre, quand toujours séduit par ce malheureux penchant, je voudrais me livrer à un talent aussi funeste, qui pourrait m'inspirer? Rien[54].

Le long emprisonnement à Québec a complètement détruit, physiquement et moralement, Valentin Jautard. Un ressort s'est brisé en lui. Il se sent incapable de redevenir rédacteur. Si l'on

---

54. GM, 1er septembre 1785, 3e page, col. 2, numéro II. Ce texte n'est pas signé mais les allusions à la collaboration rédactionnelle à la *Gazette littéraire* et à l'emprisonnement, ne laissent aucun doute. C'est le chant du cygne de Jautard.

se rappelle son ardeur, malgré les difficultés des derniers mois à la *Gazette littéraire*, force est de constater que ses ennemis ont bien réussi à le briser. Le premier journaliste-philosophe au Québec est devenu un vieillard craintif dont l'esprit demeure hanté par le cauchemar d'un emprisonnement atroce. Il semble que Jautard ait été empêché de lire et même d'écrire durant une partie de son incarcération. On l'avait plongé dans une oisiveté néfaste à un intellectuel de cette trempe. Il est sorti depuis déjà deux ans de sa prison quand il écrit ce dernier texte dans la *Gazette de Montréal*. Peut-être a-t-il collaboré discrètement au journal en traduisant des dépêches de l'anglais au français — puisqu'il s'annonçait comme traducteur dans le périodique du 13 octobre[55] —, mais à cela paraît s'être limitée sa collaboration, si collaboration il y a eu.

Le seul rédacteur connu de la *Gazette de Montréal* est Henri Mézière, qui y fait son apparition à partir de l'année 1788, au sortir du Collège de Montréal. Son premier texte est une défense de Valentin Jautard qui, mort le 8 juin 1787 (le jour du huitième anniversaire de son incarcération à Québec), avait été décrié dans une fable parue dans le journal de Mesplet. Jautard y était comparé à un loup cruel qui s'était fait avocat et dont l'étude «était un bois des plus affreux». En note, une main avait ajouté:

> Malgré la satire, on trouve dans le corps des procureurs ainsi que dans les autres corps des gens d'une probité délicate: on en trouve de même partout qui ne sont pas scrupuleux. Tel était celui qui est l'objet de cette fable. Il est mort il n'y a pas longtemps[56].

---

55. GM, 13 octobre 1785, 4e page, col. 2, numéro VIII:
   Valentin Jautard, ancien avocat ès cour, donne avis au public qu'il a changé de logement, et réside actuellement dans la maison du sieur Fleury Mesplet, imprimeur; les personnes qui voudront l'employer peuvent être persuadées de son zèle et de son activité, pour conseil, mémoire, etc. ainsi que pour traduire de l'anglais au français.
   Avant son mariage, Jautard avait acheté une ferme à la côte Saint-Paul. Il quittait donc la campagne pour demeurer rue Capitale. Il n'exerçait plus comme avocat mais comme écrivain public. Après sa libération, Jautard avait vécu dans le faubourg Saint-Joseph jusqu'au 14 avril 1783. Il loua alors de Laurent Moine, à l'angle des rues Saint-Jacques et Saint-François-Xavier, une chambre haute avec une vue sur les villas et les vergers qui s'étageaient jusqu'à la montagne. Le 12 août 1783, Pierre Foretier vendait à Jautard une terre de quatre-vingts arpents à la côte Saint-Paul, avec maison, grange et dépendances au prix de huit mille chelins. Jautard donna en acompte deux mille quatre cents chelins, empruntés de Marie-Thérèse Bouat.- (Voir MASSICOTTE, E.-Z.- «L'ultime aventure du journaliste Jautard», BRH, numéro 47, 1941, p. 329.)
56. GM, 10 janvier 1788, 4e page, col. 2, numéro II. La fable se résume ainsi. Sur les conseils d'un chien, qui veut le transformer, un loup se fait avocat. Mais il reste un loup et devient de plus en plus cruel.

Paru dans le numéro du 10 janvier, le texte reçut sa réplique le 24 du même mois. Il était signé H., la signature d'Henri Mézière, âgé alors de 16 ans:

> Je t'attaque, ô méchant, ô citoyen pervers
> Ô ennemi des morts, je t'adresse ces vers!
> Quoi! tu ne rougis pas de livrer des combats
> À celui dont le corps est en proie au trépas?
> ....
> Peut-on pousser si loin la bassesse et l'envie,
> Que d'attaquer en lâche un corps privé de vie?
> S'il eut été vivant, ta muse modérée
> Jamais avec ses vers ne se fut mesurée
> ....
> Mais tu choisis le temps où son corps malheureux
> Ne peut plus contenir son esprit valeureux.
> ....[57]

Après la publication de cette défense, Mesplet fait paraître plusieurs articles de Mézière sur l'utilité des sciences, l'amour

---

Et son étude était un bois des plus affreux,
Le chien en fréquentant ce lieu si dangereux
Y laissa tous ses poils, la queue et ses oreilles.
Valentin en ces vers est dépeint à merveilles.
Un loup est toujours loup, aux champs, dans les forêts.
À la Cour, à la Ville, il ne change jamais.

Un astérique au prénom Valentin renvoie à la note où il est question de l'avocat peu scrupuleux mort récemment. La publication de cette note reste une énigme puisque l'amitié entre Mesplet et Jautard avait survécu à leur longue incarcération. De plus, Jautard avait été accueilli au foyer des Mesplet en 1785, et c'est là qu'il était mort le 8 juin 1787.

Voici l'acte de décès, inscrit au registre de la paroisse Notre-Dame à l'année 1787, en page 66, ANQM:

> Le neuf juin 1787 par moi prêtre soussigné a été inhumé dans le cimetière proche l'église le corps de Valentin Jautard, ancien avocat de la province de Québec, décédé d'hier âgé de quarante-neuf ans. Ont été présents les sieurs Antoine Foucher, notaire; l'avocat Louis-Étienne de Montigny. L'Hardy et Duranceau, chantres soussignés.

Avec les signatures de l'Hardy, Duranceau, Foucher, de Montigny et Marchand, prêtre. D'après cet acte, Jautard serait né en 1738. Il aurait donc été un contemporain de Mesplet, plus jeune que lui de quatre ans. Dans la *Gazette littéraire*, en 1778, Jautard disait avoir près de soixante ans sous la signature du Spectateur tranquille. Son dernier et seul article dans la *Gazette de Montréal* paraît être celui d'un vieillard apeuré. Marie-Thérèse Bouat (elle avait été baptisée Marie-Madeleine-Thérèse), qu'il épousa, avait vingt-sept ans de plus que lui. Elle mourut le 3 juillet 1801, à l'âge de quatre-vingt onze ans. Sur Marie-Thérèse Bouat, voir MASSICOTTE, E.-Z.- «La famille Bouat», BRH, numéro 30, 1924, page 44; «L'ultime aventure du journaliste Jautard», BRH, numéro 47, 1941, p. 330. Les signatures d'un avocat et d'un notaire, ainsi que le titre d'avocat dont fait état l'acte de décès, montrent bien que Jautard jouissait encore de la considération du barreau.

57. GM, 24 janvier 1788, 3e page, col. 2, numéro IV.

patriotique, l'amour filial et autres sujets dont il sera question ultérieurement. La rupture survient le 12 mai 1791 quand le jeune homme récuse un texte d'esprit voltairien: «Au Saint Office de la ville impériale de Stambout [Stamboul]», que des bigots l'accusaient d'avoir lui-même composé[58]. Dans le numéro du 19 mai, Semper Eadem lui donne la réplique suivante:

> Et de qui sont les pensées que ce pauvre imbécile voulait censurer s'il en était capable? elles sont du plus fort génie de son siècle, et l'un des plus forts de tous les siècles. D'un homme admiré de tous les peuples de l'univers qui savent lire, à l'exception de quelques Jésuites et leurs pareils. D'un homme de l'amitié duquel le premier des rois [Frédéric] se croyait honoré. D'un homme que sa nation, consistant en 24 millions d'hommes au moins, a depuis peu distingué par dessus tous les hommes en faisant imprimer ses Oeuvres où sont les pensées en question, pour le profit de la nation. D'un homme à qui cette nation, croyant n'avoir pas encore assez fait, doit, si cela n'est pas déjà fait, déterrer ses restes pour les réinhumer avec toute la pompe, la distinction et les honneurs qu'il soit possible de rendre à la mémoire d'un homme. Cet homme est l'immortel Voltaire, l'ami, si je ne craignais d'offenser les consciences délicates, je dirais le sauveur de l'homme...
>
> ...je n'ai pris la plume que pour défendre l'État et la loi contre l'attaque d'un imbécile qui veut les fouler sous les pieds de la tiare... Celui qui veut persuader que la morale, les moeurs dépendent du dogme est ou imposteur ou fou...[59]

L'article — sujet de cette polémique — parut dans le supplément du 5 mai, parallèlement à un mandement de l'évêque de Québec limitant le nombre des fêtes d'obligation dans la colonie. C'est la liste de dix-sept maximes «philosophiques» que dénonce un censeur de la pensée à un pseudo Saint-Office de la ville impériale de Stambout. Les maximes prônent un déisme inspiré de Voltaire:

> Nulle société humaine ne peut subsister sans justice. Annonçons donc un Dieu juste.
>
> Si la loi de l'État punit des crimes connus, annonçons donc un Dieu qui punira les crimes inconnus.
>
> Vous ne savez ce que c'est que Dieu, comment il punira, comment il récompensera, mais vous savez qu'il doit être la souveraine raison, la souveraine équité, c'en est assez. Nul mortel n'est

---

58. GM, 12 mai 1791, 4e page, col. 2, numéro XX.
59. GM, 19 mai 1791, 3e page, col. 2, numéro XXI.

en droit de vous contredire, puisque vous dites une chose probable et nécessaire au genre humain.

Si vous défiguriez cette probabilité consolante et terrible, par des fables absurdes, vous seriez coupable envers la nature humaine.

Ne dites pas qu'il faut tromper les hommes au nom de Dieu: ce serait le discours d'un diable, s'il y avait des diables.

S'il prêche un Dieu juste, qui punit et récompense, un tel déisme rejette les prêtres et les dogmes:

Quiconque ose dire — sans excepter même Mahomet — Dieu m'a parlé, est criminel envers Dieu et les hommes. Car Dieu, le père commun de tous, se serait-il communiqué à un seul?

Si Dieu avait voulu donner quelque ordre, il l'aurait fait entendre à toute la terre, comme il a donné la lumière à tous les yeux; aussi la loi est dans le coeur de tous les êtres raisonnables, et non ailleurs.

C'est le comble de l'horreur et du ridicule d'annoncer Dieu comme un petit despote insensé et barbare, qui dicte secrètement une loi incompréhensible à quelques-uns de ses favoris, et qui égorge le reste de la nation pour avoir ignoré cette loi.

Votre Alcoran est farci d'absurdités et de contradictions, votre prophète Mahomet est un imposteur! Dieu se promener! Dieu parler! Dieu écrire sur une petite montagne! Dieu combattre! Dieu devenir homme! Dieu-homme mourir du dernier supplice! Idées dignes de Punch.

Un homme prédire l'avenir! Idée digne de Nostradamus.

Inventer toutes ces choses! extrême friponnerie. Les croire! extrême bêtise. Mettre un Dieu puissant et juste à la place de ces étonnantes farces; extrême sagesse.

À la crainte du prince qui s'interroge sur le danger d'être à la tête d'un peuple qui raisonne, le rédacteur des maximes répond: «moins il sera fanatique, plus il sera fidèle»:

Des princes barbares dirent à des prêtres barbares: «Punissez mon peuple pour que je sois mieux servi, et je vous payerai bien». Les prêtres ensorcelèrent le peuple et détrônèrent les princes.

Voulez-vous que votre nation soit puissante et paisible? que la loi et l'État commandent à la religion.

Quelle est la moins mauvaise de toutes les religions? celle où l'on voit moins de dogmes, et plus de vertu. Quelle est la meilleure? c'est la plus simple.

Le dogme a fait mourir dans les tourments dix millions d'hommes. La morale n'eut produit une [aucune] égratignure.

Le dogme porte encore la division, la haine, l'atrocité dans les provinces, dans les villes, dans les familles. Ô vertu, consolez-nous[60]!!!

Ce texte, signé L. M., est rédigé sous forme de proclamation comme celle relative à «l'horrible danger de la lecture» destinée à la ville impériale de Stamboul[61]. Des aperçus sur le déisme se retrouvent un peu partout dans les oeuvres de Voltaire, du *Dictionnaire philosophique* à l'*Essai sur les moeurs et l'esprit des nations*[62]. Dans la *Gazette de Montréal* du 12 mai, Mézière

---

60. GM, 5 mai 1791, 5e page, col. 2, numéro XIX. Voir VOLTAIRE.- *Questions sur l'Encyclopédie* (1771), article Religion, M XX-341:

Aurait-il été possible à l'esprit humain... d'admettre une religion... qui fût moins mauvaise que toutes les autres religions ensemble? et quelle serait cette religion?

Ne serait-ce pas celle qui nous proposerait l'adoration de l'Être suprême, unique, infini, éternel, formateur du monde, qui le meut et le vivifie, cui nec simile nec secundum; celle qui nous réunirait à cet Être des êtres pour prix de nos vertus, et qui nous en séparerait pour le châtiment de nos crimes?

Celle qui admettrait très peu de dogmes inventés par la démence orgueilleuse, éternels sujets de dispute; celle qui enseignerait une morale pure sur laquelle on ne disputât jamais?

Celle qui ne ferait pas consister l'essence du culte dans de vaines cérémonies, comme de vous cracher dans la bouche, ou de vous ôter un bout de votre prépuce, ou de vous couper un testicule, attendu qu'on peut remplir tous les devoirs de la société avec deux testicules et un prépuce entier, et sans qu'on vous crache dans la bouche?

Celle de servir son prochain pour l'amour de Dieu, au lieu de le persécuter, de l'égorger au nom de Dieu; celle qui tolèrerait toutes les autres, et qui, méritant ainsi la bienveillance de toutes, serait seule capable de faire du genre humain un peuple de frères?

Celle qui aurait des cérémonies augustes dont le vulgaire serait frappé, sans avoir des mystères qui pourraient révolter les sages et irriter les incrédules?

Celle qui offrirait aux hommes plus d'encouragement aux vertus sociales que d'expiations pour des perversités?

Celle qui assurerait à ses ministres un revenu assez honorable pour les faire subsister avec décence, et ne leur laisserait jamais usurper des dignités et un pouvoir qui pourraient en faire des tyrans? Celle qui établirait des retraites commodes pour la vieillesse et pour la maladie, mais jamais pour la fainéantise?

61. VOLTAIRE.- *De l'horrible danger de la lecture:* M. XXV-335 à 337. On trouve dans ce texte des affirmations sous forme de proclamation ainsi que le nom de «la ville impériale de Stamboul» qu'une erreur typographique a transformé en Stambout dans la *Gazette de Montréal*. Ce texte de Voltaire a été publié sans signature, sous le titre «De l'horrible danger de la lecture ou de l'imprimerie» dans GM, 21 avril 1791, 3e page, col. 2, numéro XVII.

62. Voici entre autres deux de ces aperçus sur le déisme:

Je ne crois pas m'être écarté de mon sujet en rapportant tous ces exemples, en recommandant aux hommes la religion qui les unit et non pas celle qui les divise; la religion qui n'est d'aucun parti, qui forme des citoyens vertueux, et non d'imbéciles scolastiques; la religion qui tolère, et non celle qui persécute; la religion qui dit que toute la loi consiste à aimer Dieu et son prochain, et non celle qui fait de Dieu un tyran, et de son prochain un amas de victimes.- *Avis au public sur les parricides imputés aux Calas et aux Sirven*, M. XXV-531.

s'était élevé contre l'article des dix-sept maximes philosophiques qu'on lui avait imputé. La religion, avait-il écrit, est une «institution sacrée révérée chez tous les peuples». «Il serait plus à propos, concluait Mézière, que la *Gazette de Montréal* ne renfermât que des sujets étrangers à la religion». Il rappelait que la loi condamnait au Québec «la publicité des réflexions en matière de religion»[63]. Enfin dans sa réplique à Semper Eadem, Mézière, jouant au Nonnotte, disait que «la religion se servira des propres armes de l'impiété pour en triompher»[64]. Mesplet lui accordait, le 26 mai 1791, deux pages d'un supplément pour cette tentative. Puis Mézière paraît ne plus écrire dans le journal. Cette même année 1791, comme nous le verrons, il s'occupait activement de la Société des débats libres[65]. En 1792, la *Gazette de Montréal* annoncera la publication de la *Bastille septentrionale*, dont il est l'auteur présumé[66]. Enfin, en 1793, avec la naissance de la République française, Mézière rêva d'en étendre l'influence concrète au Québec. Depuis sa réponse à Semper Eadem, l'esprit philosophique s'était réveillé en lui.

Après un rigoureux emprisonnement et en dépit de ses difficultés financières, Mesplet a donc réussi à fonder un nouveau journal, la *Gazette de Montréal*, qui prend la relève de la *Gazette littéraire*. La nouvelle feuille concentre ses intérêts sur l'information et son commentaire. Et l'esprit philosophique s'y exprime plus clairement encore que dans la *Gazette littéraire*. Comme nous le verrons dans le chapitre suivant, Voltaire est toujours le grand inspirateur du journal.

...Un Dieu adoré de coeur et de bouche, et tous les devoirs remplis, font de l'univers un temple, et des frères de tous les hommes. Les dogmes font du monde un antre de chicane, et un théâtre de carnage. Les dogmes n'ont été inventés que par des fanatiques et des fourbes: la morale vient de Dieu.- *De la paix perpétuelle*, M. XXVIII-127.

63. Voir note 58.
64. GM, 26 mai 1791, 5e et 6e pages, col. 1, 2, numéro XXII.
65. GM, 25 août 1791, 4e page, col. 1, numéro XXXVI.
66. GM, 23 février 1792, 4e page, col. 2, numéro IX.

Chapitre 11

Fidélité à Voltaire

L'esprit philosophique animera la *Gazette de Montréal* durant les huit années et demie de son existence. Voltaire en sera encore le principal inspirateur comme au temps de la *Gazette littéraire*. Les principes de cet esprit s'expriment dans la *Gazette de Montréal* quand les rédacteurs assignent comme rôle à l'imprimerie d'être un moyen de diffusion des Lumières ou quand ils font paraître dans leurs colonnes des textes de Voltaire propres à galvaniser les énergies. Enfin, Mesplet fait état d'un plan pour répandre l'esprit philosophique à Montréal et dans l'ensemble du Québec.

L'imprimerie «changera bientôt la face de l'univers», sous peu sortiront «de ses casses étroites les idées grandes et généreuses auxquelles il sera impossible que l'homme résiste», prévoyait la *Gazette de Montréal* du 5 janvier 1786, en reproduisant un passage de *Mon Bonnet de nuit* de Louis-Sébastien Mercier, dont voici les extraits les plus significatifs[67]:

---

67. Louis-Sébastien Mercier (1740-1814) fit en 1781 un voyage à Londres et projeta de comparer cette ville à Paris. D'où la rédaction du *Tableau de Paris*, qui sera suivi de pièces de théâtre, puis de *Mon bonnet de nuit*, son journal personnel en quatre volumes, remplis d'articles et d'essais. Mercier collabora à la *Chronique du mois* de Paris, éditée par le Cercle social dont il était membre aux côtés de Condorcet, Brissot et Collot d'Herbois. Voir MERCIER, Louis-Sébastien.- *Dictionnaire d'un polygraphe*.- Paris; Union générale d'édition, 1978.- pp. 19, 22, 24, 25 (préface de Geneviève Bollème).

...Tremblez donc tyrans de toute espèce, tremblez devant l'écrivain vertueux! Il soulève un tribunal vengeur, qui prélude à celui de la postérité.

(...)

L'esprit d'un seul s'épuise et non l'esprit humain, a dit le poète. L'esprit humain semble vouloir marcher à pas de géant, parce que les étincelles qui partiront de tous les points du globe peuvent se réunir en un foyer, à l'aide de l'imprimerie qui rassemble ces rayons épars...

La Philosophie est un phare qui répand au loin la clarté. Elle n'a pas un pouvoir actif; elle fait briller seulement la lumière; c'est au vent à enfler les voiles, à pousser les vaisseaux; elle ne montre que la route. Aussi la Philosophie n'a-t-elle jamais causé de troubles, de séditions, de noirs attentats; elle n'est que l'expression d'une raison sublime qui parle à l'univers, et qui n'a de force qu'autant qu'elle est adoptée...

Il y a telle opinion qui, semblable à la peste noire, a fait le tour du globe, a fait brûler en Europe, a fait massacrer en Amérique, a ensanglanté l'Asie, a causé des ravages jusqu'aux pôles... Cette peste a rabaissé l'homme au-dessous de l'instinct des brutes. Les écrivains-philosophes sont les bienfaiteurs qui arrêtent et rompent cette épidémie morale, plus dangereuse que les fléaux les plus redoutés.

Ce qui est admirable dans l'imprimerie, c'est que ces beaux ouvrages qui font l'honneur de l'esprit humain ne se commandent pas; au contraire, c'est la liberté naturelle de l'esprit généreux qui se développe, malgré les dangers et qui fait un présent à l'humanité, en dépit des oppresseurs. Voilà ce qui rend l'homme de lettres si recommandable, et ce qui lui assure la reconnaissance des siècles futurs[68].

En publiant ce texte, Mesplet situe parfaitement bien le rôle de l'imprimeur dans la diffusion des idées philosophiques. Il montre que la lutte majeure s'engage contre la superstition, «plus dangereuse que les fléaux les plus redoutés». La Philosophie est pacifique, «l'expression d'une raison sublime». Voici d'autre part les avantages que procure la presse ou l'art de l'imprimerie, d'après le numéro du 23 février 1786: elle

est la source, l'étal et le soutien de toutes les connaissances utiles. Par elle, le génie est éclairé dans la jeunesse, et fortifié à mesure que l'homme fait des progrès dans les sciences...

---

68. GM, 5 janvier 1786, 4e page, col. 2, numéro I.

234

...Si le préjugé est absurde, si l'opinion est fausse, si le système est inique, la presse tôt ou tard démontrera le ridicule du préjugé, la fausseté de l'opinion et l'iniquité du système.

Elle est le bouclier impénétrable contre l'oppression... La presse fournira à l'innocence le moyen de porter ses plaintes devant le terrible tribunal du public, tribunal qui dans un pays libre est toujours à craindre.

... [Art] qui met la vérité dans un grand jour, qui est le boulevard de la conservation publique, la sauvegarde de la liberté particulière, le trésor de ses espérances [de la nation qui appuie l'art de l'imprimerie]. Art que les honnêtes gens affectionnent et que les mauvais redoutent...[69]

C'est bien ce rôle de «bouclier impénétrable contre l'oppression» qu'assigne Mesplet à la presse. L'imprimeur se veut le défenseur de la liberté et de la vérité, des honnêtes gens contre les crapules. La *Gazette de Montréal* reprend cet idéal justicier qui animait déjà la *Gazette littéraire*. Mais

la presse dans ce pays-ci ne jouit pas d'une liberté aussi ample qu'en Angleterre, écrit un correspondant au chevalier de J. dans le numéro du 19 août 1790. Nous sommes par là privés d'un grand bien, car n'en serait-ce pas un que de pouvoir ouvertement critiquer les mesures des personnes en place; que de pouvoir en sûreté, dévoiler à un public justement courroucé, les trames secrètes de certaines personnes que la robe a mis (sic) jusqu'ici à l'abri de l'Argus de la satyre (sic). Il est cependant certain qu'il ne peut y avoir de liberté où un attentat contre celle de la presse aura réussi.

Le correspondant souhaiterait voir la liberté de la presse «fleurir dans toute l'étendue de cette province» comme c'est le cas en Grande-Bretagne. Grâce à la presse,

le savoir et le génie du peuple s'emploient pour la liberté commune; par son secours la nation se communique mutuellement le bien ou le mal qui peut naître des lois nouvelles ou d'une nouvelle constitution; par son secours le peuple connaît le mérite des personnes en place. Par son secours l'innocence ou l'imposture sont dévoilées. Par son secours enfin, chacun peut cesser d'être esclave.

L'auteur soutient que la liberté de la presse devrait être le fait de tous les gouvernements en raison de ses grands avantages. Elle pourrait toutefois «être fatale dans un gouvernement ecclésiastique». Mais «si cette liberté pouvait leur ôter un peu de leur

---

69. GM, 23 février 1786, 4e page, col. 2, numéro VIII. Nous n'avons pu identifier l'auteur de ces lignes.

pouvoir, ce serait une raison de plus pour la poursuivre»[70]. Continuant la publication de son essai dans le numéro du 2 septembre 1790, le même correspondant précisait qu'il désirait pour le Québec une liberté «entière» de la presse. Car la personne qui fait une critique «un peu forte» n'y a plus une totale sécurité.

> L'entière liberté de la presse est le plus grand bonheur dont puisse jouir un État... la liberté commune dépend de celle de la presse.

> À quoi sert la presse en Angleterre, demandait le rédacteur. Je le dirai en peu de mots: à réformer les abus dans les charges publiques, à réprimer les vices des Grands, et à imposer un frein à la violence des ministres. Pouvons-nous nous persuader qu'il n'y a pas dans cette province matière de critique, pas d'abus dans les charges, qu'il n'y a pas de vices à réformer, d'autorité à réprimer? Plût à Dieu que cela fût vrai! Mais il est visible que ce pays, eu égard à ce point, ne ressemble que trop aux autres![71]

Résumons cette lettre au chevalier de J. D'après le rédacteur, il ne règne pas une liberté de presse entière sous le régime de l'Acte de Québec. Une critique «un peu forte» met la sécurité de l'imprimeur et des auteurs en danger. Mesplet en sait quelque chose. Pourtant, aucune réforme n'est possible sans la liberté de la presse pleine et entière. Il est précisé qu'elle est «fatale» à un gouvernement ecclésiastique. Et c'est sans sourciller que Mesplet fait paraître, dans la *Gazette* du 21 avril 1791, la facétie voltairienne qu'est le «projet d'ordonnance publié par ordre du Saint Office pour l'information de nos législateurs» sur «l'horrible danger de la lecture ou de l'imprimerie». L'imprimerie y est anathématisée parce qu'elle tend, en facilitant la communication des pensées, «à dissiper l'ignorance»; qu'elle permet aux marchands et aux cultivateurs d'apprendre des méthodes aptes à améliorer leur sort; qu'elle chasse par les livres de raison, les livres merveilleux; qu'elle permet aux Philosophes «d'éclairer les hommes»; qu'elle diminue les pèlerinages en répandant que Dieu est partout; parce qu'enfin en vulgarisant des moyens de prévention, elle pourrait faire disparaître la peste, «attentat énorme contre les ordres de la Providence». Il est donc défendu «de jamais lire aucun livre et gazette sous peine de damnation éternelle». Le besoin de publier cette satire de Voltaire[72] en 1791 à Montréal, permet de deviner qu'une forte opposition cléricale

---

70. GM, 19 août 1790, 2e page, col. 2, numéro XXXIV.
71. GM, 2 septembre 1790, 2e page, col. 2, numéro XXXVI.
72. GM, 21 avril 1791, 3e page, col. 2, numéro XVII: *De l'horrible danger de la lecture,* M. XXV-335.

s'est manifestée contre la *Gazette* de Mesplet et la circulation des oeuvres des Philosophes. D'autant plus que le périodique montréalais ne se fait pas scrupule de faire paraître des extraits de leurs ouvrages, souvent sans nommer les auteurs, comme c'est le cas pour le texte sur «l'horrible danger de la lecture ou de l'imprimerie».

Voltaire demeure de toute façon l'inspirateur de la *Gazette de Montréal* et Mesplet ne s'en cache pas. Lisons cet éloge, en première page du numéro du 2 mars 1786:

> Quoique Voltaire ait été quelquefois trop osé dans ses principes, néanmoins il a le plus contribué, par ses écrits, à l'élévation des sentiments qui actuellement dirigent, pour ainsi dire, tous les États de l'Europe. Il a réveillé le génie et l'a engagé à faire des découvertes. Il a attaqué avec succès la forteresse de la superstition. Il a fait cesser toutes les disputes de religion qu'un zèle outré occasionnait. Les hommes peuvent actuellement, protégés par la bienveillance générale, faire profession de tout système, croire suivant leur connaissance, sans craindre qu'ils se dévorent les uns, les autres; ils n'oublieront plus la cause de l'humanité pour celle de la religion. On observe avec plaisir que quelques événements récents tendent au progrès de la vérité et de la liberté, et à répandre dans les esprits les impressions les plus avantageuses. La révolution d'Amérique a offert un asile aux opprimés de toutes les nations, qui les met à l'abri des griffes des tyrans. Ils sont actuellement libres et jouissent des privilèges des êtres raisonnables... ils [les Français] désirent dès ce moment d'être libres; ils suivent avec empressement le flambeau de la liberté. Ce sentiment généreux est imprégné dans leurs coeurs... Les hommes, par la Lumière de la Philosophie et par celle que le commerce leur procure, deviendront éclairés et connaîtront si parfaitement les privilèges de l'humanité, que les lois et les usages qui tendent au despotisme tomberont sans aucun effort. Les hommes vivront, et s'aimeront alors comme des frères, sous les auspices de la liberté et d'une bonne éducation[73].

Ce texte, montrant en Voltaire un bienfaiteur de l'humanité, en fait l'origine du vent de liberté et de fraternité qui souffle sur le monde. La liberté de pensée a permis l'avancement des sciences et le recul de la superstition. L'Amérique, comme le souhaitait Paine, est devenue une terre d'asile contre le despotisme. Et la France — notons ce pressentiment d'un grand bouleversement — se prépare à vivre sa liberté. Enfin, partout, la Lumière de

---

73. GM, 2 mars 1786, 1ère page, col. 2, numéro IX.

la Philosophie rendra meilleurs les coeurs des hommes. Mesplet doit se demander pourquoi ce grand vent d'espoir ne soufflerait pas au Québec à son tour...

De Voltaire, la *Gazette de Montréal* offre à ses lecteurs, le 9 décembre 1790, le septième discours en vers sur l'homme: «sur la vraie vertu». Être vertueux, ce n'est pas être

> Les reins ceints d'un cordon, l'oeil armé d'impudence,
> Un ermite à sandale, engraissé d'ignorance.

C'est aimer Dieu et s'aimer les uns les autres. «À la famille, aux siens, je veux qu'on soit utile».

> Les miracles sont bons; mais soulager son frère,
> Mais tirer son ami du sein de la misère,
> Mais à ses ennemis pardonner leurs vertus,
> C'est un plus grand miracle et qui ne se fait plus.

Il est probable qu'en terminant son extrait du Discours par les remerciements que Voltaire adresse au ciel pour lui avoir procuré les consolations de l'amitié aux heures sombres, Mesplet a songé à s'appliquer ces vers:

> Je te rends grâce, Ô Ciel, dont la bonté propice
> M'accorda des amis dans les temps d'injustice.
> Des amis courageux, dont la mâle vigueur
> Repoussa les assauts du calomniateur,
> Du fanatisme ardent, du ténébreux Zoïle,
> Du ministre abusé par leur troupe imbécile,
> Et des petits tyrans bouffis de vanité,
> Dont mon indépendance irritait la fierté.
> Oui, pendant quarante ans poursuivi par l'envie,
> Des amis vertueux ont consolé ma vie.
> J'ai mérité leur zèle et leur fidélité;
> J'ai fait quelques ingrats et ne l'ai pas été[74].

On sait que, malgré ses déboires, Mesplet a toujours conservé des amis fidèles. Le «calomniateur» et le «ténébreux Zoïle» dont il a essuyé les «assauts» ont été dans son cas un Rouville et un Montgolfier. Le «ministre abusé» a pu être Haldimand, influencé par la «troupe imbécile» du clergé. Quant aux «petits tyrans bouffis de vanité», ce pourrait être les seigneurs dévots que «l'indépendance» de Mesplet irrite. L'envie n'a cessé de poursuivre l'imprimeur et seuls des amis zélés ont pu le sauver de la

---

74. GM, 9 décembre 1790, 3e page, col. 2; 4e page, col. 2, numéro L: Discours sur la vraie vertu, tiré des *Discours en vers sur l'homme*, M. IX, 421 à 424. Ce septième discours avait été publié en 1737.

destruction totale. Il est certain que le choix des textes de Voltaire, que publiait Mesplet, n'avait rien de gratuit. Et l'on peut être assuré que le Discours sur la vraie vertu était très «actuel» en 1790, une intense année de diffusion des Lumières durant laquelle Mesplet redoublait d'activité contre la superstition, contre la corruption de la justice et en faveur d'un enseignement public.

«Actuel» aussi cet autre texte de Voltaire, extrait de l'article Credo du *Dictionnaire philosophique:* il s'agit du «Credo de l'abbé de Saint-Pierre», qui fait la première page de la *Gazette de Montréal* du 20 janvier 1791. Le choix d'une profession de foi résolument déiste donne à penser que l'Église intensifiait ses attaques contre la libre pensée dans la colonie, et que des accusations d'athéisme devaient être insinuées par des membres du clergé. Le Credo, qui n'est pas suivi de la signature de Voltaire, rappelle essentiellement qu'on peut adorer le Dieu de l'univers, l'aimer et le servir sans se réclamer d'une religion révélée: «Dieu étant notre père commun, nous sommes tenus de regarder tous les hommes comme nos frères». Cet appel en faveur de la tolérance se poursuit par la dénonciation des persécutions cléricales:

> Je crois que le persécuteur est abominable, et qu'il marche immédiatement après l'empoisonneur et le parricide.
> Je crois que les disputes théologiques sont à la fois la farce la plus ridicule et le fléau le plus affreux de la terre...

À la fin du Credo, Mesplet a modifié le texte de Voltaire pour l'adapter à la situation propre à Montréal. Ainsi, dans le paragraphe qui traite des titres et des richesses des ecclésiastiques, Voltaire écrit:

> Je crois que les ecclésiastiques doivent être payés et bien payés, comme serviteurs du public, précepteurs de morale, teneurs des registres des enfants et des morts; mais qu'on ne doit leur donner ni les richesses des fermiers généraux, ni le rang des princes, parce que l'un et l'autre corrompent l'âme et que rien n'est plus révoltant que de voir des hommes si riches et si fiers, faire prêcher l'humilité et l'amour de la pauvreté par leurs commis, qui n'ont que cent écus de gages.

Mesplet insère dans ce passage six mots qui sont nettement une allusion à la puissance des seigneurs ecclésiastiques de la colonie, en particulier des Sulpiciens. Voici le paragraphe avec la retouche de l'imprimeur que nous avons soulignée:

> Je crois que les ecclésiastiques doivent être payés, et bien payés, comme serviteurs du public, précepteurs de morale, teneurs

des registres des enfants et des morts; mais qu'on ne doit leur donner ni les richesses des fermiers généraux, ni le rang des princes, *ou les titres criant de seigneurs,* parce que l'un et l'autre corrompent l'âme; et que rien n'est plus révoltant que de voir des hommes si riches et si fiers, faire prêcher l'humilité et l'amour de la pauvreté par leurs commis qui n'ont que cent écus de gages.

Enfin, dans le dernier paragraphe de ce même Credo, où la vie monacale est condamnée, Mesplet ne résiste pas à la tentation de s'en prendre aux Récollets dont Voltaire n'avait rien dit. Là où Voltaire avait écrit:

> Je crois qu'il faut absolument rendre plusieurs moines à la société, que c'est servir la patrie et eux-mêmes. On dit que ce sont des hommes que Circé a changés en pourceaux; le sage Ulysse doit leur rendre la forme humaine.

Mesplet précise en écrivant:

> Je crois qu'il faut absolument rendre plusieurs moines à la société, *les Récollets surtout;* que c'est servir la patrie et eux-mêmes. On dit que ce sont des hommes que Circé a changés en pourceaux; le sage Ulysse doit leur rendre la forme humaine.

Mesplet sent toutefois le besoin d'ajouter, par précaution, ce paragraphe que Voltaire lui-même avait écrit en 1772, en reprenant dans les *Questions sur l'Encyclopédie* le texte de cet article «Credo» de 1769:

> Nous rapportons historiquement ce symbole de l'abbé de Saint-Pierre, sans l'approuver. Nous ne le regardons que comme une singularité curieuse; et nous nous en tenons, avec la foi la plus respectueuse, au véritable symbole de l'Église[75].

Dans le numéro du 29 mars 1792, l'imprimeur donne des stances écrites par Voltaire — qui n'est pas identifié —, en réplique au Genevois Rival en 1757. Il est clair qu'il s'agit cette fois encore d'une application que Mesplet fait à lui-même, pour donner à entendre ce qu'est sa politique:

> Non, je n'ai pas tort d'oser dire
> Ce que pensent les gens de bien:
> Et le sage qui ne craint rien
> A le beau droit de tout écrire.
> J'ai quarante ans bravé l'empire
> Des lâches tyrans des esprits;
> Et dans notre petit pays

---

75. GM, 20 janvier 1791, 1ère page, col. 2, numéro 111: *Dictionnaire philosophique,* article Credo (1769), M. XX-466, 467.

J'aurais grand tort de me dédire.
....

Je n'ai pas tort quand je déteste
Ces assassins religieux,
Employant le fer et les feux
Pour servir le Père céleste.

Oui, jusqu'au dernier de mes jours,
Mon âme sera fière et tendre;
J'oserai gémir sur la cendre
Et des Servets et des Dubourgs.
....

Farceurs à manteaux étriqués,
Mauvaise musique d'église,
Mauvais vers et sermons croqués
Ai-je tort si je vous méprise[76]!

Inséré dans la *Gazette de Montréal*, ce poème de Voltaire prend
donc valeur d'une justification du travail de diffusion des Lumières
de Mesplet. Il a osé dire «ce que pensent les gens de bien»
malgré les «lâches tyrans de l'esprit». Il combattra jusqu'à la fin
le fanatisme religieux.

Dans le numéro du 27 juin 1793, un texte philosophique non
signé nous montre les progrès de l'esprit humain entravés par
la superstition et l'ignorance, un peu comme le fera voir Condorcet dans son *Esquisse d'un tableau historique des progrès de
l'esprit humain:*

> Les institutions religieuses et politiques, ainsi que les préjugés
> et les opinions des peuples, datent des temps d'ignorance...
> L'ignorance et la crainte ont fait naître les religions et les cultes;
> ainsi l'ignorance fut en tout temps la base du pouvoir sacerdotal,
> qui ne peut subsister qu'autant que subsisteront les ténèbres de
> l'esprit humain...
>
> ...la vérité est l'ennemie née des êtres malfaisants... elle est
> l'amie des coeurs droits et sincères... La crainte de la vérité est
> un signe infaillible de l'imposture...
>
> Ces réflexions peuvent expliquer la conduite que tiennent
> constamment tous ceux qui s'opposent avec fureur aux progrès
> de l'esprit humain; et qui font les efforts continuels pour retenir
> les peuples dans les ténèbres de l'ignorance.C'est ainsi que le zèle,
> l'esprit intolérant et persécuteur des prêtres, leur inimitié pour
> la science, leur haine pour la Philosophie et pour ceux qui la profes-

---

76. GM, 29 mars 1792, 4ᵉ page, col. 2, numéro XIV: M. VIII-529, 530. Dans ce poème,
Voltaire répond au Genevois David Rival qui lui avait reproché d'avoir écrit que
Calvin avait montré une âme atroce en faisant brûler Servet.

sent, prouvent évidemment la conscience qu'ils ont de la faiblesse de leur cause... La cruauté de ces prêtres décèle la lâcheté de leurs âmes...

C'est d'après les mêmes principes que les tyrans déclarent une haine irréconciliable à la vérité, et s'efforcent d'écraser ceux qui ont l'âme assez forte pour l'annoncer. Dès que cette vérité les blesse, ils interposent habilement le voile de la religion entre eux et leurs sujets; ils échauffent les peuples contre cette vérité, en la faisant passer pour une sédition, un délire, un attentat contre le ciel même, pour un blasphème contre les représentants de la divinité... à l'aide de la loi qui n'est communément que l'expression de son propre caprice, le tyran travestit l'ami du genre humain, le bienfaiteur de ses concitoyens en un rebelle, un infâme, un perturbateur, dont les fureurs doivent être rigoureusement châtiées...[77]

Par la publication de ce texte qui servira de prétexte, on le verra, aux postes royales pour cesser de distribuer la *Gazette de Montréal*, Mesplet s'identifie à ceux qui combattent en faveur de l'esprit humain, contre le pouvoir sacerdotal, soutien de l'ignorance. Les tyrans qui «interposent habilement le voile de la religion entre eux et leurs sujets» peuvent désigner allusivement Haldimand et même Dorchester, qui se prépare à baillonner la presse dans la colonie, dans le contexte de la guerre entre la France révolutionnaire et la Grande-Bretagne de Burke. De nouveau, le loyalisme cherchera à s'appuyer sur le pouvoir de l'Église catholique dont il n'ignore pas l'emprise sur l'esprit des Canadiens.

Heureux du travail considérable de diffusion des Lumières accompli par Mesplet précédemment, l'Homme libre lui suggérait un nouveau plan, dans le numéro du 2 décembre 1790:

...je vois avec attendrissement combien vous travaillez à purger le vieux système de ses défectuosités, combien vous vous appliquez à inspirer du goût pour les belles-lettres à la jeunesse de cette colonie, quels coups heureux enfin vous portez aux préjugés, à l'ignorance et au sot orgueil.

Selon l'Homme libre, l'imprimeur ne doit pas se borner à publier des textes qui lui sont adressés. Il doit aussi se munir

de livres choisis, afin d'en extraire dans l'occasion ce qui vous en semblera de plus utile et de plus curieux. Des livres de cette espèce sont presque totalement inconnus ici, soit que le prix n'ait pas

---

77. GM, 27 juin 1793, 1ère page, col. 2; 2e page, col. 2; 3e page, col. 2, numéro XXVI.

accommodé les amateurs, soit que la crainte puérile de déplaire aux prêtres et aux moines se soit opposée à leur importation en ce pays. Le public vous en saura bon gré, et aura le double avantage de s'amuser et de ne rien débourser. Il est dans ces livres certains sujets par lesquels il serait le plus à propos de commencer: il y a des vices enracinés, des maux épidémiques et violents, et ce sont ceux auxquels on doit premièrement apporter quelques remèdes. La superstition, le zèle outré, l'aversion entre sectaires, les préjugés de naissance, l'injustice, l'abus du pouvoir, la servitude, et autres maladies et erreurs populaires sont autant d'objets auxquels il faut apporter quelques bons traités sur la religion naturelle, la tolérance, la bienveillance universelle, l'égalité primitive, l'équité, l'usage de l'autorité, la liberté et autres semblables.

Et cela, sans supprimer «quelques productions badines et enjouées», afin que «les lecteurs sérieux prisent votre *Gazette*, et qu'elle n'ennuie pas ceux qui aiment à rire»[78].

L'Homme libre suggère finalement de publier de plus en plus d'extraits des oeuvres des Philosophes, qui ne sont pas assez répandues dans la colonie, malgré la bibliothèque publique dont le service, rappelons-le, est limité à ses souscripteurs. L'Homme libre propose aussi plusieurs sujets à développer, tous chers à Voltaire, et qu'on peut trouver dans le *Dictionnaire philosophique* ou dans l'*Encyclopédie:* «la religion naturelle, la tolérance, la bienveillance universelle, l'égalité primitive, l'équité, l'usage de l'autorité, la liberté». D'ailleurs, le correspondant lui-même, en transmettant des extraits de l'article Inquisition[79], en profite pour traiter du contrôle de la pensée au Québec. Certes, dans cette colonie, on ne précipite pas «les infidèles» sur des bûchers, «car une constitution philosophique s'oppose à ces horreurs», mais des «inquisitions secrètes et cachées» existent. Ainsi, des citoyens sont enlevés du sein de leurs familles et disparaissent à jamais[80]. La plupart des dissensions familiales décou-

---

78. GM, 2 décembre 1790, 1ère page, col. 2, numéro XLIX.
79. L'article Inquisition, publié dans la *Gazette de Montréal* du 2 décembre 1790 (2e page, col. 2, numéro XLIX), est un abrégé du texte qu'on lit dans l'*Encyclopédie* (vol. VIII, pp. 773 à 776) sous la plume du chevalier de Jaucourt. Pour être plus précis, disons que le rédacteur a supprimé plusieurs paragraphes, en conservant seize sur trente-quatre. Malgré les coupures, la pensée de Jaucourt est respectée: l'Inquisition apparaît comme l'horrible tribunal de l'intolérance religieuse.
80. De tels faits avaient déjà été dénoncés par Du Calvet dans son *Appel à la Justice de l'État*, op. cit. L'Homme libre parle d'enlèvements pour des motifs d'ordre religieux. Du Calvet avait parlé de rapts pour raisons politiques et économiques:
   On les enlevait par douzaine et plus à la fois du sein de leurs familles, sans respecter les larmes d'un père, d'une mère, d'une épouse, des enfants. (p. 154)
   Autre mention d'enlèvements par Du Calvet:

lent «de l'abus des opinions religieuses»: les parents sont trans-
formés en «petits inquisiteurs», excités par le «zèle outré des
ministres». Quant à Mesplet, il le sait, sa générosité a fait de lui
«la victime» de cette inquisition de la pensée.

Allons, Monsieur, courage et persévérance. Pensez que nous
ne sommes plus en 1779, et que pour respirer il n'est plus nécessaire aujourd'hui comme alors de feindre l'ignorant (sic), de flatter
la noblesse et d'encenser le clergé: de se montrer hypocrite, adula-
teur et rampant. Non. L'homme qu'il faut en 1790 doit connaître
les droits que lui donne la nature, savoir en jouir et les défendre.

L'exil et la prison ne sont plus le partage des hommes libres
et voués à la cause commune. Le pouvoir des personnes en place
et la malignité religieuse ne peuvent plus rien contre eux. Vous
même, Monsieur, ne l'éprouvez-vous pas? Quelle vengeance le
temps ne vous a-t-il pas ménagée contre ceux de vos ennemis qui
ont été les plus injustement acharnés à vous nuire? Deux pour-
rissent oubliés dans leurs tombes, ou si leurs noms se retracent
à notre mémoire, ce n'est que pour nous la rendre odieuse. Un
autre, ce même qui vous fit manger un pain si amer l'espace de
trois ou quatre ans, traîne dans l'opprobe et l'humiliation les restes
languissants de ses jours coupables. oh! qu'il est différent de ce
qu'il était quand, muni de la lettre de cachet, il la faisait voir si
orgueilleusement à ceux de ses concitoyens, complices de sa perfidie et de sa conspiration: quand ces mots arbitraires «Ah! enfin,
je le tiens! Le voilà donc en ma disposition!», quand ces mots, dis-
je, sortirent de sa bouche mensongère et calomnieuse. Redoutant
aujourd'hui autant qu'il était alors redouté, aussi vil et abject qu'il
se montrait impérieux et haut. Le public juste enfin cette fois,
s'élève et crie hautement contre lui, le dénonce, le poursuit. Méprisé
de tous, haï de la multitude, on insulte à la mort si lente à en
purger ce globe, et la mort effrayée d'un si hideux objet, n'ose,
en le frappant, terminer ses remords et ses transes[81].

En rappelant la cabale qui a conduit à l'emprisonnement de 1779,
l'Homme libre, à titre de contemporain de Mesplet, rend sur son
activité de diffuseur des Lumières ce témoignage qu'elle a bien

---

Les corvées sont la ruine de la colonie, par leur choix déplacé, et un des plus
grands obstacles apposés pour sa fructification; elles consistent à enlever, à la
moindre injonction du gouverneur, un habitant de ses occupations domestiques
pour l'appliquer à tout usage public qu'il plaira à Son Excellence d'ordonner, de
caprice et même de passion; les pères, les enfants, sont arrachés souvent pour
des mois entiers, du sein de leurs familles, qui, dans l'absence de leurs uniques
soutiens, tombent dans les abîmes de l'indigence, et s'éteignent à petit feu, de
dessus la surface de la terre. (pp. 162, 163)

81. GM, 2 décembre 1790, 1ère page, col. 2, numéro XLIX.

été à l'origine de la persécution déclenchée contre l'imprimeur. Ni «la malignité religieuse» ni «le pouvoir des personnes en place» n'ont été étrangers à cette action infâme. D'anciens ennemis de l'imprimeur, déjà décédés, ont laissé un souvenir odieux. Quant à Rouville, il est désormais tenu en horreur par le public. L'Homme libre invite Mesplet à poursuivre son combat avec courage et persévérance. Mais, dans la pratique, n'est-ce pas là la conduite qu'a toujours tenue le diffuseur des Lumières au Québec?

La *Gazette de Montréal* reflète la fidélité de Mesplet à l'égard de l'idéal voltairien. Voltaire est mis à contribution non seulement pour éclairer les lecteurs sur les grands principes philosophiques, mais encore pour exprimer la politique même de l'imprimeur dans certaines circonstances. Mesplet soutient que la liberté de la presse est la base même des autres libertés, à l'instar de Voltaire qui écrivait à Damilaville, le 16 octobre 1765:

> Y-a-t-il rien de plus tyrannique (...) que d'ôter la liberté de la presse? Et comment un peuple peut-il se dire libre quand il ne lui est pas permis de penser par écrit[82]?

Plusieurs des écrits de Voltaire, que publie Mesplet, sont des réponses très actuelles à l'intolérance religieuse et au despotisme sous toutes ses formes. L'imprimeur, contrairement à ce qui s'était passé au temps de la *Gazette littéraire*, se prononce sans artifices pour Voltaire et se présente fièrement comme diffuseur des Lumières au Québec, travail qu'il poursuit avec courage et persévérance. Nous tenterons, dans le prochain chapitre, de cerner la condition sociale de ses lecteurs.

---

82. D 12938.

Chapitre 12

Les lecteurs de la Gazette de Montréal

L'influence de la *Gazette de Montréal* était considérable car le journal s'adressait à la bourgeoisie pensante de la colonie, ce qui ne l'empêchait pas de compter parmi ses abonnés des membres du clergé et de la noblesse. Établissons tout d'abord quel pouvait être le public accessible à un périodique comme celui de Mesplet, à partir des données du recensement de 1784. Nous tenterons ensuite de connaître les abonnés de la *Gazette de Montréal*, leur nombre, leur statut social. Nous tenterons également une estimation du volume de la publicité qui, avec l'abonnement, procurait à Mesplet les ressources nécessaires à la poursuite de son travail de diffusion des Lumières.

D'après le recensement de 1784, la province de Québec avait une population de 104 823 habitants, comprenant 57 758 adultes[83]. Ceux-ci représentent les abonnés possibles d'un journal au Québec, à la condition, évidemment, qu'ils sachent lire et qu'ils aient les moyens de l'acheter. Selon un rapport présenté par l'évêque de Québec au Comité d'étude sur l'éducation en 1789, on trouvait dans chacune des cent dix-huit paroisses catholiques de la province entre vingt-quatre et trente personnes capables de lire et d'écrire, c'est-à-dire, si l'on prend comme moyenne

---

83. RAC, 1889. Sur le recensement de 1784 ordonné par Haldimand: p. 25.

vingt-sept personnes, 3 186 habitants de langue française[84]. Dans ce nombre, on doit inclure trois cent quatre-vingt-deux membres du clergé[85]. Mais l'évaluation de l'évêque ne coïncide pas avec celle du maître général des postes, Hugh Finlay qui précisait, dans une dépêche à Londres en 1784, que seulement un homme sur cinq cents savait lire et écrire au Québec[86], à savoir deux cent neuf personnes aptes à adresser une lettre, sur une population de 57 758 adultes de langues française et anglaise. Il est fort possible en effet que, parmi les 3 186 personnes considérées comme alphabétisées par Mgr Jean-François Hubert, on ait compté beaucoup de gens ne sachant que signer leur nom et ânonner le catéchisme, même dans les communautés religieuses. Ce chiffre de deux cent neuf personnes «instruites», donné par Finlay, est recoupé par celui que fournit dans son rapport au prince royal, en 1788, un homme de loi de Québec, Isaac Ogden, qui prétend qu'il y a moins de trois personnes par paroisse catholique qui sachent lire et écrire. Ce qui donne deux cent trente-six personnes «instruites» parmi la population de langue française[87].

Il est certain que l'ignorance régnait dans les campagnes et que la reconnaissance d'une telle situation, auprès du Comité d'étude sur l'éducation, ne pouvait être très honorable pour Mgr Hubert, qui semble avoir indûment gonflé le chiffre des personnes alphabétisées. Le recensement de 1784 est clair: il n'existait pour toute la population catholique qu'une seule école d'écriture et de lecture, et cela à Vaudreuil. Il n'y avait donc pratiquement pas d'enseignement primaire. À Québec et à Montréal, des séminaires préparaient des vocations religieuses[88]. Mais le nombre d'analphabètes ne doit pas porter à minimiser la puissance de l'imprimerie au Québec. Elle restait le principal mode de diffu-

84. Lettre de Mgr Briand au juge William Smith, le 18 novembre 1789: TETU, Henri et C.-O. GAGNON.- *Mandements, lettres pastorales et circulaires des évêques de Québec*, tome II.- Québec; Côté, 1888.- p. 390. Sur le nombre de paroisses catholiques, voir les pp. 26 à 28 du RAC déjà cité en note précédente. Notons que le nombre de trois mille cent quatre-vingt-six personnes alphabétisées n'inclut pas les habitants de langue anglaise, au nombre de quinze mille, selon le rapport de l'avocat Ogden au prince royal en 1788. Les paroisses protestantes étaient desservies par onze ministres à Montréal et à Québec.
85. RAC, 1889. Sur le recensement de 1784, p. 38.
86. Lettre de Hugh Finlay à sir Evan Nepean, le 22 octobre 1784: DOUGHTY, Arthur G. et Adam SHORTT.- *Documents concernant l'histoire constitutionnelle du Canada.-* Ottawa; Imprimeur du roi, 1911.- p. 480.
87. GM, 5 mars 1789, 2e page, col. 2, numéro X. Le texte d'Isaac Ogden y est traduit en français après avoir été reproduit du *London Evening Post* dans le *Quebec Herald*.
88. RAC, 1889. Recensement de 1884, p. 38.

sion. Les révolutionnaires américains et français avaient eu la certitude que la circulation de Lettres constituait un levier capable de soulever les Canadiens. Les Lettres du Congrès, imprimées par Mesplet, avaient été répandues et commentées dans tout le Québec. Malgré l'analphabétisme, Franklin avait considéré comme essentiel de pouvoir compter sur un imprimeur à Montréal. C'est pourquoi d'ailleurs Mesplet avait accompagné la prestigieuse commission du Congrès. L'amiral d'Estaing avait aussi adressé une Lettre aux Canadiens quand la France avait rejoint les États-Unis luttant pour leur indépendance. Quant à la Convention française, par l'entremise de Genet, elle lancera par le même canal son appel en faveur de la liberté et de l'égalité. Tous ces messages, circulant au Québec, inquiétaient les dirigeants de la colonie, au point que le gouverneur général Haldimand avait sévi avec rigueur en emprisonnant plusieurs citoyens, parmi lesquels Mesplet. Pour diminuer l'impact de ces Lettres, l'État avait continuellement fait appel à l'Église: dans chaque paroisse, le curé agissait comme agent de la Grande-Bretagne. C'était en somme une guerre d'interprétation. Les Lettres étaient lues de part et d'autre. À tour de rôle, des porte-parole de l'une ou l'autre partie en montraient selon le cas la pertinence ou le danger. Finalement, ces Lettres du Congrès américain et de la Convention française réussirent à convaincre la majorité des Canadiens, comme l'avouèrent les gouverneurs généraux eux-mêmes. Mais noblesse et clergé, c'est-à-dire l'encadrement traditionnel de la collectivité — une partie instruite de la population — rejetèrent ces messages. Par contre, une forte représentation de la bourgeoisie penchait du côté des changements, des réformes et aspirait à davantage de liberté. Déjà mise en éveil par les Lettres du Congrès et de ses officiers, la majorité des Canadiens ne pouvait qu'être à l'écoute d'un journal comme la *Gazette de Montréal* qui parlait le même langage. L'information et les commentaires qu'elle contenait étaient lus à haute voix. Le journal informait le notable qui, à son tour, agissait par la parole. L'écriture semblait conserver une essence sacrée, quasi magique, parce que les prêtres s'y référaient souvent dans une langue que les paysans ne comprenaient pas. Le journal de Mesplet pénétrait dans plusieurs paroisses où, autour du lecteur, les auditeurs écoutaient les exploits de la jeune Liberté, y réfléchissaient, puis osaient en parler et finalement agir.

Nous n'avons pas la liste des abonnés de la *Gazette de Montréal,* mais nous possédons celle des souscripteurs du livre de

Burn sur les fonctions de juge de paix que Mesplet fit traduire, puis imprima. Il est très vraisemblable que la plupart de ces souscripteurs furent aussi des abonnés de la *Gazette de Montréal*, et cela en raison de leur statut social et de leur souci d'être informés. La liste de *Burn's Justice*, publiée dans le numéro du 23 avril 1789, comprend deux cent cinq noms, dont cent trente de Montréal, soixante-sept de Québec et huit de Trois-Rivières[89]. Il est normal que la clientèle de Mesplet soit plus nombreuse à Montréal, tandis que la capitale compte deux périodiques, la *Gazette de Québec* et le *Quebec Herald*. Parmi les souscripteurs de *Burn's Justice* dans le district de Montréal, nous relevons les noms de treize curés, huit notaires, six négociants, de la plupart des seigneurs et juges, et de trafiquants de fourrures et d'hommes d'affaires comme Jos Frobisher et Pierre Foretier. Le Séminaire de Montréal compte pour un seul client, de même que les Récollets. La liste des souscripteurs de *Burn's Justice* ne comprend que onze noms anglophones sur les cent trente Montréalais. C'est que ce recueil de lois était une traduction française. Comme il y avait sans doute un plus grand nombre d'abonnés de langue anglaise du journal bilingue de Mesplet, il faut tenter de compléter le nombre global en prenant en considération une liste de cent treize notables de Montréal qui signaient, dans la feuille montréalaise du 1er février 1787, des remerciements à un comité de marchands qui avait présenté au Conseil législatif des recommandations «pour rendre le commerce de cette province florissant, et les habitants, un peuple content et heureux»[90]. Il est à présumer que beaucoup de ces notables étaient abonnés à la *Gazette de Montréal:* la plupart n'avaient pas souscrit à *Burn's Justice*. Si nous additionnons les cent trente souscripteurs montréalais du recueil de Burn et les cent treize notables, en majorité anglophones, de l'adresse de remerciements au comité des marchands, nous atteignons une probabilité de quelque deux cent quarante abonnés montréalais à la *Gazette* de Mesplet. Si nous conservons les chiffres de Québec et de Trois-Rivières, tirés de la liste des souscripteurs de *Burn's Justice* — modestes en raison de la concurrence de la *Gazette de Québec* et du *Quebec Herald* —, nous ajoutons soixante et quinze abonnés de l'extérieur de Montréal aux deux cent quarante abonnés montréalais. De cette façon nous pouvons concevoir que la *Gazette de Mont-*

---

89. GM, 23 avril 1789, 4e page, numéro XVII.
90. GM, 1er février 1787, 4e page, col. 1, 2, numéro V.

réal comptait approximativement trois cents abonnés. Ceux-ci,
payant leur abonnement trois piastres espagnoles par année[91],
pouvaient rapporter en douze mois la somme de neuf cents
piastres. Ce qui durant huit années et demie d'abonnements
donnerait 7 650 piastres.

Il faut se rappeler aussi que le journal avait d'autres revenus
provenant de la publicité. En tâchant de les évaluer, nous ferons
apparaître le soutien qu'apportait la bourgeoisie à la feuille de
Mesplet — parce que la réclame provenait en grande partie de
ce groupe social —, et l'impact que pouvait avoir le journal
puisque les annonceurs l'utilisaient fidèlement. Il faut tout d'abord
savoir que Mesplet a publié, du 25 août 1785 au 16 janvier 1794,
un total de quatre cent quarante-trois numéros de la *Gazette de
Montréal*. Ces numéros comptaient en moyenne quatre pages
de deux colonnes chacune. Nous tenterons de mesurer l'espace
réservé à la publicité en compilant le nombre de colonnes qui lui
est consacré. Pour évaluer avec justesse la quantité de ces
colonnes d'annonces, il faudra soustraire dix-huit numéros qui
ont disparu des archives[92]. Le relevé se fera donc sur quatre
cent vingt-cinq numéros. Ceux-ci comptent chacun quatre pages,
sauf deux éditions spéciales tirées à deux pages chacune, et un
journal à une seule page, le 10 novembre 1785. À partir de ces
précisions, nous obtenons un total de 1 693 colonnes dans la
Gazette de Montréal de 1785 à 1794. Sur ce nombre de 1 693
colonnes, 941 sont remplies d'annonces. Ce qui fait que 55.58
pour cent de l'espace du journal est consacré à la publicité. Nous
devons savoir maintenant que le tarif d'une annonce est d'une

---

91. GM, prospectus, août 1785, 1ère page, col. 1, 2. Le prix de l'abonnement a été pour
une année de trois piastres espagnoles, du 25 août 1785 au 19 juin 1788 (GM, 25 août
1785, 4e page, col. 1, 2, numéro 1). Le prix de l'abonnement a été pour une année
de quinze chelins courant de la province, ou dix-huit livres, du 19 juin 1788 au 19
janvier 1794. C'était l'équivalent de trois piastres espagnoles (GM, 19 juin 1788, 4e
page, col. 1, 2, numéro XXV). D'après l'*Almanach curieux et intéressant pour l'année 1783* (*Université McGill*, collection Lande — 533), la piastre espagnole vaut six
livres.

92. Voici la liste des dix-huit numéros disparus de la *Gazette de Montréal:* 1er janvier
1792; 5 janvier 1792; 12 janvier 1792; 17 mai 1792; 1er juin 1792; 21 juin 1792; 31
janvier 1793; 14 mars 1793; 28 mars 1793; 11 avril 1793 (sauf les deux premières
pages); 30 mai 1793; 7 juin 1793; 14 juin 1793; 21 juin 1793; 3 juillet 1793; 8 août 1793;
4 décembre 1793. Plus un numéro spécial paru entre le 1er et le 8 avril 1790. Mesplet
a publié en tout quatre cent quarante-trois numéros qui se répartissent annuellement
de la façon suivante: 1785 (dix-neuf), 1786 (cinquante-deux), 1787 (cinquante-deux),
1788 (cinquante-deux), 1789 (cinquante-trois), 1790 (cinquante-trois), 1791 (cinquante-
quatre), 1792, (cinquante-trois), 1793 (cinquante-deux), 1794 (trois).

piastre espagnole[93]. Une colonne, qui contient en moyenne cinq annonces, peut donc rapporter cinq piastres espagnoles. Si nous multiplions ce montant par 941, nous obtenons un total de 4 705 piastres espagnoles. En ajoutant ce dernier chiffre au revenu provenant des abonnements (7 650 piastres), nous savons que la *Gazette de Montréal* a rapporté à Mesplet environ 12 355 piastres espagnoles[94].

En dépit des fluctuations possibles et aussi du fait qu'on se fonde sur les données du recensement de 1784 alors que la période étudiée s'étend jusqu'en 1794[95], le chiffre de 12 355 piastres paraît assez plausible. D'autant plus que la *Gazette de Montréal* conserve fidèlement ses annonceurs. Comme il n'y a pas de concurrence à Montréal, les abonnements peuvent se maintenir en accaparant toute la clientèle possible, anglophone et francophone. Le fait qu'aucun imprimeur n'ait osé s'implanter à Montréal du vivant de Mesplet peut prouver que son entreprise était bien assise. Il ne dépendait plus, comme au temps de la *Gazette littéraire*, des commandes de livres dévots pour vivre[96]. Il avait obtenu l'appui

93. Le tarif de la publicité dans la *Gazette de Montréal*. Prix d'une annonce publiée une fois: une piastre espagnole. Il y a une économie d'une piastre si la réclame paraît trois fois consécutives. Nous nous en tenons au tarif le plus élevé pour notre estimation.

94. Que représentaient ces 12 355 piastres espagnoles à l'époque de Mesplet? D'après l'évaluation des biens de l'imprimeur, lors de la vente à l'encan du 21 novembre 1785, l'imprimerie complète avec ses deux presses et son outillage valait 1 700 livres, soit 283.3 piastres espagnoles (*The First Printer*, op. cit., p. 270). Dans un relevé de compte, présenté au Congrès à sa sortie de prison, Mesplet évalue les frais de son voyage et son établissement à Montréal. Ainsi, il en coûte 52.16 livres pour assurer la nourriture de six adultes durant vingt-deux jours. Le salaire annuel d'un ouvrier imprimeur est estimé à cent livres. (Voir *Papers of the Continental Congress*, vol. 6, No 41, p. 364). Lors de la vente des biens de Mesplet après décès, en février 1794, nous apprenons le prix de divers articles dont une redingote (24 livres), un fusil (24 livres) et un poêle de fer (120 livres). Dix-huit mains de papier commun valent 18 livres, et 1 400 plumes à écrire, 42 livres. (Voir *The First Printer*, cop. cit., pp. 282 à 286.) Mesplet recevait théoriquement 1 453 livres par année. Mais il faut savoir que ce montant ne comprend que les revenus possibles provenant de l'abonnement et de la publicité de la *Gazette de Montréal*. Les frais d'opération doivent être déduits et aussi le fait que les abonnés ou les annonceurs ne payaient peut-être pas toujours régulièrement. Malgré tout, la situation de l'imprimeur pouvait être confortable. Et effectivement, il menait la vie d'un bourgeois besogneux de sa ville. Comme le révèle l'inventaire de ses biens, l'intérieur de sa maison reflétait l'aisance et la réussite d'un imprimeur-libraire utile à la société.

95. Le recensement de 1784 a été suivi d'un nouveau en 1790. Mais ce dernier est moins exact que celui de 1784. En particulier, il ne comprend pas les chiffres réels de la population des villes de Montréal et de Québec, auxquelles les statisticiens ont donné les chiffres approximatifs respectifs de 18 000 et 14 000 habitants.- *Recensement du Canada - 1665-1871* - vol. IV - Ottawa; Statistiques du Canada, 1876.- pp. 75, 76, 80.

96. Mesplet a continué à imprimer quelques ouvrages de dévotion dont, en 1783, la

d'une bourgeoisie favorable à l'esprit des Lumières. À partir de son mariage avec Marie-Anne Tison âgée de 23 ans, qu'il épouse le 13 avril 1790[97], Mesplet est complètement intégré à cette bourgeoisie progressiste. Les «amis de l'époux», lors de la cérémonie religieuse, sont Joseph Desautels et François LeGuay. Joseph Desautels, qui avait été accusé d'avoir aidé Mesplet en réclamant la saisie de ses biens en 1785, était un oncle de Marie-Anne Tison. LeGuay était le notaire de Mesplet et le père de Madeleine LeGuay qui venait d'épouser Jean-Baptiste Tison, le père de Marie-Anne Tison, un important perruquier de Montréal. Le clan Tison-LeGuay constitue une véritable famille autour de Mesplet. Ainsi, quand Madeleine LeGuay-Tison donnera naissance à un fils, le 29 octobre 1791, l'enfant portera le prénom de Fleury, son parrain[98]. Son intégration au milieu est manifeste lorsqu'il signe, avec trente autres notables, une lettre d'appui aux candidats Pierre Guy, Joseph Papineau, J.-B. Adhémar, Pierre Foretier, Jean Delisle et Joseph-François Perrault, à l'occasion de la première campagne électorale, dans la *Gazette de Montréal* du 24 mai 1792[99]. Sa signature voisine avec celles de Dumas Saint-Martin, de Louis Chaboillez, de Louis l'Hardy, du notaire J.-Guillaume Delisle, de Denis Viger, tous des amis de longue date et des proches de son imprimerie, située rue Notre-Dame depuis le 6 mai 1788[100].

Dévotion aux Saints Anges gardiens et le *Psautier de David avec les Cantiques à l'usage des écoles*, ainsi que, en 1787, la *Solide dévotion à la très Sainte Famille de Jésus, Marie et Joseph.*- (Voir BUONO, Yolande et Milada VLACH.- *Catalogue de la Bibliothèque nationale du Québec: Laurentiana parus avant 1821.*- Montréal; Gouvernement du Québec, 1976.- Numéros 206, 270 et 178.)

97. Marie Mesplet était décédée le 11 septembre 1789. Voici l'acte de décès tiré du registre paroissial de Notre-Dame pour l'année 1789, page 102 (ANQM):
   Le 12 septembre 1789, par moi prêtre soussigné, a été inhumé, dans le cimetière proche l'église, le corps de Marie Mirabeau, décédée d'hier, âgée d'environ 43 ans, épouse de Fleury Mesplet, imprimeur dans cette ville. Ont été présents MM. Marchand et Poulin de Courval, prêtres soussignés.
   suivent les signatures «Poulin de Courval, Marchand prêtre, Jos Borneuf, prêtre».
   Il était exceptionnel que trois prêtres signent un acte de décès.

98. Acte de naissance de Fleury Tison:
   Le 29 octobre 1791, par moi prêtre soussigné, a été baptisé d'hier de légitime mariage de Jean-Baptiste Tison et de Magdelaine LeGuay, son épouse: le parrain a été Fleury Mesplet et la marraine Marie-Anne Tison qui ont signé avec nous.
   Sont apposées les signatures suivantes: Fleury Mesplet, Marie-Anne Tison, LeGuay, Joseph Desautels, Tison, Jean-Baptiste Tison-fils. Tiré du registre de Notre-Dame pour l'année 1791, p. 151, ANQM.

99. GM, 24 mai 1792, 3e page, numéro XXII.

100. GM, 1er mai 1788, 4e page, col. 2, numéro XVIII:
   L'imprimeur fait savoir au public qu'au 6 du courant il va demeurer rue Notre-Dame, dans la maison appartenant à M. Tabeaux [Tabaux], père, entre celles de M. Vallée et de M. Lardy [l'Hardy].

Au moment du mariage Mesplet-Tison, la fortune des époux était d'environ sept mille livres. Marie-Anne Tison possédait un montant de plus de trois mille livres reçues en héritage de sa mère et que son père promettait de lui verser[101]. En plus des

Jusque là, depuis 1776, l'atelier était situé rue Capitale, près de la place du Marché. Au printemps de 1793, Mesplet déménagera dans la maison de la veuve Chénier, 40 rue Notre-Dame, à proximité de son logement précédent. Voici des extraits des deux baux, le premier daté du 14 avril 1788:

...Fut présent sieur Jean-Baptiste Tabaux, ancien marchand-voyageur, demeurant en cette ville, rue Notre-Dame.

Lequel a fait bail à loyer à prix d'argent pour le terme et espace d'une année entière et révolue et promet durant le dit temps garantir et faire jouir à sieur Fleury Mesplet, marchand et imprimeur, demeurant en cette dite ville et à ce présent et retenant pour lui au dit titre pour l'espace d'une année une maison de pierre sise au dit lieu Notre-Dame, jardin et dépendance, le tout joignant d'un côté le sieur Vallée et d'autre le sieur Lardy [l'Hardy]...

...pour et moyennant le prix et somme de huit cents chelins anciens de la province, exigibles par quartier à l'échéance de chacun...

Signés Jean-Baptiste Tabaux, Fleury Mesplet, les notaires F. LeGuay et A. Foucher. (*The First Printer*, op. cit., pp. 270, 271, ANQM.)

Le second bail est daté du 26 mars 1793:

Par devant les notaires de la ville de Montréal dans la province du Bas Canada soussignés,

Fut présent sieur Ignace Souligny, capitaine de la milice, demeurant à Longue Pointe, curateur élu en justice à dame Josephte Aubuchon, veuve de sieur Ignace Chénier, lequel a reconnu et confessé par les présentes avoir fait bail à loyer pour le temps et espace de cinq années consécutives à commencer du premier jour au mois de mai prochain, et promet faire jouir durant le temps au dit titre au sieur Fleury Mesplet, imprimeur demeurant en cette ville, à ce présent et acceptant preneur pour lui au dit titre de loyer, savoir: une maison sise en cette ville, rue Notre-Dame, avec la cour et bâtiments en dépendant, tenant par derrière au terrain de sieur Étienne Campion, d'un côté aux héritiers Hardy et d'autre côté au sieur Campion...

Le présent bail fait aux clauses et conditions susdites... moyennant la somme de six cents livres ou chelins de vingt copres de loyer pour chaque année que le dit sieur preneur promet et s'oblige [à] payer en quatre paiements égaux à raison de cent cinquante livres par chaque dit paiement et de trois mois en trois mois au dit sieur Souligny, curateur ou au porteur des présents, et dont le premier quartier sera dû et échu le premier jour d'août prochain...

...fait et passé au dit Montréal en l'étude de Jean-Guillaume Delisle, l'un des notaires soussignés, l'an 1793, le 26 mars après-midi, et ont signé à l'exception du dit sieur Souligny qui, ayant déclaré ne le savoir faire, de ce enquis de faire sa marque ordinaire, lecture faite. (*The First Printer*, op. cit., pp. 275, 276, ANQM.)

En se déplaçant rue Notre-Dame, Mesplet fixait sa demeure dans le nouveau quartier des affaires. Il était voisin de son ami l'Hardy et d'autres marchands, notaires et avocats. Les deux maisons louées sont celles de bourgeois cossus. La première était celle qu'avait habitée le marchand-voyageur Tabaux. Le prix annuel de location de celle-ci était de huit cents chelins (ou livres), et le prix de location de la maison Chénier était de six cents chelins (ou livres). C'est que Mesplet disposait d'un verger chez Tabaux. Il y est demeuré cinq années. Il prévoyait au moins rester le même temps chez Chénier. À remarquer que le curateur, qui louait la maison à l'imprimeur, était un analphabète. Voir aussi la note 243, en première partie.

101. Extrait du contrat de mariage conclu entre Fleury Mesplet et Marie-Anne Tison, le 11 avril 1790:

revenus de la *Gazette de Montréal*, il ne faut pas l'oublier, Mesplet

Par devant les notaires de la ville de Montréal dans la province de Québec, y résidants soussignés.

Furent présents M. Fleury Mesplet, imprimeur, demeurant dans cette ville, en sa maison sise rue Notre-Dame d'une part; et demoiselle Marie-Anne Tison, majeure usante de ses droits. D'autre part, lesquelles parties du consentement de leurs parents et amis ci-après; savoir de la part du dit sieur Mesplet: de sieur Joseph Desautelles [Desautels], sieur Francis LeGuay, ses amis, et de la part de la dite demoiselle Tison, du sieur Jean-Baptiste Tison, son père, de dame Magdelaine LeGuay, épouse du dit sieur Tison, sa belle-mère, de Jean-Baptiste Tison, fils, son frère; Marie-Anne Desloriers [Deslauriers], épouse du dit sieur Tison fils; de sa belle-soeur, madame Catherine Biron, épouse du sieur François Tison, aussi son frère; de dame Louise Viger, épouse du sieur Joseph Desautelles sa tante.

Ont volontairement reconnu et confessé avoir fait et accordé entre elles les traités de mariage et conventions suivantes, savoir que le dit sieur Fleury Mesplet et la dite demoiselle Marie-Anne Tison se sont promis et promettent par les présentes de se prendre l'un et l'autre pour mari et femme et légitimes époux par lois et nom de mariage et en faire solemniser le dit mariage en face de notre mère Sainte Église catholique apostolique et romaine le plus tôt que faire se pourra et qu'il sera avisé et délibéré entre leurs parents et amis.

Seront les dits futurs époux uns et communs en tous biens...

Ne seront néanmoins tenus des dettes de l'un de l'autre faites et créées avant la célébration du dit mariage...

Déclarent les dites parties que leurs biens et droits sont comme suit: savoir, de la part de la dite demoiselle future épouse, d'une somme de trois mille vingt-deux livres dix sols, chelins — ancien cours de cette province —, laquelle somme lui est propre comme provenant de la succession de feue dame Marie-Anne Hupé-Picard, sa mère, laquelle somme est actuellement entre les mains du dit sieur Jean-Baptiste Tison, son père; qu'il promet lui bailler et payer dans le cours d'une année à compter du jour qu'elle lui en fera la demande, et dont il lui payera l'intérêt à raison de cinq par cent, jusqu'au jour de l'actuel et dernier payement, à compter de ce jour. Ceux du futur époux, en une somme de quatre mille livres — pareil cours — somme provenant de ses conquets. Lesquelles sommes sortiront nature de propre de chaque côté aux dits futurs époux et aux heures de leurs côtés et ligues.

Le dit futur époux a doué et doue la dite future épouse du douaire coutumier ou de la somme de mille livres ou chelins — ancien cours de la province — de douaire préfix à prendre sur tous et chacun des biens, meubles et immeubles, présents et à venir du dit futur époux...

Le survivant des dits futurs époux aura et prendra par préciput, hors part et sans confusion des biens de la dite communauté jusqu'à la somme de cinq cents livres ou chelins — ancien cours de la province — en meubles suivant la prise de l'inventaire qui en sera fait sans crue, ou la dite somme et deniers comptants au choix du dit survivant, et en outre leurs habits et hardes d'habillements à l'usage du dit survivant, et leurs lits et chambres garnis, tels qu'ils seront lors de la confection de leur inventaire.

(...)

En considération du futur mariage et pour l'affection et l'amitié que se portent les dits futurs époux l'un à l'autre, ils se sont par les présentes fait donation viagère égale et réciproque au survivant...

(...)

...Fait et passé au dit Montréal en la maison du dit sieur Jean-Baptiste Tison, père, l'an 1790, le 11 avril après-midi et ont signé lecture faite: Tison, Fleury Mesplet, Magdelaine LeGuay-Tison, Joseph Desautels, Jean-Baptiste Tison-fils, Louise Viger, LeGuay, Marie-Anne Tison, les notaires A. Foucher et Jean-Guillaume Delisle.- (*The First Printer*, op. cit., pp. 272 à 274.)

recevait ceux de sa librairie et de sa maison d'édition. À sa mort en 1794, l'inventaire de ses biens[102] révèle son aisance sinon son faste. L'imprimeur était un notable à Montréal. Et l'esprit des Lumières concordait bien avec l'esprit de cette société. *La Gazette de Montréal* était son journal, un organe de réflexion. Et cette réflexion incitait à changer l'univers, c'est-à-dire à devenir plus libre dans sa pensée et son action. À cet effet, la *Gazette de Montréal* livrera plusieurs combats. L'un des plus importants visera à l'obtention d'un régime démocratique au Québec. C'est le sujet du chapitre suivant.

---

102. Aperçu de l'inventaire des biens de Fleury Mesplet à partir du document publié dans *The First Printer*, op. cit., pp. 280 à 293:

L'an 1794, le 17e jour de février avant-midi, à la requête de dame Marie-Anne Tison, veuve de sieur Fleury Mesplet, imprimeur, demeurant en cette ville, rue Notre-Dame, tant en son nom que comme commune en biens avec le dit défunt son époux, sauf à elle à accepter ou à renoncer à la dite communauté, ainsi qu'il [elle] avisera par conseil: à la conservation des biens et droits de qui il appartiendra, par les notaires soussignés pour la province du Bas-Canada, résidant à Montréal, a été fait inventaire et description de tous les biens, meubles, ustensiles de ménage, habits, linges, hardes, titres et papiers enseignements et autres effets demeurés après le décès du dit sieur Fleury Mesplet et qui étaient communs entre lui et sa dite veuve au jour de son décès, trouvés en la maison où la dite veuve est demeurante, en laquelle le dit Fleury Mesplet est décédé le 24e jour de janvier dernier — montrés et enseignés aux dits notaires par la dite Marie-Anne Tison, après serment par elle prêté aux dits notaires de montrer et enseigner tous les dits biens sans en cacher ni détourner aucune chose, se promettant où ils se trouveront le contraire aux peines en tels cas introduits, qui lui ont été exprimés par les dits notaires aux biens, meubles, prisés et estimés dans leur pleine et entière valeur par messieurs Louis Hardy [l'Hardy] et Charles Lusignan, qui les ont prisés et estimés en leur âme et conscience en égard au temps présent, ainsi qu'il suit et ont signé lecture faite: Tison-Mesplet, Louis l'Hardy, Lusignan, L. Chaboillez, Jean-Guillaume Delisle, notaire.

Le montant total des meubles (sauf l'imprimerie dont Mesplet n'était plus le propriétaire) se chiffrait à 4 698.05 livres. Les dettes actives s'élevaient à 6 087.13 livres et les dettes passives à 24 279.14 livres (y compris les 7 200 livres dues à l'associé Berger). La description de l'intérieur de la maison de Mesplet, à partir de la liste des meubles répartis dans chaque pièce, donne l'idée d'un bon confort bourgeois de l'époque: une cuisine bien équipée, une vaste salle de séjour, une chambre avec une riche garde-robe (par exemple, un habit vert et culotte de drap jaune, évalué à 72 livres), un magasin bourré de papeterie de toutes sortes et de livres, la plupart imprimés par Mesplet lui-même. L'imprimerie, avec ses caractères tout neufs, occupait le haut de la maison, y compris une presse à relier. La presse à deux coups était dans le boudoir.

Chapitre 13

Pour une nouvelle constitution

Victime d'un régime arbitraire et intolérant, Mesplet décida, comme beaucoup de patriotes, de le transformer. Dès sa fondation, la *Gazette de Montréal* se consacrera à cette tâche. Il fallait contester l'Acte de Québec, qui avait renforcé le système seigneurial et le pouvoir de l'Église. Le Québec était le seul territoire en Amérique du Nord privé d'une chambre d'assemblée. L'autorité relevait du gouverneur général, comme au temps de la Nouvelle-France. Même les Loyalistes — les plus réactionnaires des Américains —, ne pouvaient s'accommoder d'un tel régime. Car avant l'indépendance, les colons jouissaient déjà du parlementarisme. Mesplet et la *Gazette de Montréal* vont réclamer une nouvelle constitution pour le Québec, c'est-à-dire le droit pour le peuple d'avoir une chambre d'assemblée. L'Église et les seigneurs s'opposeront avec acharnement à un tel changement, envisagé comme apocalyptique. L'intervention de Pierre du Calvet et de la presse contribuera, favorisée en cela par les circonstances politiques, à l'adoption d'une constitution un peu plus démocratique.

Quelle sera la méthode utilisée par Mesplet dans son journal? Il comparera les constitutions, en imprimant les textes de celles des États-Unis et de la France, qui se donnent des gouvernements représentatifs, alors que le Québec s'accroche toujours à l'Ancien Régime. La *Gazette de Montréal* rendra compte des démarches des partisans d'une chambre d'assemblée et de celles de leurs adversaires. Ceux-ci seront l'objet de satires. De plus, des réflexions pondérées feront apparaître le sérieux du projet d'une nouvelle constitution. La *Gazette de Montréal* suivra étape par étape le cheminement du bill à la Chambre des Communes et publiera rapidement les versions officielles des documents législatifs. Enfin, l'établissement du nouveau régime: élections, débats, etc. fera aussi l'objet d'un intérêt passionné de la part de la *Gazette de Montréal*, à l'instar d'ailleurs de la *Gazette de Québec* et du *Quebec Herald*.

On se souvient que, dès sa sortie de prison en 1783, Du Calvet s'était embarqué pour Londres où il voulait obtenir justice pour lui-même et ses compatriotes, en dénonçant le régime arbitraire qui existait au Québec où les libertés de pensée et d'expression étaient abolies. Pour être entendu, Du Calvet publia donc en 1784 un recueil de lettres qu'il intitula *Appel à la Justice de l'État*. Se présentant comme l'une des nombreuses victimes emprisonnées par le gouverneur général sur de simples soupçons et n'ayant jamais subi de procès, Du Calvet souhaitait mettre fin au «despotisme» qui régnait dans la province. Il réclamait l'établissement d'une chambre d'assemblée, une réforme judiciaire, un enseignement public, la liberté de la presse et l'habeas corpus[103]. Du Calvet était appuyé par le baron Francis Masères,

---

103. Le projet de constitution de Du Calvet comprend onze articles, donnés dans l'ordre suivant, dans l'*Appel à la Justice de l'État:*
   1° «La jurisprudence française qui nous est assignée pour don législatif, mais sous la direction immédiate et seule de la Constitution d'Angleterre, relativement à nos personnes» (p. 197).
   2° «La réinstauration de la loi de l'habeas corpus; le jugement par jurés, et dans les pouvoirs du gouverneur, la soustraction de déposer arbitralement les membres du conseil législatif, le chef de justice, les juges subalternes, et même les simples gens de loi, enfin d'emprisonner les sujets de son autorité personnelle, et sur ses propres procédures» (p. 197).
   3° «La personne du gouverneur de Québec· justiciable des lois de la province» (p. 202).
   4° «L'institution de l'Assemblée» (p. 204).
   5° «La nomination de six membres pour représenter le Canada dans le sénat britannique; trois pour le district de Québec et trois pour le district de Montréal» (p. 211).
   6° «La religion» [Entrée libre aux prêtres catholiques romains] (pp. 218, 221).
   7° «Réforme de la judicature par le rétablissement du Conseil supérieur de Québec» (p. 221).
   8° «Établissement militaire du Canada; institution d'un régiment canadien, à deux bataillons» (p. 223).
   9° «La liberté de la presse» (p. 223).
   10° «Institution des collèges pour l'éducation de la jeunesse» (p. 228).
   11° «Naturalisation nationale des Canadiens dans toute l'étendue de l'Empire britannique» (p. 230).

ancien procureur général de la province, qui n'avait cessé d'exiger une chambre d'assemblée, et cela depuis 1773. Dans son *Appel à la Justice de l'État*, Du Calvet loue «le zèle de M. Masères pour toute la province de Québec», son patriotisme et son honnêteté[104]. Le baron Masères était un juriste de grande réputation: il entretenait une correspondance avec de nombreuses personnalités, parmi lesquelles Benjamin Franklin[105]. Masères et Du Calvet tinrent à Londres une réunion avec trois délégués du Québec, William D. Powell, Jean-Baptiste-Amable Adhémar et Jean-Guillaume Delisle, qui reconnurent la nécessité pour la colonie d'avoir une chambre d'assemblée, de diminuer les pouvoirs arbitraires du gouverneur général et d'introduire l'habeas corpus et le jury.

> Une telle institution, leur dit Masères en parlant de la chambre d'assemblée, serait pour jamais le salut de la colonie; il ne luit aucun rayon d'espérance d'y réussir, tant que tous les colons, de concert, ne se réuniront pas pour la demander[106].

---

104. *Appel à la Justice de l'État*, op. cit., pp. 199, 200.
105. De Paris, Franklin adressait à Masères, le 26 juin 1785, une lettre sur la situation de l'Amérique:

     Un peu de réflexion doit convaincre tout homme raisonnable qu'un gouvernement, dont les membres sont choisis librement chaque année par les gouvernés, et peuvent être rappelés du moment que leur conduite déplaît à ces commettants, ne saurait être tyrannique... (FRANKLIN.- *Correspondance inédite et secrète, 1753-1790*, tome I.- Paris; Janet, 1817.- p. 196.)

     Une lettre de Benjamin Franklin au Congrès, datée du 1er novembre 1783, nous apprend aussi que Du Calvet l'a rencontré à Paris. Bien que la raison officielle en ait été un remboursement réclamé pour fournitures accordées aux milices américaines lors de leur séjour à Montréal, il est fort plausible qu'il ait été question de la situation politique au Canada et du despotisme d'Haldimand. Du Calvet ne rédigera son *Appel à la Justice de l'État* qu'après avoir vu Franklin, également correspondant du baron Masères (Cité dans BRH, vol. 1, janvier 1895, pp. 14, 15 selon *The Works of Benjamin Franklin*, by Jared Sparks, X, p. 380). À Londres, Du Calvet prit comme transcripteur de son *Appel à la Justice de l'État* un moine défroqué, Pierre-Joseph-Antoine Roubaud, ancien missionnaire jésuite au Québec, un espion à la solde du général Haldimand, qui suivait ainsi dans leurs détails toutes les démarches de son adversaire (Voir VACHON, Auguste.- Roubaud dans le DBC, vol. IV,- Québec; Presses de l'Université Laval, 1980.- pp. 743, 744.)
106. *Appel à la Justice de l'État*, op. cit., pp. 199, 200. Depuis la conquête, il y avait eu des appels de la part des marchands anglais pour réclamer une chambre d'assemblée mais c'était la première fois qu'il y avait union sur ce même objet entre colons d'origine française et anglaise. Masères avait travaillé pour l'obtention d'une chambre d'assemblée, après avoir rempli au Québec les fonctions de procureur général (1766-1769) qu'il avait dû abandonner à la demande de Carleton. Dès 1768, Masères avait élaboré un «Plan of General Assembly of the Freeholders of the Province of Quebec». En 1774, les marchands anglais de la colonie le choisirent comme agent auprès du ministère britannique. (Voir TOUSIGNANT, Pierre.- *La genèse et l'avènement de la constitution de 1791:* thèse de doctorat ès lettres (Histoire), Université de Montréal, 1971.- pp. 116, 124.)

Adhémar, Delisle et Powell s'étaient embarqués pour Londres le 25 octobre 1783. Les deux premiers étaient porteurs d'un long mémoire demandant au roi la permission de faire venir des prêtres d'Europe et d'une requête réclamant vaguement une «forme de gouvernement» susceptible de permettre aux Canadiens l'exercice des droits «dont jouissent dans toutes les autres parties du globe les fidèles sujets de Votre Majesté»[107]. Plus clairement, la requête de Powell, adressée au Parlement britannique, exigeait la suppression de l'Acte de Québec et l'établissement d'une chambre d'assemblée. Powell représentait les marchands anglais de la colonie[108]. Pour leur part, Adhémar et Delisle, deux marguilliers de Notre-Dame, avaient été choisis comme délégués au cours d'une assemblée de citoyens de Montréal, réunissant seigneurs et bourgeois, «aux fins d'obtenir les secours nécessaires pour le soutien de la religion de leurs pères», et cela avec l'encouragement des Sulpiciens dont le nombre diminuait[109]. Des instructions royales de 1775, confirmées par celles de 1786, interdisaient en effet aux moines de faire du recrutement dans la colonie[110]. Au motif religieux de la mission Adhémar et Delisle s'ajoutèrent ensuite les préoccupations d'ordre politique[111].

Grâce à l'initiative de Masères et de Du Calvet, des délégués «officiels» du Québec réclamaient, tant du côté anglais que français, une constitution démocratique. Dès que l'*Appel à la Justice de l'État* fut introduit dans la colonie, il suscita un mouvement d'adhésion générale qui conduisit à une pétition populaire, datée du 24 novembre 1784, peu après le départ du gouverneur général Haldimand. Parmi les signatures, on relève les noms de Fleury Mesplet et de ses amis, entre autres Joseph-François Perrault, Joseph Papineau, Jean-Baptiste l'Hardy et Jacques-Clément Herse[112]. De retour dans la colonie en 1785, Du Calvet,

---

107. *La constitution de 1791*, op.cit., p. 272.
108. *Ibid.*, p. 274.
109. *Ibid.*, pp. 280 à 282.
110. Ces instructions défendaient clairement tout recrutement:
    ...vous ne devez pas permettre aux dites sociétés ou communautés d'admettre chez elles aucun nouveau membre.
    Le roi considérait que les moines n'étaient pas «indispensables au libre exercice de la religion de l'Église de Rome». Cité dans ROCHEMONTEIX, Camille.- *Les Jésuites de la Nouvelle-France au XVIIIe siècle*, tome II.- Paris; Picard, 1906.- p. 198.
111. *La constitution de 1791*, op. cit., pp. 277, 278.
112. *Petitions from the Old and New Subjects Inhabitants of the Province of Quebec to the Right Honourable the Lords Spiritual and Temporal.-* Londres, 1791.- 55 p.

après avoir signé une procuration générale à Jean Dumas Saint-Martin, s'embarqua de nouveau pour l'Angleterre, à New York, le 15 mars 1786, pour affronter Haldimand devant les tribunaux britanniques. Il devait périr en mer[113]. Mais son *Appel à la Justice de l'État* constitua pour Mesplet et les autres adeptes des Lumières le document qui servit à faire progresser leur cause dans la province. Il contenait en fait la liste des libertés essentielles au bonheur, selon Voltaire qui les avait détaillées à l'article Gouvernement dans les *Questions sur l'Encyclopédie* en 1771:

> Ces droits sont, liberté entière de sa personne, de ses biens; de parler à la nation par l'organe de sa plume; de ne pouvoir être jugé en matière criminelle que par un jury formé d'hommes indépendants; de ne pouvoir être jugé en aucun cas que suivant les termes précis de la loi; de professer en paix quelque religion qu'on veuille...[114]

Toutes ces libertés ne pouvaient pleinement s'exercer dans le système seigneurial. L'établissement d'une assemblée, reflet de la volonté populaire, paraissait la première étape à franchir pour assurer le respect des droits humains dans la colonie.

Dans quatre numéros de la *Gazette de Montréal*, à l'automne de 1786, un rédacteur rendait compte des débats soulevés à la Chambre des Communes par la pétition lancée par Du Calvet: un député nommé Powys avait fait une proposition «pour la liberté de faire un bill pour changer le gouvernement de Québec». Powys rappelait la proclamation royale de 1764

> dans laquelle il fut promis de donner à cette province autant de liberté dans son gouvernement que les autres colonies britanniques peuvent jouir.

(APC, Bibliothèque, 1-759). Le nom de Fleury Mesplet est le vingt-cinquième, dans la colonne de gauche, p. 37.

113. Du Calvet périt dans le naufrage du Sherburne, un vieux vaisseau radoubé par les Anglais qui l'avaient enlevé aux Espagnols. À Londres, Masères prit sous sa protection le fils unique de son ami, Jean-Pierre du Calvet. (Voir LE MOINE, J.-M.- «Le général sir Frederick Haldimand à Québec, 1778-84».- MSRC, 1888, 1, p. 104, note 1.) L'épouse de Du Calvet, Marie-Louise Jusseaume, était morte à l'âge de 24 ans, en 1774, décès qu'il attribue au terrorisme militaire dans l'*Appel à la Justice de l'État*, op. cit., pp. 82, 83. (Voir aussi sur Marie-Louise du Calvet, BRH, vol. 29, 1923, pp. 303-305.) Dumas Saint-Martin s'est prévalu de la procuration générale que lui avait signée Du Calvet au moment de l'inventaire des biens de ce dernier, le 9 janvier 1787. Cet inventaire se trouve dans RAPQ 1945-1946 et est tiré du greffe de Joseph Papineau, ANQM.

114. M. XIX-296.

Le parlementaire s'élevait contre l'Acte de Québec qui avait suivi en 1774:

> ce bill était calculé pour rendre le gouvernement de la province de Québec arbitraire, pour parvenir à châtier et corriger les autres colonies américaines, qui dans ce temps s'étaient rebellées. Ce bill établit un système complet de despotisme et d'esclavage.

Powys considérait, comme Du Calvet, que le gouverneur général détenait trop de pouvoir, d'autant plus qu'il nommait lui-même son conseil qui agissait comme conseil législatif. Les juges devaient aussi être plus indépendants du pouvoir politique. En outre, Powys, à l'instar encore de Du Calvet, réclamait l'établissement du procès avec jurés et la défense de l'emprisonnement arbitraire: actuellement un habitant du Québec peut être incarcéré sans avoir été «préalablement jugé légalement». «Jusqu'à présent il n'y a pas eu de temps limité, et cela dépendait entièrement de la volonté du gouverneur». Avant le départ de Carleton — nommé de nouveau gouverneur général —, il faut adopter un bill pour amender l'Acte de Québec et inaugurer pour la province de Québec «une époque de bonheur et de liberté». En réponse à cette demande de Powys, le chancelier de l'Échiquier soutint qu'un changement de constitution ne paraissait pas représenter le souhait de la majorité des habitants du Québec:

> la faveur de la liberté ne doit pas être donnée par force à un peuple contre son inclination.

Le chancelier fit mention de requêtes priant de ne faire «aucune innovation». Il suggérait d'attendre l'opinion du nouveau gouverneur général[115].

Dans le numéro suivant, du 21 septembre, le journal rendit compte de l'intervention de sir Guy Cooper en faveur de l'Acte de Québec, sous les ricanements de l'opposition dont le chef, Charles James Fox, rappela qu'il avait été l'un de ceux qui s'étaient vivement opposés à ce bill, l'ayant toujours regardé «comme un bill fondé sur le système du despotisme et de l'esclavage». Fox se dit prêt à aller au-delà des demandes de Powys

---

115. GM, 14 septembre 1786, 1ère et 2e pages, col. 2, numéro XXXVII. Thomas Powys (1743-1800) était un membre distingué de l'opposition, agissant habituellement de concert avec Fox, Courtney et autres de ce groupe. Les affaires canadiennes l'intéressaient particulièrement. (*Documents constitutionnels*, op. cit., p. 496). Powys relança le débat en 1788 et donna la possibilité à Lymburner, le délégué des marchands anglais, d'exposer ses vues sur la justice au Québec. Powys participa aussi aux dernières discussions parlementaires qui devaient conduire à l'adoption de la nouvelle constitution canadienne. (Voir *La constitution de 1791*, op. cit., pp. 395, 438.)

en accordant à la province de Québec une chambre d'assemblée. Les élus devraient être choisis dans le plus grand esprit de tolérance, sans considération de la langue ou de la religion. Fox

déclara fermement qu'il était d'opinion qu'un gouvernement libre était si bien une faveur qu'il voudrait le donner, quand même la majeure partie d'aucune colonie serait assez aveugle à leur propre intérêt et bonheur, que de refuser de l'adopter, convaincu qu'un temps ne tarderait pas à venir, qu'il recevrait leurs plus grands remerciements, pour les avoir forcés d'accepter une source de bonheur et de sûreté pour leurs personnes et leurs propriétés...[116]

Dans le numéro du 25 septembre, le débat se poursuivait; on donnait les propos du député Courtenay selon lesquels l'Acte de Québec «a occasionné depuis son commencement beaucoup de dégoût». Quantité de sujets britanniques, en s'établissant au Québec, s'étaient vu privés «des droits de la liberté anglaise». Ils étaient assujettis à «un code de lois fondé sur les principes du despotisme et de l'esclavage». L'auteur de ce bill avait été Carleton qui avait donné comme prétexte de s'attacher les habitants français.

Avant ce fatal événement, les habitants canadiens jouissaient de l'esprit de la liberté, et avaient senti le bénéfice et l'influence de la loi britannique et de sa liberté (...) les habitants étaient émancipés et peu soumis à l'état de subordination qui compose la véritable essence du gouvernement français.

«Les seigneurs, la noblesse n'étaient peut-être pas si satisfaits» parce que «l'importance et le respect étaient diminués». Le mécontentement du peuple contre le bill de Québec s'était clairement manifesté.

Quand le général Montgomery envahit la province, les habitants [furent] irrités par le bill oppresseur... [qui] excita en eux le souvenir de leur ancien état de vassaux.

Ils donnèrent

tous les degrés d'assistance aux ennemis qu'ils regardèrent comme leurs libérateurs. Plusieurs joignirent le général Montgomery, et s'étaient généralement disposés à le recevoir avec sincère amitié et affection. Cependant, les Canadiens étaient forcés de fournir leurs voitures, leur temps et leur travail sans paiement, pour avancer l'expédition de l'armée du roi. En conséquence, un mécontentement général prit place, et la province a été seulement sauvée

---

116. GM, 21 septembre 1786, 1ère et 2e pages, col. 2, numéro XXXVIII.

par les opérations et le support peu commun des habitants de la ville de Québec.

La nomination nouvelle de Carleton, l'auteur du bill de Québec, a fait craindre aux habitants que l'arbitraire et le despotisme ne se maintiennent dans la colonie. Courtenay rappela la mesure de déplacement dont fut victime le grand-juge Pierre Livius, le 1er mai 1778, parce qu'il avait censuré la conduite du gouverneur général. Pour sa part, le parlementaire Watson vanta les mérites de l'Acte de Québec qui «a sauvé la province» et son auteur Carleton, nouveau gouverneur général du Québec, de la Nouvelle-Écosse et du Nouveau-Brunswick[117], avec le titre de lord Dorchester.

Dans la *Gazette de Montréal* du 5 octobre, nous apprenons que le procureur général a rejeté le projet de loi comme prématuré et que le bill Powys a été défait par 68 voix contre 21[118]. Mais ce n'était qu'une étape dans la lutte des promoteurs d'une nouvelle constitution canadienne. Ce qui est remarquable dans le compte rendu publié par la *Gazette de Montréal*, c'est qu'il fait état des arguments de Du Calvet, de Masères et des autres patriotes par les voix de Powys, Fox et Courtenay. Tous les parlementaires, whigs ou tories, prenaient conscience du despotisme gouvernemental régnant au Québec. Il y eut des ricanements lorsqu'on vanta l'Acte de Québec. Et le chancelier prétendit que, si l'on n'accordait pas plus de liberté aux Canadiens, c'était parce que la majorité paraissait ne pas en vouloir. Ce fut alors que Fox prononça ces paroles qui l'honorent: il faut accorder aux Canadiens les libertés démocratiques, car ils seront capables de les apprécier à leur juste valeur. Courtenay affirma que l'Acte de Québec n'avait plu qu'à la noblesse, mais que la plupart des habitants l'avaient pris en horreur. D'où sa déclaration en pleine Chambre des Communes que la majorité des Canadiens avaient accueilli Montgomery et ses miliciens comme des libérateurs en 1775. Ce qui par parenthèse signifiait aux yeux de Mesplet qu'il pouvait se compter lui-même parmi ces «libérateurs» et que ses sympathies pour la cause de la liberté ne différaient pas de celles de la plupart des Canadiens.

De toute façon, le mouvement en faveur de la démocratisation paraissait irréversible. La *Gazette de Montréal* du 18 décembre 1788 fit état d'un second mémoire réclamant une chambre d'assemblée et aussi l'introduction des lois d'Angle-

---

117. GM, 25 septembre 1786, 1ère et 2e pages, col. 2, numéro XXXIX.
118. GM, 5 octobre 1786, 1ère, 2e et 3e pages, col. 2, numéro XL.

terre relatives au commerce. En présentant le document à Dorchester, les marchands et autres citoyens de Québec et de Montréal rappelaient la pétition de 1784 qui avait alors recueilli deux mille trois cents signatures dont celles de mille cinq cent dix-huit habitants canadiens. Les requérants dénonçaient une requête opposée, soumise par le clan des seigneurs le 13 octobre précédent. Les marchands et autres citoyens faisaient remarquer

> que dans la liste de leurs opposants paraissent les noms de juges, conseillers et autres qui jouissent de pensions et places lucratives sous le présent système de gouvernement.

Chiffres à l'appui, on soutenait que les seigneurs n'étaient pas réellement les Grands Propriétaires de la province comme ils le prétendaient. Les citoyens se disaient persuadés

> que des sujets britanniques considèrent comme un des privilèges les plus précieux, le droit d'être représentés dans la législation[119].

Dans la *Gazette de Montréal* du 1er janvier 1789, Mesplet reproduisait un appel «au peuple» signé Sidney — tiré du *Quebec Herald* du 22 décembre précédent —, où le droit de participer à la législation était envisagé comme un droit naturel dont les Canadiens étaient privés par des hommes faux.

> Tous les gouvernements portent en eux-mêmes le germe de leur propre dissolution, écrivait Sidney, et les plus sages constitutions, si elles ne sont défendues par l'esprit de liberté et de vigilance, seront bientôt anéanties. Quand les droits naturels de nos compatriotes paraissent en danger, chaque individu a le droit de juger pour lui-même, et de déclarer ouvertement sa façon de penser, si toutefois elle est conforme au sens commun et à la saine raison. Le premier et le plus essentiel de tous ces privilèges est celui de participer à la législation, et d'être gouverné par des lois de notre propre choix... Ce droit de participer à la législation n'est pas un droit à l'Angleterre, mais bien un droit naturel comme à toutes les autres parties de l'empire, auquel on ne peut toucher sans commettre une injustice. Le pouvoir de faire des lois, qui doivent lier des classes entières d'individus, appartient si essentiellement à ces mêmes individus, que tous ceux qui, sans le consentement exprès, immédiatement et personnellement donné par le peuple, imposent des lois qui affectent les personnes et les même propriétés de ce même peuple, ne sont néanmoins que des êtres tyranniques. Et il n'y a pas d'autres lois que celles auxquelles la représentation

---

119. GM, 18 décembre 1788, 1ère page, col. 2, numéro LI. Reproduit de la *Gazette de Québec*.

et l'approbation du peuple ont donné leur sanction... on ne peut supposer un consentement du peuple s'il n'est d'une manière ou d'une autre dûment représenté; il vaut mieux néanmoins avoir une représentation défectueuse que de n'en avoir aucune; ainsi il est très irraisonnable et contre l'équité naturelle de prétendre que les habitants du Canada doivent être privés de leurs droits et de leurs libertés, seulement et (sic) parce qu'il serait difficile d'effectuer une représentation égale par le consentement exprès de chaque individu...

Sidney dénonçait les profiteurs d'un système qu'il fallait changer. Et pour y parvenir, on devait unir «tous les amis de la vraie cause de la liberté anglaise». Dorchester ne pouvait accéder à la requête d'hommes faux. Sidney s'engageait à

faire naître un esprit de liberté. J'en défendrai aussi l'édifice, et j'empêcherai que des mains téméraires n'osent y toucher pour le détruire[120].

Dans la *Gazette de Montréal* du 15 janvier 1789, un autre correspondant du *Quebec Herald*, Amicus libertatis, écrivait dans le même sens:

...puisque nous avons demandé un changement de système, continuons à fortifier nos premières demandes en y ajoutant toute l'énergie et la force des arguments dont nous sommes capables...

Le parlement britannique nous donnera finalement une chambre d'assemblée[121].

Même si elle était favorable au parlementarisme, la *Gazette de Montréal* ne voulait pas être taxée de partialité. Elle publiera en première page, les 22 et 29 janvier 1789, l'adresse, puis la requête des seigneurs et de leurs alliés contre une nouvelle constitution. Puis, de temps à autre, des commentaires en faveur du statu quo, souvent accompagnés de répliques cinglantes.

Notre religion, nos lois de propriété, notre sûreté personnelle, écrivaient les seigneurs dans leur adresse à Dorchester, voilà ce qui nous intéresse, et ce dont nous pouvons jouir le plus amplement par le bill de Québec. Une chambre d'assemblée nous répugne par les conséquences fatales qui en résulteront.

Parmi les conséquences, on énumérait la perte de la religion catholique, des impositions sur les propriétés, la dissension entre anciens et nouveaux sujets[122]. Dans leur mémoire, présenté au

---

120. GM, 1er janvier 1789, 1ère page, col. 2, numéro I.
121. GM, 15 janvier 1789, 1ère page, col. 2, numéro III.
122. GM, 22 janvier 1789, 1ère page, numéro IV.

nom «des citoyens et habitants canadiens de différents états», les seigneurs soutenaient que c'était le petit nombre qui réclamait une chambre d'assemblée. La plupart des Canadiens étaient satisfaits de l'Acte de Québec.

L'exemple malheureux de cette insurrection récente des colonies voisines, qui a pris sa source dans un pareil système, nous représente continuellement sous les yeux le déplorable sort de notre nation, si elle en devenait la victime...[123]

En tête des signataires, on remarque le fils du juge Rouville, Jean-Baptiste Melchior Hertel de Rouville, et Pierre-Amable de Bonne, que nous retrouverons députés au sein de la nouvelle chambre d'assemblée. Des commentaires de Scalinger, reproduits du *Quebec Herald*, appuieront cette opposition dans la *Gazette de Montréal* des 15 et 29 janvier 1789[124].

Dans le numéro même où Mesplet publiait le mémoire contre la chambre d'assemblée, l'imprimeur faisait paraître un texte signé l'Indépendant qui dénonçait la façon cavalière dont les seigneurs avaient recueilli les signatures des paysans. Un «quidam», après avoir reçu les honneurs du pain bénit à l'église, faisait convoquer par le capitaine de milice tous les miliciens à qui le «commissaire» dénonçait l'établissement d'une chambre d'assemblée qui occasionnerait le paiement d'impôts. Ensuite, on recueillait rapidement les signatures, avec croix ou non. Et l'Indépendant ajoutait avec amertume: «On abuse de la crédulité des ignorants pour extorquer des noms et des signatures»[125]. Pour sa part, Sancho Pancha — qui est le pseudonyme du futur député Philippe de Rocheblave[126] — exprimait également son point de vue dans la *Gazette de Montréal* du 29 janvier 1789, sur la façon scandaleuse dont les seigneurs conduisaient leur campagne. Il dénonçait en particulier l'intervention des juges et grands commis. Comment les juges ne pouvaient-ils pas souhaiter une amélioration du système quand l'un d'entre eux, en plein tribunal, a «renouvelé ses lamentations sur l'état pitoyable des lois et des coutumes»? Le chaos était tel que, sur vingt jugements

---

123. GM, 29 janvier 1789, 1ère page, numéro V.
124. GM, 15 janvier 1789, 2e page, col. 2, numéro III; GM, 29 janvier 1789, 2e page, col. 2, numéro V.
125. GM, 29 janvier 1789, 3e page, col. 2, numéro V.
126. Lettre de Joseph-François Perrault à son cousin Jacques-Nicolas Perrault, dit Perrault l'Aîné, le 5 février 1789. Extrait: «M. de Rocheblave est le seul qui ait écrit ou répondu à l'opposition sous le nom de Sancho Pança dans la *Gazette de Montréal*».- APC, MG 24, L 3, vol. II, p. 6053 (Collection Baby).

rendus aux Plaidoyers communs, vingt étaient renversés en appel. Pourquoi des magistrats et autres dignitaires appuyaient-ils la propagande haineuse semée contre les Anglais dans les campagnes où l'on «sonne le tocsin le plus alarmant et le plus effrayant»? Les gens favorables à l'assemblée étaient peints «comme des monstres qui ne cherchent qu'à abolir la religion, les lois et envahir les propriétés...»[127] Scriblerus, dans le *Quebec Herald* du 26 janvier, puis dans la *Gazette de Montréal* du 5 février 1789, faisait écho à cette campagne de terreur des seigneurs et des juges, en rappelant qu'elle avait commencé en 1784, lors de la première pétition populaire en faveur d'une nouvelle constitution:

> La seule opposition qui y fut faite était dans quelques paroisses où les Messieurs de l'autre parti venant des villes y avaient été d'avance pour faire des impressions sur les esprits des habitants ignorants, insinuations également fausses et injurieuses, disant que cette chambre d'assemblée était la fabrication d'un parti inté-ressé qui, étant [formé d'] usurpateurs, [qui] entretenaient des desseins contre les natifs du pays, et que par ce changement de système politique, ils tentaient un coup mortel contre l'édifice vénérable de leurs anciennes lois et de leur religion, et qu'ils ne tentaient (sic) pas moins au renversement de leurs biens et de leurs droits les plus estimés. Une peinture si affreuse et si alar-mante, présentée à des personnes qui n'étaient pas qualifiées par leur ignorance d'en découvrir l'imposture, a pu avoir, sans aucun doute, dans quelques endroits, les effets à quoi ils tendaient[128].

Il n'y a pas à le nier, les seigneurs et leurs alliés menaient une «croisade sainte» contre la chambre d'assemblée, ce système parlementaire que déjà les Fils de la Liberté avaient suggéré d'instaurer au Québec, dès 1774. La plupart des anciens sujets britanniques, établis dans la colonie, l'avaient souhaitée. En somme, ce qui était réclamé, c'était la forme de gouvernement qui était déjà établi dans les autres colonies et ex-colonies britan-niques de l'Amérique: toutes possédaient, rappelons-le, une législature élective, et cela avant la guerre d'Indépendance[129]. La campagne des seigneurs s'appuyait sur l'intimidation et la crainte religieuse: comme les Fils de la Liberté en 1775, les promoteurs d'une chambre d'assemblée, à en croire leurs adver-

127. GM, 29 janvier 1789, 4e page, col. 2, numéro V.
128. GM, 5 février 1789, 1ère page, col. 2, numéro VI.
129. OGG, Frédéric et Orman P. RAY.- *Le gouvernement des États-Unis d'Amérique.*- Paris; Presses universitaires de France, 1958.- p. 4.

saires, en voulaient à la religion et aux biens des Canadiens: attention aux hérétiques — équivalent d'athées — et aux voleurs! Revenant à la charge, dans la *Gazette de Montréal* du 5 février 1789, Sancho Pancha demandait aux seigneurs et à leurs alliés de «renoncer à tremper leur pinceau dans le fiel et le vinaigre». Comment pouvait-on s'opposer à une constitution, modelée sur celle des Anglais qui «fait l'admiration et l'envie de l'univers»? Les seigneurs s'opposaient en fait au «droit sacré du peuple», «droit né avec tout sujet anglais, droit imprescriptible». Les seigneurs devraient avoir honte de leur obstruction car, par «une barbarie raffinée», ils faisaient signer à des Canadiens l'approbation de

> leur esclavage, sous le prétexte que les Anglais en veulent à leur religion, à leurs lois et à leurs propriétés[130].

Le 19 novembre 1789, la *Gazette de Montréal* faisait état d'une nouvelle pétition présentée à Dorchester pour une «réforme de la constitution de cette province» et signée par trente-quatre marchands et hommes de lois de la colonie, parmi lesquels Joseph-François Perrault et Joseph Papineau:

> ...les griefs, écrivaient-ils, qui ont fait naître leurs plaintes, comme l'incertitude des lois, les décisions contradictoires des cours de justice, et la confusion des formes dans les procédures, deviennent de plus en plus manifestes et préjudiciables aux intérêts des sujets de Sa Majesté.

Les requérants souhaitaient

> la réussite des projets de réforme demandés par leur adresse du mois de novembre 1784; et actuellement remis à l'honorable Chambre des Communes, comme étant le moyen le plus efficace pour remédier à leurs maux, et faire prospérer cette colonie[131].

Le 8 avril 1790, le même journal, par la plume d'un Jeune Patriote, applaudissait à cette initiative. Le rédacteur encourageait l'action de tout citoyen

> qui n'a d'autre ambition que celle de procurer le bien public, le bonheur et la sûreté de ses compatriotes, la liberté de la patrie.

C'était ce qui avait motivé des «démarches sages et assidues pour l'institution d'une chambre d'assemblée» destinée à «cette colonie infortunée». Cette infortune découlait de

---

130. GM, 5 février 1789, 2e et 3e pages, col. 2, numéro VI.
131. GM, 19 novembre 1789, 1ère page, col. 2, numéro XLVII. Le texte anglais, en col. 1, porte quinze signatures et le texte français, dix-neuf.

la privation des libertés et privilèges dont se réjouissent tous les autres sujets des différentes dominations britanniques en Amérique.

Cette infortune provenait aussi de la mauvaise administration de la justice, du chaos des lois et de l'ineptie de la plupart des conseillers législatifs. Les buts des bons citoyens seront atteints

> si ma patrie est libre, si les arts y fleurissent, si la justice y est judicieusement administrée, si les places ne sont occupées que par des personnes qui les honorent... si le censitaire est déchargé de ces honteuses servitudes qui excluent l'idée d'un gouvernement libre et sage, si les ministres de ma religion bornent aux autels l'étendue de leur autorité, si la liberté de la presse est introduite et que par ce moyen les génies percent et se développent...

Les opposants à la chambre d'assemblée mènent une campagne d'intimidation auprès des habitants pour leur faire signer des requêtes favorables au maintien de leurs servitudes.

> En vain les ennemis du bien public ont usé de stratagèmes... la nature et l'humanité triomphent toujours de l'artifice et de la fourberie[132].

Entre-temps, un homme de loi de la ville de Québec nommé Isaac Ogden[133] esquissait, à l'intention du prince royal William Henry, un tableau de la situation dans la colonie. Dans ce document, paru dans la *Gazette de Montréal*, le 5 mars 1789 — dont nous avons fait état en étudiant l'influence du journal de Mesplet —, il était question entre autres du régime politique et de l'enseignement. Nous aborderons plus loin cette dernière partie quand nous traiterons plus particulièrement de l'éducation. Constatons d'abord qu'Isaac Ogden soutenait que la majorité des citoyens désiraient une nouvelle constitution:

> Les habitants se sont souvent plaints de cette constitution, et plusieurs pétitions ont été présentées à Sa Majesté et au parlement, pour la révocation du bill de Québec, et pour une constitution libérale et semblable à celle des autres colonies.

Ogden dénonçait sans hésitation le système seigneurial:

> La propriété réelle dans la province est sujette à la tenure féodale, qui existait sous le gouvernement français. Par ces tenures, les

---

132. GM, 8 avril 1790, 2e et 3e pages, col. 2, numéro XV.
133. Isaac Ogden, futur juge du Bas-Canada, avait préparé «A Brief State of the Province of Quebec» à l'intention du prince William Henry qui visita le Canada en août-septembre 1787. Le texte fut rendu public dans QH, 26 janvier 1789, vol. 1, numéro 10, 1ère page du supplément, col. 1, 2, 3 (page 83).

habitants sont dans un état de vassalité qui, comme dans les autres pays où les terres sont sujettes à de semblables tenures, s'est opposé à l'agriculture et à ses augmentations, et qui a, conjointement avec la religion du pays, pour but de retenir les peuples dans la dépendance et dans une misérable ignorance.

Ogden faisait le lien entre religion et système seigneurial parce que l'Église possédait les plus riches domaines et les plus peuplés[134].

Le malheureux paysan, lit-on dans la *Gazette de Montréal* du 4 juin 1789, est toujours concentré dans la misère. Rien ne peut l'arracher à l'indigence. L'exportation des blés enrichit l'État, mais elle n'amène pas l'abondance dans les campagnes. Celui qui en exprime le suc, le répand dans les villes. La misère reste toujours dans les campagnes. Mais, disent ces hommes qui voient les choses de loin... toutes les terres étant cultivées et la récolte augmentant de prix, le paysan qui travaille doit s'enrichir. À cela, il n'y a qu'un mot à répondre. Est-ce celui qui cultive qui recueille?

N'est-il pas démontré que la plus grande partie des terres appartient à des seigneurs, ou à de riches particuliers qui en dépensent le revenu dans les villes. Dès lors que l'on sera convenu de ce fait, il en résultera que les campagnes ne seront guère habitées que par des pauvres journaliers qui ne recueilleront pas de blé, ou seulement ce qui leur est nécessaire pour nourrir leurs familles, et qui par conséquent ne profitent pas de l'augmentation du prix d'une denrée qu'ils consument. Au contraire, si cette denrée leur manque, ils sont obligés de l'acheter plus chère, et leurs journées ne leur étant pas payées davantage, ils deviennent encore plus misérables.

On ne trouverait pas dans le pays, avoue le rédacteur, dix fermiers qui soient en état d'attendre ces heureuses révolutions du commerce qui les enrichiraient. Pressés de rendre l'argent qu'ils doivent, ils se hâtent de vendre leur blé à l'avide marchand qui l'exporte ou le fait serrer dans des magasins qu'on ne peut ouvrir qu'en lui présentant une clé d'or. Et le malheureux qui n'en a pas expire à la porte.

Pourquoi faut-il que le vil intérêt empoisonne les plus heureux projets? Pourquoi se trouve-t-il des hommes qui ne savent pas mettre de bornes à leurs avides désirs? Pourquoi se trouve-t-il des monstres qui voient avec joie les pleurs de la misère, et attendent avec impatience l'épouvantable crise de la famine; il serait cependant facile de mettre un frein à l'avidité de ces êtres abomi-

---

134. GM, 5 mars 1789, 2e page, col. 2, numéro X.

nables, sur lesquels on ne peut arrêter les regards sans rougir d'être homme.

> Celui qui pourrait y remédier ne le veut pas. Sa volonté soit faite[135].

Cet article est le plus éloquent qui ait été écrit dans la presse de la colonie contre l'exploitation des paysans par les seigneurs. Et il n'a jamais été contredit. Ce n'est pas la pauvreté mais la misère qui règne dans les campagnes. Une dizaine de paysans seulement réussissent à s'enrichir. Après avoir payé leurs redevances aux seigneurs, il ne reste même plus de grains de semence aux paysans qui doivent s'en procurer à gros prix en s'endettant. La *Gazette de Montréal* affirme qu'il faut mettre un frein à l'avidité «de ces êtres abominables» qui n'ont plus aucun sentiment de pitié. Le journal pense que le gouverneur général pourrait corriger la situation mais que, pour s'attacher les seigneurs, il ne le fera pas. Aussi la dernière phrase de l'article reflète-t-elle une résignation désespérée.

Le 11 juin 1789, Mesplet rapportait dans son journal que le «Comité des pauvres» de Montréal avait dû procurer de quoi vivre à mille quatre cents personnes pendant deux mois[136]. Mais dans les campagnes, la situation était atroce.

> Il est bien connu, écrivait le rédacteur dans le numéro du 14 janvier 1790, que plusieurs personnes moururent de faim le printemps dernier. C'est dans les nouveaux lieux de colonisation que la détresse et la famine furent les plus ressenties[137].

Il faut rappeler ici que quatre-vingt pour cent de la population du Québec était rurale et que toutes les terres des paysans appartenaient à des seigneurs. Que les plus importants de ceux-ci étaient des ecclésiastiques. D'où la puissance d'un homme comme Montgolfier qui à ses pouvoirs spirituels ajoutait ses pouvoirs temporels[138]. L'Acte de Québec, on l'a vu, avait renforcé

---

135. GM, 4 juin 1789, 4e page, col. 2, numéro XXIII.
136. GM, 11 juin 1789, 3e page, col. 2, numéro XXIV.
137. GM, 14 janvier 1790, 4e page, col. 1, numéro II. Tiré du QH, 28 décembre 1789, 4e page. Signé: A Friend of the Poor.
138. Les plus puissants seigneurs de la colonie, les Sulpiciens, n'avaient plus juridiquement aucun droit sur l'île de Montréal. Celle-ci avait été donnée en 1663 au Séminaire Saint-Sulpice de Paris. Cette donation avait été confirmée par lettres patentes du roi de France en 1677. Par la suite, un séminaire avait été érigé par les Sulpiciens à Montréal et ils administraient la seigneurie de ce nom. Après la conquête, le 29 avril 1764, le Séminaire Saint-Sulpice de Paris avait rédigé un prétendu acte de donation en faveur du Séminaire de Montréal, donation qui ne pouvait avoir de valeur que dans la mesure où le Séminaire de Montréal avait une

davantage encore la situation des seigneurs-prêtres de l'ancienne Nouvelle-France où près de la moitié des habitants se trouvaient alors concentrés dans leurs seigneuries. Les mieux pourvus étaient les Jésuites puis, par ordre décroissant, l'évêque et le Séminaire de Québec, les Sulpiciens de Montréal et les Ursulines de Québec. Les Sulpiciens comptaient le plus grand nombre de censitaires en Nouvelle-France[139]. Les seigneurs ecclésiastiques exigeaient leurs dûs. Ainsi, dans la *Gazette de Montréal* du 20 décembre 1787, le Sulpicien Brassier donnait un avertissement sévère à

> plusieurs tenanciers, tant dans la ville et faubourgs de Montréal que dans les villages et campagnes des seigneuries de Montréal, Saint-Sulpice, Lac-des-Deux-Montagnes et Bourchemin, appartenant à Messieurs les ecclésiastiques du séminaire de cette ville.

Les tenanciers en question devaient payer selon les obligations

> rentes seigneuriales, lods et ventes, foi et hommages, quint ou relief, rentes constituées, argent prêté ou autres dûs quelconques.

Il faut que tous se présentent dans les six mois

> pour régler, balancer, solder et acquitter tout compte, droits, devoirs et redevances, dont ils peuvent être tenus envers lesdits seigneurs, et prendre tout titre de concession, quittance...

Brassier menaçait:

> Ceux qui négligeront de se conformer au présent avertissement seront absolument poursuivis par voie de justice, et n'obtiendront alors, ni grâce, ni faveur.

C'est-à-dire qu'ils seront emprisonnés pour dettes[140]. Au-dessus d'un second avis de Brassier dans la *Gazette de Montréal* du 27

---

existence légale comme société distincte du Séminaire de Paris. Or, le Séminaire de Montréal n'avait pas de charte. En 1789, lors d'une étude des droits de propriété du Séminaire de Montréal, les conseillers juridiques du gouverneur général en étaient venus à la conclusion que le Séminaire sulpicien n'avait aucun droit sur les propriétés en sa possession. (Voir BAILLARGEON, Georges E. - *La survivance du régime seigneurial à Montréal.*- Montréal; Cercle du livre de France, 1968.- pp. 17, 20, 21.)

139. SALONE, Émile.- *La colonisation de la Nouvelle-France.*- Trois-Rivières; Réédition Boréale, 1970.- pp. 243, 271, 314, 315, 318, 319.
140. GM, 20 décembre 1787, 3e page, col. 2, numéro LI. Voir OUELLET, Fernand.- *Le Bas-Canada (1791-1840): changements structuraux et crise.*- Ottawa; Éditions de l'Université d'Ottawa, 1976.- p. 65:
    Grâce à la gestion prudente de leurs fiefs et de leurs biens, à la générosité institutionnalisée des fidèles, grâce aussi à un éventail de revenus susceptibles de croître rapidement en période d'expansion de la production agricole et de croissance démographique rapide, les clercs voient leur situation économique s'amé-

décembre 1787, Mesplet faisait paraître cette Épître à la Noblesse, qui dénonçait

> Ce Damis enflé de la chimère
> ...la noblesse mercenaire
> ...dont l'orgueil fait monseigneuriser
> Sa géométrique importance,
> Qui fait gémir son carrosse affaissé
> Sous la molle circonférence
> De son corps longtemps engraissé
> Des larmes de l'indigence
> Du misérable délaissé.
> Je vois avec dédain ces fades gentillâtres,
> Chimériquement idolâtres
> De leurs titres d'oisiveté,
> Et qui bouffis des exploits de leurs pères,
> Dans leurs chétives dindonnières,
> Traînent avec orgueil leur noble pauvreté.
> J'accable de mille anathèmes
> Ces automates suzerains
> Qui, pauvres en vertus, riches en parchemins,
> Sont grands par leurs aïeux et petits par eux-mêmes...[141]

Dans la *Gazette de Québec* du 24 mars 1791, l'abbé Thomas Bédard, directeur du Séminaire de la capitale, soutenait que la province devait garder tels quels ses fiefs et ses censitaires[142]. Cette prise de position allait à l'encontre de celle de l'un des rares seigneurs réformistes, le chevalier Charles-Louis de Lanaudière, qui venait de présenter au gouverneur général une requête réclamant le changement de la tenure seigneuriale traditionnelle en tenure allodiale, c'est-à-dire de terres affranchies de toute redevance ou obligation. Lanaudière souhaitait attirer dans ses fiefs, à peine peuplés, des anglophones d'origine britannique ou américaine. Mais ces colons avaient en horreur la tenure seigneuriale traditionnelle. Pour distribuer des terres libres, il fallait à Lanaudière se les faire concéder, dans le langage juridique d'alors, en franc et commun soccage. C'est ce qu'il récla-

---

liorer à la fin du XVIIIᵉ siècle. Les revenus des seigneuries ecclésiastiques, à cause de l'augmentation de la population, de la valeur de la propriété foncière et des paiements en nature pour une partie des droits seigneuriaux, montent rapidement. ...Quant aux revenus des paroisses et des curés, ils suivent la tendance générale à la hausse.

141. GM, 27 décembre 1787, 4ᵉ page, col. 2, numéro LII. On notera que ce texte est publié deux ans avant 1789.
142. GQ, 24 mars 1791, pp. 1, 2 du supplément, numéro 1339. La suite du texte de Bédard est dans GQ, 31 mars 1791, pp. 1, 2 du supplément, numéro 1340.

mait. Dans la *Gazette de Québec* du 28 avril 1791, le chevalier interpellait ainsi Bédard:

> Ma requête au noble lord qui nous gouverne a échauffé quelques-unes de nos sages et grosses têtes. On vous a sollicité, et vous n'avez pu refuser votre assistance. Ils avaient en effet besoin de secours... Aussitôt, la procession s'est mise en ordre. Un prêtre-citoyen, directeur du Séminaire de Québec, s'est offert pour marcher à la tête portant la bannière féodale...

Après avoir discuté les arguments de Bédard, Lanaudière concluait que lui-même s'inspirait de Montesquieu et de Raynal:

> Qui pense et agit d'après ces grands hommes ne pense pas mal et peut se dire avec raison qu'il est l'ami de la patrie et de vous monsieur Bédard[143].

Mesplet n'a pas fait écho à l'échange de lettres entre Lanaudière et Bédard mais il n'hésita pas à reproduire, à la suite de la *Gazette de Québec*, dans le numéro du 7 juillet 1791 du périodique montréalais, le message du seigneur Horrificus de Maledissimus à la «nation canadienne» pour que «les ténèbres soient!»

> Il n'y a que nous, écrivait Maledissimus, qui puissions avoir raison... Tous ceux qui osent dire ou penser autrement que nous ne sont que vos ennemis, des fourbes, des séducteurs, des esprits turbulents, des incendiaires, des scélérats, des rebelles.
>
> Ne sachant raisonner nous-mêmes, nous défendons à tous les sujets de notre nation de se servir de la raison... Notre volonté ne vaut-elle pas beaucoup mieux que la raison? Notre volonté, il est vrai, n'a pas d'autre règle que notre propre intérêt... Les commerçants, les cultivateurs, les artisans sont-ils autre chose que des animaux nés pour servir à nos besoins? Croyez-nous, l'ordre exige que neuf-dixièmes du peuple soient esclaves de l'autre dixième. Voilà précisément comme l'ordre a toujours existé en France, votre ancienne mère-patrie, jusqu'à ce que des raisonneurs, ces fourbes séducteurs, séditieux, esprits turbulents, incendiaires, scélérats, etc. se soient élevés pour tout bouleverser, et faire jouir l'habitant lui-même des fruits de son travail qu'il devait, selon l'ancien ordre, porter à son seigneur, à son curé, etc.

---

143. GQ, 28 avril 1791, numéro 1344. Dorchester n'était pas favorable à une nouvelle constitution mais il l'était à la transformation du régime seigneurial dans le sens que souhaitait Lanaudière. Témoin la lettre qu'il adressait au secrétaire d'État Sydney, le 13 juin 1787:

> ...Pour ma part, je confesse ne savoir encore moi-même quel plan offrirait le plus d'avantages à un peuple placé dans la situation où nous sommes à cette heure.
>
> Mais ce qui presse le plus, c'est une modification dans la tenure des terres concédées par la couronne... (*Documents constitutionnels*, op. cit., p. 617.)

Quels infâmes désordres! Quelles innovations! Des laboureurs travailler pour eux-mêmes et leurs familles au lieu de le faire pour les Grands!

(…)

…Nous nous sommes toujours opposés et nous nous opposerons à jamais à l'innovation, c'est notre système…

(…)

Nous avons entendu que Puffendorf, Locke, Montesquieu, Helvétius, Blackstone, et tous les bons auteurs ont soutenu que le gouvernement n'est qu'un pacte civil, purement humain… Nous insistons que (sic) les gouvernements… sont des institutions divines…

Vos seigneurs, et ceux qui pensent, et y sont intéressés comme vous, sont les seuls sages et vos amis. Ils vous diront de vous courber le dos comme vassaux soumis et fidèles de vos seigneurs. Ils vous conseillent d'être à jamais des esclaves aveugles et obéissants de l'Église. De l'autre côté, tous ceux qui voudront vous soustraire à l'esclavage, qui voudront vous rendre libres et dignes du nom d'hommes, sont vos ennemis. Ils sont des fourbes, des séducteurs, des séditieux, des esprits turbulents, des incendiaires, des scélérats, des rebelles[144].

Cette satire montre qu'il y avait alors dans la colonie un Philosophe capable de manier assez bien l'ironie pour faire clairement apparaître que les seigneurs ne défendaient en fait que leurs intérêts, quand ils prétendaient qu'il fallait sauvegarder le système seigneurial parce qu'il était d'institution divine. Il y avait aussi au Québec des imprimeurs et de nombreux lecteurs, prêts à applaudir à ce que la noblesse considérait comme des insolences. L'allusion à la Révolution française montre que la presse s'en inspirait dans les réformes qui s'imposaient dans la colonie[145].

144. GM, 7 juillet 1791, 2e et 3e pages, col. 2, numéro XXIX.
145. Le processus de suppression du régime seigneurial au Québec a duré de 1854 à 1971. Sous la pression de l'opinion, le gouvernement du Québec dut adopter en 1854 une loi «pour l'abolition des droits et devoirs féodaux». En fait, les seigneurs furent indemnisés par des sommes globales pour leurs droits lucratifs. Mais la loi laissa subsister des rentes en leur faveur et à celle de leurs héritiers. Ces rentes devaient continuer à être payées annuellement. Elles pouvaient en théorie être rachetées mais c'était d'un prix trop élevé pour un censitaire ordinaire. Le 18 mai 1935, le gouvernement québécois créa un syndicat pour le rachat de toutes les rentes seigneuriales. En 1940, ce syndicat emprunta une somme de deux millions six cent quatre-vingts mille dollars à quatre banques et commença à payer ceux qu'on nommait encore les seigneurs. Les derniers comptes furent payés par le syndicat en 1971. (Voir BONENFANT, Jean-Charles.- «La féodalité a définitivement vécu» dans *Mélanges d'histoire du Canada français offerts au professeur Marcel Trudel*.- Ottawa; Université d'Ottawa, 1978.- pp. 15, 16, 17, 20, 23, 25.)

Dans la *Gazette de Montréal* du 7 avril 1791, Verax blâmait les seigneurs de s'être opposés à l'obtention d'une constitution démocratique que Londres avait finalement décidé d'accorder»[146]. Le même rédacteur, dans le numéro du 14 avril suivant, conseillait aux seigneurs de jouer le jeu de la démocratie:

> Si un jour vous avez dessein et la noble envie d'obtenir quelques places honorables dans la société, si vous désirez obtenir quelque influence en ce pays, même si vous souhaitez à transmettre quelques biens à vos descendants, c'est à présent le temps qui se présente pour se remuer et agir de façon à s'assurer tous ces avantages.

Mais ils devaient changer d'esprit. Verax rappelait l'attitude des seigneurs qui, «au temps de la famine et de la détresse» de 1788 en particulier, n'avaient apporté aucun secours à la «multitude mourante», tout «en haussant la valeur des aliments indispensables à la vie à des prix exorbitants pendant la grande disette»[147]. Nous verrons que les seigneurs entreront nombreux dans le nouveau parlement, sans beaucoup changer d'état d'esprit. Mais avant de nous arrêter à l'octroi du régime parlementaire, voyons comment Mesplet fit saisir l'importance de l'obtention d'une nouvelle constitution, en donnant à ses lecteurs la possibilité d'établir des comparaisons avec les constitutions, également toutes nouvelles, des États-Unis et de la France.

La nouvelle constitution des États-Unis était publiée intégralement dans les numéros des 14 et 21 février, des 6, 13 et 20 mars 1788 de la *Gazette de Montréal*[148]. Elle représentait beaucoup plus que la législature élective que les diverses colonies possédaient avant même l'indépendance. Il fallait regrouper les différents États sous un gouvernement central fort. L'Union n'avait été jusque-là qu'une simple ligue. Le Congrès avait décidé la convocation d'une Convention, composée de délégués de tous les États, en mai 1787. Cette Convention comprenait plusieurs personnalités parmi lesquelles Washington et Franklin[149]. La nouvelle constitution, qui devait être ratifiée par la plupart des

---

146. GM, 7 avril 1791, 1ère page, col. 2, numéro XV.
147. GM, 14 avril 1791, 1ère page, col. 2, numéro XVI.
148. GM, 14 février 1788, 1ère et 2e pages, col. 2, numéro VII; GM, 21 février, 1ère, 2e et 3e pages, col. 2, numéro VIII; GM, 6 mars, 3e page, col. 2, numéro X; GM, 13 mars, 2e page, col. 2, numéro XI; GM, 20 mars, 1ère page, col. 2, numéro XII. On trouvera le texte intégral de la Constitution dans KASPI, André.- *L'Indépendance américaine - 1763-1789*.- Paris; Gallimard-Julliard, 1976.- pp. 217 à 227.
149. *Le gouvernement des États-Unis d'Amérique*, op. cit., pp. 11, 15.

États en juillet 1788, attribuait les pouvoirs législatifs à un Congrès composé d'un sénat et d'une chambre des représentants, tandis que le pouvoir exécutif était confié à la présidence de la république. La justice relevait d'une cour suprême. Le gouvernement fédéral était souverain en matière de politique étrangère et de défense nationale. Il possédait aussi le pouvoir d'imposition et le droit de régler le commerce. Il avait de plus une autorité directe sur les citoyens des États[150]. Les premières élections fédérales eurent lieu au début de 1789. Le 6 avril, George Washington était élu président. Le 30 avril, il faisait son entrée triomphale dans la capitale provisoire des États-Unis, New York, comme le rapportait la *Gazette de Montréal* du 21 mai[151]. L'année même de l'adoption de la nouvelle constitution du Québec, en 1791, le Congrès votait sa charte des droits, qui était un bloc de dix amendements à la constitution. Le premier amendement entre autres assurait que

> le Congrès ne fera aucune loi qui touche l'établissement ou interdise le libre exercice d'une religion, ni qui restreigne la liberté de la parole ou de la presse, ou le droit qu'a le peuple de s'assembler paisiblement et d'adresser des pétitions au gouvernement pour le redressement de ses griefs[152].

Nous en retrouvons le texte dans la *Gazette de Montréal* du 23 août 1792[153].

Toujours en 1791, le 3 septembre, la France se donnait une constitution établissant une monarchie constitutionnelle. Le roi gardait le pouvoir exécutif; l'assemblée législative n'était que délibérante. Mais en mettant fin à l'absolutisme royal, cette constitution faisait naître une nouvelle société. Surtout, elle était précédée de la Déclaration universelle des droits de l'homme et du citoyen, qui promulguait la liberté et l'égalité de tous devant la loi[154]. Mesplet suivait les débats entourant la nouvelle constitution; il publia même le 17 novembre 1791 le texte présenté par le comité constituant[155]. Depuis 1789, sous forme de Lettres d'un Voyageur, la *Gazette de Montréal* n'avait cessé d'analyser

---

150. *Ibid.*, pp. 17 à 27.
151. GM, 21 mai 1789, 3ᵉ page, col. 2, numéro XXI.
152. Bill of Rights dans *L'Indépendance américaine*, op. cit., pp. 228-229.
153. GM, 23 août 1792, 3ᵉ page, col. 2, numéro XXXV.
154. GODECHOT, Jacques.- *Les constitutions de la France depuis 1789*.- Paris; Garnier-Flammarion, 1970.- pp. 30, 31. (Voir le texte intégral de la Constitution de 1791, pp. 33 à 67.)
155. GM, 17 novembre 1791, 2ᵉ et 3ᵉ pages, col. 2, numéro XLVIII: rapport du comité de constitution du 5 août 1791.

les projets constitutionnels mis de l'avant par l'Assemblée nationale. Dans le numéro du 17 décembre 1789, le Voyageur assurait que

> c'est sur les prérogatives essentielles du trône, ainsi que sur les droits imprescriptibles de la nation et sur son amour pour son souverain que la liberté du peuple français sera fondée. C'est par ces moyens puissants qu'elle peut devenir inébranlable. L'Assemblée nationale élèvera sur cette base le monument qui annoncera à toute l'Europe que la France est affranchie... d'une aristocratie déguisée, qui l'a fait gémir sous les derniers règnes.

«Toutes les têtes de l'hydre» pourront enfin être tranchées

> quand les membres du clergé se contenteront de remplir pieusement les devoirs de la profession sacrée qu'ils ont embrassée; que la noblesse, ainsi que le premier ordre, aura donné l'exemple des sacrifices qui doivent la rapprocher du Tiers, et qu'elle se contentera de jouir des privilèges honorifiques attachés à la naissance; que les togocrates n'auront plus d'autres fonctions à remplir que celles de rendre la justice pour lesquelles ils sont destinés; quand la manière dont elle doit être rendue sera déterminée par le roi et par l'Assemblée nationale; quand enfin le Tiers-État aura obtenu et pris la place qui lui est destinée, et qu'un plan de constitution sage lui aura assuré la jouissance paisible des droits qu'il a réclamés[156].

Dans le numéro du 24 décembre 1789, le Voyageur se réjouissait que la Déclaration des droits de l'homme et du citoyen ait lancé «le grand oeuvre de la régénération de ce royaume»; «c'est sur le roc même qu'on veut poser la première pierre de l'édifice que l'on va construire». Il était

> essentiel de partir du premier principe de la liberté, et de déclarer positivement que chaque individu étant né libre, tous les hommes réunis ne peuvent pas être des esclaves. Que c'est de la réunion des forces individuelles que l'on forme la force publique... Quand tout le monde a le même but, l'avantage général est la conséquence nécessaire de cette harmonie. C'est elle qui est la source du véritable patriotisme, qui se soulève contre les persécutions, et qui s'expose à tous les dangers pour défendre la chose publique.
>
> (...)
>
> C'est ce sentiment généreux qui porte chaque individu à se dévouer pour son pays. C'est le seul qui soit capable de soustraire les peuples à l'oppression, et de relever par son énergie des nations

---

156. GM, 17 décembre 1789, 1ère page, col. 2, numéro LI.

plongées dans le découragement et l'inertie. C'est presque toujours le patriotisme révolté qui a changé la face des empires.

...On peut gouverner longtemps une nation docile et fidèle, sans qu'elle ait recours aux moyens extrêmes; mais il est nécessaire pour empêcher l'explosion de détourner d'un système oppresseur l'attention et les regards des peuples que l'on veut entretenir dans la douce illusion qu'il soit heureux. Une fois que l'idée contraire a pris le dessus, c'est un torrent que l'on ne peut arrêter: il renverse toutes les barrières qu'on lui oppose; il entraîne tout ce qui se présente devant lui[157].

Le Voyageur reparaissait dans le numéro du 31 décembre 1789 pour parler cette fois de l'établissement souhaitable de la monarchie constitutionnelle en France. Il en profitait pour attaquer la théorie de la monarchie de droit divin, rejetant

la vieille erreur, propagée par des ministres ambitieux, que les monarques ne sont comptables qu'à Dieu de leur puissance... Si cette doctrine impie est encore adoptée par des peuples plongés dans l'ignorance, et dans cette apathie stupide qui ne permet aucune réflexion sur les droits du peuple, et les prérogatives du trône, elle a été combattue dans tous les temps, dans les pays où les Lumières ont fait des progrès[158].

Dans le numéro du 4 mars 1790, le Voyageur adressait aux lecteurs une lettre de Paris datée du 23 octobre 1789. Le message était plus modéré que le précédent. Tout en parlant de liberté et d'égalité, le bourgeois — parce que son rédacteur était certes un membre du Tiers-État — prêchait en faveur du droit de propriété. Le Voyageur comprenait que l'on proscrivît «ce que les restes de la féodalité ont d'injuste» sans «enfreindre ce que les propriétés ont de sacré». En somme «le bon ordre veut... que les propriétaires des terres ne perdent que ce qui retrace l'absurdité du régime féodal». En ce qui concernait l'égalité,

toutes les gradations ne doivent pas être effacées entre les hommes. Il faut des rangs particuliers entre les individus. Malgré l'égalité philosophique de la nature, les Américains, qui sont de tous les peuples celui qui a le plus égalisé les conditions, reconnaissent des rangs... Le valet doit servir son maître avec respect, quoiqu'il soit de la même espèce que lui, parce qu'il n'est pas de la même classe. L'homme bien né et l'homme éclairé doivent être au-dessus de l'artisan et de l'homme-machine.

---

157. GM, 24 décembre 1789, 2e page, col. 2, numéro LII.
158. GM, 31 décembre 1789, 3e page, col. 2, numéro LIII.

Le Voyageur admettait que «tous les pouvoirs viennent du peuple». Mais «ce droit du plus fort» devait être atténué pour préserver les droits de propriété et «conserver les richesses»[159].

Enfin, dans la *Gazette de Montréal* du 31 mars 1791, le Voyageur traitait du «règne des lois».

Lorsque les rois ne règneront, écrivait-il, que par des lois communes à tous, et justes envers chacun de leurs sujets, ils ne seront plus obligés d'avoir recours pour les gouverner aux artifices et aux erreurs politiques ou religieuses qui ont donné tant d'importance aux classes de la société qui avaient réussi à persuader aux souverains qu'aucune autorité ne pouvait exister sans leur concurrence...

...Les fourberies du sacerdoce ne sont pas nouvelles; elles existaient chez les anciens comme parmi nous; mais elles n'étaient sûrement pas aussi dangereuses...

On a pu passer aux moines les béquilles suspendues aux voûtes de leurs temples, les rubans de quatre sous qu'ils bénissaient pour les vendre quarante aux imbéciles. On a pu fermer les yeux sur toutes leurs profanations mystiques, sur les osselets supposés, que l'on affirmait effrontément être des reliques des saints... il est temps de faire connaître les ruses dont on s'est servi pour tromper les hommes...

...Les malheurs de la Belge [Belgique] indiquent, enfin, à tous les rois de la terre qu'il est temps de régner par les lois, et de forcer le clergé à se refermer dans ses fonctions en lui fixant des limites, qui doivent désormais être infranchissables.

Que l'on ouvre l'histoire, et l'on verra le mal qu'ont fait les prêtres...

Les Hongrois et les Belges ne préfèrent sûrement pas de se voir gouvernés par leurs prêtres, à participer eux-mêmes à leur gouvernement sous les auspices d'un prince que l'on dit disposé, non seulement à reconnaître leurs constitutions respectives mais à les améliorer... Tous les pays ne peuvent pas avoir la même constitution, mais il en faut une à chaque pays qui assure les propriétés et la liberté de tous les hommes qui l'habitent...

Tout ce qui tend à favoriser la superstition est une profanation coupable. La plus odieuse de toutes n'est-elle pas celle qui pour défendre les abus, les associe aux plus grands mystères? C'est par ces iniques moyens que des prêtres artificieux et cupides ont toujours su gouverner l'ignorance et soulever le fanatisme...[160]

---

159. GM, 4 mars 1790, 1ère et 2e pages, col. 2, numéro IX.
160. GM, 31 mars 1791, 1ère et 2e pages, col. 2, numéro XIV.

Alors que, pour la constitution des États-Unis, Mesplet s'était contenté d'en publier le texte intégralement, dans le cas de la France, il suivra passionnément les débats de l'Assemblée nationale et donnera force commentaires, dont ceux du Voyageur sont les plus importants. Le Voyageur s'attaque particulièrement à la monarchie absolue et prône «la liberté du peuple». Cette liberté est, en premier lieu, celle de la bourgeoisie: «l'homme bien né et l'homme éclairé doivent être au-dessus de l'artisan et de l'homme-machine». Pour être équitable, la monarchie doit s'appuyer sur les «lois communes à tous» et non plus sur «les fourberies du sacerdoce». Mais Mesplet ne tardera pas à publier un texte de Thomas Paine en faveur de la république, dans les numéros des 1er et 8 décembre 1791: la France «ne peut ainsi que l'Amérique regarder la monarchie qu'avec mépris»[161]:

> ...De toutes les erreurs que l'ignorance monarchique et la fourberie ont répandu dans le monde, celle qui paraît la mieux concertée et la plus ingénieusement inventée, c'est l'opinion qui prétend que le système républicain ne peut convenir qu'à un petit pays, et que celui de la monarchie au contraire est propre aux plus grands et aux plus étendus... cette opinion est également contraire aux principes et à l'expérience.
>
> (...)
>
> Le système républicain est le centre le plus puissant que l'on puisse former pour le bien d'une nation...
>
> (...)
>
> Quand la constitution française sera devenue conforme à sa Déclaration des droits, nous pourrons pour lors donner à la France avec justice le titre d'empire civique, car son gouvernement sera l'empire des lois fondées sur les sages principes républicains d'une représentation élective et sur les droits de l'homme...[162]

Il est certain que Mesplet est d'accord avec Paine. Dans une série de «Pensées choisies», on lisait déjà dans la *Gazette de Montréal* du 8 juin 1786:

> Les hommes sont tous égaux dans le gouvernement républicain et dans le despotisme, dans le premier parce qu'ils sont tout, dans le second parce qu'ils ne sont rien.

---

161. GM, 1er décembre 1791, 3e page, col. 2, numéro L.
162. GM, 8 décembre 1791, 3e page, col. 2, numéro LI. Cet article avait été publié en juillet 1791 dans *Le Républicain* fondé par Paine et Condorcet à Paris. C'était une lettre ouverte adressée à Condorcet, Nicolas de Bonneville et Lanthenas. Celui-ci devait traduire en français *Les Droits de l'homme* de Paine. Bonneville était aussi un homme de lettres. (Voir PAINE, Thomas.- *The Complete Writings of Thomas Paine*, Tome II.- New York; The Citadel Press, 1945.- pp. 519, 1315 à 1318.)

Autre «pensée choisie» dans le journal du 3 août 1786:

> Un républicain est toujours plus attaché à sa patrie qu'un
> sujet à la sienne, par la raison qu'on aime mieux son bien propre
> que celui de son maître[163].

Rappelons que Mesplet, dans son premier rapport au Congrès
sur son emprisonnement de 1776, se considérait comme républicain, envisageant les royalistes comme des «animaux»
furieux[164].

À la grande joie d'Edmund Burke s'exprimant à la Chambre
des Communes, le 6 mai 1791, la constitution canadienne ne s'ins-
pirerait pas de la Déclaration des droits de l'homme et du citoyen.
L'écrivain s'était d'ailleurs employé à décrire les effets funestes
de l'application de tels principes en France. À l'occasion de cette
diatribe, le grand Fox avait exalté la Révolution française: «c'est
un des événements les plus glorieux de l'histoire du monde»[165].
La nouvelle constitution n'abrogeait que certaines clauses de
l'Acte de Québec, ce qui permettait de diviser le territoire en
deux parties, le Haut et le Bas-Canada, en donnant à chacune
une chambre d'assemblée. L'Église catholique conservait le
pouvoir de «recevoir ses dîmes et droits habituels et en jouir».
Comme c'était le cas en Angleterre, les terres seraient concédées
«en franc et commun soccage» dans le Haut-Canada, et même
dans le Bas-Canada, si le concessionnaire le désirait. En somme,
une zone de «liberté anglaise» était accordée aux sujets de langue
anglaise arrivés dans la province de Québec après la guerre d'Indépendance et qui, comme les Fils de la Liberté en 1774, jugeaient
intolérable l'Acte de Québec. Dans chacun des territoires, l'assemblée élective, que créait le nouveau texte constitutionnel,
était chargée d'exercer la fonction législative conjointement avec
le gouverneur et le conseil législatif. Des prérogatives importantes étaient réservées au gouverneur, organe de la souveraineté impériale: interventions aux moments de la formation de
l'assemblée et de l'exercice de la fonction législative. La législature restait toutefois tripartite: tout projet de loi, pour parve-

---

163. GM, 8 juin 1786, 3ᵉ page, col. 2, numéro XXIII; GM, 3 août 1786, 4ᵉ page, col. 2,
    numéro XXI. Voir la première citation dans MONTESQUIEU.- *De l'esprit des
    lois*, tome 1.- Paris; Garnier-Flammarion, 1979.- p. 202. La seconde est de Voltaire:
    M. XXIII, 527.
164. Mémoire de Mesplet au Congrès, le 1ᵉʳ août 1783: APC, *Papers of the Continental
    Congress*, No 41, vol. 6, p. 305.
165. MACCOBY, S. - *English Radicalism 1786-1832: From Paine to Cobbett.*- Londres;
    Allen-Unwin, 1955.- pp. 47 à 49.

nir à terme, devait obtenir l'accord de la chambre d'assemblée. Mais celle-ci ne possédait aucun moyen constitutionnel de convaincre le gouverneur, si ce n'était de bloquer le cours de la législation. Le maintien du conseil législatif permettait aussi de faire échec à l'Assemblée qui par ailleurs devait être élue au suffrage censitaire[166].

La *Gazette de Montréal* publiait la version anglaise de la nouvelle constitution dans les numéros des 26 et 27 mai 1791 (il s'agit d'éditions spéciales)[167] et la version française dans les numéros des 2 et 9 juin[168]. Après la proclamation royale, le périodique fit paraître le texte «officiel» dans les numéros des 8, 15, 22 et 29 décembre 1791[169]. Cette publication fut suivie de commentaires signés d'un certain Solon, selon qui il eut mieux valu supprimer l'Acte de Québec et ne pas diviser le territoire. Le conseil législatif devrait servir de «contre-poids entre le gouverneur et les représentants du peuple». Solon se félicitait de ce que l'Assemblée compterait suffisamment de représentants. Il constatait que la liberté religieuse était maintenue. En ce qui touchait le régime seigneurial, le franc et commun soccage était permis dans l'ensemble du territoire. Pour les taxes, les représentants seraient appelés à en fixer le montant. Bref, la nouvelle constitution pourrait produire «de grands avantages»[170]. D'autres réflexions de Solon parurent dans le numéro du 22 mars 1792 et concernaient cette fois les droits du peuple sous le nouveau régime. Ces droits découlaient de l'élection de représentants fondés à faire des remontrances «contre les injustices et les abus». D'après Solon

> le peuple en général, jusqu'à présent, a été tenu dans une profonde ignorance. Avant que le commerce fût étendu et augmenté, les biens personnels étaient comparativement petits, et la nature de la tenure des bienfonds a tenu le peuple dans une dépendance

166. Acte constitutionnel de 1791 dans BAUDOUIN, Jean-Louis et Yvon RENAUD.- *La constitution canadienne - The Canadian Constitution.-* Montréal; Guérin, 1977.- pp. 23 à 45. Pour l'interprétation, voir BRUN, Henri.- *La formation des institutions parlementaires québécoises (1791-1838).-* Québec; Presses de l'Université Laval, 1970.- pp. 14, 97, 98.

167. GM, 26 mai 1791, 1ère, 2e, 3e et 4e pages, col. 1, 2, numéro XXII; GM, 27 mai 1791, 1ère et 2e pages, col. 1, 2, numéro XXIII.

168. GM, 2 juin 1791, 1ère et 2e pages, col. 1, 2, numéro XXIV; GM, 9 juin 1791, 1ère et 2e pages, col. 1, 2, numéro XXV.

169. GM, 8 décembre 1791, 1ère et 2e pages, numéro LI; GM, 15 décembre 1791, 1ère, 2e, 3e et 4e pages, numéro LII; GM, 22 décembre 1791, 1ère, 2e et 3e pages, numéro LIII; GM, 29 décembre 1791, 1ère, 2e et 3e pages, numéro LIV.

170. GM, 15 mars 1792, 2e et 3e pages, col. 2, numéro XII.

continuelle des seigneurs. On a eu peu d'égards et d'attention à la liberté particulière et à l'indépendance personnelle des individus; si quelqu'un a eu le courage de les soutenir, il a été accusé de séditieux, d'incendiaire [accusations que nous avons rencontrées sous la plume de Maledissimus]. Mais notre gouvernement actuel, sous lequel les petits ainsi que les grands participent à la législation, nous procure d'amples moyens de remédier à ces maux.

Les esprits seront éclairés; ils seront élevés, et prendront une opinion plus juste des droits et des devoirs réciproques des citoyens[171].

Les élections tenues au mois de juin 1792 devaient donner à Mesplet l'occasion de s'engager en appuyant publiquement la candidature du notaire Joseph Papineau. Dans la *Gazette de Montréal* du 24 mai 1792, l'imprimeur et trente autres notables se disaient solidaires de six citoyens susceptibles de bien servir la collectivité montréalaise dans la nouvelle chambre d'assemblée. Il a déjà été question de cette liste à la fin du chapitre précédent[172]. Des six candidats, seul Joseph Papineau fut élu. Ses notes de lectures sur l'article Économie politique de Rousseau dans l'*Encyclopédie*, attestent que sa pensée politique s'inspirait de la Philosophie des Lumières. En admettant que la science politique ne trouvait pas son fondement dans la théologie mais dans la seule considération de la nature de l'homme, Papineau rompait définitivement avec la position prônée par le clergé canadien qui s'inspirait toujours de Bossuet. Papineau, partant de l'affirmation que «la voix du peuple est en effet la voix de Dieu», démontre dans ses notes que la chambre d'assemblée — qui représente les intérêts de la majorité de la population — doit dominer l'exécutif, c'est-à-dire le gouverneur et son conseil[173]. Le Club constitutionnel de la capitale, selon la *Gazette de Québec* du 28 mars 1793, devait saluer en Papineau un «zèle vraiment patriotique» lorsqu'il réclamera que les biens des Jésuites servent à la fondation d'un enseignement public[174].

Le rôle de Papineau s'exerçait dans une chambre d'assemblée composée de plus de moitié par des propriétaires de seigneuries, sans compter les nobles et les militaires qui représentaient

171. GM, 22 mars 1792, 1ère, 2e et 3e pages, col. 2, numéro XIII.
172. GM, 24 mai 1792, 3e page, numéro XXII. Cette page contient huit annonces électorales.
173. OUELLET, Fernand.- «Joseph Papineau et le régime parlementaire (1791)».- BRH, vol. 2, avril-mai-juin 1955.- pp. 71 à 73. L'article Économie politique, signé Jean-Jacques Rousseau, est dans le tome V de l'*Encyclopédie*, pp. 337 à 349.
174. GQ, 28 mars 1793, 1ère et 2e pages, col. 2, numéro 1447.

17 pour cent de la députation. Parmi les membres de la noblesse élus qui s'étaient vivement opposés au gouvernement représentatif, relevons les noms des Rouville, Taschereau, Tonnancour, La Valtrie, Lotbinière et Bonne. Les nobles étaient également présents au sein du conseil législatif: Léry, Belestre, Saint-Ours, Longueuil, Lanaudière, Boucherville[175]. Deux rapports d'élection, dans la *Gazette de Montréal* du 5 juillet 1792, attirent l'attention sur les difficultés que rencontraient les candidats réformistes. En faisant part de la défaite du capitaine Grant, dans Longueuil, le rédacteur avouait que les «vrais citoyens» regrettaient

> la perte d'un homme tel que le capitaine Grant dont l'indépendance des sentiments autant que de la fortune devait être un sûr garant de la sagesse de sa conduite dans une chambre d'assemblée.

Le rédacteur assurait, dans le même numéro, que l'élection de Jacob Jordan dans la région de Terrebonne était honorable parce

> qu'il avait combattu les deux préjugés ordinaires des ignorants et des fanatiques: différence d'opinion quant aux dogmes, et différence de patrie. Ajoutons encore qu'il avait à combattre l'ingratitude la plus noire comme la plus artificieuse dans quelques personnes[176].

L'établissement d'une nouvelle constitution avait été l'occasion de fonder des clubs constitutionnels à Québec et à Montréal. Dans la *Gazette de Québec* du 22 décembre 1791, les Amis de la Constitution invitaient tous les citoyens de la capitale à un rassemblement pour célébrer le commencement d'«une époque mémorable dans les annales de cette province» où chacun pourra désormais «jouir des Droits et de la Liberté»[177]. Dans la *Gazette de Montréal* du 24 mars 1791, un correspondant, qui signait le

---

175. *Le Bas-Canada*, op. cit.:
[À l'Assemblée, les militaires et les nobles] font élire 9 représentants (17%). C'est dire que leur influence est encore considérable dans la société. Ils ne sont d'ailleurs pas isolés dans la Chambre puisque plus de 50% des députés sont propriétaires de seigneuries. Ceux-ci sont marchands ou professionnels. (p. 44)
Les nobles sont bien représentés dans les deux conseils et leurs intérêts sont fort bien protégés dans l'Assemblée par des membres de leur classe et par des bourgeois ayant acquis des seigneuries chez qui les aspirations nobiliaires sont parfois très marquées. La bourgeoisie marchande pour sa part est présente dans les conseils exécutif et législatif et domine l'Assemblée. (p. 45)
Voir la liste des députés du premier parlement à Québec dans BRH, vol. 1, août 1895, p. 122.
176. GM, 5 juillet 1792, 2e et 3e pages, col. 2, numéro XXVIII.
177. GQ, 22 décembre 1791, 4e page, col. 2, numéro 1381.

Génie canadien, adressait une Épitre aux habitants du Canada, qui portait en épigraphe:

> Gouvernement, ô vous à qui le Ciel a confié la puissance législative, que votre administration soit douce, que vos lois soient sages, et vous aurez pour sujets des hommes, humains, vertueux et éclairés.
>
> On doit la vérité aux hommes.

Le correspondant, qui écrivait «du Temple de la Vérité» en ce «siècle de l'aurore de la Raison», s'adressait aux Canadiens pour les inciter à prendre en main leur destinée à l'exemple des Français «dont le courage et la fermeté ont anéanti le despotisme».

> Aura-t-on toujours à reprocher aux Canadiens, qu'ils ne retiennent de la nation dont ils tirent leur origine, que cette ignorance et cette barbarie que la France éclairée a si solennellement réprouvées.
>
> ...Il y a des Canadiens qui brûlent d'une louable ardeur pour l'extension des sciences et pour le bien-être de leur patrie... rougissant de son état actuel obscurci par les ténèbres qui la rendent inaccessible aux rayons bienfaisants de la Vérité.

Les peuples ignorants ont toujours été plus malheureux. Les arts et les sciences ont «ajouté au bonheur de la société». «La superstition, fille de l'ignorance et mère du fanatisme», a été «la source empoisonnée d'où ont découlé les maux, les calamités qui ont affligé presque tous les peuples». Dès que le despotisme est affermi, «il défend de parler, d'écrire, de penser même». C'est alors que l'ignorance est honorée.

> Songez, ô Canadiens, mes compatriotes, que l'état d'avilissement défend l'usage de la raison, rend à la fois les hommes malheureux et cruels...
>
> Réfléchissez sur ce que vous devez à vous-mêmes, à votre postérité et au bien-être de votre patrie. Ce n'est là qu'à l'extension des Lumières de la Vérité que vous serez un jour redevable de votre félicité; la marche de l'Europe entière peut vous en convaincre.
>
> Accélérez par vos efforts ces heureux moments — chérissez la Vérité — saisissez tous les moyens d'affermir son empire. Chérissez surtout la liberté de la presse... Voici la maxime sur laquelle elle est fondée: Sait-on la vérité, il faut la dire.
>
> Mais le peut-on toujours? Oui, sous un gouvernement libre on doit braver les préjugés, dont la rage s'accroît en raison de leur stupidité. En suivant ce vieux proverbe à la rigueur, «Toutes vérités ne sont pas bonnes à dire», vous laissez prendre l'empire au fanatisme, à l'ignorance, à la superstition... Ceux qui ont inté-

rêt d'abuser de leurs compatriotes, ou au moins de les retenir dans l'esclavage des préjugés, profitent avidement de la stupidité générale, subjuguent par l'opinion et réduisent à l'état le plus abject ceux-mêmes qu'ils devraient éclairer sur leurs devoirs et sur leurs intérêts.

...apprenez vos droits... citoyens![178]

La nouvelle constitution avait accordé le suffrage censitaire. Toute personne âgée de 21 ans ou plus, ayant prêté le serment d'allégeance à la Couronne, n'ayant jamais été condamnée pour trahison et possédant un revenu annuel de quarante chelins, avait pu voter. En fait, la presque totalité des chefs de famille[179]. Mais comme le vieux cadre seigneurial subsistait toujours, il avait fortement influencé le déroulement des élections: les seigneurs étaient souvent sur les rangs et pouvaient devenir, dans beaucoup d'endroits, les députés des tenanciers. Plus de cinquante pour cent des membres de la nouvelle chambre d'assemblée étaient des seigneurs[180]. Cette chambre d'assemblée, après avoir reconnu

---

178. GM, 24 mars 1791, 3e et 4e pages, col. 2, numéro XIII. La pensée de l'auteur est très proche de celle d'Helvétius et d'Holbach qui avaient écrit respectivement:
Le despotisme qui s'établit laisse tout dire, pourvu qu'on le laisse tout faire. Mais le despotisme affermi défend de parler, de penser et d'écrire. Alors les esprits tombent dans l'apathie. (HELVÉTIUS.- *Oeuvres complètes*, tome IX: *De l'homme, de ses facultés intellectuelles et de son éducation*.- Heldesheim; Verlag, 1967.- p. 211)
La raison cultivée est le plus sûr antidote contre la corruption des moeurs. Mais la raison ne se cultive que dans un pays de liberté. Le despotisme, ainsi que la superstition, est l'ennemi né de la raison humaine; il ne veut commander qu'à des esclaves privés de raison, de lumières et de moeurs. (HOLBACH, d'.- *Système social*, tome II.- Londres, 1774.- p. 64)

179. Acte constitutionnel de 1791 dans *Constitution canadienne*, op. cit., pp. 30, 31. Voir aussi la *Constitution de 1791*, op. cit., p. 308:
[Les électeurs] purent se prévaloir de leur droit de vote comme simples «freeholders» ayant un revenu annuel de quarante shillings et, dans les bourgs et villes, s'ils étaient propriétaires d'une maison rapportant un revenu annuel d'au moins cinq livres sterling ou locataires payant un loyer annuel d'au moins dix livres sterling; ce qui engloba la presque totalité des chefs de famille, soit environ de 15 à 20% de la population.

180. *Le Bas-Canada*, op. cit.:
La seule liste des députés élus en 1793 indique que l'institution seigneuriale était encore acceptée par la masse: plus de 50% des députés étaient des seigneurs. (p. 36)
La noblesse, il faut le dire, ne comprend pas toute la classe seigneuriale. Car la propriété seigneuriale, même si elle est la principale voie d'accès à l'aristocratie, est aussi devenue un investissement valable au point de vue économique. Elle attire par des motivations différentes nombre de commerçants et de professionnels. Pour les uns, l'achat d'une seigneurie est davantage un investissement économique qu'un instrument de promotion sociale; pour les autres, les considérations sociales priment les motivations économiques. La noblesse ou l'aristocratie foncière n'est pas une caste: elle s'enrichit de nouveaux éléments. Ceux-ci en viennent à

l'égalité des deux langues dans les débats, n'eut rien de plus pressé que de préparer un bill «pour la punition de la fornication, de l'inceste et de l'adultère», écho d'une proclamation du lieutenant-gouverneur «pour supprimer le vice, l'impiété et le dérèglement». Mesplet, dans les numéros des 7 et 14 février 1793, publia les textes des principaux discours en faveur de la langue française, dont celui de Rocheblave qui affirmait que le bien public exigeait le maintien de la langue de la majorité[181]. La proclamation de Clarke contre le vice paraissait le 7 février[182] et l'annonce du bill contre la fornication, le 11 avril 1793[183]. Nous apprenons de temps à autre que, faute de quorum, l'assemblée ne pouvait se réunir. Et même faute de sujets à débattre, lit-on dans la *Gazette de Montréal* du 23 mai 1793[184]. Il y avait eu un ajournement en décembre, avertissait Mesplet le 26 de ce mois, parce qu'il n'y avait plus de travail[185]. Certes, la *Gazette de Montréal* avait fait écho à des débats sur l'éducation et les biens des Jésuites, les 4 et 25 avril[186], ainsi qu'à un «bill tendant à abolir l'esclavage», le 2 mai 1793[187], mais ces bonnes intentions n'eurent pas de suite. Quant aux lois mineures, aux dispositions très locales, elles furent imprimées en si petits caractères dans la *Gazette de Québec*, qu'elles étaient illisibles. Ce dont se plaignait un «Citoyen» dans la *Gazette de Montréal* du 2 mai 1793: c'était, disait-il, comme Caligula qui écrivait ses lois en très petits caractères et les faisait afficher au sommet de hautes colonnes. Il y eut plusieurs altercations à ce sujet, concluait le Citoyen, entre les «Amis du peuple» et ceux du gouvernement[188].

adopter les attitudes et les comportements du groupe. Mais il est des individus qui, bien que propriétaires de seigneuries, restent associés aux activités et à la mentalité de la bourgeoisie. (p. 28)

181. GM, 7 février 1793, numéro VI (Le supplément de deux pages renferme les discours de Lotbinière et de Taschereau); GM, 14 février 1793, 4e page, col. 2, numéro VII (Discours de Rocheblave).
182. GM, 7 février 1793, 1ère page, col. 1, 2, numéro VI.
183. GM, 11 avril 1793, 2e page, col. 1, numéro XV.
184. GM, 23 mai 1793, 3e page, col. 2, numéro XXI: compte rendu de la séance de la Chambre d'assemblée du 8 mai.
185. GM, 26 décembre 1793, 3e page, col. 2, numéro LII: compte rendu de la séance de la Chambre d'assemblée du 12 décembre.
186. GM, 4 avril 1793, 2e page, col. 2, numéro XIV: compte rendu de la séance de la Chambre d'assemblée du 28 mars; GM, 25 avril 1793, 2e page, col. 2, numéro XVII: compte rendu de la séance de la Chambre d'assemblée du 10 avril.
187. GM, 2 mai 1793, 3e page, col. 2, numéro XVIII: compte rendu de la séance de la Chambre d'assemblée du 19 avril.
188. GM, 2 mai 1793, 3e page, col. 2, numéro XVIII: «Question d'un Citoyen [de Montréal] à quiconque voudra la résoudre».

Pour la *Gazette de Montréal*, combattre en faveur d'une nouvelle constitution canadienne, c'était viser à diminuer sinon à supprimer le pouvoir des seigneurs dans la province. Mesplet employa dans ce combat tous les moyens à sa portée. Ainsi, il fit état des deux grandes constitutions de l'heure, celles des États-Unis et de la France. Non seulement son journal s'est engagé dans l'action mais encore l'imprimeur a pris personnellement fait et cause pour une nouvelle constitution canadienne, et appuyé une candidature d'avant-garde à la chambre d'assemblée. Mesplet poursuivait la campagne lancée par Pierre du Calvet en 1784. Il reprenait de cette façon le rêve des Fils de la Liberté de 1774. C'était en mettant en branle le processus démocratique qu'il semblait possible de faire reculer la «féodalité». Parallèlement à ce combat, la *Gazette de Montréal* en livrait un autre contre la superstition, ce qui sera le sujet de notre prochain chapitre.

Chapitre 14

Contre la superstition

Dans son travail de diffusion des Lumières, Mesplet devait fatalement se heurter à l'Église. C'était ce qui s'était produit au temps de la *Gazette littéraire*. C'est ce qui se produirait avec la *Gazette de Montréal*. En fait, au Québec, l'Église était omniprésente, comme tissée dans la réalité quotidienne. De la naissance à la mort, elle considérait que la vie de chacun lui appartenait et aurait voulu établir un contrôle absolu des consciences. En combattant en faveur de la liberté de pensée et de la liberté d'expression, Mesplet pénétrait dans un domaine réservé que la foi seule devait éclairer et non la raison humaine. Dans son action, l'éditeur de la *Gazette de Montréal* fit appel à La Hontan, à Voltaire et à l'*Encyclopédie*, tandis que des correspondants dénoncèrent avec humour divers membres du clergé, les montrant dominateurs, intolérants et ignorants, tout en signalant le rôle exceptionnel de «bons curés». Mesplet entreprit en outre des campagnes de presse dans deux domaines très précis: les fêtes religieuses et le théâtre. On voulait restreindre le nombre des fêtes et permettre les spectacles. Nous évoquerons tout d'abord successivement ces deux campagnes.

La reproduction d'une lettre de l'évêque coadjuteur, Mgr Charles-François Bailly de Messein dans la *Gazette de Montréal* du 6 mai 1790 et la *Gazette de Québec* du 29 avril, déclencha la campagne pour la diminution du nombre des fêtes religieuses dans la colonie. Il y en avait alors quatre-vingt, y compris les dimanches[189]. Bailly interpellait ainsi l'évêque de Québec, Mgr Jean-François Hubert, successeur de Mgr Briand:

> Votre Grandeur voudra bien me permettre les réflexions suivantes; elles ne sont pas les miennes seules, mais celles du clergé et des citoyens. J'ai déjà eu l'honneur de vous les communiquer de vive voix: la voie du papier public paraît être plus selon vos désirs.
>
> Au reste ce n'est ni comme évêque, ni comme coadjuteur de Québec que je prends l'honneur de vous en parler... mais c'est comme missionnaire de votre diocèse... comme Canadien. Ce double titre me donne droit de dire que le clergé est dans la peine, et qu'il y a bien des murmures parmi les citoyens.

Le clergé est dans la peine parce que, dans une lettre, au commencement de son épiscopat, l'évêque l'a accablé de reproches injustifiés, «sans fondement». Le murmure parmi les citoyens provient du trop grand nombre de fêtes religieuses. Elles ne sont pas vraiment sanctifiées et n'encouragent que la paresse parmi les habitants. Mgr Hubert ne veut pas entendre parler de ce problème. Pourtant,

> en la baie des Chaleurs, les pêcheurs, payés et nourris par les bourgeois, dormiront par dévotion dans leurs chaloupes tandis qu'elles seront entourées de poissons...

À Trois-Rivières, «les forges consumeront du bois» inutilement. Ailleurs, «les engagés mangeront aux dépens des marchands qui ne pourront pas même les engager à faire une courte prière». Dans les ports de Québec et de Montréal, «les vaisseaux arriveront de loin sans pouvoir décharger». Dans les campagnes, les foins et les moissons «pourriront sur la surface d'un champ inutilement ensemencé». Bailly de Messein rappelle que,

> depuis plus d'un siècle, une partie des fêtes a été supprimée dans tous les pays catholiques: il faut avoir de quoi manger pour prier.

Il conclut sa lettre en affirmant qu'elle était inspirée par «l'amour de la religion» et «le bien public»[190].

Cette lettre suscita un tollé général de la part du clergé et de nombreux notables. Indépendamment du contenu, c'était le fait de s'opposer à l'évêque de Québec qui choquait. Bailly de Messein avait été le précepteur des fils du gouverneur général

---

189. BOYER, Raymond.- *Les crimes et les châtiments au Canada français du XVIIe au XXe siècle*.- Montréal; Cercle du livre de France, 1966.- pp. 389, 390.
190. GM, 6 mai 1790, 2e et 3e pages, col. 2, numéro XIX.

Guy Carleton lorsque le futur lord Dorchester, à la fin de son mandat, s'était retiré dans son domaine de Greywell Hill, au Hampshire, de 1778 à 1782. Né au Québec, cet ecclésiastique avait fait ses études au collège Louis-le-Grand à Paris. Aux yeux de lady Carleton, il incarnait la France de l'esprit et du savoir[191]. Les protestataires dirent que l'évêque coadjuteur ne parlait certainement pas en leur nom car ils appuyaient Mgr Hubert dans toutes ses décisions. La *Gazette de Montréal* publia d'abord une liste de quatorze signataires de la ville de Québec, dans le numéro du 13 mai 1790. On relevait les noms de Joseph-Octave Plessis, futur évêque de Québec; Félix de Berey, provincial des Récollets, l'ancien geôlier de Pierre du Calvet; Étienne-Thomas-de-Villeneuve Girault, supérieur des Jésuites[192]. Dans le numéro du 20 mai suivant, le même périodique communiquait en faveur de Mgr Hubert un «avis des prêtres du district de Montréal»: cinquante-huit signatures parmi lesquelles celles de Gabriel-Jean Brassier, successeur de Montgolfier à Saint-Sulpice, et du Jésuite Bernard Well[193]. Dans un supplément de son journal du 27 mai 1790, Mesplet donna la liste des «citoyens» de la colonie qui secondaient Mgr Hubert. En tête: le juge Hertel de Rouville[194]. La *Gazette de Montréal* publia, fort à propos, le 13 mai 1790, les conseils des curés du Dauphiné au clergé breton:

> Que le nom et l'autorité de vos évêques ne vous en imposent pas. S'ils sont bons citoyens, ils feront cause commune avec le peuple; s'ils sont infectés des principes de la tyrannie, ne les écoutez pas...[195]

Dans le numéro du 27 mai 1790, «un curé de campagne du district de Montréal» vantait les mérites du statu quo: il faut conserver toutes les fêtes religieuses.

> Le peuple catholique canadien est attaché à cette partie pompeuse de son culte. Il est dans la salutaire persuasion que la religion, dans sa totalité, est un édifice indivisible, éternel, inviolable et sacré. Si vous le détrompez, vous lui donnez lieu de croire que la religion est destinée à une destruction au moins lente et successive. Dès lors, les liens de persuasions religieuses se relâchent, et les vertus du citoyen s'abattent.

---

191. BENOIT, Pierre.- *Lord Dorchester*.- Montréal; HMH, 1961.- p. 118.
192. GM, 13 mai 1790, 2ᵉ page, col. 2, numéro XX.
193. GM, 20 mai 1790, 4ᵉ page, col. 2, numéro XXI.
194. GM, 27 mai 1790, 5ᵉ page, col. 2, numéro XXII. La pétition comprend aussi les noms de Joseph Papineau, LeGuay, Louis l'Hardy, Pierre Foretier et Denis Viger. En tout, quatre-vingt sept signatures.
195. GM, 13 mai 1790, 2ᵉ, 3ᵉ et 4ᵉ pages, col. 2, numéro XX.

Selon ce curé montréalais, l'évêque de Québec était fondé à échelonner ses réformes sur de longues années «afin de les faire sans bruit et sans danger»[196]. Dans une réplique, le 3 juin suivant, Athanase-cul-de-jatte soutenait qu'un tel retard dans l'abolition des fêtes serait une injustice à l'égard de

> l'homme qui n'attend son morceau de pain, sa subsistance et celle d'une nombreuse famille que du fruit de ses travaux journaliers.

Partageant l'opinion de Bailly de Messein, il se disait convaincu que cette «réforme absolument nécessaire» était réclamée par «tous les citoyens et la majeure partie des habitants [paysans]»[197]. Après Athanase-cul-de-jatte, c'était Sébastien Tudieu, le 10 juin 1790, qui défendait Mgr Bailly de Messein contre des attaques malicieuses du clergé de Trois-Rivières, composé d'«ignorants remplis de préjugés». Tudieu demandait à l'évêque de Québec de les punir en les régalant du «déjeuner sale et immonde, puant et impur, hideux et empoisonnant dont il plut au Dieu des Israélites» de combler pendant quarante jours consécutifs le prophète Ézéchiel[198]. Un message d'Agricola à l'évêque de Québec était inséré dans la *Gazette de Montréal* du 23 décembre 1790. Dans le calendrier de 1791, il était prévu, seulement en juin, dix fêtes obligatoires, soit le tiers de ce mois. Agricola remarquait que toutes les fêtes, ou «jours paresseux», surtout dans les campagnes, donnaient lieu à «du brigandage et des horreurs»[199]. Même le pape Clément XIV pensait comme Bailly de Messein: Mesplet n'avait pas manqué de faire état d'une réflexion du souverain pontife, dans le numéro du 5 août 1790. En acquiesçant à une demande de Venise de supprimer certaines fêtes, le pape avait dit:

> Les fêtes ne sont utiles qu'autant qu'on les observe avec dévotion, et ce n'est pas en connaître l'esprit que d'entretenir, en les célébrant, la misère et l'oisiveté[200].

Dans un article contresigné «la Vérité», la «Saine Raison» affirmait, dans la *Gazette de Montréal* du 12 mai 1791, que le grand nombre de fêtes au Québec, accumulé au fil des ans par

---

196. GM, 27 mai 1790, 3e page, col. 2, numéro XXII.
197. GM, 3 juin 1790, 2e, 3e et 4e pages, col. 2, numéro XXIII.
198. GM, 10 juin 1790, 3e page, col. 2, numéro XXIV. Voir dans le *Dictionnaire philosophique*, l'article Ézéchiel qui y figure dès 1764 (M. XIX-55). Voltaire, avec un goût infiniment meilleur que le Sébastien Tudieu de la *Gazette de Montréal*, se bornait à parler de «confitures»...
199. GM, 23 décembre 1790, 2e page, col. 2, numéro LII.
200. GM, 5 août 1790, 1ère page, col. 2, numéro XXXII.

la superstition, était devenu le fardeau du pauvre et la honte de l'Église. On en réclamait une forte diminution à cause de «la perte du temps, les défenses excessives et les désordres sans nombre» qu'entraînaient les célébrations, «particulièrement les fêtes patronales de paroisses». Les fêtes étaient en si grand nombre que les pauvres manquaient de pain parce qu'ils étaient ces jours-là empêchés d'accomplir leur travail journalier. Les débauches et les scandales accompagnaient la plupart du temps ces célébrations. L'Église officielle était accusée de refuser tout changement par peur qu'on n'en vînt à ébranler tout son système.

> Périsse le commerce, l'agriculture, les pauvres, la province, l'État, le monde entier, pourvu que l'Église triomphe! Elle sera toujours soutenue dans ses usurpations par les bigots, les esprits faibles et conséquemment superstitieux, en qui les préjugés de l'éducation sont à jamais enracinés... Ces imbéciles sont toujours les plus nombreux, l'Église reposera sur eux... Les esprits faibles ne manqueront jamais de suivre le conseil de l'Église préférablement à toute autre considération, spécialement quand un curé le prône en gémissant, en pleurant, en hurlant[201].

Cet article a été le dernier de la *Gazette de Montréal* à réclamer la suppression d'une partie des fêtes religieuses, puisque Mgr Hubert décidait, dans un mandement du 15 avril 1791, de reporter aux dimanches la célébration de dix-huit fêtes et n'en maintenait que six d'obligatoires[202]. Le mandement avait paru dans la *Gazette de Québec* du 28 avril[203]. Ce qui n'avait pas empêché le *Quebec Herald* de publier, le 9 mai suivant, le message de la Saine Raison, reproduit par Mesplet, on l'a vu, le 12 mai. Dans son mandement, Mgr Hubert reprenait les arguments de son coadjuteur pour justifier sa décision qu'il espérait assez sage pour ne pas la voir devenir «un sujet de raillerie et de triomphe» pour «les ennemis de notre sainte religion».

On sait que la critique du nombre excessif des fêtes chômées s'inscrivait dans la plus pure tradition des Lumières. Voltaire, entre autres, avait abordé la question dès 1764 dans son *Dictionnaire philosophique* à l'article Catéchisme du curé: le curé Théotime préconise la suppression de «l'oisiveté de la féérie qui (...) conduit au cabaret» puis remarque:

---

201. GM, 12 mai 1791, 3e page, col. 1, 2, numéro XX.
202. Mandement de Monseigneur l'Évêque de Québec qui permet de travailler à certains jours de fêtes. (Voir *Mandements des évêques de Québec*, op. cit., pp. 437 à 448.)
203. GQ, 28 avril 1791, 1ère et 2e pages, col. 1, numéro 1344.

Les jours ouvrables ne sont pas les jours de la débauche et du meurtre. Le travail modéré contribue à la santé du corps et à celle de l'âme.

Les jours de fêtes, le bon curé voudrait concilier «la prière et le travail», servir «Dieu et le prochain»[204]. Voltaire y reviendra dans la *Canonisation de saint Cucufin* et dans le *Pot pourri*[205]. L'*Encyclopédie* s'en était expliquée dans des textes traitant des fêtes religieuses chez les Hébreux, les Païens, les Mahométans, les Chinois, et surtout dans l'article «Fêtes des chrétiens». L'Encyclopédiste Faiguet y proposait en 1756 des arguments repris par les rédacteurs de la *Gazette de Montréal* pour justifier leur diminution: manque de piété, perte de temps et d'argent. La mesure qu'appliquera Mgr Hubert est même suggérée:

> ...je suppose qu'on ne réserve que le lundi de Pâques, l'Ascension, la Notre-Dame d'août, la Toussaint et le jour de Noël, je suppose, dis-je, qu'on laisse ces cinq fêtes telles à peu près qu'elles sont à présent, et qu'on transporte les autres au dimanche[206].

Parallèlement à sa campagne contre le nombre trop élevé de fêtes religieuses, la *Gazette de Montréal* en menait une autre en faveur du théâtre. Jusque-là, c'étaient les militaires anglophones, en garnison, qui avaient monté des tragédies et des comédies, même en langue française[207]. Le Collège de Montréal jouait à l'occasion des scènes bibliques[208]. Mais les notables d'expression française n'avaient encore rien organisé quand, en 1789, ils fondèrent le Théâtre de société. Parmi les promoteurs figuraient Joseph-François Perrault, l'ami de Mesplet qui traduisit *Burn's Justice;* le peintre-musicien Louis Dulongpré qui transforma sa maison en théâtre et le dramaturge Joseph Quesnel, l'auteur de la comédie musicale *Colas et Colinette* qui devait

---

204. *Dictionnaire philosophique*, article Catéchisme du curé: M. XVIII-77.
205. *Canonisation de saint Cucufin:* M. XXVII, 419 à 431; *Pot-pourri:* M. XXV, 273 à 275. Notons encore la *Requête à tous les magistrats du royaume* (1770): M. XXVIII, 341 et suiv. (surtout pp. 345 à 347).
206. *Encyclopédie*, Fête des chrétiens, vol. VI, pp. 565 à 570. Le transfert de certaines fêtes aux dimanches est exposé page 565.
207. MASSICOTTE, E.-Z.- «Recherches historiques sur les spectacles à Montréal de 1760 à 1800», dans MSRC, 3e série, tome XXVI, 1932, pp. 113 à 118.
208. Témoin le drame de l'amitié, *David et Jonathas*, imprimé par Mesplet peu après son installation à Montréal. Notons aussi cet extrait d'une lettre de Montgolfier à Mgr Briand, datée du 25 août 1778:
   De ma part, je ne saurais assez me louer des politesses et des bontés de Son Excellence [Sir Frédéric Haldimand]. Il a honoré de sa présence la petite tragédie du *Sacrifice d'Abraham*, qui a été représentée au collège à la fin des classes... (Cité dans *Annuaire de Ville-Marie.-* Montréal; Beauchemin-Valois, 1872.- p. 222.)

être l'une des premières pièces présentées. D'après le contrat de fondation du Théâtre de société, signé le 11 novembre 1789, Dulongpré s'occupera entre autres, dans son travail de gérance, des «frais de gazettiers», c'est-à-dire des annonces à publier dans la *Gazette de Montréal* et du paiement du perruquier, en l'occurrence Jean-Baptiste Tison, futur beau-père de Mesplet[209]. Celui-ci était évidemment favorable à cette entreprise: ce Lyonnais ne venait-il pas d'une ville où Soufflot avait conçu un théâtre inauguré le 30 août 1756 et dans lequel Mademoiselle Clairon, à cette occasion, avait joué le rôle d'Idamé dans l'*Orphelin de la Chine* de Voltaire? Par ailleurs, le théâtre de société faisait fureur à Lyon. C'est par un théâtre de société que fut représenté le *Pygmalion* de Jean-Jacques Rousseau, en 1770, à l'hôtel de ville, chez le prévôt des marchands et dans de nombreux salons[210].

Mesplet avait publié un premier article en faveur du théâtre, le 23 février 1786. C'était la reproduction d'un texte adressé à l'imprimeur de la *Gazette d'Albany:*

> Quelques personnes paraissent s'opposer aux représentations théâtrales, mais suivant mon humble opinion, les raisons de leur opposition ne sont ni justes, ni suffisantes.
>
> Toutes les nations civilisées ont jugé à propos d'avoir quelques spectacles publics. Qui peut mieux nous flatter qu'une pièce bien jouée? Nous en recueillons deux avantages; elle sert à cultiver l'esprit et nous procure du plaisir.

Après avoir cité l'exemple des Athéniens et d'autres peuples en faveur du théâtre, le rédacteur poursuit:

> On pourrait ajouter plusieurs autres exemples, pour prouver que les États les plus éclairés, les hommes les plus célèbres dans tous les âges, ont approuvé et protégé les spectacles publics.
>
> (...)
>
> Cependant plusieurs personnes dans cette ville [Albany], opposées aux représentations de théâtre, ont présenté une pétition au Corps de ville [conseil municipal]; mais les raisons sur lesquelles est fondée leur pétition, n'étaient pas suffisantes, et la permission ayant déjà été accordée aux comédiens qui ont fait des dépenses considérables pour élever le théâtre, le Corps de ville a cru avec raison qu'il ne pouvait se rétracter sans manquer à son honneur et commettre une injustice.

---

209. Recherches historiques sur les spectacles, article cité, pp. 119, 120.
210. GROSCLAUDE, Pierre.- *La vie intellectuelle à Lyon dans la deuxième moitié du XVIII* siècle.- Paris; Picard, 1933.- pp. 233, 244.

(...)

...En quoi la représentation d'une tragédie ou d'une comédie est-elle plus scandaleuse que la taverne, les bals, les jeux de cartes, les billards et autres jeux... L'établissement d'un théâtre régulier n'est pas un crime... Que ceux qui croient blesser leur conscience en y allant, restent chez eux; mais leur zèle est si outré, si ridicule, qu'ils voudraient priver les autres de ce plaisir innocent, parce qu'ils ne veulent pas en jouir eux-mêmes[211].

Cette opposition au théâtre, que fustigeait un Citoyen d'Albany, se manifestera à Montréal dès qu'il sera question pour les francophones de monter des pièces. Dans une lettre du mois de novembre 1789, le Sulpicien Brassier informait son évêque de l'organisation d'une troupe «pour représenter des comédies la nuit». Une souscription était en cours auprès des notables et «les spectacles doivent, dit-on, durer tout l'hiver». Le curé de Notre-Dame, le Sulpicien Latour-Dézéry s'opposait à ces représentations comme «dangereuses et toujours prohibées par l'Église». Il menaçait du refus des sacrements les gens qui iraient au théâtre. Aussitôt, des porte-parole des paroissiens blâmèrent «le zèle indiscret» du curé. Celui-ci prit des sanctions contre acteurs et spectateurs. Ainsi, l'organiste fut congédié, etc. Dans sa lettre à Mgr Hubert, Brassier disait approuver la conduite du curé Latour-Dézéry. Dans sa réponse, l'évêque de Québec se prononce aussi contre les spectacles mais blâme le manque de doigté de Latour-Dézéry:

Monsieur, il en est de la passion des spectacles comme de toute autre. Prendre le moment de son accès pour la combattre, c'est l'aigrir, c'est la rendre furieuse. Le secret est de la prévenir ou, si on ne le peut, de lui laisser son feu pour l'attaquer ensuite avec plus de succès. Or voilà ce que n'a pas fait M. Dézéry puisqu'il attaque la comédie dans le moment même où les esprits sont plus échauffés sur cet objet. Il s'est attiré des injures. J'en suis mortifié plus que personne. Appelé à cette querelle, vous avez jugé en sa faveur, c'est ce que j'aurais fait à votre place, en supposant pourtant, comme je le crois, qu'il n'ait désigné aucune personne en particulier dans son sermon. Une des prérogatives de la chaire est de laisser aux prédicateurs la liberté de crier contre le vice quel qu'il soit, sauf à lui d'observer les règles de la prudence et de la charité...

---

211. GM, 23 février 1786, 1ère et 2e pages, col. 2, numéro VIII.

298

En transmettant ses voeux à son évêque, le 31 décembre 1789, Brassier annonce que tout est rentré dans l'ordre: «l'affaire de M. Dézéry est entièrement assoupie...»[212]

En fait, elle n'est pas close. La *Gazette de Montréal* sert de tribune à la polémique. Dans les numéros des 3, 10 et 17 décembre 1789, Mesplet fit paraître des extraits d'une longue lettre en faveur de la comédie, document provenant, était-il précisé, d'un théologien «illustre par sa qualité et par son mérite»[213]:

> ...la Comédie étant devenue tout honnête, ceux qui la représentent et qui vivent honnêtement d'ailleurs, doivent sans difficulté être au nombre des honnêtes gens...

Les rituels et les canons des conseils ne s'en prennent en fait «qu'aux comédiens qui jouent des pièces scandaleuses, ou qui ne les représentent pas assez honnêtement»[214]:

> ...ni l'Église ni la Cour n'ont rien reconnu dans les comédies, telles qu'on les représente aujourd'hui, qui puisse empêcher en conscience les chrétiens d'y assister[215].

> (...)

---

212. Lettre de Brassier à l'évêque de Québec, en novembre 1789 (sans précision du jour): Correspondance de Gabriel-Jean Brassier, 1789-1796, 901-012-789-6, ACAM. Dans cette lettre, Brassier attribue l'engouement pour le théâtre aux «gazettes d'Europe» qui ne cessent de parler de liberté et d'indépendance. Sa longue missive permet de constater toute l'importance d'une querelle qui mettait aux prises les principaux notables avec les Sulpiciens. C'est l'occasion d'un échange de correspondance à ce sujet: lettre de Mgr Hubert à Brassier, le 30 novembre 1789; lettre de Brassier à Mgr Hubert, le 31 décembre 1789. (Citées dans LAFLAMME, Jean et Rémi TOURANGEAU.- *L'Église et le Théâtre au Québec.*- Montréal; Fides, 1979.- p. 86.)

213. La *Gazette de Montréal* se fait l'écho de la querelle Caffaro-Bossuet. Cette querelle avait éclaté après la publication à Paris en 1694 par Edme Boursault de «Pièces de théâtre de M. Boursault, avec une lettre d'un Théologien illustre par sa qualité et par son mérite, consulté par l'Auteur pour savoir si la Comédie peut être permise, ou doit être absolument défendue». Cette dissertation, en faveur de la Comédie, était due à la plume d'un Théatin de Paris, le père Fr. Caffaro. Bossuet, dans une lettre (publiée seulement en 1771, de même que la réponse) le somme de se rétracter. Caffaro s'exécute dans une lettre (non imprimée) adressée à l'Archevêque de Paris. Bossuet publie ensuite ses *Maximes et Réflexions sur la Comédie*, en cette même année 1694, à Paris. Malgré la rétractation de Caffaro, adversaires et partisans de Bossuet s'affrontèrent sur cette question jusqu'au début du XVIIIe siècle. Il y eut ensuite des rééditions des textes de cette querelle pour ou contre la Comédie jusqu'en 1756, sans parler des *Maximes et Réflexions sur la Comédie* publiées dans les Oeuvres de Bossuet. (Voir ROUSSEAU, J.-J. - *Lettre à M. d'Alembert sur les spectacles.*- Genève; Droz, 1948 (Éd. M. Fuchs).- pp. 197-200 (bibliographie).

214. GM, 3 décembre 1789, 3e page, col. 2, numéro XLIX.

215. GM, 10 décembre 1789, 4e page, col. 2, numéro L.

> ...La Comédie ne contient rien qu'on ne puisse réciter ou lire, sans s'exposer à tomber dans aucun péché... [La Comédie] est bonne et entièrement permise[216].

Dans une lettre à l'imprimeur, le 4 février 1790, un lecteur soutenait que l'opinion du théologien en faveur du théâtre était un écrit publié vers 1694 et auquel Bossuet avait répondu. Il s'agissait effectivement d'un texte du père Caffaro, que ce religieux rétracta publiquement à la demande de l'évêque de Meaux. Le correspondant priait l'imprimeur de publier dans son journal des extraits des *Maximes et réflexions sur la comédie*, réplique de Bossuet à Caffaro. Mesplet en fit paraître dans les numéros des 4, 11, 18 et 25 février[217]. Dès le 24 décembre 1789, le Rédacteur moderne avait rappelé à l'imprimeur que l'Église défendait des activités moins dangereuses, «toutes autres assemblées nocturnes, telles que les bals et les concerts». Raison de plus pour prohiber le théâtre. Une personne «qui professe exactement la religion de ses pères» ne doit pas aller à la comédie[218]. La réplique figure dans le numéro du 7 janvier 1790: «... la Comédie en elle-même, est-il rétorqué au Rédacteur moderne, n'a rien de contraire à l'esprit du christianisme». Le théâtre, qui a déjà obtenu l'encouragement de papes et d'évêques, doit être regardé comme une école où l'on peut «instruire l'homme en l'amusant»[219]. La polémique devint à ce point ardente dans la ville que l'imprimeur se sentit obligé de noter dans le numéro du 11 mars 1790:

> Je ne sais réellement à quelle sauce je préparerai mes ragoûts pour satisfaire les différents goûts de mes lecteurs. On me menaçait de se retirer du nombre de mes souscripteurs quand la production du Québécois contre la Comédie parut [Il s'agit en fait des extraits des *Maximes* de Bossuet]...[220]

---

216. GM, 17 décembre 1789, 3ᵉ page, col. 2, numéro LI.
217. GM, 4 février 1790, 3ᵉ page, col. 2, numéro V. Voici un résumé des extraits des *Maximes et Réflexions sur la Comédie* (pp. 20 à 80 du tome XXVII des *Oeuvres complètes de Bossuet*.- Paris; Vives, 1804). Le but de la comédie est de flatter les passions. La pudeur y est offensée. La concupiscence y est répandue dans tous les sens. On doit craindre le scandale qu'on donne en allant à la comédie. Il est impossible de réformer le Théâtre. L'Église prive avec raison les comédiens de la sépulture et des sacrements; elle les regarde comme des pêcheurs publics et des personnes infâmes. Les numéros suivants de la *Gazette de Montréal* renferment des extraits du texte de Bossuet contre la comédie: 4 février 1790, 3ᵉ page, col. 2, numéro V; 11 février 1790, 4ᵉ page, col. 2, numéro VI; 18 février 1790, 4ᵉ page, col. 2, numéro VII; 25 février 1790, 4ᵉ page, col. 2, numéro VIII.
218. GM, 24 décembre 1789, 4ᵉ page, col. 2, numéro LII.
219. GM, 7 janvier 1790, 4ᵉ page, col. 2, numéro I.
220. GM, 11 mars 1790, 3ᵉ page, col. 2, numéro X.

Mais la partie était gagnée depuis quelques mois. Le 24 décembre 1789, la *Gazette de Montréal* avait fait part de la première représentation francophone du Théâtre de société. Celui-ci avait monté le *Légataire universel* de Regnard. Le spectacle comprenait également un opéra-comique, *Deux chasseurs et la laitière*, et un ballet[221]. Le 7 janvier suivant, le Théâtre de société annonçait de Molière le *Médecin malgré lui*, ainsi que *Colas et Colinette* de Quesnel[222]. Enfin, la première critique théâtrale, très positive à l'égard de la troupe d'amateurs — car le Théâtre de société est composé de gens de la ville — paraissait dans la *Gazette* du 21 janvier. Ce même critique anonyme se plaindra amèrement, le 4 mars 1790, de la publication du texte de Bossuet à classer dans les productions «plates et aussi fanatiques»[223]. La position de la *Gazette de Montréal* est clairement exprimée dans un pseudo-journal d'un imaginaire Guillaume du Bon Air, publié le 4 février 1790 dans le numéro même où l'on commençait à donner du Bossuet:

> La Comédie a souffert bien des chocs, mais grâce à ses généreux défenseurs, elle n'a compté ses assauts que par ses victoires. C'est ma foi une belle chose que la comédie! je veux dire la comédie bien représentée. — J'ai eu la satisfaction de voir trois ou quatre bons acteurs... Le tout en somme est bel et bon, et c'est de par tous les diables une agréable invention que la comédie: il n'y a que ceux qui ne peuvent y aller qui se déchaînent contre elle; heureusement on ne les écoute pas et on préfère nos acteurs, tels qu'ils sont, aux fastidieux Cotins de notre siècle. Vive la Comédie![224]

En luttant en faveur du théâtre, Mesplet lui trouvait sans doute les mêmes avantages que ceux que d'Alembert avait affirmés en 1757 à l'article Genève, dans l'*Encyclopédie*:

---

221. GM, 24 décembre 1789, 4e page, col. 2, numéro LII.
222. GM, 7 janvier 1790, 4e page, col. 2, numéro I.
223. GM, 21 janvier 1790, 3e page, col. 2, numéro III; GM, 4 mars 1790, 3e page, col. 2, numéro IX.
224. GM, 4 février 1790, 2e page, col. 2, numéro V. Dans son travail *Trois interventions du clergé dans l'histoire du théâtre à Montréal* (Mémoire de maîtrise ès arts présenté à l'Université de Montréal en 1979), Lorraine Camerlain étudie entre autres l'affaire de 1789-1790. L'auteur dresse notamment un tableau chronologique très précis des événements (pp. 30-32): de la signature du contrat du Théâtre de société le 11 novembre 1789 jusqu'à la publication du dernier article sur la question dans la *Gazette de Montréal*, le 17 juin 1790. Le Théâtre de société a donné cinq représentations en tout, du 24 novembre 1789 au 9 février 1790. Chaque spectacle comptait une pièce de Regnard. *Colas et Colinette*, de Pierre Quesnel, a eu les honneurs de la scène à deux reprises. Bien qu'annoncé, Molière n'a pas été joué. Dans la polémique sur la comédie, L. Camerlain attribue à Quesnel lui-même une lettre en faveur du théâtre publiée dans la *Gazette de Montréal* du 7 janvier 1790. Voir la note 219.

...les repésentations théâtrales formeraient le goût des citoyens, et leur donneraient une finesse de tact, une délicatesse de sentiment qu'il est très difficile d'acquérir sans ce secours; la littérature en profiterait, sans que le libertinage fît du progrès, et Genève réunirait à la sagesse de Lacédémone, la politesse d'Athènes[225].

Dans la *Gazette de Montréal* du 10 mai 1787, on trouvait une pensée insérée sans aucun lien avec un contexte fait de dépêches. C'était un voeu ainsi formulé:

> La liberté des sentiments en matière de religion est la marque glorieuse de notre âge. Puissent les sages de l'Ancien et Nouveau Monde conspirer ensemble pour déraciner le restant de superstition et de l'hypocrisie[226].

C'est ce que faisait Mesplet en combattant sur divers plans où l'oppression de l'Église lui paraissait sensible. On l'a vu militer pour la réduction des fêtes et en faveur du théâtre. Son combat consista aussi à dénoncer les travers des religieux et des prêtres. Au fil des pages de la *Gazette de Montréal*, il nous les montre gouvernant les consciences, exploitant l'ignorance des humbles pour s'enrichir.

Utilisant les *Mémoires du baron de La Hontan*, dans le numéro du 27 janvier 1791, Mesplet paraissait vouloir indiquer à ses lecteurs que la situation n'avait guère évolué dans le domaine religieux, à Montréal, depuis 1705:

> ...Le peuple a beaucoup de confiance aux gens d'Église en ce pays-là, comme ailleurs, écrivait La Hontan. On y est dévot en apparence; car on n'oserait avoir manqué aux grandes messes, ni aux sermons, sans excuse légitime. C'est pourtant durant ce temps-là que les femmes et les filles se donnent carrière, dans l'assurance que les mères ou les maris sont occupés dans les églises. On nomme les gens par leur nom à la prédication: on défend sous peine d'excommunication la lecture des romans et des comédies, aussi bien que les masques, les jeux d'ombre et de lansquenet...
>
> Il y aurait de grands abus à réformer en Canada. Il faudrait commencer par celui d'empêcher les ecclésiastiques de faire des visites si fréquentes chez les habitants, dont ils exigent mal à propos la connaissance des affaires de leurs familles jusqu'au moindre détail...[227]

---

225. *Encyclopédie*, article Genève, tome VII, pp. 576, 577.
226. GM, 10 mai 1787, 2e page, col. 2, numéro XIX.
227. GM, 27 janvier 1791, 1ère, 2e et 3e pages, col. 2, numéro IV. Source du texte cité: *Mémoires de l'Amérique septentrionale ou la suite des Voyages de M. le baron de La Hontan*, tome II.- Amsterdam; François l'Honoré, 1705.- pp. 83, 84. Des extraits des mêmes Mémoires paraissent aussi dans GM, 17 février 1791, 1ère, 2e et 3e pages,

Ailleurs, dans les *Voyages du baron de La Hontan dans l'Amérique septentrionale*, qui précèdent les *Mémoires*, l'auteur décrivait dans sa huitième lettre, datée du 28 juin 1685, toutes les vexations de la tyrannie cléricale des Sulpiciens sur Montréal;

Vous avez au moins en Europe les divertissements du carnaval, mais c'est ici un carême perpétuel. Nous avons un bigot de curé dont l'inquisition est toute misanthrope. Il ne faut pas penser, sous son despotisme spirituel, ni au jeu, ni à voir les dames, ni à aucune partie d'un honnête plaisir. Tout est scandale et péché mortel chez ce bourru. Croirez-vous qu'il a refusé la communion à des femmes du premier rang pour un simple fontange de couleur? Le pis, c'est qu'il a des espions partout, et quand on a le malheur d'être sur ses tablettes, il vous envoie publiquement du haut de la chaire une sanglante censure. Jugez si un honnête homme peut s'accommoder de cela. N'y-a-t-il pas de remède, direz-vous? aucun. Le gouverneur n'oserait s'en mêler, les dévots ont les bras trop longs. Et de plus, comme ces Messieurs de Saint-Sulpice sont aussi nos seigneurs temporels, ils prennent pied là-dessus pour nous tyranniser. Ne vous imaginez pas que ces prêtres bornent leur autorité aux prédications et aux mercuriales dans l'église. Ils persécutent jusque dans le domestique, et dans l'intérieur des maisons. C'est trop peu pour leur zèle que d'excommunier les masques; ils les poursuivent comme on poursuivrait un loup, et après avoir arraché ce qui couvre le visage, ils vomissent un torrent de bile contre ceux qui s'étaient déguisés. Ces Argus ont toujours les yeux ouverts sur la conduite des femmes et des filles; les pères et les maris peuvent dormir en toute assurance. Et s'ils avaient quelque chose à craindre, ce ne serait que de la part de ces vigilantes sentinelles. Pour être bien dans leurs papiers, il faut communier tous les mois, et de peur que les catholiques au gros sas n'enfreignent le précepte de se confesser au moins une fois l'année, chacun est obligé de donner à Pâques un billet à son confesseur. Mais de toutes les vexations de ces perturbateurs, je n'en trouve pas de plus insupportable que la guerre qu'ils font aux livres. Il n'y a que les volumes de dévotion qui vont ici la tête levée: tous les autres sont défendus et condamnés au feu. Que j'étais dernièrement dans une grande colère contre mon fat de curé! Lorsqu'il était chez mon hôte en mon absence, il entre hardiment dans ma chambre, et ayant trouvé sur ma table un Pétrone, il lui casse bras et jambes; il en déchire tous les feuillets prétendus scandaleux. Revenu au logis, et m'apercevant du ravage, je ne

---

col. 2, numéro VIII. Il y est question des «croyances des sauvages»:

Ils soutiennent que l'homme ne doit jamais se dépouiller des privilèges de la raison, puisque c'est la plus noble faculté dont Dieu l'ait enrichi, et que puisque la religion des chrétiens n'est pas soumise au jugement de cette raison, il faut absolument que Dieu se soit moqué d'eux (Mémoires, p. 119 - GM, 17 février, 2e page).

me possédais pas. J'estimais d'autant plus ce roman que ses lacunes étaient remplies, et qu'il n'était pas mutilé. Enfin, la fureur me saisit. Je voulais courir chez le bourreau. Et si l'on ne m'avait retenu, je crois qu'il lui en aurait coûté cent poils de sa barbe pour chaque feuillet de mon livre[228].

Il est à croire que cet état de choses, perçu par le jeune baron Louis-Armand de La Hontan alors en garnison à Montréal[229], n'avait guère changé au temps de Mesplet puisque, dans le périodique montréalais du 4 mars 1790, un Canadien du manoir de Berthier sonnait le réveil:

> Insensibles jusqu'ici à nos propres intérêts, réveillons-nous de cette aveugle léthargie dans laquelle nous n'avons que trop longtemps été plongés. Le gouvernement doux et paisible dont nous jouissons est fondé sur des principes de liberté, et exclut toutes sortes d'esclavage. Tandis que cette province obéissait à un prince despotique, ses lois l'empêchaient de s'occuper des affaires publiques. Elle gémissait sous le poids des abus de son clergé. Mais maintenant que nous sommes libres, pourquoi en souffrir encore? La raison nous a-t-elle été donnée pour la laisser languir dans une indolence répréhensible? Non, non! Elle doit nous servir de guide, et nous sommes bien à blâmer si nous n'employons pas à profit les talents que nous avons reçus de la nature. Les curés ont leurs devoirs particuliers, qu'ils s'y renferment et ils ne s'exposeront pas à être le ridicule du public entier. N'est-ce pas affreux de les voir les sujets de nos gazettes pour s'être mêlés des affaires d'autrui. Nous sommes aussi, chers concitoyens, ne nous y trompons pas, nous sommes nous-mêmes dupés par notre clergé. Souvent il veut nous faire accroire mille choses, qui ne viennent guère de plus loin que de leurs bouches. Ils se font parmi les ignorants — hélas! il n'y en a que trop dans cette province — une réputation sacrée; ils s'en font révérer comme des demi-dieux, et ne manquent jamais de faire prévaloir leur éducation, pour leur persuader qu'ils sont d'une autre espèce d'hommes. Livrez-vous, quant au spiri-

---

228. *Voyages du baron de La Hontan dans l'Amérique septentrionale*, tome 1.- Amsterdam; François l'Honoré, 1705.- pp. 67-69.

229. Louis-Armand de Lom d'Arce, baron de La Hontan et seigneur d'Erleix, était né en 1666. Il était apparenté aux d'Artagnan. Un siècle plus tôt, la baronne de La Hontan dépendait de Montaigne. En 1683, à l'âge de 17 ans, le baron passe au Canada à titre d'officier. Il y restera jusqu'en 1694, participant à des expéditions guerrières et d'exploration. À partir de 1689, il devenait «un des compagnons privilégiés de Frontenac qu'il séduisait par sa curiosité, sa verve et sa liberté d'esprit». (Préface de Maurice Roelens dans LA HONTAN.- *Dialogue avec un sauvage.-* Paris; Éditions sociales, 1973.- pp. 10, 11, 17, 21, 27, 28). M. Roelens fait cette remarque fort justifiée: «L'historiographie canadienne, souvent proche de l'hagiographie, est hostile dans son ensemble à La Hontan, en particulier pour des raisons religieuses» (p. 23).

tuel, à vos curés: il n'est que juste, c'est votre devoir aussi bien que le leur. Mais pour le temporel, ne vous laissez pas aveuglément entraîner par leurs conseils. Encourageons l'étude des belles-lettres, et cette feinte supériorité du clergé va s'évanouir. Demandons humblement au pied du trône réformation de cet abus, et nous ne pourrons manquer de la trouver[230].

Dans le numéro du 11 mars suivant, le Timide appuyait la déclaration du Canadien du manoir de Berthier. Mais il ajoutait:

> Le mur que vous voulez faire écrouler a été si bien cimenté qu'on ne doit attendre sa destruction que du temps[231].

Le 20 janvier 1791, un autre correspondant, le Génie canadien, se lançait à son tour à l'assaut du «mur bien cimenté».

> Il ne faut pas, écrivait-il, que le ciseau de la superstition et de la théologie rogne les ailes du génie! il est absolument nécessaire que les hommes se servent de la raison que Dieu leur a donnée pour guide, qu'ils examinent tout, qu'ils cherchent sans cesse à découvrir la Vérité qui peut seule faire le bonheur de leur existence. Qu'a de dangereux à la société la liberté de tout penser et de tout dire? Les égarements même de la Raison ont souvent fait naître les lumières au sein des ténèbres. Il n'y eut jamais que les erreurs — que le fanatisme et la superstition ont voulu consacrer — qui aient semé le trouble et la division.

Suit alors l'appréciation du travail de Mesplet comme diffuseur des Lumières:

> Monsieur l'Imprimeur, votre sage résolution d'éclairer les hommes, autant que les circonstances le permettent, vous attirera l'estime de tous les bons citoyens...[232]

Parmi les religieux, ce sont les Récollets qui essuient les coups les plus durs dans la *Gazette de Montréal*. Leur fête patronale, la Saint-Antoine, est l'occasion de les ridiculiser. Dans le numéro du 17 juin 1790, un correspondant racontait avoir entendu un sermon lors de cette célébration. Il décrivait le

> Prédicateur fort large et doué de gross'voix.
> Il ouvrait une bouche à vous glacer d'effroi.

Voici une partie du sermon:

> Mes frères de vos feux éteignez les ardeurs!
> Ne soyez pas gourmand. Mangez le lait sans crème.

---

230. GM, 4 mars 1790, 4e page, col. 2, numéro IX.
231. GM, 11 mars 1790, 4e page, col. 2, numéro X.
232. GM, 20 janvier 1791, 2e page, col. 2, numéro III.

Faites de votre vie un éternel carême.
Mangez force poisson beurré d'huile à brûlé.
Flanquez-vous sur le corps un cilice enfilé
d'épines et de chapelets. Vautrez-vous sur la cendre...

Constatant que le prédicateur était gros, gras et pimpant, l'auteur concluait:

Je crois que vous haïssez diablement Not'Seigneur
Et n'aimez que le vin, le lard et vot'grosseur[233].

Dans le même numéro du journal, un «roturier content de l'être» donnait le compte rendu d'un «somptueux dîner» préparé par les «Frères mendiants de Montréal» à l'intention des aristocrates. Les restes du banquet avaient servi à régaler les bourgeois. Rien n'avait été prévu pour les autres citoyens. Il ne fallait pas demander plus de délicatesse au supérieur. C'était un Récollet[234]! Dans le numéro du 24 juin suivant, le «Gros Colas» regrettait que son écrit sur le sermon de la Saint-Antoine eût peiné les Récollets. Celui qui était en cause n'était pas en réalité un religieux de leur ordre mais le curé sulpicien qui

s'épuise la rate pour nous empêcher d'aller voir la *Colinette* de Monsieur Q... [Quesnel], tandis que vous vous contentez de nous défendre les assemblées nocturnes et la lecture de ces mauvais auteurs qui disent trop sincèrement les vérités, et qui par là sont dangereux...[235]

Le 1er juillet 1790, on décrit aux lecteurs la splendeur de la solennité de la Saint-Antoine, fête d'un saint qui fit de nombreux miracles «quoi qu'en disent certains incrédules dont notre siècle abonde pour le malheur et la révolution...» La veille de cette solennité, il est courant de voir les frères quêteux,

la besace enflée sur le dos, passer d'une maison à une autre et rendre au public le service de le dépouiller pour solenniser un patron qui fut toujours sobre, toujours tempérant, ignorant même le nom de friandise.

Les narrateurs — qui signaient les Trois Amis — s'étaient rendus à la chapelle dédiée à saint Antoine de Padoue entendre un sermon insipide. Ils furent témoins d'une altercation entre le supérieur des Récollets et ses musiciens. Le religieux refusait qu'ils jouassent à l'office du soir parce qu'ils ne s'étaient pas présentés à la messe du matin. Un dialogue loufoque s'engagea. À la fin, le

233. GM, 17 juin 1790, 3e page, col. 2, numéro XXV.
234. GM, 17 juin 1790, 4e page, col. 2, numéro XXV.
235. GM, 24 juin 1790, 3e page, col. 2, numéro XXVI.

supérieur, le père Louis [Demers], les chassa. Ils étaient mieux de sortir au plus vite, commentaient les Trois Amis, car ils avaient en face d'eux

> un célibataire nerveux dont le bras puissant avait, deux ans auparavant — si on l'en croit — déchiré un ours par lambeaux, et dont la toute-puissante mâchoire l'avait broyé tout entier le même jour.

Et les narrateurs ajoutaient:

> Après une conduite aussi irréprochable... on aurait tort de cesser d'aider la communauté et de chercher les moyens de la discréditer et de lui nuire[236].

Un correspondant, qui s'identifie comme un «Coup de foudre», protestait le 8 juillet contre le texte des Trois Amis qui «tourne en rédicule les miracles incontestables du grand saint Antoine». C'est un article blasphématoire. Les propos du «révérend père Louis» sont mal rapportés ou faux. Avis à l'imprimeur de cesser de dénigrer les religieux, dont «les frères mendiants, malheureusement en trop petit nombre»[237]. L'imprimeur rétorqua qu'il ne croyait pas en la sincérité de l'auteur, encore moins à sa modération avec le pseudonyme — Coup de foudre — qu'il avait choisi. Dans la page même où se trouvait la remarque de Mesplet, on pouvait lire cet extrait des *Questions de l'Encyclopédie*, tiré de l'article Scandale:

> Un capucin, un récollet, un carme, un picpus, qui confesse et qui prêche, est capable de faire lui seul plus de mal que les meilleurs livres ne pourront jamais faire de bien[238].

Le 9 juin 1791, Mesplet propose à ses lecteurs un dialogue entre le père Nicodème et Jeannot que Voltaire avait écrit en 1770. Le Patriarche fait ressortir l'obscurantisme des adversaires de la Philosophie des Lumières. Ce n'est certes pas un hasard si l'un des interlocuteurs est un religieux.

> Tout chrétien qui raisonne, dit le père Nicodème, a le cerveau blessé.
> Bénissons les mortels qui n'ont jamais pensé.
> ....
> Pour faire ton salut, ne pense pas Jeannot;
> Abrutis bien ton âme, et fais voeu d'être sot[239]

---

236. GM, 1er juillet 1790, 2e et 3e pages, col. 2, numéro XXVII.
237. GM, 8 juillet 1790, 2e page, col. 2, numéro XXVIII.
238. GM, 8 juillet 1790, 3e page, col. 2, numéro XXVIII. VOLTAIRE.- *Questions sur l'Encyclopédie*, article Scandale (1772): M. XX, 400.
239. GM, 9 juin 1791, 4e page, col. 2, numéro XXV. VOLTAIRE.- *Le père Nicodème et Jeannot:* M. X, 162 à 166.

Le père Nicodème fait l'apologie de l'ignorance pour vaincre la raison. Dans la colonie, les religieux étaient à l'avant-garde de l'opposition aux Lumières. Aussi leur extinction préoccupait-elle l'imprimeur et les autres adeptes de la Philosophie. Le recrutement des religieux était en effet officiellement défendu dans la province[240]. Ils tentaient par tous les moyens de se perpétuer par des «adjoints» ou d'affilier clandestinement des membres[241]. Mesplet suit pas à pas la disparition des Récollets. Dans la *Gazette de Montréal* du 26 septembre 1793, il publiait la nouvelle suivante:

> Nous apprenons que le révérend père Berey, seul père survivant de l'ordre des Récollets, doit céder l'église et le couvent de cet ordre [à Québec] pour être convertis en une église protestante et servir de résidence à l'évêque protestant. Le gouvernement lui accordera en conséquence une honnête pension durant sa vie[242].

Dans le numéro suivant, celui du 3 octobre 1793, un correspondant furieux, probablement Berey lui-même, traitait l'imprimeur de «fallacieux et malicieux imposteur, ennemi du bon ordre...» Il précisait que «le père Berey n'est nullement le seul survivant de l'ordre des Récollets, et que plusieurs autres lui sont adjoints...» Il n'avait pas cédé la maison de son ordre mais il avait permis aux protestants d'utiliser son église[243]. En fait, Berey était le dernier supérieur des Récollets. Bien pensionné par le gouvernement, il mourrait en 1800[244].

Pour sa part, Bernard Well était le dernier Jésuite à Montréal. C'était lui, on s'en souvient, qui, en 1778-1779, avait polémiqué dans la *Gazette littéraire*. Le 1er juillet 1790, Mesplet dénonçait ainsi son avidité:

---

240. Voir la note 110.
241. Montgolfier avait tenté de faire entrer clandestinement, dans la colonie, deux Sulpiciens de Paris, en 1783. Haldimand les renvoya en France. (Voir GOSSELIN, Auguste.- *L'Église du Canada après la conquête*, tome II.- Québec; Laflamme, 1917.- pp. 192 à 196.)
242. GM, 26 septembre 1793, 2e page, col. 2, numéro XXXIX.
243. GM, 3 octobre 1793, 3e page, col. 2, numéro XL.
244. Né à Montréal le 10 juin 1720, le père Claude-Charles-Félix de Berey fut le dernier commissaire provincial des Récollets du Canada, avec résidence à Québec. Le dernier prêtre canadien de l'ordre, le père Jean-Louis Demers, supérieur à Montréal, est décédé dans cette ville en 1813. Il était né à Saint-Nicolas de Lévis, le 12 janvier 1732. (Voir ALLAIRE, J.-B.-A.- *Dictionnaire biographique du clergé canadien français: les anciens*.- Montréal; Éditions des Sourds-Muets, 1910.- pp. 47, 153.) Le dernier frère convers récollet, Paul Fournier, est décédé à Montréal le 15 novembre 1848. Il était né dans cette ville en 1769. Il avait donc été recruté malgré les défenses royales. (Voir DAVELUY, Marie-Claire et autres.- *Les Récollets et Montréal*.- Montréal; Éditions franciscaines, 1955.- p. 229.)

Plusieurs personnes se trouvant fort embarrassées de trouver des légumes à vendre à un prix médiocre et raisonnable, elles sont averties qu'elles trouveront chez le père Well, supérieur des Jésuites de Montréal, des ciboulettes, asperges, raves, pois, etc., le tout pour argent comptant.

Ceux qui sont incommodés de houppes, y trouveront à un prix non exorbitant, assez de pommes pourries pour diminuer sinon totalement leurs colliques...

Les jeunes amoureux, dont l'unique occupation est de courir le jour les fleurs pour les offrir le soir à de jeunes tendrons passionnés, avec quelques écus de trois livres, auront une quantité suffisante de roses, etc., car pour le lilas, le temps en est passé et conséquemment, le révérend père ne se perche plus dans les arbres pour en débiter le produit.

Nota Bene: On doit acheter chez le révérend père d'autant plus souvent qu'il est de notoriété publique, que c'est du produit de ces bagatelles qu'il soutient lui seul, les trois quarts et demi des pauvres de la province [245].

Ce texte et les autres déjà cités montrent que les religieux s'étaient vraiment déconsidérés aux yeux de la partie pensante de la population. Même les Sulpiciens ne seront pas à l'abri des sarcasmes des correspondants de Mesplet. Mais avant de quitter le père Well, voyons en quels termes son décès était évoqué dans la *Gazette de Montréal*, le 7 avril 1791:

Le révérend père [Jean-Joseph] Casot, procureur des Jésuites de cette province, est arrivé dernièrement à la résidence de cette ville, après la mort de son confrère, le père Well. La manière noble et généreuse avec laquelle il a procédé à l'inventaire des argents et effets de cette maison est digne des plus grands éloges et mérite d'être consignée dans les fastes de la bienfaisance.

Il a fait distribuer le blé qu'il a trouvé par cinquante et cent minots aux hôpitaux et autres pauvres indigents; il a fait des dons surprenants en argent, de deux, trois, quatre et même jusqu'à dix mille livres. Enfin, il a tendu une main secourable à ceux que la honte retient et il l'a toujours eu ouverte pour les pauvres de la dernière classe, dont il a été heureusement obsédé jusqu'à hier, jour de son départ: pas un seul n'est sorti de chez lui sans éprouver les effets de sa charité et de son désintéressement.

Puissent de tels hommes servir longtemps de modèles à leurs semblables. Ils seront toujours chers à l'humanité.

La modestie du révérend père souffrira certainement de cet éloge si justement mérité. Mais c'est un hommage et un tribut de

---

245. GM, 1er juillet 1790, 3e page, col. 2, numéro XXVII.

reconnaissance que les citoyens de cette ville lui doivent pour le grand bien qu'il y a fait pendant son court séjour[246].

En mettant en parallèle Casot et Well, le rédacteur dénonçait l'enrichissement des Jésuites. Il avait fallu le décès de Well pour rendre possible des dons de nourriture et d'argent aux pauvres, à Montréal. Ces gestes de bienfaisance avaient causé une surprise générale, personne ne soupçonnant une telle accumulation de biens[247].

Après les Récollets et les Jésuites, les Sulpiciens sont à leur tour la cible de la *Gazette de Montréal* qui s'y choisit une tête de Turc, comme elle l'avait fait pour les deux premiers ordres. À la suite des pères Louis et Well, voici Montgolfier dont une lettre a été dévoilée dans le numéro du 25 novembre 1790. Dans sa présentation du document, H. (Henri Mézière) s'élevait avec ironie contre les prétentions de certains «superstitieux» qui voyaient dans Montgolfier un écrivain supérieur à Voltaire, «plus éclairé», bien que le Patriarche eût «prêché la tolérance dans ses écrits immortels». On avait beau montrer aux «superstitieux»

Calas absous et sa famille délivrée, l'*Essai sur les moeurs*, les *Mélanges de littérature*, et autres monuments du génie et des grâces, ils opposaient [à toutes ces oeuvres] un manuscrit ou traité sur la vie d'une soeur religieuse de la Congrégation, morte en odeur de sainteté...

Mézière n'avait pas lu cette production. Aussi se contentera-t-il de porter un jugement sur la prose d'une lettre de Montgolfier [toujours vivant], découverte récemment dans de vieux papiers:

on peut trouver dans cette lettre une éloquence terrible, effrayante, des couleurs rembrunies, un pinceau de fer; mais je ne puis croire qu'on reconnaisse de l'art et de la sagesse dans les moyens qu'il met en oeuvre pour convertir l'apostat.

---

246. GM, 7 avril 1791, 4e page, col. 2, numéro XV.
247. Extrait d'un mémoire adressé par Mgr Hubert, évêque de Québec, au Saint-Siège en 1794, et cité dans les *Jésuites et la Nouvelle-France*, op. cit., pp. 216, 217, note 3: Lors de l'extinction de l'ordre des Jésuites en 1773, l'évêque d'alors, pour leur conserver leurs biens, dont ils faisaient un usage édifiant, obtint du Saint-Siège et du gouvernement qu'ils retinssent leur ancien habit et se constitua leur supérieur. Le peuple ne s'aperçut pas du changement de leur manière d'être et continua de les appeler Jésuites. Il en restait environ douze... Il n'en reste plus qu'un, et ce qui caractérise bien l'humanité et la libéralité du gouverneur anglais, c'est que cet ex-Jésuite jouit paisiblement et tranquillement de tous les biens qui appartenaient à son ordre en ce pays et en fait des aumônes immenses.

Mézière affirmait, sans l'ombre d'un doute, que cette lettre de Montgolfier était «très inférieure au moindre échantillon sorti de la plume de Monsieur de Voltaire». Suivait la fameuse lettre que le Sulpicien, à titre de grand-vicaire, adressait à un nommé Ondaim, autrefois père récollet Potentien, le 26 février 1761. Pour que cesse le scandale de l'apostasie, Montgolfier demandait à l'homme de se séparer à jamais de sa femme et de ses enfants. Qu'il quitte au plus tôt la colonie et passe en Europe où un monastère lui servira d'asile. Il pourra y finir ses jours dans la pénitence. Sa femme sera placée à l'Hôpital Général de Montréal comme pensionnaire. Quant aux enfants, Montgolfier s'occupera de leur éducation[248]. En publiant cette lettre en première page de son journal, Mesplet paraît vouloir mettre à jour le fonctionnement d'une inquisition de la pensée au Québec et en montrer l'inhumanité: ici c'est le fractionnement d'une famille. On notera que la puissance des Sulpiciens n'était pas affaiblie comme celle des Jésuites et des Récollets. Dans son numéro du 25 septembre 1788, la *Gazette de Montréal* avait rapporté la célébration avec éclat du cinquantième anniversaire de prêtrise d'«Étienne Montgolfier, vicaire général du diocèse de Québec, supérieur de Messieurs les Ecclésiastiques du Séminaire de Montréal, et curé de cette paroisse». L'événement avait été annoncé par toutes les cloches des différentes églises et avait donné lieu à l'hommage des «principaux citoyens de la ville»[249].

Les rédacteurs de la *Gazette de Montréal* croyaient que rien de bon ne pouvait s'accomplir sous la férule d'un clergé qu'ils jugeaient majoritairement ignorant.

> Je vois avec chagrin, écrivait Philantropos dans le numéro du 18 février 1790, que les beaux-arts et le commerce ne pourront jamais fleurir, si quelque divinité propice ne met en frein à la puissance de ce peuple [les prêtres] extravagant[250].

---

248. GM, 25 novembre 1790, 1ère et 2e pages, col. 2, numéro XLVIII. La lettre publiée dans la *Gazette de Montréal* n'est pas la seule de la sorte écrite par Montgolfier. On en relève au moins une autre du même esprit dans sa correspondance, datée du 30 juillet 1774 (901-115, 778-6, ACAM). Dans cette lettre, adressée à l'évêque de Québec, Montgolfier présente le cas d'un «jeune homme sous-diacre et moine défroqué» qui avait séduit une jeune fille: un enfant était né de cette union. Montgolfier désire envoyer la fille et l'enfant à Québec parce que «les complices» lui paraissent «trop près l'un de l'autre». Le jeune homme restera à Montréal où «il pourra rendre quelques services» au Séminaire de Saint-Sulpice. Le scandale qui pourrait éclater en raison de la séduction d'une jeune fille par un moine «fournirait à la critique au préjudice de leur réputation, et peut-être un peu de la religion».
249. GM, 25 septembre 1788, 3e page, col. 2, numéro XXXIX.
250. GM, 18 février 1790, numéro VII.

L'attitude de certains curés était dénoncée publiquement. Dans le numéro du 1er mars 1790, Catholicus, du *Quebec Herald*, mettait au pilori un pasteur qui avait forcé un prêteur à rembourser à l'emprunteur l'intérêt qu'il avait réclamé, conformément à la loi. Il faut interdire au clergé, écrivait Catholicus, de «s'ingérer dans les affaires temporelles»[251]. Dans la *Gazette de Montréal* du 1er avril 1790, c'était un curé colérique qui était mis au ban: des attestations de paroissiens établissaient qu'il y avait eu violence physique de la part du pasteur. Celui-ci, l'abbé Pouget, curé de Berthier, que nous verrons s'opposer à l'instituteur, avait saisi le forgeron à la gorge, lui ordonnant d'avouer le mal qu'il aurait dit de lui dans son atelier. À ce sujet, le *Quebec Herald* du 6 mai 1790 parlait d'un abus du sacrement de pénitence car la scène s'était déroulée pendant une confession, dans la sacristie[252]. Par ailleurs, des sermons, dont le paysan ne saisissait souvent pas le sens, étaient ridiculisés. Mesplet rapportait, le 17 juin 1790, une conversation entre un bon Canadien et le rédacteur:

> Quel beau sermon, me disait hier Bastien,
> Monsieur l'curé nous prêcha l'jour de fête!
> Comme y criait! n'y avait pas un chrétien
> dont les cheveux n'en dressaient sur la tête.
> Sur quel sujet? est-ce que ça se demande?
> Si j'l'écoutais, je veux ben qu'on me pende.
> Mais c'était beau, car y braillait ben fort[253].

Un autre dialogue était publié, cette fois sur les droits humains, entre un paysan et son curé, dans la *Gazette de Montréal* du 8 mars 1792. En voici la conclusion:

> Quoi! s'écria le curé dans une sainte et vive colère, vous êtes partisan de ces nouveaux droits? Vous êtes un rebelle, un traître, un blasphémateur, un scélérat, un hérétique, un schismatique, un ignorant, un monstre, et un disciple de ce Dr Priestley, qui porte de la poudre à canon dans ses poches, une lanterne lourde avec des mèches sous sa ceinture, qui méprise l'Église et le clergé, et qui a la dîme en horreur!» «Et moi aussi, dit le fermier, je la déteste du fond de mon coeur». À ces mots, le ministre de la paix ne pouvant plus contenir sa fureur, allait tomber sur le fermier, qui eut la prudence de se retirer[254].

---

251. QH, 1er mars 1790, 6e page, col. 1, 2, 3, numéro 15 (page 118).
252. GM, 1er avril 1790, 3e page, col. 2, numéro XIII; QH, 6 mai 1790, 6e page, col. 1, 2, 3, numéro 24 (page 190). Lettre de l'Impartial.
253. GM, 17 juin 1790, 3e page, col. 2, numéro XXV.
254. GM, 8 mars 1792, 2e page, col. 2, numéro XI.

Mais Mesplet ne voulait pas être accusé de partialité. Le 15 juillet 1790, il déterminait, en s'inspirant de Voltaire, le rôle du bon curé à l'égard de ses paroissiens:

> ...il leur prêche un dieu à adorer, des frères à aimer, des pauvres à soulager, des ennemis à réconcilier, des lois à suivre, des terres à cultiver, des enfants à instruire.

Le rédacteur citait comme curés «chéris et respectés», les abbés Saint-Germain, Duburon, Denaut[255]. Dans le numéro du 29 juillet suivant, les Trois Amis donnaient un autre portrait, celui de «l'homme comme il faut», le dévot. C'est «celui qui a du crédit, de la noblesse, des richesses et des charges». Il condamne ceux qui «sapent» les abus. Il «adore les moines», suit «un culte superstitieux»[256].

Mêlés à ces anecdotes ou à ces portraits, la *Gazette de Montréal* publiait des textes philosophiques, signés ou non. C'est ainsi que Mézière faisait paraître, le 11 novembre 1790, un extrait de l'*Essai sur les moeurs et l'esprit des nations* dans lequel Voltaire traite de la supercherie des Dominicains inventant de fausses apparitions pour combattre les Franciscains (Récollets)[257]. Dans le numéro du 2 décembre 1790, l'*Encyclopédie* est mise à contribution: des extraits de l'article Inquisition sont publiés[258]. D'ailleurs, toutes les fois que l'occasion s'en présentait, Mesplet tirait à boulets rouges contre ce tribunal ecclésiastique. On lisait dans une dépêche de Madrid, parue dans le numéro du 25 juin 1789, au sujet de la cessation du monopole des Dominicains sur l'Inquisition:

> Voilà un premier pas de fait vers l'abrogation de ce tribunal de sang qui, pendant si longtemps, a arrêté le progrès des Lumières en Espagne...[259]

Sous la signature de l'Ami de l'homme, Mesplet faisait paraître, le 24 juin 1790, un texte inspiré du *Traité sur la tolérance*. L'entente est possible entre catholiques romains, calvinistes et juifs. Il est dit au catholique:

---

255. GM, 15 juillet 1790, 2e page, col. 2, numéro XXIX. Sur les qualités du bon curé, voir le *Dictionnaire philosophique*, à l'article Catéchisme du curé: M. XVIII, 77 à 81.
256. GM, 29 juillet 1790, 2e page, col. 2, numéro XXXI.
257. GM, 11 novembre 1790, 1ère et 2e pages, col. 2, numéro XLVI. VOLTAIRE.- *Essai sur les moeurs et l'esprit des nations:* M. XII, 292; *Avis au public sur les parricides...:* M. XXV, 529, 530.
258. GM, 2 décembre 1790, 2e et 3e pages, col. 2, numéro XLIX. *Encyclopédie*, article Inquisition, tome VIII, pp. 773 à 776.
259. GM, 25 juin 1789, 1ère page, col. 2, numéro XXVI.

...crois-moi, moins de prières et de processions, et plus de charité et de tolérance: tu ne veux pas mieux adorer la Divinité qu'en chérissant indistinctement tous les hommes, ses enfants et tes frères, et tu ne seras réellement vertueux que quand tu excuseras leurs défauts...

Il est précisé que

chaque visionnaire ou enthousiaste a habillé la Divinité à sa façon, et en voulant se concilier des adorateurs de son système, il a quand il l'a pu, attiré par le fer et la violence, ce qu'il lui avait été impossible de vaincre par la voie de la persuasion...

Et la conclusion:

La foudre et l'air, l'eau et le feu, les maladies et la pauvreté aux revers et aux caprices desquels nous ne pouvons nous soustraire, conspirent assez fortement contre nous, sans qu'il nous faille donner de nouveaux degrés d'addition aux accidents qu'il nous est aisé de détourner et de prévenir. Quand je vois deux hommes se croiser et se combattre, il me semble fixer deux forçats qui, attachés à la même chaîne, appesantissent leurs fers par les chocs et les contrecoups opérés par leur querelle et leur agitation...[260]

Le 20 janvier 1791, le Génie canadien communiquait à l'imprimeur le fragment d'une *Épître sur la superstition:*

---

260. GM, 24 juin 1790, 1ère et 2e pages, col. 2, numéro XXVI. Comparer avec VOLTAIRE.- *Traité sur la Tolérance*, M. XXV:

Il ne faut pas un grand art, une éloquence bien recherchée, pour prouver que des chrétiens doivent se tolérer les uns les autres. Je vais plus loin: je vous dis qu'il faut regarder tous les hommes comme nos frères. Quoi! mon frère le Turc? mon frère le Chinois? le Juif? le Siamois? Oui, sans doute; ne sommes-nous pas tous enfants du même père, et créatures du même Dieu? (p. 104)

Et la fin de la prière à Dieu:

Puissent tous les hommes se souvenir qu'ils sont frères! qu'ils aient en horreur la tyrannie exercée sur les âmes, comme ils ont en exécration le brigandage qui ravit par la force le fruit du travail et de l'industrie paisible! Si les fléaux de la guerre sont inévitables, ne nous haïssons pas, ne nous déchirons pas les uns les autres dans le sein de la paix, et employons l'instant de notre existence à bénir également en mille langages divers, depuis Siam jusqu'à la Californie, ta bonté qui nous a donné cet instant. (p. 108)

Notons aussi de Voltaire, la fin de la 3e partie du *Poème sur la Loi naturelle*. M. IX-456:

Dans nos jours passagers de peines, de misères.
Enfants du même Dieu, vivons au moins en frères;
Aidons-nous l'un et l'autre à porter nos fardeaux;
Mille ennemis cruels assiègent notre vie.
....
Ah! n'empoisonnons pas la douceur qui nous reste.
Je crois voir des forçats dans un cachot funeste,
Se pouvant secourir, l'un sur l'autre acharnés,
Combattre avec les fers dont ils sont enchaînés.

314

Un corps
Qui des décrets du Ciel se dit dépositaire
Peut toujours à son gré commander au vulgaire
Qui peut armer pour lui la publique ignorance.
....
Pour les tenir soumis [les hommes] à son dur esclavage
De la raison en eux il proscrivit l'usage.
....
Mais sitôt que du vrai le jour vint à paraître
Que le sage voulut frapper l'autorité
D'un empire fondé sur l'imbécillité,
Le prêtre alors devint cruel, impitoyable;
Armé par l'intérêt, il fut inexorable.
Il ordonne le meurtre, il en fait un devoir.
....
Pieusement cruel, il foule sans pitié
Les droits du sang, l'amour et la tendre amitié.
L'interprète des dieux commande-t-il un crime!
Il est trop obéi, tout devient légitime[261].

Au bas de ce texte, qui représente bien l'opinion de Voltaire, de Condorcet et de la plupart des Philosophes sur les crimes que font commettre les prêtres au nom de la Divinité, Mesplet fit paraître la note suivante:

> Il n'est pas étonnant que des hommes qui se sont prévalus de l'ignorance de leurs semblables dans des siècles de barbarie pour les avilir et les subjuguer à leurs intérêts coupables, se soient opposés à l'introduction et aux progrès de la littérature, puisque les hommes une fois éclairés rejetteront toute puissance ou empire qui sont contraires à leur bonheur ou qui ne soient fondés sur les principes immuables de la Vérité — leur rage, dis-je, n'est pas étonnante; mais c'est l'imbécillité des hommes qui n'osent se servir de leur raison qui fait ma surprise[262].

Cette note tentait peut-être d'expliquer «philosophiquement» l'acharnement de l'Église contre la *Gazette littéraire* puis la *Gazette de Montréal*. Le clergé craint que des esprits trop

---

261. GM, 20 janvier 1791, 2e et 3e pages, col. 2, numéro III. Helvétius a aussi laissé des fragments d'une *Épître sur la superstition:* voir ses *Oeuvres complètes,* op. cit., tome XIII, p. 119.
262. La note de Mesplet souligne la continuité du combat des prêtres contre les Lumières. Aux temps barbares, ils se sont appuyés sur l'ignorance de leurs semblables pour les dominer. Au temps présent, ils s'opposent à l'avancement de la littérature pour la même raison, demeurant de siècle en siècle les ennemis du bonheur humain. C'est un écho de ce qu'écrivait d'Holbach, dans *Le Bon sens* en 1772: «Qui est-ce qui profite sur la terre de l'ignorance des hommes et de leurs vains préjugés? Ce sont les prêtres». (*Le Bon sens.-* Paris; Éditions rationalistes, 1971.- p. 209.)

«éclairés» ne comprennent enfin que la puissance sacerdotale est contraire à leur bonheur. Mesplet nous confie que sa déception est venue non pas de l'hostilité trop prévisible des clercs, mais bien de la sotte timidité du peuple qui n'ose pas suivre ses libérateurs.

Dans la *Gazette de Montréal* du 9 décembre 1790, la «Société des patriotes» traitait d'une brochure intitulée «La France libre». C'était un texte

> curieux, philosophique et libre qui, d'après les patriotes, plaira aux bons Canadiens nos confrères, et même donnera le plaisant spectacle de la rage impuissante des bigots, trigauds, dévots et des autres sots en ots ou autres excréments de la nature et de la province.

Suivait le texte en question avec, en italique, des commentaires des patriotes canadiens. L'extrait choisi porte exclusivement sur le clergé français, sur son rôle social, sur la religion qu'il enseigne. Nous donnerons le texte intégral en signalant les commentaires canadiens qui sont donnés en regard de la situation de l'Église dans la colonie. Bien que formulés par la Société des patriotes, les commentaires sont donnés à la première personne du singulier. Pour éviter toute confusion, nous parlerons du Français quand il s'agira de l'auteur de la *France libre* et du Canadien lorsque nous donnerons la parole au commentateur.

> C'est la clergie qui fait le clergé, rappelle le Français. Aujourd'hui que nous sommes tous clercs, que nous savons tous lire, il ne peut plus y avoir que deux ordres, et chacun doit rentrer dans le sien. Nous sommes tous clergé.

«Cette conséquence n'a pas besoin de commentaire», remarque le Canadien.

> Si ce n'est pas comme clercs, comme lettrés, que les ecclésiastiques prétendent être un ordre à part, un premier ordre, reprend le Français, ce n'est pas non plus comme ministres de la religion. La religion veut au contraire qu'ils aient le dernier rang. Le cahier de la ville d'Étain, après avoir cité une foule de textes à l'appui de cette assertion, tels que ceux-ci: «Leur règne n'est pas de ce monde; s'ils veulent être les premiers dans l'autre, il faut qu'ils soient les derniers dans celui-ci, etc., etc. etc.» leur fait ce dilemme admirable: Si vous croyez à votre Évangile, mettez-vous donc à la dernière place qu'il vous assigne; soyez du moins nos égaux. Ou si vous ne croyez pas un mot de ce que vous dites, vous êtes donc des hypocrites et des fripons, et nous vous donnons, très révérendissime père en Dieu, Monseigneur l'Archevêque de

Paris, six cents mille livres de rente pour vous moquer de nous: quidquid dixeris argumentabor.

Ce dilemme, commente le Canadien, est d'un homme terrible. Je préférerais avoir à combattre la validité de la bulle Unigenitus, plutôt que d'entreprendre de rétorquer son argument.

Les prêtres, poursuit le Français, en voyant la contradiction entre leurs moeurs et leur morale ne pas dessiller les yeux et la facilité qu'ils ont partout de tromper les peuples, et d'attirer leur argent, ont dû se dire: Quels imbéciles nous environnent! Certainement nous sommes le premier ordre: il est naturel que l'ordre des dupes passe après. Par quel autre raisonnement un abbé Maury, dans la chaire, chrétien, dans le fauteuil, athée (comme tant d'autres) pourrait-il se persuader que l'ordre de ses pareils est le premier? (sic)

L'auteur, explique le Canadien, écrivait pour être lu en France et non en Canada. Voilà pourquoi il s'étend si peu sur cet article. Pour y suppléer, je dirai que par ces expressions «La facilité qu'ils ont partout [les prêtres] de tromper les peuples et d'attirer leur argent», on entend parler des messes vendues au plus vil prix, des prières simonisées (sic), des indulgences trafiquées, de la célébration de ces offices des morts dont la taxe soulagerait plus les pauvres vivants qu'ils ne peuvent faire de bien à ceux qui ne sont plus: et en effet dit le Prophète-Roi: «Non mortui laudabunt te Domine» -- «Les morts, Seigneur, ne vous loueront pas». Voilà l'interprétation abrégée de cette phrase.

Je défie, poursuit l'auteur [le Français], qu'on me montre dans la société de plus méprisable que ce qu'on appelle un abbé. Qui est-ce, parmi eux, qui n'a pas la soutane, cette livrée d'un maître dont il se moque intérieurement, pour vivre grassement, et ne rien faire? Y a-t-il rien de plus vil que le métier de la religion, le métier de continence, un métier de mensonge, et de charlatanisme continuels? Quelle différence y-a-t-il entre notre clergé et celui de Cybèle, ces Galles si méprisés qui se mutilaient pour vivre? Du moins il y avait en faveur de ces prêtres de la déesse de Syrie une forte présomption qu'ils ne se jouaient pas de la crédulité du peuple. Certes, un grand sacrifice prouvait leur foi, au lieu que la castration spirituelle de l'abbé Maury, ne l'a pas empêché l'année dernière, comme tout le monde sait, de violer physiquement une femme.

Ce passage de l'auteur, commente le Canadien, est une de ces particularités un peu grossières qui choqueront peut être les oreilles délicates: mais il y a des circonstances où il est absolument nécessaire de ne pas les omettre, quand il s'agit surtout de prouver un fait. C'est le cas présent. Cette preuve, si je ne me trompe, entraîne la certitude avec elle.

317

Chose étrange! poursuit le Français. Un prêtre est eunuque de droit, et s'il l'est de fait on le répute irrégulier et inhabile à la prêtrise. On en demandait à l'un d'eux la raison qui semble un peu difficile à trouver. Il fit cette réponse à jamais applaudie de l'Église: «C'est bien la moindre chose que ceux qui peuvent faire un Dieu puissent faire un enfant». Mais cela n'est pas mon sujet.

«Tout ceci est très intelligible, je crois», remarque le Canadien.

Puisque j'ai parlé de ses ministres, ajoute le Français, je dirai un mot de la religion elle-même.

On traite l'athéisme de délire, et avec raison. Oui, il y a un Dieu, nous le voyons bien en jetant les yeux sur l'univers: mais nous le voyons comme ces enfants infortunés qui ont été exposés par leurs parents, voient qu'ils ont un père. Il faut bien qu'ils en aient un; mais ce père c'est en vain qu'ils l'appellent, il ne se montre pas. C'est également en vain que je cherche quel culte lui est agréable: il ne le manifeste par aucun signe; et sa foudre renverse aussi bien nos églises comme les mosquées. Ce n'est pas Dieu qui a besoin de religion, ce sont les hommes. Dieu n'a pas besoin d'encens, de processions et de prières; mais nous avons besoin d'espérance, de consolation et de rémunérateur. Dans cette indifférence de toutes les religions devant ses yeux, ne pourrait-on pas nous donner une religion nationale [ces deux mots sont en lettres majuscules dans le texte]? Au lieu d'une religion gaie, amie des délices, des femmes, de la population et de la liberté; d'une religion où la danse innocente, les spectacles pathétiques et les fêtes soient une partie du culte, comme était celle des Grecs et des Romains; nous avons une religion triste, austère, amie de l'inquisition, des moines et du cilice: une religion qui veut qu'on soit pauvre, non seulement de biens, mais encore d'esprit, «Beati pauperes spiritu»; une religion ennemie des riches, «Divites dimisit inanes»; qui réprouve les plus doux penchants de la nature, en étouffe les feux, et condamne la joie; qui veut qu'on marche les talons au rebours, comme les Carmélites; qu'on vive en vrai hibou, comme les Antoine, les Paul, les Hilarion; qui ne permet ses récompenses qu'à la pauvreté et à la douleur; qui n'est bonne en un mot que pour des hôpitaux. Peut-on souffrir la maxime anti nationale [adjectif écrit en majuscules dans le texte]? Obéissez aux tyrans: «Subditi estote non tantum bonis et modestis, sed etiam dysoolis». Le paganisme avait tout pour lui, exceptée la raison: mais la raison n'est guère plus contente de notre théologie; et folie pour folie, j'aime mieux Hercule tuant le sanglier d'Érimante que Jésus de Nazareth noyant deux mille cochons.

Effectivement, commente le Canadien, le sanglier d'Érimante en était la terreur, et le tuer était devenu une nécessité indispensable. Mais pourquoi noyer des cochons qui pouvaient être utiles, et dont on eut fait d'excellents jambons, d'agréables saucisses et d'incomparables boudins, sauf l'observation de la loi mosaïque?

Il est à remarquer, poursuit le Français, que les dévots furent en général les pires de nos rois. On verra dans un moment que depuis François 1er, nous n'en avons pas eu un seul, excepté Henri IV, dont la religion n'ait pas été un des crimes de son règne, comme la débauche chez Henri III, et la cruauté chez Louis XI était couverte de chapelets, de scapulaires et de reliques. Le Tibère de la France fut très dévot, grand faiseur de pélerinages et de neuvaines; ce fut lui qui fit gravement une loi de l'Angelus, bien et dûment enregistrée. — De quoi nous sert une telle religion, notre clergé? Du moins la voix de l'hiérophante fit trembler Néron, et le repoussa des mystères des initiés, lorsqu'il osa s'y présenter. Il respecta la voix du crieur qui disait ces paroles: «Loin d'ici les homicides, les scélérats, les impies, les épicuriens!» Qu'on nous donne une religion courageuse et bonne à l'État, si l'on veut que les ministres en soient le premier ordre.

Nous n'osons commenter un article aussi délicat, écrit le Canadien. Il est réservé à d'autres plumes qu'aux nôtres la tâche aussi difficile que glorieuse de réédifier un édifice cimenté par tant de siècles, d'écrits, de martyrs; un édifice auquel l'imposture et la vérité, l'orgueil et l'humiliation, la douce persuasion et la cruauté superstitieuse, travaillent depuis tant de temps. Nous nous contenterons d'admirer l'auteur de cet extrait, en attendant l'heureux jour où les royaumes et les différents empires offriront le spectacle d'une révolution théologique, après avoir pourvu à l'établissement d'un meilleur système civil[263].

L'extrait de la *France libre* qu'on vient de lire s'inspire directement de la pensée voltairienne en mettant en parallèle le christianisme et les religions qui l'ont précédé, à l'avantage de celles-ci. On insiste sur l'inutilité des prêtres catholiques, leur enrichissement injustifié et leurs dogmes absurdes. L'auteur souhaite une purification de la religion en France, de façon qu'elle permette à l'homme de s'épanouir et non de se détruire en haïssant la vie:

...la religion théologique, écrivait Voltaire à l'article Religion de son *Dictionnaire philosophique*, est la source de toutes les sottises et de tous les troubles imaginables; c'est la mère du fanatisme et de la discorde civile; c'est l'ennemie du genre humain[264].

Et à l'article Superstition du même ouvrage:

263. GM, 9 décembre 1790, 2e et 3e pages, col. 2, numéro L.
264. *Dictionnaire philosophique*, article Religion: M. XX-357.

319

Presque tout ce qui va au-delà de l'adoration d'un Être suprême et de la soumission du coeur à ses ordres éternels est superstition[265].

C'est dans cet article qu'il est question des prêtres de Cybèle. Quant au rôle de l'hiérophante il est magnifié, entre autres, aux articles Idole, Idolâtre, Idolâtrie:

> On n'enseignait qu'un seul Dieu aux initiés dans les mystères; il n'y a qu'à jeter les yeux sur l'hymne attribué à l'ancien Orphée, qu'on chantait dans les mystères de Cérès Éleusine, si célèbre en Europe et en Asie: «Contemple la nature divine, illumine ton esprit, gouverne ton coeur, marche dans la voie de la justice; que le Dieu du ciel et de la terre soit toujours présent à tes yeux: il est unique, il existe seul par lui-même; tous les êtres tiennent de lui leur existence; il les soutient tous; il n'a jamais été vu des mortels, et il voit toutes choses»[266].

Dans le même dictionnaire, à l'article Secte, Voltaire remarque:

> Tous les philosophes de la terre qui ont eu une religion dirent dans tous les temps: Il y a un Dieu, et il faut être juste. Voilà donc la religion universelle établie dans tous les temps et chez tous les hommes[267].

L'extrait de la *France libre*, publié dans le journal de Mesplet, est véritablement un manifeste voltairien qui reçut l'approbation de Canadiens éclairés, regroupés dans la Société des patriotes. Le commentateur acquiesce à toutes les affirmations de l'auteur et tente même de les expliciter pour les lecteurs de la *Gazette de Montréal*. Le texte de la *France libre* est suivi d'un poème du Patriarche que le rédacteur de la Société des patriotes présente ainsi:

> L'illustre Voltaire, que nous révérons d'autant plus qu'il est plus haï de la phalange fanatique, nous offre vingt-et-un vers dans sa fameuse *Épître à Uranie*, si sublimes et si analogues à l'extrait que nous venons de donner, que nous ne croyons pas devoir nous dispenser de les y joindre. L'Auteur, après avoir parfait deux tableaux entièrement contraires, sur le chapitre de la religion, en laisse ainsi le choix à son Uranie:
> Entre ces deux portraits, incertaine Uranie,
> C'est à toi de chercher l'obscure vérité;
> À toi que la nature honora d'un génie
> Qui seul égale ta beauté.
> Songe que du Très-Haut la sagesse immortelle

---

265. *Ibid.*, article Superstition: M. XX-453.
266. *Ibid.*, articles Idole, Idolâtre, Idolâtrie: M. XIX-414.
267. *Ibid.*, article Secte: M. XX-415.

A gravé de sa main dans le fond de ton coeur
La religion naturelle.
Crois que ta bonne foi, ta bonté, ta douceur
Ne sont pas les objets de sa haine éternelle;
Crois que devant son trône, en tout temps, en tous lieux
Le coeur du juste est précieux;
Crois qu'un bonze modeste, un dervis charitable
Trouvent plutôt grâce à ses yeux
Qu'un janséniste impitoyable
Et qu'un jésuite ambitieux.
Eh! qu'importe en effet à quel titre on l'implore;
Tout hommage est reçu, mais aucun ne l'honore.
Ce Dieu n'a pas besoin de nos voeux assidus;
Si l'on peut l'offenser, c'est par des injustices;
Il nous juge sur nos vertus,
Et non pas sur nos sacrifices[268].

Puisque Dieu «nous juge sur nos vertus», l'imprimeur croit bon de publier, à la suite, le «Discours de M. de Voltaire sur la vraie vertu». C'est en somme aimer Dieu et les hommes et cet amour s'exprime par la bienfaisance[269]. Dans son numéro suivant, celui du 16 décembre 1790, le journal fait paraître les «idées d'un citoyen» sur la religion; le citoyen n'est autre que Voltaire [Les coupures sont de nous]:

Si les hommes étaient raisonnables, ils auraient une religion capable de faire du bien et incapable de faire du mal.

Quelle est la religion dangereuse? n'est-ce pas évidemment celle qui, établissant des dogmes incompréhensibles, donne nécessairement aux hommes l'envie d'appliquer ces dogmes chacun à sa manière, excite nécessairement les disputes, les haines, les guerres civiles?

(...)

N'est-ce pas celle qui ayant fait couler le sang humain pendant plusieurs siècles, peut le faire couler encore?

N'est-ce pas celle qui ayant été enrichie par l'imbécillité des peuples est nécessairement portée à conserver ses richesses par la force et par la fraude...

Quelle est la religion qui ne peut faire de mal? N'est-ce pas l'adoration de l'Être suprême sans dogmes métaphysiques?...

---

268. GM, 9 décembre 1790, 3e page, col. 2, numéro L. *Épître à Uranie*: M. IX, 361, 362. Ce sont les derniers vers de l'épître qui sont publiés dans le périodique.
269. GM, 9 décembre 1790, 4e page, col. 2, numéro L.- *Discours en vers sur l'homme*: septième discours sur la vraie vertu: M. IX, 421 à 424. Tout le discours est reproduit dans le journal à l'exception des dix derniers vers qui ont trait au mot bienfaisance.

(...)

Rien ne serait plus avantageux et plus facile que de diminuer le nombre inutile et dangereux des couvents... Les confréries, les pénitents blancs ou noirs, les fausses reliques qui sont innombrables, peuvent être proscrites avec le temps sans le moindre danger.

À mesure qu'une nation devient plus éclairée, on lui ôte les aliments de son ancienne sottise...[270]

Par ce texte, comme par les autres de la même veine, Mesplet se présentait comme un théiste, tel que l'entendait Voltaire dans son *Dictionnaire philosophique:* celui qui pense que Dieu a fait le monde et qu'il a donné à l'homme les règles du bien et du mal. Le théiste adore Dieu et mène une vie juste:

...la morale est partout la même parce qu'elle vient de Dieu.

...Nous sommes tous frères; si quelqu'un de mes frères, plein de respect et de l'amour filial, animé de la charité la plus fraternelle, ne salue pas notre père commun avec les mêmes cérémonies que moi, dois-je l'égorger et lui arracher le coeur?

Qu'est-ce qu'un vrai théiste? C'est celui qui dit à Dieu: Je vous adore et je vous sers; c'est celui qui dit au Turc, au Chinois, à l'Indien et au Russe: Je vous aime[271].

À longueur de journée, l'Église se manifestait par les cloches à Montréal. Situé à proximité du couvent des Récollets et de leur église, Mesplet en entendait continuellement les sonneries, dès les petites heures du matin. Il publiait le 13 janvier 1791, en première page de la *Gazette de Montréal*, une dépêche de Paris sur l'inutilité des cloches:

Les cloches sont fort inutiles et même nuisibles. Dans les provinces, elles étourdissent tout le monde, et souvent attirent le tonnerre...

(...)

Les cloches ont été introduites en France avant l'art de l'imprimerie: je crois qu'au moyen de cet art, on peut se passer de cloches dans les villes, les vendre, les fondre... démolir les tours et les clochers dont l'entretien est toujours coûteux...[272]

Enfin, la *Gazette de Montréal* annonçait, le 20 septembre 1792, que la Commune de Paris avait résolu de faire fondre toutes les

270. GM, 16 décembre 1790, 3e page, col. 2, numéro LI.- *Idées de LaMothe Le Vayer* (1766): M. XXIII, 489 à 492.
271. *Dictionnaire philosophique*, article Théisme: M. XX, 506, 507.
272. GM, 13 janvier 1791, 1ère page, col. 2, numéro II.

cloches de la capitale «afin que les citoyens ne fussent pas troublés par le bruit insupportable des sons de toutes ces cloches»[273]. Les cloches sonnaient alors à toute volée à Montréal et Mesplet imprimait cette dépêche, non sans une certaine impatience...

> Quelle infâme idée, avait écrit Voltaire dans le *Dictionnaire philosophique* à l'article Superstition, d'imaginer qu'un prêtre d'Isis et de Cybèle, en jouant des cymbales et des castagnettes, vous réconciliera avec la Divinité! Et qu'est-il donc ce prêtre de Cybèle, cet eunuque errant qui vit de vos faiblesses, pour s'établir médiateur entre le ciel et vous? Quelles patentes a-t-il reçues de Dieu? Il reçoit de l'argent de vous pour marmotter des paroles, et vous pensez que l'Être des êtres ratifie les paroles de ce charlatan![274]

La *Gazette de Montréal* tente de briser ce que Mesplet considère comme l'absolutisme du pouvoir de l'Église catholique sur la pensée dans la province. L'énergie que l'imprimeur consacre à cette lutte montre qu'il croyait s'opposer à un adversaire de taille et qu'il n'interprétait pas le silence plus ou moins prolongé des tenants de l'orthodoxie comme un signe de tolérance de leur part. Mesplet bénéficiait certes de la complaisance du gouvernement colonial qui, durant la période de paix qui s'échelonne de la fin de la guerre d'Indépendance des États-Unis au conflit de la Grande-Bretagne avec la France de 1793, ne devait pas s'offusquer des attaques de la presse contre des religieux dont il souhaitait l'extinction en leur refusant tout recrutement. Ce même gouvernement colonial ne devait pas non plus être mécontent d'abaisser un peu le pouvoir clérical pour s'assurer davantage encore peut-être de sa soumission. Pour sa part, Mesplet est un théiste qui marche dans la foulée de Voltaire. Il rejette en fait un clergé qu'il juge nuisible et des dogmes qui briment la raison. Il souhaite desserrer l'emprise cléricale sur les consciences en prônant, par exemple, la diminution des fêtes religieuses ou l'organisation de spectacles théâtraux. L'information donnée dans son journal est truffée de faits qui font voir le despotisme du clergé. Les religieux surtout sont les victimes de ses sarcasmes. Son action n'est pas celle d'un homme isolé. Il reçoit en effet des appuis notables dont celui de l'évêque coadjuteur de Québec. Mesplet combat en riant, comme Voltaire le suggérait à d'Alembert, dans une lettre datée du 26 juin 1766:

> Vous devriez, en vérité, punir tous ces marauds là par quelqu'un de ces livres moitié sérieux moitié plaisant que vous savez si bien

---

273. GM, 20 septembre 1792, 2e page, col. 2, numéro XXXIX.
274. *Dictionnaire philosophique*, article Superstition (1764): M. XX-453.

323

faire. Le ridicule vient à bout de tout; c'est la plus forte des armes, et personne ne la manie mieux que vous. C'est un grand plaisir de rire en se vengeant. Si vous n'écrasez pas l'Inf..., vous avez manqué votre vocation...[275]

Ce combat, nous le verrons dans le chapitre suivant, se livre aussi dans la chasse gardée de l'Église, l'enseignement.

---

275. D 13374.

Chapitre 15

Pour un enseignement public

Depuis les origines de la Nouvelle-France, l'Église avait considéré l'enseignement comme relevant de son autorité, selon la conception médiévale la plus pure. Les clercs détenaient le savoir et devaient le propager dans un but premier de prosélytisme. En Nouvelle-France, les grandes maisons d'enseignement étaient les séminaires, aptes à préparer des vocations religieuses. Dans sa majorité, la population était analphabète. L'école primaire, c'était l'apprentissage du catéchisme, la plupart du temps de mémoire. En préconisant un enseignement non-confessionnel, la *Gazette de Montréal* ne pourra pas ne pas se heurter de nouveau à l'Église. D'après l'*Almanach de Québec* de 1791, il y avait dans la colonie neuf cent dix-huit enfants qui fréquentaient les écoles. Sur ce nombre, on comptait cinq cent quatre-vingt douze écoliers francophones et trois cent vingt-six anglophones. L'almanach considérait comme écoliers les deux cent trente collégiens des Séminaires de Québec et de Montréal. En réalité, il n'y a pour les francophones que trois écoles de lecture et d'écriture: à Vaudreuil — cent quatre écoliers —, à Berthier — trente et un écoliers —, et à Québec — cent quarante-sept écoliers. À Lorette, les autochtones ont un établissement qu'on

appelle «l'école des sauvages» et qui reçoit dix-huit personnes[276].
L'enseignement végétait. C'est ce qui allait ressortir des rapports

---

276. *Almanach de Québec*, 1791, pp. 136, 137. En janvier 1787, les marchands de Québec
et de Montréal se plaignent, auprès des enquêteurs de Dorchester, des lacunes de
l'enseignement. Selon les premiers
> L'éducation de la jeunesse dans cette province, sauf dans les villes dont certes
> les écoles ne sauraient être vantées, se borne au sexe féminin, cinq ou six maisons
> d'école petites et médiocres, éparses à travers le pays, sont tenues pour l'ins-
> truction des filles par des religieuses appelées Soeurs de la Congrégation, mais
> il n'existe aucune institution digne de ce nom qui s'occupe de celle des garçons.
> De là vient que les habitants ignorent malheureusement l'usage des lettres et ne
> savent ni lire ni écrire, situation vraiment lamentable.
Et voici l'opinion des marchands de Montréal sur la même question:
> Nous ignorons l'existence même d'une seule école destinée à l'instruction des
> garçons dans un endroit rural quelconque du district; et c'est au zèle de quelques
> soeurs de la Congrégation que nous sommes redevables du peu d'enseignement
> que reçoivent les filles dans le pays. Les capitaines de la milice, fréquemment
> tenus de faire exécuter des lois ou des ordres, sont si illettrés que pas un sur
> trois sait écrire ou même lire.
(AUDET, Louis-Philippe.- *Le Système scolaire de la province de Québec*, tome II.-
Québec; Presses de l'Université Laval, 1951.- pp. 115, 116)
Sur le nombre d'écoles d'écriture et de lecture, l'*Almanach de Québec* de 1791 est
plus modeste que tous les historiens. L.-P. Audet paraît lui-même gonfler les chiffres.
Il se contredit d'une page à l'autre. Pour la période de 1790, il affirme d'abord que
les Canadiens possédaient tout au plus une quarantaine d'écoles (p. 138). Ce chiffre
diminue ensuite de moitié (p. 161). Un système d'enseignement convenable n'aurait
certes pas suscité les plaintes unanimes de tous les marchands de la colonie. Leur
verdict est impitoyable! Les écoles existantes sont dans un état lamentable. Les
écoles des soeurs sont si minimes qu'elles ne figurent même pas dans l'*Almanach
de Québec*. «C'est une grande pitié!» écrit l'historien Audet.
Comment se fait-il que tant de catéchismes, par exemple (19 000 exemplaires selon
les livres des comptes des imprimeurs de la famille Neilson entre 1765 et 1791 -
d'après J. Hare dans *La Pensée socio-politique au Québec*.- Ottawa; Éditions de
l'Université d'Ottawa, 1977.- p. 22) circulèrent au Québec alors que l'analphabétisme était si fort?
> ...le Québec est resté, avant 1850, essentiellement féodal, hors des villes: l'éco-
> nomie de marché n'a eu que peu d'impact et le capitalisme était, tout au plus, à
> l'état embryonnaire. Voilà l'explication du taux d'alphabétisation plutôt faible par
> rapport aux sociétés davantage touchées par le développement économique.
Dans cette explication d'Allen Greer, tirée d'un texte intitulé «L'alphabétisation
et son histoire au Québec - État de la question» et publiée en 1983 (LAMONDE,
Yvan et autres.- *L'Imprimé au Québec: aspects historiques, 18e-20e siècle*.- Québec;
Institut québécois de recherche sur la culture.- p. 40), l'auteur reconnaît le degré
peu élevé d'alphabétisation au Québec et l'attribue au système «féodal». Cet analphabétisme est supérieur à celui que connaît «la population scandinave, française
ou anglo-saxonne» (p. 39). A. Greer pose de pertinentes questions. Par exemple:
«...que signifie la signature à la fin? Quelqu'un sachant signer son nom sait-il écrire
pour autant? Sait-il lire?» (p. 32)
> Celui, par exemple, qui sait reproduire le son des mots d'un texte déjà connu,
> sans pouvoir dégager le sens d'un texte nouveau, sait-il lire? Il nous semble anal-
> phabète, mais les recherches dans l'histoire des techniques pédagogiques montrent
> que certains instituteurs n'en exigeaient pas plus pour déclarer leurs élèves aptes
> à lire. Et pourquoi s'étonner, quand on parle d'une population (protestante surtout)
> dont l'Écriture Sainte constitue presque la seule lecture à l'école comme à la
> maison, que la distinction entre «lire» et «réciter par coeur» soit vague» (p. 35).

d'une enquête sur l'éducation, remis à lord Dorchester, le gouverneur général, en 1790.

La *Gazette de Montréal* appuiera, par ses prises de position et ses exposés, le projet d'établir au Québec un système d'enseignement public cohérent. Le journal se fera l'écho de nombreux notables favorables au projet, parmi lesquels Mgr Bailly de Messein. Il se portera à la défense de l'une des trois écoles de lecture et d'écriture de la province, celle de Berthier où l'instituteur Louis Labadie était persécuté par le curé Jean-Baptiste-Noël Pouget, opposé à une école gratuite pour les pauvres[277]. Mais avant d'entrer dans les détails de ces événements, voyons comment l'homme de loi Isaac Ogden, de Québec, dans son rapport destiné à l'instruction du prince William Henry traitait de l'enseignement dans la colonie:

> La science dans la province, parmi les Canadiens, est à son plus grand déclin. À l'exception du clergé et d'un petit nombre de gentilhommes, il n'y a pas de personnes qui y aient aucune prétention. Hors des villes de Québec et de Montréal, il n'y a pas en général trois hommes dans une paroisse qui sachent lire et écrire. L'on doit attribuer cette ignorance extrême à plusieurs causes. Il a toujours été de la politique du clergé de restreindre le savoir et la connaissance dans les murs de l'église; par là ils conservent leur empire sur le paysan. Les seules écoles [collèges ou couvents] dans la province sont dans les villes de Québec, Montréal et Trois-Rivières, et à la disposition de l'Église; en conséquence, le clergé a le pouvoir de distribuer la science à qui il lui plaît. Ce pouvoir était une bonne politique sous le gouvernement français de tenir les habitants dans cet état misérable d'ignorance...[278]

Il semble que c'est ce qui s'est produit avec le catéchisme dans le Québec pré-industriel. Beaucoup de gens récitaient «par coeur» au lieu de lire vraiment. Des personnes pouvaient signer leurs noms sans savoir écrire couramment. D'autres prétendaient savoir lire, sans savoir écrire (p. 32, 38). Il semble que la majorité de la population en était au niveau 1 de l'alphabétisation, en regard des cinq degrés que distingue Lawrence Stone (cité par Pierre Chaunu dans *La Civilisation de l'Europe des Lumières*.- Paris; Flammarion, 1982.- p. 108):

Au niveau 1 on déchiffre. C'est celui que mesure nos paroissiaux. Il ne permet pas une acquisition autonome. Le niveau 2, difficile à cerner, est celui de la véritable mutation, l'accession à une lecture utile, l'écriture et le calcul... Le niveau 3 permet la tenue d'une comptabilité. Le niveau 4, qui est plutôt un niveau 3 bis pour une autre catégorie sociale, comprend l'acquisition de la culture classique. Le niveau 5 est le niveau universitaire.

277. Né à Montréal le 25 décembre 1745, l'abbé Jean-Baptiste-Noël Pouget fut curé de Berthier de 1777 à 1818, année de sa mort (*Dictionnaire du clergé canadien*, op. cit., p. 444.).
278. GM, 5 mars 1789, 2ᵉ page, col. 2, numéro X.

Cette affirmation d'un obscurantisme maintenu par l'Église n'est pas propre aux rédacteurs anglophones. Elle revient de temps à autre, sous la plume de francophones, dans le journal de Mesplet. Ainsi, dans le numéro du 18 février 1790, rappelons-le, Philantropos disait voir

> avec chagrin que les beaux-arts et le commerce ne pourront jamais fleurir, si quelque divinité propice ne met un frein à la puissance de ce peuple [les prêtres] extravagant[279].

Dorchester créait un comité d'enquête sur l'éducation le 31 mai 1787. Son mandat était de

> faire rapport sur les moyens de remédier aux défauts de l'éducation de la jeunesse dans toute l'étendue de la province, sur leur coût probable et sur la manière de trouver les fonds nécessaires.

Le président, le juge William Smith, sollicita l'avis de l'évêque de Québec et de son coadjuteur[280].

Mgr Hubert répondit, le 18 novembre 1789, que l'établissement d'un système complet d'enseignement, de l'école primaire à l'université, était prématuré. Il fallait consolider d'abord ce qui existait. Il ne trouvait pas la situation dramatique. L'analphabétisme, dont on faisait état «malicieusement», ne visait qu'à «vilipender les Canadiens». C'est dans ce document que Mgr Hubert donne son évaluation du nombre de personnes «instruites» dans chaque paroisse, comme on l'a vu dans le chapitre sur les lecteurs de la *Gazette de Montréal*. L'évêque de Québec reconnaissait la faillite de l'enseignement mais il n'en exigeait pas moins de garder la haute main sur le système projeté, et cela par l'entremise des biens des Jésuites. Il souhaitait les faire servir à «la propagation de la foi catholique», le but ultime, selon lui, des donateurs. Les connaissances répandues par les ecclésiastiques dans les collèges étaient adéquates.

> À la vérité, avouait l'évêque, il s'est trouvé dans le grand nombre [de collégiens] des esprits indociles, peu propres aux sciences ou ennemis d'une certaine contrainte, nécessaire cependant pour la formation des bonnes moeurs. Ceux-là sont sortis ignorants, et malheureusement on a établi sur leur incapacité un jugement très désavantageux aux études du séminaire.

Le Québec n'est pas mûr pour une université et cela «tant qu'il y aura beaucoup de terres à défricher au Canada». Certes, nos

---

279. GM, 18 février 1790, 3e page, col. 2, numéro VII.
280. AUDET, Louis-Philippe.- *Histoire de l'enseignement au Québec*, tome 1.- Montréal-Toronto; Rinehart-Winston, 1971.- pp. 330, 331.

voisins, les Américains, «sont néanmoins parvenus à se procurer une ou plusieurs universités», mais c'est dû «au voisinage de la mer» qui a fait fructifier leur commerce et leur population. L'évêque rejetait d'autant plus le projet d'une université qu'elle serait dirigée par des «hommes sans préjugés» que Mgr Hubert définissait comme des personnes opposées à tout principe de religion. On pouvait dès maintenant donner le goût des connaissances dans les paroisses en s'en remettant «au zèle et à la vigilance des curés»[281].

Pour sa part, dans sa réponse, donnée au comité d'enquête le 5 avril 1790, Mgr Bailly de Messein appuyait l'établissement d'un système scolaire, montrait ses avantages et feignait de douter que la lettre de Mgr Hubert fût véritablement l'expression de sa pensée.

> Rejeter les moyens d'éducation proposés, c'est donc préférer le plus grand malheur de la province à son bien général et l'inestimable avantage de la voir fleurir.

Il faut «empêcher qu'un père ne transmette à ses enfants, avec son héritage, son ignorance de génération en génération». Mgr de Messein croyait impossible que quelqu'un restât indifférent à l'état de l'enseignement:

> Sera-t-il en Canada un homme, quelqu'insensible que vous le supposiez, qui puisse sans gémir dans toute l'amertume de son coeur, voir notre jeunesse, avec les plus belles dispositions, réduite à un tel abandon?

Celui qui s'opposait à l'établissement d'un système d'éducation ne pouvait être qu'un «proto-défenseur de l'ignorance au XVIIIᵉ siècle». Le Canadien ne devait pas attendre d'avoir «défriché les terres jusqu'au cercle polaire» pour s'instruire. Dans ce mémoire, Bailly de Messein s'affirme comme un Philosophe non seulement par sa prise de position courageuse contre l'ignorance, mais encore par l'expression de son esprit de tolérance:

> ...Il n'y aura dans les chaires de nos [futures] écoles que de savants professeurs; sur les bancs que des écoliers studieux; dans les rues et les places publiques que des citoyens qui se supportent et s'aiment les uns les autres selon l'Évangile. Je n'irai pas me cacher dans un coin de chambre pour voir si la mère de famille, après avoir bien travaillé dans l'intérieur de sa maison, et le père en

---

281. Lettre de Monseigneur Hubert en réponse au président du comité nommé pour l'exécution d'une université mixte en Canada, le 18 novembre 1789: *Mandements des évêques de Québec*, op. cit., pp. 385 à 396. Mgr Hubert avait alors 50 ans.

avoir réglé les affaires au dehors, prennent de l'eau bénite et font le signe de la croix avant de se mettre au lit. J'irai publiquement dans nos églises adorer Dieu et le prier dans le langage d'Horace et de Virgile. Je prierai de tout mon coeur le Dieu des miséricordes d'éclairer ceux que je crois être dans l'erreur; qu'ils sont l'ouvrage de ses mains, que par sa grâce ainsi que moi ils soient heureux dans l'éternité...

Quant aux fanatiques,

> monstres plus à craindre que tous ceux que produisent les déserts de l'Afrique, ils doivent être chassés et bannis pour toujours.

Après avoir livré son message en faveur des Lumières, Bailly s'attendait à une réaction des plus vives: «De noirs zoïles parleront, ils en ont la liberté»[282].

Cette lettre va effectivement déclencher une polémique qui aura ses échos dans la presse, d'autant plus que le mémoire de Bailly sera imprimé sous forme de brochure[283]. Dans une «réponse» adressée à Dorchester, Mgr Hubert se plaignait de l'attitude de son coadjuteur, l'interprétant comme l'indice d'un désir effréné de le supplanter à la direction du diocèse. Hubert se donnait pour la victime d'un intrigant, d'un flatteur[284]. Le prédécesseur de Mgr Hubert, Mgr Briand, dénonça lui aussi Mgr Bailly de Messein auprès de Dorchester, dans une lettre datée du 2 mai 1790:

> J'ai vu dans l'amertume de son âme que les menées du coadjuteur ne tendaient à rien de moins qu'à renverser totalement l'ordre public et la religion dans ce pays.

Selon Briand, un homme qui a «assez de méchanceté pour trahir son évêque» peut faire douter de sa loyauté à l'égard du roi. Briand réclamait l'intervention de Dorchester pour réprimer

> les fougues impétueuses de Monsieur Bailly. Le clergé le désavoue, le peuple l'abhore, il mérite d'être confondu[285].

Cette même année, le comité d'éducation publiait à l'imprimerie de la *Gazette de Québec* ses résolutions préconisant la

---

282. Mémoire de Mgr Bailly au sujet de l'université, le 5 avril 1790: *Mandements des évêques de Québec*, op. cit., pp. 398 à 409.

283. *Histoire de l'enseignement au Québec*, op. cit., p. 334.

284. Réponse de l'évêque de Québec aux observations de monsieur le coadjuteur sur un écrit adressé le 18 novembre dernier à l'honorable William Smith, président d'un comité appointé par Son Excellence pour considérer l'état de l'éducation en cette province et les moyens de la promouvoir: *Mandements des évêques de Québec*, op. cit., pp. 414 à 421.

285. Lettre de Monseigneur Briand à lord Dorchester au sujet de Monseigneur Bailly, le 2 mai 1790: *Mandements des évêques de Québec*, op. cit., pp. 421 à 423.

mise sur pied d'un enseignement public dans toute la province. La base du système était une école de paroisse ou de village où l'on enseignerait à lire, à écrire et à compter. On pouvait prévoir la fondation d'autant d'écoles qu'il y avait de paroisses dans la colonie. Chaque district ou comté devait posséder un collège où seraient enseignés les règles de l'arithmétique, les langues, la grammaire, la tenue de livres, le jaugeage, la navigation, l'arpentage et les mathématiques. Au sommet du système, une université cultiverait les arts libéraux et les sciences enseignées dans les universités européennes, excepté la théologie pour faciliter la bonne entente entre catholiques et protestants, et éviter «toutes les singularités sectaires»[286].

Le 31 octobre 1790, le comité d'éducation et Bailly de Messein reçurent un solide appui d'un groupe de notables de la colonie. Ceux-ci adressaient à Dorchester une requête réclamant une université

> dans laquelle la jeunesse puisse être instruite dans les langues et les sciences, et que la dite université soit établie sur les principes et les termes les plus libéraux; qu'elle soit libre et ouverte à toutes dénominations chrétiennes, sans égard aux différents principes de religion.

Les requérants souhaitaient que les biens des Jésuites servissent à une telle fondation. Parmi les cent soixante et quinze signatures, qui entouraient celle de Bailly de Messein, on relevait celles de l'abbé Edmund Burke, directeur du Séminaire de Québec, du père Félix de Berey, provincial des Récollets, de pasteurs protestants, de médecins, d'hommes de lois, de marchands de Québec et de Montréal[287]. Il est hors de doute que Dorchester a accueilli favorablement cette requête. Dans une lettre adressée au ministre responsable des Colonies, lord William Grenville, le 10 novembre 1790, le gouverneur général appuyait les recommandations du comité d'éducation et maintenait que le plan proposé était bien adapté aux conditions du pays. Il considérait comme essentiel l'établissement d'une université dans la

---

286. *Rapport du Comité du Conseil législatif sur l'objet d'augmenter les moyens d'éducation.-* Québec; Samuel Neilson, 1790. Extrait cité dans *Histoire de l'enseignement au Québec*, op. cit., p. 353. L'évêque anglican, Charles Inglis, dont le siège était en Nouvelle-Écosse, favorisait le plan de Dorchester (Voir *Le système scolaire de la province de Québec*, op. cit., p. 190.)
287. Humble requête à lord Dorchester, le 31 octobre 1790. Citée dans *Histoire de l'enseignement au Québec*, op. cit., p. 338. APC, série Q 48-2:705.

province de Québec pour promouvoir les sciences dans toutes les colonies britanniques de l'Amérique du Nord[288].

La *Gazette de Montréal* ouvrit ses colonnes au débat. Dans le numéro du 18 novembre 1790, l'Homme mûr affirma que le projet d'éducation, si généreusement conçu, s'imposait dans cette province «qui fut toujours en proie à l'ignorance et à la superstition». C'était l'esclavage avant la conquête et «les deux tiers» des habitants y persévéraient encore sous l'emprise de «leurs ministres fanatiques». Que de dangers affrontent les enfants qui doivent aller s'instruire à l'extérieur! Le plan d'éducation de Dorchester veut établir un bon enseignement dans notre patrie même. Les habitants de la ville de Québec en sont heureux. Que ceux de Montréal manifestent aussi leur empressement. Nos enfants nous blâmeront avec raison si nous rejetons «une éducation honnête et libérale»[289]. Le 4 novembre précédent, un Citoyen avait adressé un message à l'évêque de Québec dans lequel il souhaitait que Mgr Hubert n'agît pas «contre les lumières de la raison et les vrais principes de la religion». Car dans le Québec actuel, «il n'y a pas de plus grand besoin que l'instruction»:

> S'opposer à une institution qui a pour but de propager les arts et les sciences, c'est approuver tacitement les sophismes des critiques qui assurent que la religion ne subsiste qu'à la faveur de l'obscurité et des ténèbres de l'ignorance.

L'évêque de Québec doit appuyer de toutes ses forces le projet, «autrement on croira que l'ignorance est le seul fondement de votre système doctrinal». Le Citoyen souhaitait qu'un accord s'établît entre Mgr Bailly de Messein et lui. Ce plan «d'une université proposé paraît donc uniquement dicté par la générosité: il immortalisera seul l'esprit et le coeur du noble lord». En conclusion, le Citoyen notait:

> L'ignorance a plus causé de maux que de bien à la religion que nous professons... des ennemis de votre généreux coadjuteur et de la cause commune vous ont peint ce plan sous des figures bien horribles et bien noires[290].

Enfin, le 21 octobre 1790, le Philanthrope dénonçait «une infâme supercherie», en fait une cabale de seigneurs et de prêtres conservateurs pour ruiner le plan d'éducation de Dorchester.

---

288. Lettre de Dorchester à Grenville, le 10 novembre 1790. Citée dans *Histoire de l'enseignement au Québec*, op. cit., p. 339. APC, série Q 49:26 et suiv.
289. GM, 18 novembre 1790, 2e page, col. 2, numéro XLVII.
290. GM, 4 novembre 1790, 3e et 4e pages, col. 2, numéro XLV.

C'était, racontée sous forme allégorique, la tentative des Sulpiciens, faite le 10 octobre 1790, de fonder un collège universitaire confessionnel à Montréal. Dans le texte, la province de Québec était appelée Malonrey. Le rédacteur commençait par louer «une déesse bienfaisante» qui fait luire «les rayons de justice et de liberté les plus purs»: la Philosophie. «L'égalité primitive, l'amour des arts, la destruction du despotisme suivent ses pas». Après cet hommage, le rédacteur évoquait une assemblée dûment convoquée de représentants de la noblesse et du clergé. Ceux-ci traitèrent

> des moyens de s'opposer à la Révolution immense et de conserver les vieilles erreurs et les antiques prérogatives. Étouffer le généreux projet d'une université fut surtout l'objet le plus immédiat de leurs soins: ils sentaient trop que l'Europe ne doit sa régénération qu'aux moyens d'éducation offerts à ses habitants.

Le clergé en assuma la tâche. Il lança alors dans le public le projet de fondation d'un collège universitaire: il se chargeait des frais s'il en conservait la direction. «Les trois quarts des citoyens donnèrent dans le piège» et une pétition adressée au gouverneur général

> fut surchargée de signatures. Hélas! ils ne savaient pas qu'ils eussent reculé de plusieurs siècles l'introduction des belles-lettres en cette province, si malheureusement leur requête eût eu le succès qu'ils en attendaient.

Par le biais de la fondation d'un collège universitaire, on rendait l'université libre «inutile aux papistes». La jeunesse, se disait le clergé, ne pensera

> que par nous et pour nous, sera notre appui et épousera notre cause, persuadée qu'elle doit être la sienne. Ainsi, nos opinions prévaudront, nos intérêts prospèreront sous le nom trompeur de l'intérêt public, notre règne embrassera encore quelques siècles...[291]

Dans son Épître aux habitants du Canada, parue le 24 mars 1791, le Génie canadien incitait à l'extension des connaissances dans la province:

> Il y a des Canadiens qui brûlent d'une louable ardeur pour l'extension des sciences et pour le bien-être de leur patrie... rougis-

---

291. GM, 21 octobre 1790, 2ᵉ et 3ᵉ pages, col. 2, numéro XLIII. C'est une allusion au projet des Sulpiciens qui voulaient fonder une université confessionnelle à Montréal. Voir le Mémoire de Gabriel-Jean-Brassier au secrétaire de Dorchester, le 10 octobre 1790. Cité dans l'*Histoire de l'enseignement au Québec*, op. cit., pp. 353, 354.

sent de son état actuel obscurci par les ténèbres qui la rendent inaccessible aux rayons bienfaisants de la Vérité.

Les peuples ignorants ont toujours été malheureux. Les arts et les sciences ont sans cesse «ajouté au bonheur de la société». «La superstition, fille de l'ignorance et mère du fanatisme» peut être envisagée comme «la source empoisonnée d'où sont découlés les maux, les calamités qui ont affligé presque tous les peuples»[292]. Quant à l'évêque de Québec, sa réponse au comité d'éducation le clouait au pilori de l'opinion, le 3 juin 1790. Ce jour-là, Athanase-cul-de-jatte parlait, dans le journal de Mesplet, de la lettre de Mgr Hubert comme d'un «ramas ennuyant de futilités, de bassesses» qui s'opposaient aux

> généreux désirs du gouvernement... ceux de faire fleurir en cette colonie la science et les arts et d'y élever, en dépit de la superstition, un bâtiment consacré à voir nourrir et former dans son enceinte la jeunesse de cette province qui y puiserait des connaissances morales et physiques autres que les préjugés de nos écoles et de nos séminaires français... on en sort presque toujours pétri d'ignorance, de superstition et de grossièreté, tellement qu'il faut recommencer un nouveau cours d'étude si l'on veut être de quelque utilité à la société[293].

La *Gazette de Montréal* reflétait bien la force du courant philosophique dans la colonie, dont l'expression la plus tangible a été l'appel des notables en faveur d'un système d'enseignement libre de toute allégeance confessionnelle. C'était un appui non équivoque au comité d'éducation, dont les résolutions généreuses plaisaient au gouverneur général. Dorchester s'attendait à ce que le système pût être mis en place par les organismes législatifs qu'avait institués la nouvelle constitution. Mais la pierre d'achoppement devait être alors les biens des Jésuites que les derniers religieux de cet ordre n'eurent pas la générosité de consacrer à l'éducation comme le souhaitaient Dorchester et le roi. Les Jésuites et l'évêque Hubert soutenaient que les richesses immenses des religieux, abolis par le pape en 1774, devaient servir à «la propagation de la foi catholique». Dans sa réponse au comité d'éducation, on sentait que Mgr Hubert avait l'appui des Jésuites ou plutôt qu'il détenait l'espoir d'être leur héritier. En effet, les religieux devaient leur survie à Mgr Briand dont Mgr Hubert était le protégé. Le 21 juillet 1773, le pape avait

292. GM, 24 mars 1791, 3e et 4e pages, col. 2, numéro XIII.
293. GM, 3 juin 1790, 3e page, col. 2, numéro XXIII.

supprimé la Compagnie de Jésus à travers le monde. Mgr Briand prit connaissance du bref en 1774 et décida, d'accord avec le gouverneur général Carleton, de ne pas le mettre à exécution. Le bref n'ayant pas été signifié, les Jésuites avaient pu garder leur nom, leur habit et demeurer propriétaires de leurs biens, et cela jusqu'à la disparition du dernier d'entre eux, Jean-Joseph Casot, en 1800[294].

Entre-temps, les rares écoles de lecture et d'écriture fonctionnaient laborieusement dans la province. Celle de Berthier deviendra l'objet de la persécution cléricale. En informant le public de cette situation, la *Gazette de Montréal* permettra non seulement le maintien de cet établissement fondé en 1789, mais aussi la révélation du fanatisme à visage découvert. À partir du 16 février 1792, l'école de Berthier de l'instituteur Louis Labadie est au centre des préoccupations des lecteurs de Mesplet qui s'intéressent à l'éducation. Labadie dirigeait en fait l'une des rares écoles d'écriture et de lecture des francophones au Québec. Quand il décida de consacrer une partie de son établissement à un enseignement gratuit destiné aux pauvres, il subit les foudres du curé de l'endroit, l'abbé Jean-Baptiste-Noël Pouget, qui exerça des violences mentales et physiques contre le maître d'école. La presse ayant signalé divers faits, des notables anglophones se groupèrent pour défendre cette école qui fut finalement sauvée de la destruction. Mais au moment où l'on croyait le problème résolu, Labadie publia un message de détresse dans la *Gazette de Montréal* du 28 juin 1792. Il racontait que, le 10 mai, le curé Pouget l'avait chassé de l'église, de l'école et de sa propre maison:

> Il fit jeter mon butin dehors à la grandissime surprise des personnes de qualité et de bienveillance. J'en demande à ce despote la raison de ce maltraitement, de me dire au moins de quoi j'aurais pu avoir manqué, et j'en ferai raison; mais ce pacha chrétien ne répondit que: «Va-t-en et que je ne te vois plus!» C'est ainsi que je fus traité, sans en savoir le sujet, de ce respectable messire jusqu'à présent.

Labadie en appelle «à toutes personnes d'esprit, de sentiment et d'honneur» et il conclut:

> Où est devenu présentement l'honneur, l'amitié et le bon crédit de messieurs les habitants de Berthier? C'est une têtue Robe Noire qui sans raison, mais plutôt par caprice, m'a mis dans la détresse.

---

294. Voir la note 247.

Au début de sa lettre, Labadie rappelait l'appui et les éloges déjà reçus de la *Gazette de Montréal* et de «messieurs les Anglais» en voyant le zèle qu'il manifestait pour l'éducation de la jeunesse. Des anglophones lui avaient même expédié une quantité de livres que le curé avait confisqués. Ce fut à partir de cette saisie que les événements s'étaient précipités[295]. Nouvel avis de Labadie, publié dans la *Gazette de Montréal* du 19 juillet 1792. Pouget avait de nouveau passé à l'attaque.

> Les différends des individus ne devraient jamais devenir des objets publics, écrivait Labadie. Mais lorsque les principaux intérêts de la société sont attaqués par un homme dont le devoir est de les promouvoir — lorsque les insidieux artifices des individus deviennent préjudiciables au bien-être public — quand l'oppression effrénée dévore ses victimes sans remords, c'est le droit et le devoir de l'innocence opprimée d'appeler au tribunal de la raison, et en exposant la conduite de l'oppresseur, infliger cette punition [l'exécration publique] que ses actions méritent.

L'instituteur exposait les faits. En janvier, Labadie, qui enseignait déjà à des enfants aisés, annonçait son désir d'instruire aussi gratuitement des enfants pauvres de Berthier. Il reçut l'appui de bienfaiteurs, à savoir «de plusieurs citoyens éclairés de Québec». Le curé Pouget s'opposa «avec emportement» au projet. Le calme revint après l'intervention de «plusieurs personnes respectables». Le curé fit alors publiquement l'éloge du travail de l'instituteur et lui permit d'enseigner aux pauvres. Puis, revirement. Pouget pénétra un jour de classe dans l'école et menaça Labadie de son bâton et de ses poings en l'insultant devant ses écoliers. Le curé défendit à l'instituteur de recevoir des visiteurs dans son école. Le 10 mai, «cet implacable» pasteur lui interdit d'enseigner davantage. Il retint tous les biens de Labadie sous séquestre. Une plainte fut alors portée devant la Cour des plaidoyers communs de Montréal. Labadie poursuivait son enseignement dans «la maison d'une personne charitable, près de l'église de Berthier»: tous ses écoliers l'y avaient rejoint. Les parents témoignèrent leur chagrin relativement aux mauvais traitements subis par Labadie. L'instituteur comptait vingt-six écoliers dont six à qui il enseignait gratuitement. Il venait de recevoir «d'un ami de l'éducation» un ordre qui payait le loyer de sa nouvelle maison d'école.

---

295. GM, 28 juin 1792, 2e page, col. 2, numéro XXVII.

Mes faibles talents, concluait Labadie, seront toujours dévoués à promouvoir la félicité publique, qui est inséparable de l'avancement de l'éducation.

Cet avis était suivi d'une attestation signée par vingt-huit notables de Berthier qui confirmaient la conduite irréprochable et le travail admirable de l'instituteur depuis ses trois ans d'enseignement à cet endroit[296]. Dès le 16 février 1792, la *Gazette de Montréal* avait fait état des difficultés que rencontrait Labadie en précisant qu'il recevait l'aide du Club constitutionnel de Québec[297]. Le même journal, le 8 mars 1792, informait des menaces du curé Pouget à l'égard de l'instituteur. Pouget était qualifié d'«ennemi de l'éducation»[298]. Un correspondant rapportait, dans le numéro du 15 mars, qu'il avait visité l'école de Berthier: c'était un établissement-modèle qu'il fallait protéger. Quant à Labadie, «tous les habitants de Berthier l'aiment et le chérissent»[299]. Le 29 mars suivant, Mesplet se fit l'écho d'une autre visite, celle d'un groupe d'anglophones de Québec et de Montréal: «Ils n'ont pu s'empêcher de donner leur approbation» à Labadie. L'une des méthodes utilisée dans cette école était de se servir de la *Gazette de Montréal* pour se perfectionner dans la lecture et l'écriture. Nous apprenons dans le numéro du 26 avril 1792 que cette méthode

> ouvre l'esprit et prépare la jeunesse aux différents emplois de la vie, leur donne les idées sociales, et celles des histoires journalières.

Il n'est pas invraisemblable que ce soit Mesplet lui-même qui écrive:

> La lecture de la *Gazette* doit être préférée aux meilleurs livres sérieux, par la raison qu'elle n'exige pas beaucoup de peine à saisir le sens des morceaux détachés qu'elle contient ordinairement: les sujets qui y sont traités excitent le plus souvent la curiosité, et intéressent l'esprit d'un écolier. Par le moyen de cette lecture familière, l'élève apprendra une infinité de choses qui pourront lui devenir utiles dans la vie; et le mettre peu à peu en état de converser[300].

---

296. GM, 19 juillet 1792, 2ᵉ et 3ᵉ pages, col. 2, numéro XXX.
297. GM, 16 février 1792, 3ᵉ page, col. 2, numéro VIII.
298. GM, 8 mars 1792, 3ᵉ page, col. 2, numéro XI.
299. GM, 15 mars 1792, 4ᵉ page, col. 2, numéro XII.
300. GM, 29 mars 1792, 3ᵉ page, col. 2, numéro XIV; GM, 26 avril 1792, 3ᵉ page, col. 2, numéro XVIII.

L'école de Labadie allait de succès en succès. Le numéro du 6 décembre 1792 nous apprenait que l'établissement comptait quarante-quatre écoliers dont quatorze pauvres et cinq «sauvages»[301]. Le temps des persécutions paraissait passé puisque le 9 mai 1793 Labadie annonçait son «école publique à Berthier pour les jeunes messieurs et demoiselles» en rappelant l'encouragement du Club constitutionnel de Québec, de la Société [des débats libres] de Montréal et de plusieurs notables du Bas-Canada. Le maître «enseigne à lire le latin, le français et l'anglais; à écrire et à compter»[302]. Il semble que Mesplet ait encouragé, selon ses moyens, le maintien de cette école, en aidant Labadie à monter une librairie à Berthier et en fournissant un certain nombre d'exemplaires de la *Gazette de Montréal* comme matériel scolaire. Les annonces de Labadie, comme libraire, ne font état que de livres du fonds Mesplet[303]. Ce commerce pouvait servir d'appoint au maître d'école. Quant à l'utilisation de la *Gazette de Montréal* dans les classes, elle nécessitait certainement divers exemplaires reliés que Mesplet ne dut pas vendre à Labadie.

Berthier avait son école primaire indépendante, des citoyens de Montréal désiraient que l'administration du collège de cette ville fût confiée à des laïcs et son enseignement amélioré. Dans une communication à la *Gazette de Montréal*, le 23 décembre 1790, il était rappelé que le fondateur du collège, le Sulpicien Jean-Baptiste Curatteau, avait légué ses biens à l'établissement d'enseignement. La fabrique de Notre-Dame avait ensuite acquis le collège. La fabrique ne devait pas seulement s'occuper du côté matériel, mais s'intéresser aussi à l'enseignement donné. Ce rappel dans la *Gazette* venait à l'occasion d'une élection de marguillier[304]. Mais dès 1789, les laïcs avaient soumis à l'évêque de Québec un nouveau programme d'étude. Ils déclaraient

301. GM, 6 décembre 1792, 2e page, col. 2, numéro L.
302. GM, 9 mai 1793, 3e page, col. 2, numéro XIX.
303. GM, 21 mars 1793, 4e page, col. 2, numéro XII. Voici la liste des livres annoncés en vente chez Labadie: *Confession générale, Conduite des âmes, Cantiques de Marseille, Constitution française, Traité de choix, Anciennes archives françaises, Dialogue curieux et intéressant, La Bastille septentrionale, Lettres du Serviteur de Dieu* (R.P. Jean Falconi), *Histoire des infortunes de M. de La Valinière, Catechism of the Reverend Assembly of Divines, Catechism to the use of the Church of England, L'Ami des enfants, Histoires et paraboles, Dictionnaire de Boyer, Pédagogue chrétien, Instructions familières, Livres d'orthographe, Alphabet français, Alphabet latin, Médecine spirituelle, Saint Antoine de Padoue, Saint François-Xavier, Journée du chrétien, Sentences de morale, Psautier de David, Grand et Petit Catéchisme.*
304. GM, 23 décembre 1790, 1ère page, col. 2, numéro LII.

qu'on s'y est bien à la vérité efforcé de rendre nos enfants capables d'entrer dans l'état ecclésiastique, mais que ceux qui n'ont pas eu cette vocation, sont rentrés chez leurs parents, ignorant entièrement tout ce qui est nécessaire pour se soutenir et s'avancer dans le monde; que plusieurs d'entre eux, dédaignant la profession manuelle de leurs pères, ont cru se ravaler en suivant leurs métiers, et étant trop âgés pour s'assujettir aux devoirs des écoles d'écriture, d'arithmétique et autres branches essentielles pour tout état et particulièrement celui de citoyens, ils sont devenus des êtres à charge à leur famille, souvent des objets de scandale à la religion, et presque toujours des membres inutiles à la patrie.

C'était pourquoi le premier marguillier Cavilhe exigeait que l'on adjoignît aux professeurs de latin, des maîtres d'écriture, d'arithmétique, de géographie, de mathématiques et d'anglais[305]. C'était à peu près ce que réclamait Jautard dans la *Gazette littéraire* de 1778. Mgr Hubert ne répondra pas aux attentes des marguilliers.

Une enquête sur l'éducation au Québec, ayant constaté l'ignorance générale de la population, Dorchester avait appuyé la création d'un système cohérent d'enseignement public. Ayant à leur tête l'évêque coadjuteur de Québec, Bailly de Messein, quelques dignitaires du clergé et la plupart des marchands et hommes de lois de la colonie avaient secondé les réformes. Mais l'Église officielle, représentée par l'évêque de Québec, la plupart des membres du clergé — y compris Jésuites et Sulpiciens — et une majorité de seigneurs laïcs, s'étaient opposés au projet. La persécution du maître d'école Labadie n'offrait rien de surprenant dans une colonie où une élite dévote faisait la chasse aux abécédaires. Mesplet pour sa part avait décidé d'appuyer le comité d'éducation, aux côtés de tous ceux qui favorisaient le progrès de l'esprit humain. C'était l'une des formes de ce grand combat que nous avons vu la *Gazette de Montréal* mener résolument sur plusieurs fronts contre la tyrannie cléricale. Mais Mesplet a cru tout aussi nécessaire d'en ouvrir un autre, plus proprement politique, en faisant campagne pour une réforme de la magistrature et la disparition de l'esclavage.

305. MAURAULT, Olivier.- *Le petit séminaire de Montréal.*- Montréal; De Rome, 1918.- pp. 64, 66.

Chapitre 16

Pour une réforme de la justice et contre l'esclavage

Les lecteurs de la *Gazette de Montréal* du 9 décembre 1790 durent sûrement appliquer au juge René-Ovide Hertel de Rouville ce passage du «Discours par M. de Voltaire sur la vraie vertu»:

> Ce magistrat, dit-on, est sévère, inflexible,
> Rien n'amollit jamais sa grande âme insensible.
> J'entends: il fait haïr sa place et son pouvoir;
> Il fait des malheureux par zèle et par devoir.
> Mais l'a-t-on jamais vu, sans qu'on le sollicite,
> Courir, d'un air affable, au-devant du mérite,
> Le choisir dans la foule, et donner son appui
> À l'honnête homme obscur qui se tait devant lui.
> De quelques criminels il aura fait justice:
> C'est peu d'être équitable, il faut rendre service[306].

Rouville représentait à la fois le symbole et la réalité de l'appareil judiciaire mis en place par l'Acte de Québec et fonctionnant selon la volonté arbitraire de juges inamovibles. Deux enquêtes officielles, ayant établi le manque d'équité de certains membres de la magistrature et en premier lieu de Rouville, n'amenèrent aucun changement. Il faut être conscient de cette immunité pour

---

306. GM, 9 décembre 1790, 4ᵉ page, col. 2, numéro L.

apprécier l'action de Mesplet et de la *Gazette de Montréal* en faveur d'une meilleure administration de la justice au Québec.

Celle-ci coûtait cher et était inadéquate. C'était ce dont se plaignait, dès le 24 décembre 1767, le gouverneur général Carleton dans une lettre adressée au secrétaire d'État, le comte William de Shelburne:

> Peu de gens ici sont en état de supporter les dépenses et les délais occasionnés par un procès. Il s'ensuit que le peuple est privé des avantages des cours de justice du roi qui, au lieu d'être secourables à celui qui y a recours, sont devenues pour lui un sujet d'oppression et de ruine. Ce qui précède et les honoraires exorbitants qui sont exigés d'une manière générale, sont une cause de plaintes quotidiennes. Il y aurait beaucoup à dire au sujet de ceux qui sont chargés de l'administration de la justice dans les cours inférieures; très peu ont reçu l'éducation que requiert l'exercice de leurs fonctions et tous ne possèdent pas cet esprit de modération, d'impartialité et de désintéressement qu'ils devraient avoir[307].

En 1787, sous l'administration de Carleton, devenu lord Dorchester, le juge en chef William Smith constatait que la justice au Québec était toujours dans le chaos, en particulier à la cour des Plaidoyers communs où les juges faisaient souvent preuve d'ignorance. Les frais de cour se calculaient au petit bonheur et les dossiers étaient confiés à des greffiers incompétents. Des jugements inscrits aux livres ne correspondaient pas aux décisions rendues. Les témoignages n'étaient jamais enregistrés. C'était à Montréal que régnait la confusion la plus grande. Le procureur général James Monk avait porté des accusations graves contre les juges, et cela devant le conseil législatif[308]. Dans le même temps, le 17 août 1786, la *Gazette de Montréal* publiait cette «pensée choisie»:

> Le juge méchant et le juge ignorant sont également criminels envers ceux qu'ils condamnent, ou par erreur ou par passion; qu'on soit blessé par un aveugle ou par un furieux, on n'en sent pas moins la blessure; et pour ceux qui sont ruinés, ils n'en sont pas moins à plaindre, que ce soit par un homme qui les trompe, ou par un homme qui se soit trompé[309].

Après l'intervention du procureur général Monk, le gouverneur général avait ordonné une enquête publique qu'il avait confiée

---

307. Lettre de Carleton à Shelburne, le 24 décembre 1767: *Documents constitutionnels*, op. cit., pp. 176 à 178.
308. *Lord Dorchester*, op. cit., pp. 164 à 166.
309. GM, 17 août 1786, 4e page, col. 2, numéro XXXIII.

au juge en chef Smith. Cette enquête dévoila, entre autres, que Rouville siégeait régulièrement en état d'ébriété et qu'il refusait souvent d'entendre la preuve. Rouville ne fit l'objet d'aucune censure de la part du gouvernement métropolitain non plus que ses collègues Adam Mabane et John Fraser[310]. C'est pourquoi les lecteurs de la *Gazette de Montréal* suivirent avec intérêt, en 1790, l'enquête réclamée par le jeune avocat Louis-Charles Foucher sur le juge Rouville qu'il accusait d'avoir usé de procédés vexatoires.

Le journal rapportait le 21 octobre 1790 qu'une requête en déposition avait été prise contre le magistrat[311]. Il semble que Rouville aurait voulu en agir avec Foucher de la même façon qu'avec Valentin Jautard en 1779. En effet, dans une supplique adressée à Dorchester, Foucher accusait le juge de le traiter en ennemi implacable, l'insultant sans cesse en cour, entravant de toutes les façons l'exercice de sa profession d'avocat, au point de le forcer à abandonner la pratique du droit. Le gouverneur général fit suivre la supplique au conseil législatif qui décida de former une commission d'enquête. On avait rapporté devant Rouville la cause d'un curé de Terrebonne poursuivant ses paroissiens pour les obliger à payer leurs dîmes. Au début du procès, le juge — ivre au point de chanceler — avait accusé Foucher — qui défendait les accusés — d'attaquer la religion; il lui ordonna de se taire. Dans une autre séance, Rouville refusa à Foucher le droit de plaider et dit son intention de le faire exclure du barreau[312]. Le 4 novembre 1790, la *Gazette de Montréal* donna le compte rendu du début de l'enquête. Les dépositions des témoins convoqués par Foucher, écrivait prudemment le rédacteur, «semblent fortement porter contre l'honorable juge». Mais il conseilla à Foucher de rester sur ses gardes:

> il attaque dans la personne de l'honorable juge un homme que de plus grandes tempêtes n'ont pas bouleversé, qui a reçu des chocs plus violents, et il n'en a pas été ébranlé; contre lequel enfin toute représentation a été jusqu'à ce jour inutile et sans effet[313].

Dans la séance suivante, apprenait-on dans le numéro du 11 novembre, le juge Rouville avait dit espérer «dévoiler la futilité

310. NEATBY, Hilda M.- *Quebec: the Revolutionary Age (1760-1791).*- Toronto; McClelland-Stewart, 1966.- pp. 206 à 225 (Chief Justice Smith and the Grand Design).
311. GM, 21 octobre 1790, 4e page, col. 2, numéro XLII.
312. NEATBY, Hilda M.- *The Administration of justice under the Quebec Act.*- Minneapolis; University of Minnesota Press, 1937.- pp. 265, 266.
313. GM, 4 novembre 1790, 4e page, col. 2, numéro XLV.

de l'accusation» soulevée par «l'Atlas moderne» — Foucher[314]. Le 2 décembre 1790, un correspondant affirmait que «les Canadiens libres et ennemis des anciens préjugés» appuyaient Foucher parce qu'il défendait les libertés publiques. Le rédacteur était excédé de voir les «victimes du despotisme et de l'oppression» exposées à l'injustice d'un juge arbitraire[315]. Dans la *Gazette de Montréal* du 9 décembre, l'avocat Pierre-Amable de Bonne, représentant Rouville à l'enquête, parlait de Foucher comme d'«un ennemi de la nation» puis s'attaquait au périodique de Mesplet qu'il accusait de partialité. Ce qui lui valut de l'imprimeur la mise au point suivante dans le même numéro:

> On sait qu'elle [la *Gazette de Montréal*] nous fait des ennemis parmi ceux qui ont quelques intérêts à ce que les Canadiens, leurs compatriotes, vivent esclaves de l'ignorance et des préjugés...[316]

Et pourtant Mesplet accordait à Bonne la totalité de la première page du numéro du 16 décembre pour permettre à l'avocat de magnifier son rôle de défenseur de Rouville. Il disait devoir se «dévouer tout entier au secours» du juge dont il s'agissait de protéger la dignité et les prérogatives. Dans le même journal, des Patriotes donnaient un compte rendu de la dernière séance de l'enquête où Rouville avait fait entendre onze témoins, «tous unanimes à dire qu'il n'était pas ivre ni dans un état indigne de la place qu'il occupait». Ils avaient ajouté que Rouville n'avait pas «vexé, calomnié et injurié M. Foucher»[317]. Le 30 décembre 1790, Mesplet publia les conclusions de Foucher, entendues à la fin de l'enquête:

> Certains ennemis du gouvernement et de la sûreté commune, dangereux supports des oppresseurs du peuple, ont mis tout en oeuvre dans le cours de cette enquête pour faire échouer mes poursuites ou me forcer à me désister; ils auraient réussi si j'eusse envisagé cette enquête d'après le tableau qu'ils en esquissaient.

Mais Foucher a gardé confiance en Dorchester et en sa volonté de faire procéder à une enquête objective car il a pu prouver «la prévarication d'un des principaux officiers publics et l'abus de son autorité». Le gouverneur général ne peut garder «dans l'exercice de sa charge» un juge susceptible de «commettre d'autres vexations». Dorchester sait trop bien «que le bonheur

---

314. GM, 11 novembre 1790, 3ᵉ et 4ᵉ pages, col. 2, numéro XLVI.
315. GM, 2 décembre 1790, 3ᵉ page, col. 2, numéro XLIX.
316. GM, 9 décembre 1790, 5ᵉ page, col. 2, numéro L.
317. GM, 16 décembre 1790, 1ère et 2ᵉ pages, col. 2, numéro LI.

et la fidélité des peuples dépendent d'une administration impartiale de la justice»[318]. Alors qu'on attendait le rapport des enquêteurs, un Bon Patriote, dans le numéro du 28 avril 1791, soulignait que le règne du despotisme judiciaire était terminé:

> ...ces jours d'horreurs et de ténèbres où il était défendu à l'homme de connaître ses droits sont heureusement éclipsés: il les connaît maintenant, sait en jouir et les défendre. Il vit sous un gouvernement sage et libéral; sous un gouvernement où ses droits et sa liberté lui sont assurés; sous un gouvernement où le faible, comme le fort, peut avec assurance se plaindre et être vengé de ses oppresseurs; sous un gouvernement enfin qui, loin de s'offenser des plaintes et des murmures de quelques individus, de l'oppression et de la malversation d'un ou plusieurs de ses officiers, a cru devoir interposer son autorité pour y remédier...[319]

Mais les commissaires-enquêteurs rejetèrent finalement la plainte de Foucher comme «futile, ignorante, ingrate, téméraire et scandaleuse», en recommandant de lui enlever son droit de pratique[320]. Dans la *Gazette de Montréal* du 5 mai 1791, l'Indiscret ironisait sur ce rapport préparé en fait par des «parents ou alliés de l'accusé», à savoir les quatre commissaires. Le correspondant parlait d'«une nouvelle maxime que l'avocat de M. Rouville nous a voulu apprendre». C'était «qu'un juge peut d'un clin d'oeil ébranler, renverser, écraser, annihiler un avocat»[321]. Après avoir pris connaissance du rapport de la commission d'enquête, qui équivalait à un déni de justice, Dorchester invita Foucher à plaider sa cause devant le conseil législatif, réuni en assemblée plénière le 7 avril 1791. Dans leur rapport, présenté le 23 juillet suivant, la majorité des conseillers endossèrent les conclusions du comité d'enquête; une minorité reconnut toutefois que le plaignant avait été gêné dans l'exercice de sa profession d'avocat. De son côté, le juge en chef censura la conduite de Rouville mais sans recommander de prendre des sanctions contre lui[322]. Avant la présentation du rapport du conseil législatif, Rouville avait non seulement conservé ses fonctions de magistrat, mais avait même été nommé par Dorchester membre de la commission s'occupant de la construction et de la réparation des églises. C'était ce dont faisait état la *Gazette de Québec* du 23 juin 1791[323]. Pour sa part,

---

318. GM, 30 décembre 1790, 1ère page, col. 2, numéro LIII.
319. GM, 28 avril 1791, 3e page, col. 2, numéro XVIII.
320. *The Administration of justice under the Quebec Act*, op. cit., p. 267.
321. GM, 5 mai 1791, 3e page, col. 2, numéro XIX.
322. *The Administration of justice under the Quebec Act*, op. cit., pp. 268, 269.
323. GQ, 23 juin 1791, 3e page, numéro 1352.

la *Gazette de Montréal* devait se borner à annoncer son décès de la façon la plus laconique, le 16 août 1792:

> L'honorable Hertel de Rouville, un des juges des Plaidoyers communs, est mort le dimanche, 12 du courant, entre 7 et 8 h. du soir[324].

Outre le fait de s'en prendre à Rouville lui-même, la *Gazette de Montréal* dénonça le terrorisme judiciaire qu'il faisait régner. Le journal se pencha, à partir du 30 septembre 1790, sur l'affaire Taylor. Il s'agissait de l'appel d'un prisonnier au public. Thomas Taylor soutenait qu'il avait été incarcéré arbitrairement et qu'il avait sollicité sans succès l'habeas corpus[325]. Nous apprenons dans le numéro du 7 octobre suivant que Taylor a été condamné à un mois de prison par Rouville pour mépris de cour. En fait, Thomas Taylor avait remis au tribunal une lettre de son frère William, dont le contenu n'avait pas plu[326]. La *Gazette de Montréal* du 14 octobre publia une requête de Thomas Taylor au juge en chef William Smith, dans laquelle il se plaignait d'être

> confiné dans les prisons ordinaires, au milieu des criminels, et dans une position malsaine et dangereuse, en sorte que sa vie et ses intérêts de beaucoup d'importance sont en grand péril, ainsi que ceux de son frère diminué de tout secours par la perte de la vue, et qui souffre en ce mauvais état des dommages considérables, par la privation de la liberté de votre suppliant...[327]

Taylor, seul soutien de son frère aveugle, fut gardé arbitrairement en prison. Enfin, la *Gazette de Montréal* annonçait, le 10 mars 1791, le décès de l'aveugle William Taylor, «persécuté par une faction jusqu'aux portes du tombeau»[328]. Le 17 mars, un lecteur parlait de l'intégrité de cet homme vaincu par la calomnie[329]. Le périodique ne fournit pas plus de détails sur cette affaire. Mais il semble, d'après l'importance que lui donna l'imprimeur, qu'il s'agissait d'une injustice criante.

Le 25 décembre 1788, Mesplet reproduisait du *Quebec Herald* une lettre signée Sidney où l'auteur convenait "sans hésiter que

---

324. GM, 16 août 1792, 3e page, col. 2, numéro XXXIV.
325. GM, 30 septembre 1790, 3e page, col. 2, numéro XL.
326. GM, 7 octobre 1790, 3e page, col. 2, numéro XLI.
327. GM, 14 octobre 1790, 2e page, col. 2, numéro XLII.
328. GM, 10 mars 1791, 4e page, col. 2, numéro XI.
329. GM, 17 mars 1791, 4e page, col. 1, numéro XII. Selon l'historienne Hilda Neatby:
> It is not easy to give a clear account of this affair, for in spite of the masses of evidence produced, the papers relating to the various cases are not complete, so that it is not possible to arrive at a real understanding of them. *(The Administration of justice under the Quebec Act*, op. cit., p. 270.)

le système de lois adopté par ce pays est bien loin de la perfection, et défectueux à plusieurs égards». Sidney remarquait entre autres que «l'habeas corpus n'est pas un jeu»: son existence ou son absence fait toute la différence «entre un gouvernement libre et un despotique»[330]. Le 29 janvier 1789, l'Écho de M. [Montréal] dénonçait la malhonnêteté des tribunaux:

> Le plus grand mal que fait un magistrat sans probité n'est pas de desservir son prince, et de ruiner son peuple. Il y en a un autre, à mon avis, mille fois plus dangereux: c'est le mauvais exemple qu'il a donné[331].

D'après le Rêveur, dans le numéro du 19 février 1789, «les juges abusent le public et sont abusés par les avocats».

> J'ai été spectateur invisible de ce qu'on appelle une cour de justice, écrivait le Rêveur. J'ai vu un homme qui se disait homme de loi, plus rempli de présomption que de science, deshonorer la profession et insulter grossièrement le juge qui, chancelant entre l'ignorance et son incapacité, siégeait pour supporter à son tour des regards sourcilleux que lui-même avait prodigués à de malheureux esclaves...

Selon le Rêveur, les avocats profitaient du chaos des lois pour ruiner leurs clients[332]. Ce qui n'améliorait pas la situation, rapportait le même auteur dans le numéro du 5 mars 1789, c'était le manque d'intégrité des membres du conseil législatif: les uns étaient «préoccupés par l'esprit de parti, les autres entraînés par un vil intérêt»[333]. Enfin, dans la *Gazette de Montréal* du 19 mars suivant, le Rêveur traçait un portrait peu flatteur d'un magistrat-type de la colonie:

> Il est vrai qu'il ne sait ni bien lire, ni bien écrire, mais il signe son nom avec une aisance peu commune. Et quoiqu'il n'ait jamais lu ou entendu lire un seul titre de ces lois qu'il est obligé d'administrer, néanmoins, si un de ses confrères, après avoir donné son opinion, lui demande la sienne, il peut dire oui ou non d'une voix aussi haute et d'un ton aussi ferme que le lord Mansfield lui-même[334].

Témoin de procès iniques, Mesplet rendit compte ainsi, dans le numéro du 16 avril 1789, de la condamnation d'un innocent:

---

330. GM, 25 décembre 1788, 2ᵉ page, col. 2, numéro LII.
331. GM, 29 janvier 1789, 3ᵉ page, col. 2, numéro V.
332. GM, 19 février 1789, 2ᵉ page, col. 2, numéro VIII.
333. GM, 5 mars 1789, 3ᵉ page, numéro X.
334. GM, 19 mars 1789, 2ᵉ page, col. 2, numéro XII.

La victime est tombée sous le glaive de la Justice, et les sacrificateurs féroces ont déjà bu tout son sang. Ô hommes! jusqu'à quand vous entredétruirez-vous? jusqu'à quand dans l'ombre du crime, méditerez-vous la haine de vous-mêmes? jusqu'à quand vous ferez-vous un plaisir d'être cruels?... un proverbe dit que les loups ne s'entremangent pas, et vous vous dévorez; vous foulez aux pieds les lois sacrées de la société; vous étouffez les premiers sentiments de la nature; vous violez sans pudeur les droits de l'homme et de l'amitié...[335]

La *Gazette de Montréal* ne pouvait guère aller plus loin pour dénoncer la façon dont la justice était administrée: des conseillers législatifs manquant de probité, des juges ignorants, des avocats véreux, des plaideurs broyés. Le juge en chef Smith, malgré tous ses efforts, n'avait pu améliorer le système.

Chaque injustice était une occasion pour Mesplet de crier avec l'innocent. L'équité, quand elle se manifeste, est aussi saluée. Dans le numéro du 11 novembre 1790, la *Gazette de Montréal* apprenait à ses lecteurs que le cordonnier John Merckell avait était condamné à une amende de dix livres pour avoir flagellé un apprenti de 17 ans, Jean-Baptiste Gamelin, parce qu'il s'était enfui de son atelier en raison des mauvais traitements qu'il subissait. À ce sujet, Mesplet félicitait les grands jurés d'avoir fait respecter les droits de l'homme[336]. Quand la *Gazette de Montréal* signalait, le 19 septembre 1793, qu'un jeune soldat avait été tué par le propriétaire d'un verger, le rédacteur faisait la remarque suivante:

...c'est mourir pour bien peu de choses. Et quelques pommes dérobées dans un verger sont de bien peu de conséquence en raison de la vie d'un homme...[337]

Lorsque, en dépit d'une bonne récolte de blé, le prix du pain continuait à augmenter, la *Gazette de Montréal* du 3 octobre 1793 incitait les juges de paix à ne pas tarder à se réunir pour fixer les prix. Il y a des «murmures des pauvres familles» rapportait Mesplet qui ajoutait faire cette intervention «à la prière de quelques bien-veillants citoyens»[338].

Mais la tâche de la presse n'était pas de tout repos. Déjà le *Quebec Herald* avait été l'objet d'une poursuite en libelle, qui

---

335. GM, 16 avril 1789, 4e page, col. 2, numéro XVI.
336. GM, 11 novembre 1790, 4e page, col. 2, numéro XLVI.
337. GM, 19 septembre 1793, 3e page, col. 2, numéro XXXVIII.
338. GM, 3 octobre 1793, 4e page, col. 2, numéro XL.

avait toutefois été rejetée en novembre 1790[339]. Dans son numéro du 3 février 1791, la *Gazette de Montréal* soutenait qu'en connaissant bien la nature des libelles et le droit des jurés, il était possible de faire respecter les droits de l'homme et la liberté de la presse. Celle-ci pouvait sans crainte dénoncer les oppresseurs et les prévaricateurs. Cette connaissance de la loi sur le libelle

> est plus particulièrement utile et nécessaire en cette colonie, où il y a presqu'autant d'abus que d'institutions, surtout dans l'administration de la justice: ces abus se sont accrus et ont acquis des degrés de force, par le silence inquiet des opprimés, et les violents assauts livrés à la presse par les tyrans du peuple; conséquemment il faut plus de confiance, des coups plus réitérés, et des tableaux plus pathétiques et libres.

Et le correspondant s'adressait ensuite directement à Mesplet:

> L'homme doit aujourd'hui connaître ses privilèges; vous, au moyen de votre art, apprenez-lui à les défendre. C'est en vain qu'un de vos juges veuille insulter aux Canadiens en répandant partout qu'il se moque des productions de vos gazettes relativement aux libelles et aux droits des jurés, et que ces morceaux ne peuvent rien contre sa puissance et son autorité, attendu que ces Canadiens sont incapables d'en saisir le sens et l'esprit. Ce juge partial et arbitraire se trompe. Les Canadiens sont nés libres. À la vérité ils ont été malheureux, mais s'ils n'ont pas poursuivi leurs oppresseurs, c'est que l'occasion leur a manqué plutôt que le courage et la résolution: ils ont tenté tout ce qui était en leur pouvoir. Le reste était du ressort de la législation, et ils le lui ont laissé faire.

Après avoir fait allusion au mépris d'un magistrat, probablement Rouville, pour les Canadiens, le rédacteur mettait sur leurs lèvres cet appel à l'imprimeur: «Frappez, terrassez les tyrans: vengez-nous et nous vous seconderons»[340]!

Des presses de Mesplet, sortait, en 1792, une brochure d'une trentaine de pages, signée le Fléau de la tyrannie et intitulée la *Bastille septentrionale*. Le sujet en était l'emprisonnement de trois jeunes gens de Trois-Rivières, accusés d'avoir désobéi à leurs officiers de milice. Malcolm Fraser, Jonathan et Joseph Sills avaient été condamnés à une amende de cinq livres et à un mois de prison. L'auteur s'élevait contre cette sentence, «chef-d'oeuvre du pouvoir militaire», d'une «singularité tyrannique». Il stigmatisait la prison sous le nom de «Nouvelle Bastille»,

---

339. QH, 2 décembre 1790, 4e page (col. 1, 2, 3), 5e page (col. 1), vol. II, pp. 12, 13.
340. GM, 3 février 1791, 1ère et 2e pages, col. 2, numéro V.

évoquant le symbole du despotisme royal détruit trois ans auparavant à Paris.

> Aujourd'hui, commentait l'auteur dans sa préface, mon voisin est chargé de chaînes, et demain, compagnon malheureux de sa captivité, je gémirai avec lui sur l'injustice de notre sort. Étouffons donc l'hydre horrible de la persécution avant sa formation entière. Que l'homme de lettres consacre sa plume et ses veilles à démasquer les tyrans, ces lâches fléaux de l'humanité; qu'il les impreigne de honte, qu'il les poursuive jusque dans la tombe et au-delà, afin que l'homme puissant, que l'homme élevé s'abstienne d'abuser de son autorité, par la crainte d'encourir la haine et l'exécration de la postérité: châtiment le plus terrible que l'esprit humain puisse concevoir...

À la fin de l'ouvrage, on lit le serment suivant envers la Liberté:

> L'Auteur a juré devant l'autel sacré de la Liberté de ne jamais voir impunément tyranniser ses compatriotes et la nation. Malheur aux tyrans!... Malheur, surtout, aux hommes injustes qui les favoriseraient... Si le Ciel refusait ses foudres, pour les écraser, la postérité ne refuserait pas les anathèmes[341].

Sensible à l'injustice sociale sous toutes ses formes, Mesplet ne pouvait rester indifférent à l'esclavage, à l'instar de Condorcet et de Wilberforce. Paradoxalement, des prises de position de ces Philosophes vont voisiner dans la *Gazette de Montréal* avec des annonces d'esclaves à vendre ou en fuite. Car l'esclavage est établi au Québec depuis l'époque de la Nouvelle-France. Il s'est maintenu après la conquête. Les efforts de Pierre-Louis Panet pour abolir le système, en 1793, ne devaient pas porter fruit.

Mesplet publiait son premier texte contre l'esclavage des Noirs le 8 décembre 1785. C'était une dépêche de Paris qui faisait part d'un édit ordonnant aux Blancs des colonies françaises en Amérique de traiter leurs esclaves «avec beaucoup moins de sévérité». Les maîtres soutenaient que

> leurs esclaves doivent être entièrement soumis à leur caprice, qu'ils peuvent les faire travailler autant qu'ils voudront, et même les laisser périr de fatigue, et que sans avoir égard aux lois de l'humanité, ils sont en droit de leur faire donner cinquante coups de fouet par fantaisie.

---

341. *La Bastille septentrionale ou Les trois sujets britanniques opprimés*.- Montréal; Mesplet, sans date.- 32 p. Le pamphlet était annoncé comme «nouvellement imprimé» dans GM, 23 février 1792, 4e page, col. 2, numéro IX.

Le rédacteur qualifiait ces prétentions de cruelles et comparaît les maîtres des esclaves à «Sardanapale, Busiris ou Néron»[342]. Mais la pièce la plus importante reproduite dans la *Gazette de Montréal*, et ce dès le 20 août 1789, est l'adresse de la Société des Amis des Noirs au corps électoral contre l'esclavage des nègres, sous la signature de Condorcet. Dans sa présentation, Mesplet affirmait que le moment était approprié de donner au public cette «lettre écrite par la Société établie en France pour l'abolition du commerce des esclaves». Le document était adressé «aux bailliages qui députent aux États-Généraux». On recommandait «la proscription de l'esclavage comme un des objets qui doivent être discutés dans l'Assemblée nationale». Cette lettre

> est une preuve convaincante que la France n'a pas la moindre idée de prolonger et encore moins de multiplier les profits d'un trafic odieux.
>
> À l'instant même où l'Amérique achevait de briser ses fers, écrivait Condorcet, les amis généreux de la liberté sentirent qu'ils aviliraient leur cause, s'ils autorisaient par des lois la servitude des Noirs. Un homme libre qui a des esclaves, ou qui approuve que ses concitoyens en aient, s'avoue coupable d'une injustice, ou est forcé d'ériger en principe que la liberté n'est qu'un avantage saisi par la force, et non un droit donné par la nature... comment oser, sans rougir, réclamer ces déclarations des droits, ces remparts inviolables de la liberté, de la sûreté des citoyens, si chaque jour on se permet d'en violer soi-même les articles les plus sacrés? Comment oser prononcer le nom de droits, si en prouvant par sa conduite qu'on ne les regarde pas comme les mêmes pour tous les hommes, on les ramène à n'être plus que les conditions arbitraires d'une convention mutuelle?
>
> La nation française, occupée aujourd'hui du soin de se rétablir dans les droits dont elle avait négligé de réclamer la jouissance et l'exercice, partagera sans doute la générosité d'un peuple dont elle a défendu la cause, à qui elle doit peut-être une partie de ses lumières actuelles...
>
> La Société des Amis des Noirs ose donc espérer que la nation regardera la traite et l'esclavage des nègres comme un des maux dont elle doit décider et préparer la destruction, et elle croit pouvoir s'adresser avec confiance aux citoyens assemblés pour choisir leurs représentants, et leur dénoncer ces crimes de la force, autorisés par les lois, exécutés par les préjugés...
>
> Nous vous conjurons seulement aujourd'hui de tourner vos regards sur les souffrances de quatre cent mille hommes livrés à

---

342. GM, 8 décembre 1785, 1ère page, col. 2, numéro XVI.

l'esclavage par la trahison ou la violence, condamnés avec leur famille à des travaux sans espérance comme sans relâche, exposés à la rigueur arbitraire de leurs maîtres, privés de tous les droits de la nature et de la société, et réduits à la condition des animaux domestiques, puisqu'ils n'ont, comme eux, que l'intérêt pour garant de leur vie et de leur bonheur.

(...)

Nous vous conjurons d'insérer dans vos cahiers une commission spéciale qui charge vos députés de demander aux États-Généraux l'examen de moyens de détruire la traite, et de préparer la destruction de l'esclavage...

(...)

D'ailleurs, nous ne nous bornons pas à dire que l'esclavage est injuste, que la traite est une source de crimes; mais nous demandons que vous daigniez examiner si dans cette question, comme dans beaucoup d'autres, la saine politique ne s'accorde pas avec la justice...

On nous accuse d'être les ennemis des colons, nous le sommes seulement de l'injustice; nous ne prétendons pas qu'on attaque leur propriété; mais nous disons qu'un homme ne peut, à aucun titre, devenir la propriété d'un autre homme...[343]

Or ce manifeste contre l'esclavage, qui fournissait des arguments en faveur de l'affranchissement des Noirs, pouvait également être utilisé pour la libération d'autres esclaves, comme les Indiens du Missouri et du Mississipi, qui constituaient les deux tiers des esclaves dans la province[344]. Rappelons-nous les termes de Condorcet:

Un homme libre, qui a des esclaves ou qui approuve que ses concitoyens en aient, s'avoue coupable d'une injustice, ou est forcé d'ériger en principe que la liberté n'est qu'un avantage saisi par la force, et non un droit donné par la nature...

Il y avait à ce moment quelque trois cents esclaves au Québec, la plupart chez les notables francophones des villes, y compris les gens d'Église[345]. Dans son texte, Condorcet faisait allusion à la Déclaration d'Indépendance de 1776 où l'on disait que «tous

---

343. GM, 20 août 1789, 1ère et 2e pages, col. 2, numéro XXXIV. Le texte publié est exactement le même que celui donné par Condorcet. (Voir ROBINET.- *Condorcet: sa vie, son oeuvre (1743-1794).*- Genève; Slatkine Reprints, 1968, pp. 338 à 340: Adresse de la Société des Amis des Noirs au corps électoral, contre l'esclavage des Nègres, le 3 février 1789.)

344. Voir TRUDEL, Marcel.- *L'esclavage au Canada français.*- Québec; Presses de l'Université Laval, 1960.- p. 84.

345. *Ibid.*, pp. 150, 295.

les hommes naissent égaux» et qu'ils avaient reçu de l'Être suprême «certains droits inaliénables» parmi lesquels la vie et la liberté. Au Congrès de Philadelphie de 1787, les clauses prévoyant l'abolition de l'esclavage furent discutées. Mais chaque État resta libre d'en décider chez lui. Malgré les espoirs de Condorcet, l'esclavage fut maintenu dans les États du Sud, tandis que l'importation des Noirs était interdite dans les États du Nord[346]. En France, la Convention votera dans l'enthousiasme l'abolition de l'esclavage dans toutes ses colonies, le 5 février 1794. Mais un décret de Bonaparte, le 17 mai 1802, rétablira l'esclavage et la traite des Noirs[347]. Toutefois, lorsque Mesplet publiait l'article de Condorcet, les plus grands espoirs étaient permis. Aussi la *Gazette de Montréal* ne négligea-t-elle pas d'entretenir ses lecteurs de l'action de Wilberforce. Le 8 octobre 1789, ils apprirent que, dans une douzaine de propositions présentées au Conseil privé, cet anti-esclavagiste avait dénoncé la participation de la Grande-Bretagne à la traite des Noirs. Wilberforce suggérait la suppression de ce commerce infâme et son remplacement par le transport d'une plus grande quantité de marchandises. Selon lui, la mort et les souffrances des esclaves ôtaient à la traite toute rentabilité réelle et en faisaient de toute façon la honte du genre humain[348]. Il était encore question de Wilberforce dans le numéro du 15 septembre 1791: une adresse lui avait été présentée «par les Africains qui sont à Londres et aux environs» dans laquelle ceux-ci lui exprimaient leur reconnaissance[349]. Le Parlement britannique admettrait en 1825 «la liberté civile et religieuse des deux mondes» et la Grande-Bretagne prendrait la tête du mouvement anti-esclavagiste[350].

---

346. La Déclaration d'Indépendance dans *L'Indépendance américaine*, op. cit., p. 213. Voir aussi le chapitre «L'esclavage, une occasion manquée», pp. 147, 148.
347. Voici l'article 15 de la Déclaration des droits et des devoirs de l'homme et du citoyen de la Constitution de 1795:
   Tout homme peut engager son temps et ses services; mais il ne peut se vendre ni être vendu; sa personne n'est pas une propriété inaliénable.
   Cet article 15 est une reprise partielle de l'article 18 de la Déclaration des droits de l'homme et du citoyen de la Constitution de 1793. (*Les constitutions de la France depuis 1789*, op. cit., pp. 102, 81). Voir les circonstances de l'abolition de l'esclavage dans GODECHOT, Jacques.- *Les Révolutions (1770-1799)*.- Paris; Presses universitaires de France, 1963.- pp. 194, 195. Au sujet du rétablissement de l'esclavage par Bonaparte, voir SOBOUL, Albert.- *Le Directoire et le Consulat*.- Paris; Presses universitaires de France, 1967.- pp. 102, 103.
348. GM, 8 octobre 1789, 3e et 4e pages, col. 2, numéro XLI.
349. GM, 15 septembre 1791, 1ère page, col. 1, numéro XXXIX.
350. LENGELLE, Maurice.- *L'esclavage*.- Paris; Presses universitaires de France, 1967.- p. 96.

Malgré les bons principes de Condorcet et de Wilberforce, la persistance de l'esclavage au Québec se découvrait dans la partie commerciale de la *Gazette de Montréal*. Ainsi, le 29 janvier 1789, Joseph-François Perrault annonçait:

> À vendre, par le soussigné, une jeune négresse d'environ 15 ans, parlant anglais et français, et au fait du train d'un ménage[351].

Le 9 avril suivant, dans le même journal:

> À vendre. Un nègre robuste, qui jouit d'une bonne santé, âgé d'environ 28 ans, est bon cuisinier, et très capable de travailler sur une terre. Il faut s'adresser chez l'imprimeur[352].

Le 21 février 1793:

> À vendre. Un mulâtre âgé de 22 ans, bon perruquier pour hommes et pour femmes, et bon cuisinier. Il faut s'adresser à M. Jean Routier, rivière du Chêne, ou à M. Jean-Marie Hupé, faubourg Saint-Antoine[353].

Le 21 mars 1793:

> À vendre. Une négresse d'une bonne santé et robuste, âgée de 25 ans. Elle sait bien laver, repasser, bonne cuisinière, et fait tout autre ouvrage de ménage. Pour plus amples informations, il faut s'adresser à M. Thomas McMurray[354].

Le 16 mai 1793:

> Un mulâtre âgé de seize ans, capable de faire la cuisine et tout autre ouvrage de ménage. Ceux qui voudront l'acheter s'adresseront à l'imprimeur[355].

Comme imprimeur, Mesplet — bien qu'il ait servi d'intermédiaire pour des ventes d'esclaves —, paraît n'en avoir jamais possédés lui-même, contrairement à William Brown et Thomas Gilmore de la *Gazette de Québec*. Nous savons que Mesplet n'avait que des employés salariés lorsqu'il était venu de Philadelphie en 1776. Ensuite, nous possédons le contrat d'embauche d'un apprenti, Alexandre Gunn, âgé de 15 ans, passé le 5 décembre 1789. Le père de l'adolescent, un maître d'école de Montréal demeurant rue Saint-Sacrement, c'est-à-dire à proximité de l'imprimerie, plaça son fils en apprentissage pour une durée de cinq ans chez le maître-imprimeur qui promit d'«enseigner et montrer

351. GM, 29 janvier 1789, 4e page, col. 2, numéro V.
352. GM, 9 avril 1789, 4e page, col. 1, numéro XV.
353. GM, 21 février 1793, 3e page, col. 2, numéro VIII.
354. GM, 21 mars 1793, 3e page, col. 2, numéro XII.
355. GM, 16 mai 1793, 4e page, col. 2, numéro XX.

au dit apprenti sa dite profession». Dans le même temps, Alexandre Gunn devait suivre «des leçons d'écriture et d'arithmétique» chez son père. Le jeune homme s'engageait à exécuter «tout ce qu'un bon et fidèle apprenti doit et est obligé de faire»[356]. Le 11 mai 1786, la *Gazette de Montréal* rapportait la fuite d'un esclave de la *Gazette de Québec:*

> Échappé de la prison de cette ville, samedi le 18 février dernier, un nègre esclave nommé Joe, né en Afrique, âgé de vingt-six ans, haut d'environ cinq pieds sept pouces, un peu picoté, a plusieurs cicatrices sur les jambes, parle français et anglais, son métier: imprimeur à la presse...

L'imprimeur de la *Gazette de Québec* offrait une récompense de trois guinées pour sa capture[357]. Ce Joe en était à sa huitième fuite depuis 1777. Ce ne fut qu'après la mort de Brown qu'il put regagner sa liberté, en fuyant à jamais l'imprimerie, au mois d'août 1789[358].

Dès sa séance du 28 janvier 1793, la Chambre d'assemblée du Bas-Canada entendait le député Pierre-Louis Panet proposer une loi pour «l'abolition de l'esclavage en la province». Le 19 avril suivant, le député Pierre-Amable de Bonne demandait le rejet du projet de loi. Ce qui fut acquis par trente-et-une voix contre trois[359]. Dans le même temps, la Chambre d'assemblée du Haut-Canada décrétait qu'il serait désormais défendu d'introduire de nouveaux esclaves sur son territoire[360]. Alors que le Québec conservait son système d'esclavage, le Haut-Canada devenait, dès 1793, une terre de liberté pour les esclaves parvenant à s'échapper des colonies voisines.

La *Gazette de Montréal* avait repris en fait, mais d'une manière plus vigoureuse, le combat de la *Gazette littéraire* pour une justice plus équitable dans la province. Toujours opposé aux

---

356. Contrat d'embauche d'Alexandre Gunn comme apprenti de Fleury Mesplet, le 5 décembre 1789: greffe du notaire Jean-Guillaume Delisle, ANQM. Cité dans *The First Printer*, op. cit., pp. 271, 272.
357. GM, 11 mai 1786, 4e page, col. 2, numéro XIX.
358. TRUDEL, Marcel.- *L'esclavage au Canada français.*- Montréal; Horizon, 1963 (Édition abrégée).- pp. 81, 82.
359. Voir le compte rendu des séances de la Chambre d'assemblée où il a été question d'abolir l'esclavage, dans LA SOCIÉTÉ HISTORIQUE DE MONTRÉAL.- *Mémoires et documents relatifs à l'histoire du Canada.*- Montréal; Duvernay, 1859.- pp. 27, 28.
360. *L'esclavage au Canada français* (Édition abrégée), op. cit., p. 105.

abus, le périodique de Mesplet réclamait une réforme judiciaire et l'abolition de l'esclavage. Ce combat et les autres conduits pour une nouvelle constitution, contre la superstition et pour un enseignement public, se livraient dans un contexte historique particulier qui ne pouvait pas ne pas les aviver et les éclairer, celui de la Révolution française.

Chapitre 17

La Révolution française

L'événement du siècle, la Révolution française, occupa une place prépondérante dans la *Gazette de Montréal*. De 1788 à 1794, il n'y a pratiquement aucun numéro qui ne traite de ce qui se passe en France. Plus les événements se précipitent, plus l'espace qui leur est consacré augmente. De la réunion de l'assemblée des notables à celle de la Convention, la *Gazette de Montréal* rapporte consciencieusement les faits. À la différence des deux journaux concurrents, la *Gazette de Québec* et le *Quebec Herald*, les commentaires sont aussi importants que la relation de l'événement. Dans l'ensemble, le journal de Mesplet donne son appui à la montée du Tiers-État, c'est-à-dire de la bourgeoisie contre l'aristocratie et le clergé. La *Gazette de Montréal* ne paraît pas envisager les informations en provenance de France comme de la nouvelle étrangère mais plutôt comme des faits par lesquels chaque lecteur peut se sentir concerné. Ce qui explique les réactions locales, par exemple, contre le système seigneurial ou en faveur de la suppression des fêtes relïgieuses. La «couverture» de la Révolution française s'imposait d'autant plus au diffuseur des Lumières que le mouvement tendait à réaliser les grands idéaux humanitaires des Philosophes dans une France à rénover, dans un monde à rebâtir pour le bonheur du plus grand nombre.

Dans une société comme celle du Québec où l'Acte de 1774 avait renforcé le pouvoir de l'Église et des seigneurs sur une

357

population presque entièrement analphabète, la Révolution française effrayait l'élite traditionnelle et encourageait la bourgeoisie pensante. Les grandes démonstrations populaires des débuts ne laissèrent sûrement pas indifférente une partie du peuple si l'on s'en rapporte aux craintes du gouvernement colonial et de l'Église. Des faits comme la prise de la Bastille, la Nuit du 4 août, la fuite et l'arrestation du roi, la chute de la royauté, la décapitation de Louis XVI, la déclaration de guerre entre la France et la Grande-Bretagne sont d'autant moins reçus dans l'indifférence générale qu'on les perçoit comme autant d'étapes d'une marche inexorable de la Liberté détruisant la plus prestigieuse monarchie d'Europe et la remplaçant par la république. La puissance de l'Église elle-même semblait chanceler sur ses bases. Pour une partie des lecteurs de la *Gazette de Montréal*, la plus nombreuse semble-t-il, la Révolution française fit naître une espérance nouvelle.

On peut distinguer trois phases successives dans les façons dont Mesplet présentera la Révolution française à son public. À partir du 27 mars 1788 jusqu'au 8 avril 1790, l'éditeur insistera sur le rôle commun de la bourgeoisie et du peuple dans le mouvement révolutionnaire. Entre le 15 avril 1790 et le 4 août 1791, il sera plus spécialement question de l'Église face à la Révolution. Enfin, du 11 août 1791 au 16 janvier 1794, la *Gazette de Montréal* s'intéressera au cheminement et à l'application de l'idéologie républicaine en France.

Dès le début de la Révolution, Mesplet publiait une série de textes soutenant la cause de la bourgeoisie dans sa lutte contre la noblesse. Le 2 juillet 1789 paraissaient les «litanies»; le 9, le pater, l'ave et le credo du Tiers-État. Ces textes sont très importants car, sous forme de prières courantes, en France comme au Québec, ils répandent les revendications de la bourgeoisie et du peuple. Les invocations s'adressaient en premier lieu au roi que beaucoup d'esprits libéraux persistaient à regarder comme un nouvel Henri IV. Enfin, dans le pater, dans l'ave et le credo, la Philosophie était priée d'établir parmi les hommes sa fille la Raison, sans laquelle ni l'Égalité, ni la Liberté ne pouvaient apparaître. Voici des extraits des litanies du Tiers-État:

— Sire, ayez pitié de nous.
— Roi bienfaisant, écoutez-nous.
— Sire, ayez pitié de nous.
— Père du peuple, exaucez-nous.
— Marie-Antoinette, priez pour nous.
— Monsieur, frère du roi, duc d'Orléans,

358

— Princes et princesses qui aimez l'État,

— Paris qui avez opiné en faveur du peuple à l'Assemblée des notables

(...)

— Nobles qui avez défendu les droits du Tiers-État,

(...)

— Prélats patriotes et vraiment religieux, priez pour nous.

(...)

— Ecclésiastiques de tout rang qui aimez le peuple, priez pour nous.

(...)

— Magistrats populaires, intercédez pour nous.

(...)

— De tout mal, délivrez-nous sire.

(...)

— De toutes vexations, friponneries, ruses, formalités enfantées par la chicane.

— De l'inquisition de la presse, des méchants qui veulent s'opposer aux États-Généraux... délivrez-nous sire.

(...)

— De l'hérédité de la noblesse...
Des restes désastreux de l'iniquité féodale...
De l'égoïsme et de l'ambition du clergé
...délivrez-nous sire.

(...)

— Par votre amour pour votre peuple, écoutez-nous.

(...)

— Corps de la Nation, nous vous prions
Pour que le Tiers-État soit enfin rétabli dans ses droits éternels.

(...)

Pour que la noblesse ne s'engraisse plus de notre sang.

(...)

Necker! Necker! qui faites l'espoir de la France, secondez-nous.

(...)

Sire, écoutez-nous. Et que nos cris parviennent jusqu'à vous.

Oremus

Ô! Vous, le plus vertueux des rois! Vous qui ne voulez que le bonheur de vos sujets; qui nous aimez comme Henri IV aimait nos pères, et nous regardez tous comme vos enfants! Daignez, sire, achever avec une fermeté intrépide ce que vous avez si généreusement commencé... Que nous n'ayons tous, sire, que les mêmes droits ...Et si la Noblesse et le Clergé osent trahir les voeux de votre coeur, et briser les liens qui les attachent à la Nation, qu'ils apprennent, par votre exemple, que la Nation ne dut jamais sa gloire à d'orgueilleuses chimères, que ce n'est pas d'eux qu'elle attend son bonheur; que la véritable noblesse consiste non à se glorifier d'une longue suite d'aïeux auxquels on a cessé de ressembler, mais à se dévouer sans réserve et sans intérêts au besoin de l'État, et on saurait faire (sic) la différence qu'il y a entre un corps d'hommes actifs, industrieux, éclairés et courageux, à (sic) une foule d'illustres fainéants et de dévots égoïstes. Ainsi soit-il[361].

Voici maintenant le pater du Tiers-État:

Notre Père, qui êtes à Versailles, que votre nom soit adoré! (...)

Et toi, Necker, toi le restaurateur de la chose publique, toi le protecteur de la justice du Tiers-État, toi qui seul suffirais pour ennoblir cette classe, puisses-tu ne jamais oublier «qui es».

Montre-toi le vengeur de la liberté outragée, punis ces aristocrates qui, déjà souillés par la défense d'une cause injuste, se deshonorent par des actions de lâcheté... (...)

Égalité sainte, Égalité fondée par la nature! ton empire est aboli; nous rampons sous le joug des grands; ils nous méprisent; ils nous traitent avec barbarie et nous font trop éprouver qu'en France il n'existe de toi que «nomen tuum».

Liberté, droit sacré, droit imprescriptible: Liberté, après laquelle chacun de nous soupire, viens enflammer nos coeurs généreux, inspire-nous, dirige-nous, et qu'enfin «adveniat regnum tuum».

Et toi peuple, brise tes fers, secoue le joug, recouvre les droits qui te furent injustement ravis, abolis les monuments de ton esclavage...

Hommes nobles! si l'amour du bien public vous anime, si vous désirez recouvrer l'estime des honnêtes gens, des bons citoyens, consentez à l'abolition de vos privilèges injustes, extirpez la féodalité, le droit de chasse, etc. Et si, comme le Tiers, vous voulez contribuer à la liquidation des dettes de l'État, si vous consentez, de bon gré, à sacrifier un peu de cet or qui vous paraît si précieux «da nobis hodie».

(...)

Mais surtout, ne croyez pas nous en imposer: ne croyez pas tromper les yeux clairvoyants de 23 millions d'âmes d'hommes; ne croyez pas, par des discours captieux, éblouir les esprits, leur donner le change, et nous faire tomber dans vos filets. Épargnez-nous des peines inutiles «et ne nos inducas in tentationem».

---

361. GM, 2 juillet 1789, 2e et 3e pages, col. 2, numéro XXVII.

Un roi juste et bon veille sur les intérêts de son peuple; un ministre éclairé, que la cabale n'épouvante pas, sourd aux réclamations de l'injustice, zélé partisan de la Vérité, défend nos droits et notre cause. Ô Necker! Noble roturier! Ton nom parviendra d'âge en âge jusqu'à nos derniers neveux. Continue ta brillante carrière. Délivre-nous de l'oppression, méprise les serpents de l'envie, ne te laisse pas ébranler par la brigue «sed libera nos a malo»[362].

À la suite du pater, l'ave du Tiers-État:

Je te salue, ô saine Philosophie! Philosophie pleine de grâces! Répands sur nous tes faveurs, fixe à jamais ta demeure parmi nous; tu seras célébrée par dessus toutes choses, et la Raison, objet de tes tendresses et de ta sollicitude, sera bénie dans tous les siècles des siècles.

Je te salue, ô Liberté dont l'aurore commence à poindre parmi nous. Je t'adresse mes voeux et mes prières. Daigne écouter les accents de ma faible voix, daigne écouter les hommages que t'adresse le Corps national, entends ses justes réclamations, protège ses demandes; que ton bras vengeur écrase, foudroie les auteurs de la tyrannie...

Je te salue, Égalité sainte, Égalité primitive, sans laquelle nulle liberté ne peut exister; Égalité qu'on traite de chimère, et qui bientôt va se réaliser à nos yeux...

Je te salue, ô Régénération future de ma patrie, Régénération qui ceindra le bandeau sur les yeux de Thémis, et l'empêchera de distinguer le grand du petit, le riche du pauvre, le fort du faible. Régénération qui donnera à la France une constitution politique, une constitution solide et durable, constitution qui abolira les restes de la servitude et de la barbarie, qui assignera à chaque classe de citoyens un état libre et indépendant, qui accordera l'estime et la protection au laboureur, à l'artisan, et généralement à tout Français du Tiers.

Je te salue, Code de lois attendu avec tant d'impatience. Nous apprendrons donc enfin à défendre les droits de la veuve et de l'orphelin, sans les réduire à la mendicité. Nous allons donc abandonner un ramas indigeste de lois qui contredisaient dans un passage ce qu'elles avançaient dans un autre, nous allons donc briser les autels de ce monstre qui régnait depuis si longtemps en France, chasser ce vampire qui suçait la fortune des particuliers, et ne leur laissait, à la place d'un monceau d'or, qu'un vain tas de papiers, couper la tête de cette hydre toujours renaissante nommée Chicane.

---

362. GM, 9 juillet 1789, 1ère page, col. 2, numéro XXVIII.

Je vous salue, ô vous tous députés à l'assemblée des États-Généraux, vous entre les mains de qui la Nation remet ses intérêts; vous représentants, nos amis, nos compatriotes, nos frères: vous les dépositaires de nos volontés, et les défenseurs de nos droits. Déployez aux yeux du monarque, qui vous présidera, le patriotisme dont vos coeurs sont enflammés; plaidez, avec l'éloquence de la vérité, la cause de 23 millions d'hommes...

Je te salue, ô mon roi, ô Titus de la France! Souverain bien-aimé du peuple dont tu te montres le digne et tendre père...[363]

Et pour clore cette liturgie, le credo du Tiers-État:

Je crois en l'Égalité que le Dieu tout-puissant, créateur du ciel et de la terre, a établie parmi les hommes. Je crois en la Liberté, qui a été conçue par le courage et est née de la magnanimité, qui a souffert avec Brienne et Lamoignon, a été crucifiée, est morte, a été ensevelie, est descendue aux enfers; qui bientôt va ressusciter des morts; va paraître au milieu des Français, sera assise à la droite de la Nation, d'où elle viendra juger le Tiers-État et la Noblesse.

Je crois au roi, au pouvoir législatif du peuple, à l'assemblée des États-Généraux, à la répartition plus juste des impôts, à la résurrection de nos droits et la vie éternelle. Ainsi soit-il[364].

Mesplet fut le seul éditeur, dans la colonie, qui sut vulgariser avec une rare habileté les idéaux animant le mouvement révolutionnaire à ses débuts. Les quatre textes que nous venons de lire contiennent l'essentiel du message. En empruntant la forme de prières, sans cesse murmurées dans la province, ces textes diffusés par la presse, permettaient de mieux fixer dans la mémoire les principales revendications de la bourgeoisie identifiant ses demandes à celles de la totalité du peuple, de la Nation. Comme l'Acte de Québec avait renforcé les droits de l'Église et des seigneurs, il est clair que les allusions à la noblesse et au clergé de France ne pouvaient laisser personne indifférent. Quand on débattait de privilèges à faire disparaître, il y avait un écho dans la province. Les esprits libéraux croyaient que la monarchie serait l'instrument de la régénération de la France. Le ministre Necker créait l'euphorie. La bourgeoisie avait conscience que la tenue des États-Généraux constituerait une étape décisive pour amorcer une transformation du régime qui rendrait justice au Tiers-État. La fin des litanies n'oppose pas sans raison «un corps d'hommes actifs, industrieux, éclairés et courageux, à une foule

---

363. GM, 9 juillet 1789, 2e page, col. 2, numéro XXVIII.
364. GM, 9 juillet 1789, 3e page, col. 2, numéro XXVIII.

d'illustres fainéants et de dévots égoïstes». Comme ils le disent dans le pater, les bourgeois sont las du «joug des grands» qui les «traitent avec barbarie». Au nom de la Liberté, le peuple est invité à briser ses fers. Il faut abolir «la féodalité». L'ave est un appel à la «saine Philosophie», celle de Voltaire et des Encyclopédistes, celle qui prend la Raison pour «objet de ses tendresses». On aura remarqué l'invocation à l'Égalité, dont la règle «va se réaliser à nos yeux». Il faudra se donner «une constitution solide et durable» et un code de lois marqué au coin de la droiture. Les députés à l'assemblée des États-Généraux sont les dépositaires des volontés de la Nation et les défenseurs de ses droits. C'est l'époque, dit-on dans le credo, où la Liberté paraît enfin parmi les hommes.

Mais la bourgeoisie ne désespère pas encore d'en venir à une entente avec la noblesse, quelles que soient les difficultés. C'est ce qui ressort des numéros des 30 juillet et 6 août 1789. Le premier texte est une «Déclaration de Madame Noblesse sur le projet d'alliance matrimoniale entre elle et Monsieur Tiers-État»:

(...)

Madame Noblesse a encore sujet de craindre que Monsieur Tiers-État ne soit infatué des idées chimériques de la Franc-Maçonnerie, et par conséquent du système de liberté et d'égalité qui en fait l'âme...

(...)

Pour qui seront ses faveurs, si ce n'est pour une dame qui ne vit que de privilèges, et qui, supérieure ou vulgaire, se glorifie d'être de la race des héros!... n'est-elle pas la vive image de la Divinité?... Que Monsieur Tiers-État cesse donc d'être jaloux des faveurs qu'elle a pu recevoir; elles sont une suite nécessaire des traits qui constituent en elle l'image des choses célestes...

(...)

En général, elle se défie de l'esprit réformateur, qui n'est souvent qu'un esprit destructeur... Quant à tout ce qui tient à la féodalité, Madame Noblesse déclare qu'elle se laisserait plutôt arracher les cheveux que d'y renoncer...

On saura s'il y aura mariage ou non aux États-Généraux[365].

«Le dernier mot du Tiers-État à la noblesse de France» parut le 6 août 1789:

---

365. GM, 30 juillet 1789, 3e page, col. 2, numéro XXXI.

Dans les circonstances présentes, où l'harmonie est si nécessaire entre les différents ordres de l'État, la Discorde agite ses flambeaux, et divise les esprits. On fait des voeux pour la réformation des abus, et les deux premiers ordres du royaume parlent de privilèges et de droits, comme si, dans une calamité publique, on devait encore songer à ces distinctions...

(...)

...C'est le Tiers-État qui fait la force et la richesse du royaume. Il est agriculteur et commerçant; c'est lui qui remplit le trésor de l'État, et pour qui? Pour la noblesse.

(...)

...la noblesse jouit de tout, possède tout, et elle voudrait s'affranchir de tout. Le clergé paraît aujourd'hui ne plus tenir à ses prétentions. Il laisse à la noblesse le soin de les faire valoir, parce que si elle réussissait dans les siennes, il saurait bien en tirer des inductions et des arguments en sa faveur. Mais le Tiers-État, éclairé sur ses droits, trompera les efforts de la ligue.

Le rédacteur contestait ensuite les allégations d'un mémoire présenté au roi par les princes au nom de la noblesse. Le Tiers-État ne préparait pas une révolution. Il ne mettait pas «les droits du trône en question». La noblesse n'a qu'à travailler autant que lui et tout ira bien dans le pays[366].

Dans un «Avis aux Parisiens» publié le 16 juillet 1789, un appel était lancé en faveur d'un front commun du peuple et de la bourgeoisie contre les privilégiés:

...élevez-vous contre le clergé, la noblesse et la magistrature ligués ensemble; ne souffrez pas qu'environ 600 mille hommes fassent la loi à 24 millions. Entendez-vous le clergé réclamer ses immunités et ses franchises? la noblesse ses privilèges? la magistrature ses prérogatives? comme s'il n'était pas honteux de parler de franchises, d'immunités, de privilèges, quand l'État a des besoins, quand la majeure partie de la Nation est dans la misère! Rangez-vous autour du roi; formez un mur de séparation; maintenez son autorité et l'indépendance de la Couronne...

(...)

...Unissons-nous de coeur et de sentiment puisque le clergé, la noblesse et la magistrature veulent faire corps à part, rompons toute communication avec eux...

(...)

...Peuples, songez au fardeau que vous portez. Regardez autour de vous les palais, les châteaux construits avec vos sueurs

---

366. GM, 6 août 1789, 2e page, col. 2, numéro XXXII.

et vos larmes; ces routes que vous avez frayées, retentissent encore de vos gémissements. Comparez votre situation avec la situation de ces prélats, de ces bénéficiers, de ces grands, de ces sénateurs. Que recevez-vous d'eux, pour tous les bienfaits dont vous les comblez, pour tous les respects que vous leur rendez? le mépris. Ils vous appellent canailles! Faites voir que la canaille est celle qui vit à vos dépens, et qui s'engraisse de vos travaux[367].

Dans le numéro du 23 juillet 1789, Mesplet publiait le texte d'une «pétition des curés» protestant contre la richesse de l'Église et la misère du peuple:

> Nous sommes membres du clergé, mais nous sommes aussi les protecteurs des pauvres qui forment une classe considérable du Tiers-État: leurs intérêts sont sacrés pour nous, et nous devons les défendre plutôt que les intérêts particuliers du corps dont nous sommes membres.
>
> (...)
>
> La misère est extrême dans nos campagnes... combien de familles entières qui se trouvent sans pain, presque sans vêtements, exposées à toutes les rigueurs de l'hiver! Combien de pauvres veuves, de vieillards infirmes, d'orphelins en bas âge, qui sont réduits à la dernière indigence!

Les curés suggéraient de soulager cette misère en entamant

> les revenus immenses de ces prieurés, de ces abbayes, de ces monastères qui se trouvent dans chaque diocèse. Les prieurs, les abbés et les moines seront toujours assez riches, et les malheureux secourus[368].

Enfin, la *Gazette de Montréal* du 15 octobre 1789 faisait écho à l'euphorie régnant à Paris après la prise de la Bastille, en publiant, «avec une vraie satisfaction», le discours prononcé par Moreau de Saint-Méry devant l'assemblée des électeurs de la capitale, le 29 juillet 1789:

> Électeurs de Paris, citoyens et Français, l'époque glorieuse est enfin arrivée où la France va briser ses chaînes, sortir de son obscurité et être animée par la chaleur des brillants rayons du soleil de la Liberté. Cet instant est des plus importants, l'avantage inappréciable, car les droits les plus nobles de l'humanité et le bonheur de plusieurs millions d'hommes, doivent être à présent ou jamais affermis et assurés. Si nous réussissons, les siècles à venir nous honoreront comme des héros, nous adoreront comme

---

367. GM, 16 juillet 1789, 2e et 3e pages, col. 2, numéro XXIX.
368. GM, 23 juillet 1789, 2e et 3e pages, col. 2, numéro XXX.

des divinités. Et le salut de notre patrie va être la grande récompense que nous allons immédiatement recevoir...

...soyez donc fermes, unis, modérés, mais néanmoins toujours inébranlables; nous avons gémi longtemps dans l'esclavage, et nous avons été traités avec ignominie; nous étions cependant un peuple éclairé, sincère et vrai, quoique brave par caractère, généreux par inclination, courageux dans l'action; nous avons été esclaves et nous étions alors tous patriotes! Réjouissez-vous, hommes vertueux, hommes d'honneur, et vous hommes sages, le patriotisme en France n'est plus un crime. Il est à présent fondé sur la raison et appuyé sur la vérité. L'abominable et l'inhumain instrument de l'inflexible despotisme est détruit, la Bastille est anéantie...

Il est nécessaire, mes amis, de nous rappeler souvent que les rois ne sont respectables qu'autant qu'ils sont utiles; s'ils ne règnent que pour eux-mêmes, ou s'ils sacrifient le bien public à leur inclination particulière, on doit les regarder comme des monstres destructeurs qui méritent eux-mêmes d'être détruits.

Un monarque n'a qu'une supériorité factice et non pas une autorité naturelle: l'intention première de son élévation n'a eu pour but que le bien général, et le peuple n'est plus obligé de lui obéir sitôt qu'il cesse de mériter son obéissance.

Saint-Méry fait alors état de

conseils pernicieux qui ont été prêts à engager notre doux monarque à porter la désolation dans sa capitale. Oui, il est certain que l'intention de la cour était d'attaquer Paris avec une armée, laquelle conduite par des nobles orgueilleux qui méritent d'être esclaves, devait établir l'autorité par le sang, et notre soumission par le carnage. Bien plus, cet horrible plan avait été concerté sous les auspices d'une furie du premier rang, et devait être exécuté par des assassins illustres et des scélérats du sang royal. Néanmoins par un coup du ciel, il n'a pas été effectué: une armée de Français a refusé de massacrer ses frères, et elle s'est jointe à eux pour soutenir la cause commune. Par une telle conduite, non seulement ils se sont couverts de lauriers que le temps ne peut flétrir, mais ils ont aussi donné une utile leçon au despotisme, et ont ébranlé le trône de tous les tyrans.

Mais quoique notre patrie ait échappé à sa perte, il ne faut pas se bercer d'illusions. D'autres dangers nous guettent:

Le premier effort d'un peuple libre doit le porter à soutenir convenablement des lois bonnes et impartiales, autrement tout ne sera qu'anarchie, violence et désolation.

Nos lois deviendront même supérieures à celles dont les Anglais sont si fiers.

...vingt-quatre millions d'habitants, dans le plus beau et le plus fertile pays de l'univers, regagnent leurs droits naturels, et s'élançant tout à coup dans la sphère de la liberté, délice inexprimable! L'ignorance, l'oppression, l'art de ramper et le préjugé vont disparaître, tandis que la sagesse, le génie et la vertu vont s'élever en triomphe...[369]

Ce discours de Moreau de Saint-Méry, mis en regard avec le compte rendu de la prise de la Bastille, dans le numéro du 15 octobre 1789, donne une idée de la façon dont a procédé Mesplet pour «couvrir» la Révolution française. L'allocution de Saint-Méry nous communique sur le vif l'esprit des patriotes libéraux: haine du despotisme, amour de la patrie, respect des droits de l'homme. Le tout «fondé sur la raison et appuyé sur la vérité» de la Philosophie. Ce discours officiel permet aussi de reproduire des blâmes sévères à l'endroit du système monarchique, qu'il soit français ou britannique. Par la publication de documents et de commentaires, Mesplet dépasse l'événementiel bien qu'il ne le néglige pas. Par exemple, dans ce numéro du 15 octobre 1789, tout l'espace rédactionnel, soit trois pages, est réservé aux dépêches venant de France. Nous trouvons, en plus du discours de Saint-Méry, la description de la prise de la Bastille[370], le discours de Louis XVI à l'Assemblée nationale, le 16 juillet[371], un commentaire du *Morning Post* sur «le changement qui s'est opéré tout à coup dans le caractère national des Français»[372] et l'adresse de l'Assemblée nationale exigeant le départ des troupes encerclant Paris et Versailles[373].

Mais avant d'en venir à l'essentiel de cette première phase où la *Gazette de Montréal* montre la bourgeoisie et le peuple unis dans un même mouvement révolutionnaire, notons que Mesplet avait fait état des tentatives de réforme ayant eu lieu avant le déclenchement des événements, en particulier de l'Édit en faveur des protestants et des ordonnances sur l'administration de la justice: dix-sept numéros de 1788 traitaient de ces questions. L'existence légale reconnue aux protestants donnait lieu à des rappels de l'esprit d'intolérance dont on avait fait preuve à leur égard, et l'édit était publié intégralement les 26 juin, 3 et 10

---

369. GM, 15 octobre 1789, 2e page, col. 1, 2, numéro XLII.
370. GM, 15 octobre 1789, 2e page, col. 2, 3e page, col. 1, numéro XLII.
371. GM, 15 octobre 1789, 1ère page, col. 1, numéro XLII.
372. GM, 15 octobre 1789, 1ère page, col. 1, numéro XLII.
373. GM, 15 octobre 1789, 3e page, col. 2, numéro XLII.

juillet 1788[374]. Quant à la réforme judiciaire, elle inspirait au rédacteur de la *Gazette de Montréal* du 4 septembre 1788 le commentaire suivant:

>...on ne verra plus enfin les lois interprétées par des hommes qui ne sont pas encore en état de les entendre, et les tribunaux deviendront véritablement le sanctuaire de la justice[375].

Or on se souvient que dans le même temps une enquête était en cours dans la colonie sur l'administration de la justice. Tout en faisant paraître intégralement, réparti sur sept numéros, le texte des ordonnances de Louis XVI[376], la *Gazette de Montréal* n'hésitait pas à faire connaître ses positions par ses commentaires. Ainsi, dans le numéro du 11 septembre 1788:

>Si les premiers moments de la fermentation qu'excitent les plaintes et les réclamations innombrables des intéressés ne permettent pas à tout le monde de juger froidement de ce qui vient d'arriver en France, nous croyons pouvoir annoncer que chaque citoyen ne tardera pas à voir qu'en portant la simplicité dans le dédale des lois, on s'est occupé de ses intérêts; qu'en réformant le code criminel, on a rempli un devoir, le plus sacré de l'humanité; qu'en établissant les assemblées provinciales, on a mis la nation à portée de s'éclairer et de s'élever au niveau qu'elle peut attendre; que la vérification du vingtième est juste, et que celui qui recueille le plus doit payer davantage; que l'Édit des protestants, émané d'un principe philosophique, honore non seulement ceux qui l'ont rédigé, mais le siècle... Nous sommes peut-être les premiers à le dire hautement, mais quelque (sic) soit l'opinion actuelle de quelques individus, l'opinion générale ne tardera pas à se concilier avec des changements qui sont évidemment pour le bien de la chose publique et pour le bonheur du peuple[377].

Avec les États-Généraux, le mouvement réformiste prenait une tangente révolutionnaire. D'où la floraison d'une littérature inspirée par la bourgeoisie qui se disait solidaire du peuple; on se rappelle par exemple ces pater et ave qu'avait reproduits la *Gazette de Montréal*. Ce qui n'empêchait pas le journal de donner, le plus souvent, intégralement, le texte des harangues du roi

---

374. GM, 26 juin (3e page, col. 2), 3 juillet (2e et 3e pages, col. 2), 10 juillet 1788 (1ère et 2e pages, col. 2): numéros XXVI, XXVII, XXVIII.
375. GM, 4 septembre 1788, 2e page, col. 2, numéro XXXVI.
376. GM, 14 août (2e et 3e pages, col. 2), 21 août (2e et 3e pages, col. 2), 28 août (2e page, col. 2), 4 septembre (2e et 3e pages, col. 2), 11 septembre (2e et 3e pages, col. 2), 25 septembre (1ère, 2e et 3e pages, col. 2), 2 octobre 1788 (2e et 3e pages, col. 2): numéros XXXIII, XXXIV, XXXV, XXXVI, XXXVII, XXXIX, XL.
377. GM, 11 septembre 1788, 2e et 3e pages, col. 2, numéro XXXVII.

aux États-Généraux puis à l'Assemblée nationale. Ces discours étaient aussi une occasion de réflexions, comme celle d'un rédacteur dans le numéro du 15 octobre 1789 à propos du mot Assemblée nationale prononcé par Louis XVI:

> Le mot Assemblée nationale, consacré dans le discours du roi, a causé parmi les vrais patriotes une joie inexprimable. Le nom d'États-Généraux portait avec lui toutes les idées gothiques et féodales désordonnées qui ont donné lieu aux troubles antérieurs, au lieu que celui d'Assemblée nationale se trouvait naturellement dégagé de toutes les erreurs de l'histoire, c'est un mot neuf, c'est une idée neuve qu'on ne peut combattre avec des faits, ni des préjugés historiques. La raison seule offre ses armes, et on sait quels progrès elle a faits depuis peu de temps.

Allusion entre autres à la prise de la Bastille, ce «terrible château», ce «boulevard du despotisme» où se commettaient des atrocités de tout genre «contre des citoyens de tous les rangs». D'après le rédacteur, le roi ignorait cette situation, sans cela «il aurait frémi et ordonné dans sa sagesse» la destruction de la Bastille[378]. Dans deux commentaires sur «la régénération» de la France, les 22 et 29 octobre 1789, la *Gazette de Montréal* affirmait que «les vrais patriotes n'ont trempé en aucune manière dans les meurtres qu'a commis à Paris un peuple furieux et égaré».

> Ces excès n'ont été commis que par cette classe nombreuse du peuple qui n'a besoin que de prétextes pour exciter des tumultes. Toutes les grandes villes sont remplies de la même espèce d'hommes qui devient terrible quand une fois elle s'est écartée de l'ordre dans lequel il importe à tous les honnêtes gens de la retenir[379].

Il est impossible d'attribuer

> la mort d'aucune des victimes de la fureur populaire à la bourgeoisie. Il n'est pas surprenant qu'une populace ignorante et effrénée, au milieu de laquelle se trouvent plusieurs milliers de vagabonds, se soit portée à des atrocités; mais nous devons rendre aux bourgeois de Paris la justice qui leur est due...[380]

En dépit de ces dénégations, la *Gazette de Montréal* était remplie de dépêches montrant quelles très nombreuses répercussions la prise de la Bastille avait eues en province. Voici par exemple ce qu'on rapportait dans le numéro du 5 novembre 1789:

---

378. GM, 15 octobre 1789, 1ère page, col. 2, numéro XLII.
379. GM, 22 octobre 1789, 3e page, numéro XLIII.
380. GM, 29 octobre 1789, 1ère et 2e pages, col. 2, numéro XLIV.

À Lyon, M. Imbert, prévôt des marchands, ayant reçu la nouvelle de la prise de la Bastille... fit assembler tous les citoyens et leur remit les clés de Pierre-Encise et celles de l'arsenal, en leur disant de s'armer, lorsqu'ils le croiraient nécessaire... On démolit seulement la fameuse prison d'État de Pierre-Encise... Dans la Franche-Comté, le peuple, il faut lire la populace, s'est porté aux excès les plus affreux. Non content de ravager toutes les possessions des nobles, on a pillé les églises, et commis d'horribles déprédations dans la principauté de Montbéliard. Les paysans veulent forcer le prince à renoncer à tous ces privilèges. Au Mans, un gentilhomme de la famille de Montesson a été décapité: son frère et un autre membre de l'assemblée, qui venaient demander de nouveaux pouvoirs à leurs commettants, ont été assaillis par une populace innombrable, qui les ont précipités eux et leurs voitures dans une rivière où ils ont failli être noyés. On attribue tous ces excès au système de brigandage qui devait être opposé à celui des citoyens qui réclament leur liberté, afin de les dégoûter du changement qu'ils voudraient opérer dans le gouvernement. Les ordres sont donnés, et le pillage a, dit-on, été promis; les brigands attendent qu'on leur tienne parole...[381]

Quand elle rapporta l'abolition des droits féodaux, la *Gazette de Montréal* du 3 décembre 1789 dit espérer que cette décision des nobles mettrait

un terme salutaire à toute fermentation populaire. On compte plus de soixante châteaux et abbayes brûlés en Franche-Comté, dans le Dauphiné, le Bourgogne, le Lyonnais et le Maconnais...[382]

C'était dans le même temps que la *Gazette de Montréal* combattait les seigneurs de la province pour leur opposition acharnée à une chambre d'assemblée. Mesplet publiait alors ses lettres d'un Voyageur sur la Constitution de la France, dont il a déjà été question. Quant à la Déclaration des droits de l'homme et du citoyen, nous n'en trouvons le texte intégral dans aucun numéro de la *Gazette de Montréal*. Il semble impossible que Mesplet ne l'ait pas imprimée, par exemple dans un encart ou sous forme de feuille volante pouvant être affichée. Pour sa part, la *Gazette de Québec* publiait la Déclaration le 19 novembre 1789[383] puis à deux autres reprises, en tête de la constitution française, le 4 février 1790 et le 29 décembre 1791[384]. La *Gazette*

381. GM, 5 novembre 1789, 3e page, numéro XLV.
382. GM, 3 décembre 1789, 1ère page, col. 2, numéro XLIX.
383. GQ, 19 novembre 1789, 1ère page, numéro 1207.
384. GQ, 4 février 1790, 1ère, 2e et 3e pages, col. 1, 2, numéro 1278; GQ, 29 décembre 1791, 1ère et 2e pages, col. 1, 2, numéro 1382.

de Montréal aussi faisait paraître la constitution française, le 17 novembre 1791, mais sans préambule[385]. Quant au *Quebec Herald*, il donnait le texte intégral de la Déclaration des droits de l'homme et du citoyen, le 4 avril 1791[386]. Sans doute, les articles publiés dans la *Gazette de Montréal* font-ils souvent allusion à la grande Déclaration mais le texte même ne se trouve ni dans la collection de la *Gazette de Montréal* ni dans les papiers personnels de Mesplet. Celui-ci reproduisit toutefois l'article 11, ayant trait à la liberté d'expression, dans le numéro du 24 février 1791, et cela dans le contexte de la loi martiale imposée à Paris[387]. Mesplet n'a cessé de faire la promotion des droits humains. Nous le verrons même répandre le livre *Les Droits de l'homme* de Paine. Dans le numéro du 11 février 1790, sont rapportées les déclarations de l'Assemblée nationale affirmant qu'il fallait élever

> graduellement, sur la base immuable des droits imprescriptibles de l'homme, une constitution aussi douce que la nature, aussi durable que la justice... Nous avons eu à combattre des préjugés invétérés depuis des siècles; et mille incertitudes accompagnent les grands changements... Qui oserait maintenant assigner à la France le terme de sa grandeur? Qui n'élèverait ses espérances? Qui ne se réjouirait d'être citoyen de cet empire?[388]

Dans le même numéro, la lettre d'un bourgeois parisien à un citoyen de New Heaven reflétait la même espérance:

> Les progrès de la vérité et de la raison sont incroyables... Ce n'est que depuis la guerre américaine que la faculté de penser est devenue générale en France... Sa constitution, qui est beaucoup avancée, ressemblera à celle de l'Amérique autant qu'il est possible avec un magistrat en chef héréditaire. Si les Français n'avaient pas actuellement de roi, ils n'en éliraient pas...
>
> ...l'évangile de la liberté civile se répandra et sera glorifié. Les nations s'approchent de sa lumière, et les rois de la splendeur de sa naissance. Il est possible qu'avant que dix ans soient écoulés, l'Allemagne, l'Espagne et l'Amérique méridionale soient libres...[389]

Nous voici parvenus maintenant à la deuxième phase annoncée; à partir du 15 avril 1790 jusqu'au 4 août 1791, la *Gazette de Montréal* montrera face à face l'Église et la Révolution. La nationalisation des biens du clergé et la constitution civile du clergé

---

385. GM, 17 novembre 1791, 2e et 3e pages, numéro XLVIII.
386. QH, 4 avril 1791, 7e page (page 159), numéro 20.
387. GM, 24 février 1791, 3e page, col. 2, numéro IX.
388. GM, 11 février 1790, 1ère et 2e pages, col. 2, numéro VI.
389. GM, 11 février 1790, 1ère page, col. 2, numéro VI.

donneront lieu à de nombreux articles. Le pape et les prêtres traditionalistes seront montrés comme dépassés par les événements. D'autre part, la reconnaissance de droits aux non-catholiques sera présentée comme la réparation d'une longue injustice. La Révolution n'a pas détruit l'esprit religieux mais l'a «purifié».

Le 21 octobre 1790, Mesplet publiait en encadré des «vers affichés sur la porte de l'Assemblée nationale envoyés de Paris à un citoyen de Montréal»:

Les vertus, les talents, l'esprit et la science
Après mille débats font pencher la balance:
L'orgueil, le fol orgueil est enfin terrassé.
Tout est libre chez-nous, même la conscience:
Nobles, prêtres, fripons, votre règne est passé.
N'est-ce pas le temps d'en purger notre France[390].

Ce règne de la liberté, et en particulier de la liberté de conscience, s'inaugurait par le démantèlement du clergé comme ordre dans l'État. L'Assemblée nationale décidait la nationalisation des biens ecclésiastiques en mettant au compte de la Nation les charges publiques de l'Église, en particulier l'entretien du culte. Le système des rapports entre l'Église, l'État et Rome était redéfini par la «constitution civile du clergé». Face aux autres cultes qui étaient tolérés, le catholicisme demeurait la religion d'État. Mais ses prêtres, choisis par les électeurs des communes et des départements, devenaient des fonctionnaires salariés, astreints au serment de fidélité envers la Constitution. La papauté se voyait enlever les investitures des évêques[391]. Cette réorganisation générale de l'Église de France n'allait pas sans effrayer le clergé de la colonie, en particulier les Sulpiciens et les Jésuites. Les Sulpiciens de Montréal n'avaient en effet aucune charte et n'avaient légalement droit à aucune de leurs possessions: ce qui faisait que n'importe quel tribunal aurait pu attribuer leurs biens

---

390. GM, 21 octobre 1790, 2e page, col. 2, numéro XLIII.
391. Le 29 décembre 1789, sur la proposition des districts de Paris, l'administration des biens du clergé était transférée aux municipalités, qui devaient mettre en vente pour 400 millions de ces biens. Le grand coup était frappé. Et, dès lors, le clergé, sauf quelques curés de village, amis du peuple, voua une haine à mort à la Révolution - une haine cléricale, et les Églises s'y sont toujours entendues. L'abolition des voeux monastiques vint encore plus envenimer ces haines. Dès lors, dans toute la France, on vit le clergé devenir l'âme des conspirations pour ramener l'ancien régime et la féodalité... (KROPOTKINE, Pierre.- *La Grande Révolution (1789-1793).-* Paris; Stock, 1976.- p. 222.)

à la Couronne[392]. Pour leur part, les Jésuites, en raison de leur petit nombre, ne consacraient plus rien de leurs immenses richesses à l'éducation et, normalement, leurs biens reviendraient au roi[393]. Il faut donc prendre en compte toutes ces appréhensions des différentes institutions religieuses, comme par exemple le puissant Séminaire de Québec, pour comprendre quel impact pouvaient avoir les dépêches et commentaires sur les rapports de l'Église et de la Révolution dans la *Gazette de Montréal*.

Dans le numéro du 9 septembre 1790, les lecteurs apprenaient que

> les décrets qui ont ordonné l'aliénation des biens ecclésiastiques jusqu'à la concurrence de 400 millions ont été reçus avec de grands applaudissements dans Paris.

En commentaire, il était dit que la religion n'était pas abolie parce que l'épiscopat devenait moins riche et que la tolérance était plus grande:

> La religion est-elle détruite parce que l'évêque ne peut plus agir en tyran, et qu'il ne peut plus émaner (sic) des lettres de cachet contre les curés de son diocèse?[394]

Le 16 septembre 1790, la *Gazette de Montréal* faisait paraître le texte intégral du décret de nationalisation des biens ecclésiastiques[395]. Il y avait eu forte résistance contre ce décret et d'autres de l'Assemblée mettant fin à l'Ancien Régime. Mesplet fit sienne, le 3 mars 1791, cette réflexion tirée des *Révolutions de Paris:*

> Que de regrets, que de débats n'a pas fait naître l'abolition de l'impôt désastreux des dîmes et des droits iniques de la féodalité! Depuis ce temps, l'on nous a tendu mille pièges; ces dignes prélats, nageant dans les plaisirs, le luxe et l'abondance, ces moines engraissés de leur douce et sainte nullité, ces nobles inactifs, heureux des tributs énormes des peuples, le croirait-on? voilà les hommes qui s'opposent à la réforme des abus, à la prospérité publique; voilà les hommes qui jouissent de tout et qui ne veulent pas faire de sacrifices à la patrie...[396]

---

392. Le Séminaire de Saint-Sulpice à Montréal n'avait aucune existence légale. Voir la note 138.
393. En 1789, il ne restait plus au Québec que quatre Jésuites, à savoir les pères Jean-Joseph Casot, Thomas-de-Villeneuve Girault, Augustin-Louis de Clapion et Bernard Well. (*Histoire de l'enseignement au Québec*, op. cit., p. 315.)
394. GM, 9 septembre 1790, 1ère page, col. 1 (la dépêche), 2e page, col. 2 (le commentaire), numéro XXXVII.
395. GM, 16 septembre 1790, 1ère et 2e pages, col. 1, numéro XXXVIII.
396. GM, 3 mars 1791, 1ère et 2e pages, col. 1, numéro X.

Mais cela ne peut durer dans «ce siècle éclairé» affirmait un commentateur dans la *Gazette de Montréal* du 10 mars 1791:

> L'Europe est instruite et les friponneries du clergé ne seront plus impunément commises à l'avenir. Le pape lui-même n'est guère plus considéré comme infaillible: son pouvoir est diminué. Il diminue de jour en jour, et sous peu il sera anéanti[397].

La papauté était présentée en fait comme une monstrueuse imposture. Ainsi, la révolte d'Avignon contre l'autorité papale suscita la réflexion suivante dans la *Gazette de Montréal* du 17 mars 1791:

> ...les habitants ne veulent plus être soumis à la domination pontificale, et si le titre de citoyens libres leur paraît préférable à celui d'esclaves de l'Inquisition, c'est un de ces événements que les Lumières et la Philosophie du siècle ont amenés, auquel il n'y a rien à opposer. Les peuples qui veulent être libres le deviennent.

Le pape, selon le rédacteur, devrait accorder la liberté non seulement aux Avignonnais, mais à tous ses sujets. Est-ce qu'un «vice-Dieu» peut se permettre de répandre le sang? Si ce pape le comprend, il ne sera pas le scandale de l'Europe à la différence de certains de ses prédécesseurs, brigands et despotes enragés qui ont allumé

> les guerres de fanatisme et de superstition... ainsi un de ces saints brigands autorisa la conquête du Pérou par les Mexicains [Espagnols], et l'horrible boucherie qu'ils firent de ses paisibles habitants: ainsi l'Inquisition, cet horrible tribunal des consciences, fut sanctionnée par plusieurs successeurs de saint Pierre...[398]

---

397. GM, 10 mars 1791, 2e page, col. 2, numéro XI.
398. GM, 17 mars 1791, 1ère et 2e pages, col. 2, numéro XII. On perçoit dans ces propos une résonance voltairienne. Leur auteur semble nourri de l'*Essai sur les moeurs et l'esprit des nations* où l'on pouvait lire, entre autres:

    ...Les grands égorgeaient et pillaient; ils ne voyaient dans Alexandre VI que leur semblable, et on donnait toujours le nom de saint-siège au siège de tous les crimes. (M. XII-191).

    ...Il [Torquemada] fit en quatorze ans le procès à près de quatre-vingt mille hommes, et en fit brûler six mille avec l'appareil et la pompe des plus augustes fêtes. Tout ce qu'on nous raconte des peuples qui ont sacrifié des hommes à la Divinité n'approche pas de ces exécutions accompagnées de cérémonies religieuses. (M. XII-350.)

    Barthélemi de Las Casas, évêque de Chiapa, témoin de ces destructions, rapporte qu'on allait à la chasse des hommes avec des chiens. Ces malheureux sauvages [de Cuba, d'Hispaniola], presque nus et sans armes, étaient poursuivis comme des daims dans le fond des forêts, dévorés par des dogues et tués à coups de fusil ou surpris et brûlés dans leurs habitations.

    Ce témoin oculaire dépose à la postérité que souvent on faisait sommer, par un Dominicain et par un Cordelier, ces malheureux de se soumettre à la religion chrétienne et au roi d'Espagne; et, après cette formalité, qui n'était qu'une injustice de plus, on les égorgeait sans remords... (M. XII-384.)

Dans le même numéro du journal, un rédacteur s'élevait contre des prières publiques et une procession solennelle ordonnées dans Rome par le pape:

> ...nous invitons les fidèles à se réunir contre les dernières supercheries du haut sacerdoce... Ce n'est plus le temps d'en imposer à la crédulité... Les hommes n'admettent enfin que ce qui ne répugne ni à leur raison, ni à l'humanité. Ô! mon siècle! Ô! Lumière! Ô! Félicité!...[399]

La *Gazette de Montréal* du 14 juillet 1791 rapportait l'opposition du pape à la constitution civile du clergé. Dans un bref, il demandait aux évêques de l'éclairer sur les moyens de détourner les fléaux dont l'Église était menacée (Eh! quoi! s'écriait goguenard le rédacteur, qu'est donc devenue son infaillibilité!)[400]. Ce document pontifical était ainsi commmenté, le 21 juillet 1791:

> ...Il porte l'empreinte de l'ignorance du scribe subalterne qui l'a fait signer au saint père. Nous ne sommes pas dans un siècle où l'on puisse gouverner les peuples par les contes que l'on a substitués aux mensonges mythologiques.
>
> (...)
>
> ...on ne craint plus les excommunications. Si la Cour de Rome avait le malheur de recourir à une ressource aussi futile qu'elle serait atroce par l'intention — qui serait de soulever les esprits faibles —, elle ne tarderait pas à en éprouver les conséquences...[401]

C'était l'imposture du sacerdoce en général qui était dénoncée en commentant l'action des patriotes de la révolution brabançonne, dans la *Gazette de Montréal* du 31 mars 1791:

> ...Les fourberies du sacerdoce ne sont pas nouvelles; elles existaient chez les anciens comme parmi nous; mais elles n'étaient sûrement pas aussi dangereuses...
>
> (...)
>
> ...tout ce qui tend à favoriser la superstition est une profanation coupable. La plus odieuse de toutes n'est-elle pas celle qui pour défendre les abus, les associe aux plus saints mystères? C'est par ces iniques moyens que des prêtres artificieux et cupides ont toujours su gouverner l'ignorance et soulever le fanatisme...[402]

---

399. GM, 17 mars 1791, 2e page, col. 2, numéro XII.
400. GM, 14 juillet 1791, 3e page, col. 2, numéro XXX.
401. GM, 21 juillet 1791, 2e page, col. 2, numéro XXXI.
402. GM, 31 mars 1791, 2e page, col. 2, numéro XIV. Rappelons qu'en 1790, privilégiés et patriotes, dirigés respectivement par Hendrik Van der Noot et Jan Frans Voncks, s'étaient unis pour proclamer l'indépendance et faire voter par les états-généraux l'Acte d'union des provinces belges (11 janvier). En fait, ces deux groupes étaient

Dans son journal du 30 juin 1791, Mesplet publiait la lettre d'un Parisien à un ami de Québec, qui s'inquiétait de la situation du catholicisme en France:

> ...Vous déplorez, cher ami, que nous ayons détruit la religion; nous sommes, dites-vous, devenus une nation d'athées. Je connais la bonté de votre coeur, et impute cette accusation de votre part au manque d'information. Nous avons, si vous voulez, purifié notre religion; nous l'avons dépouillée de cette vaine pompe qui la deshonorait et qui est contraire à ses principes; nous avons ramené cet esprit primitif d'humilité, de douceur et de charité qui caractérise la religion...

Ce correspondant transmettait à son ami un discours de l'abbé Henri Grégoire à l'Assemblée nationale, où étaient définis les devoirs et les fonctions des ministres du culte. Burke était loin d'avoir raison de traiter les Français comme «des démagogues sanguinaires, des assassins, des voleurs, etc.» L'accord entre protestants et catholiques était un bon exemple de l'esprit qui régnait: ils avaient été si longtemps divisés. «...chaque jour, concluait le correspondant, l'amour de la patrie augmente celui de la fraternité»[403]. La *Gazette de Montréal* avait déjà annoncé, les 8 et 29 juillet 1790, l'octroi de la citoyenneté aux Juifs en ajoutant que c'était «une grande victoire remportée sur les préjugés»[404].

Enfin, dans une troisième phase, du 11 août 1791 au 16 janvier 1794, la *Gazette de Montréal* centrera ses dépêches et ses commentaires sur les transformations politiques de la France, en particulier l'implantation de la république. Cette information était la plus difficile à assurer pour Mesplet en raison du régime existant dans la colonie. La nouvelle constitution avait créé un conseil législatif et une chambre d'assemblée où les seigneurs régnaient. L'Acte de Québec n'avait pratiquement pas été modifié. C'étaient par conséquent des adversaires de toute forme de gouvernement démocratique qui détenaient le pouvoir. L'Église,

profondément divisés. Après l'avènement de Léopold II (février), les partisans de Noot laissaient les troupes autrichiennes réoccuper la Belgique. Traqués, beaucoup de patriotes de Voncks se réfugièrent en France. L'Ancien Régime était enfin rétabli dans les Pays-Bas autrichiens et Liège (juillet-octobre). Dans cette dernière principauté, le prince-évêque C. F. Hoensbroech avait été chassé par des «patriotes» en 1789. (Voir AVERMAETE, Roger et autres.- *La Belgique.*- Paris; Larousse, 1976.- pp. 24, 217.)

403. GM, 30 juin 1791, 3e page, col. 2, numéro XXVIII.
404. GM, 8 juillet 1790, 2e page, col. 2, numéro XXVIII; GM, 29 juillet 1790, 2e page, col. 2, numéro XXXI.

possédant les plus riches seigneuries, participait étroitement au système. Déjà, Mesplet avait manifesté ses idées républicaines par son action aux côtés des Américains lorsqu'ils incitaient le Québec à rejeter ses servitudes d'Ancien Régime et à prendre en main son destin. De nouveau, l'imprimeur sera amené à exprimer son idéal démocratique au fur et à mesure que celui-ci s'imposera en France. Il relèvera ce défi, même en 1793, au début de la guerre entre la Grande-Bretagne et la France révolutionnaire.

Dans la *Gazette de Montréal* du 13 octobre 1791 parut une chanson sur un air que tous les enfants du Québec fredonnaient: «La bonne aventure, ô gué!» Le sujet en était l'égalité sociale. En voici les deux couplets:

> On verra tous les états
> Entr'eux se confondre,
> Les pauvres sur leurs grabats
> Ne plus se morfondre.
>
> Des biens on fera des lots
> Qui rendront les gens égaux.
> Suivant la nature
> Ô gué!
> Suivant la nature.
>
> Du même pas marcheront
> Noblesse et roture,
> Les hommes retourneront
> Au droit de nature.
> Dans notre religion,
> Plus de superstition.
> Adieu fanatique
> Ô gué!
> Adieu fanatique[405].

La publication de cette chanson suit de peu l'annonce, dans le numéro du 22 septembre 1791, de la fuite et de l'arrestation de Louis XVI[406]. Ce fut à partir de ces événements que des penseurs comme Condorcet et Paine commencèrent à parler de l'établissement de la république en France[407]. C'est dans ce sens que s'orientait une lettre ouverte de Thomas Paine reproduite dans

---

405. GM, 13 octobre 1791, 4e page, col. 2, numéro XLIII.
406. GM, 22 septembre 1791, 1ère page, col. 2, numéro XL.
407. MICHELET.- *Histoire de la Révolution française*, tome I.- Paris; Laffont, 1979.- pp. 534, 535.

la *Gazette de Montréal* des 1er et 8 décembre 1791[408], dont il a été fait mention dans le chapitre sur la nouvelle constitution. Cette année-là, Paine et Condorcet avaient constitué la Société républicaine qui, selon le premier, combattait Louis XVI

> non pas en raison de ses fautes personnelles, mais plutôt pour renverser la monarchie et ériger sur ses ruines un système républicain à représentation égalitaire[409].

Au moment où il écrivait dans *Le Républicain* — ce périodique qu'il avait fondé avec Condorcet — la lettre que reproduisait Mesplet à Montréal, Paine était député à l'Assemblée nationale[410]. Il avait quitté Londres peu après Mesplet avec une recommandation de Franklin. Il était à Philadelphie dans le même temps que Mesplet. C'est alors qu'il publia, rappelons-le, son ouvrage *Common Sense* qui vulgarisa l'idée d'Indépendance. Il répliquera bientôt à Burke, qui se posait en défenseur de l'Ancien Régime, en écrivant *Les Droits de l'homme* que Mesplet répandra au Québec[411].

Avant même la proclamation de la république, l'esprit de l'An 1 de la Liberté s'exprimait dans la *Gazette de Montréal*. Dans le numéro du 13 octobre 1791, Mesplet communiqua le discours d'une députation d'enfants à l'Assemblée nationale:

> ...Nous sommes libres, nous pourrons être vertueux. Grâces vous en soient rendues, pères de la patrie! créateurs de la liberté! nous les conserverons ces droits imprescriptibles de l'homme que vous nous avez recouvrés avec tant de courage. Et vous avez eu

---

408. GM, 1er décembre 1791, 3e page, col. 2, numéro L; GM, 8 décembre 1791, 3e page, col. 2, numéro LI.
409. ALDRIDGE, Alfred O.- *La voix de la Liberté: vie de Thomas Paine*.- Paris; Éditions internationales, 1964.- p. 102.
410. Condorcet vit Paine pour la première fois à l'Académie des Sciences en 1787. Comme Paine ne pouvait ni écrire ni parler la langue française, c'était la marquise de Condorcet qui traduisait ses discours et ses mémoires destinés à l'Assemblée nationale. (ALENGRY, Franck.- *Condorcet, guide de la Révolution française*.- New York; Burt Franklin, 1973.- p. 22.) Le 10 juillet 1791, Condorcet fonda avec Paine *Le Républicain*. Les deux Philosophes firent aussi partie du Comité de Constitution de la Convention. (MONFORT, H. Archambault de.- *Les idées de Condorcet sur le suffrage*.- Genève; Slatkine Reprints, 1970. pp. 118, 132.)
411. *The Rights of Man* dans *The Complete Writings of Thomas Paine*, tome I.- New York; The Citadel Press, 1945.- pp. 243 à 458. *The Rights of Man* contient la Déclaration des droits de l'homme et du citoyen (pp. 313 à 315). Un lot d'exemplaires de *The Rights of Man* en anglais et en français (sous le titre *Les Droits de l'homme*), fut expédié à Mesplet par Genet, le ministre plénipotentiaire de la République française à Philadelphie, via Mézière, l'ancien rédacteur à la *Gazette de Montréal*. Il en restait des exemplaires dans l'inventaire après décès des biens de l'imprimeur. Voir la note 531.

la gloire de rendre libre la France entière. C'est à la génération naissante, c'est à nous à porter cette conquête jusqu'aux extrémités du monde; c'est maintenant la seule qui soit digne de nous.

Dieu, Liberté! voilà notre devise; bientôt elle sera celle de toutes les nations. Jusqu'à ce jour nous n'avons été que les enfants de la religion; si vous daignez nous adopter, nous allons être les enfants de la patrie...[412]

On sait que «Dieu et Liberté» sont les mots que Voltaire avait prononcés en donnant sa bénédiction au petit-fils de Franklin en 1778[413]. Dans la *Gazette de Montréal* du 2 février 1792, les Amis de la Constitution de Brest appelaient les citoyens à la vigilance contre ceux qui travaillaient sournoisement au rétablissement de l'Ancien Régime:

...nous n'avons plus qu'un piège à éviter, c'est celui que nous tendent les prêtres-aristocrates.

Si, autrefois, les nominations ecclésiastiques ne dépendaient pas nécessairement de la qualité religieuse des intéressés, avec la nouvelle constitution désormais

depuis le simple prêtre jusqu'à l'évêque, tous seront forcés d'être honnêtes gens. Mais ajoutez-y que vous ne verrez plus des moines fainéants posséder des biens immenses qu'ils employaient en bonne chère, en vins les plus exquis; passer leur temps à caresser nos femmes et nos filles, au lieu de leur apprendre à prier Dieu.

Ajoutez que les pauvres, que ces gens-là ne secouraient pas, quoiqu'on leur eût donné la dîme en partie pour cela, seront nourris et soignés par la nation.

Les prêtres, qui ont refusé de prêter serment de fidélité à la constitution, voudraient faire oublier les abus passés. «Il est trop grossier le piège qu'ils nous tendent». Ils veulent ramener l'Ancien Régime.

...vous êtes libres, et vous deviendriez plus esclaves que jamais. Vous verriez se réunir pour vous écraser, les ci-devant nobles, les parlements, les mauvais prêtres et les gros financiers.

(...)

...Il n'est pas de crime aussi horrible que celui dont se rendrait coupable l'homme qui contribuerait à replonger dans l'esclavage un peuple libre, et qui s'est montré si digne de l'être![414]

412. GM, 13 octobre 1791, 1ère page, col. 2, numéro XLIII.
413. CONDORCET.- *Vie de Voltaire:* M. 1-276.
414. GM, 2 février 1792, 1ère et 2e pages, col. 2, numéro VI.

Dans le temps même où ces lignes paraissaient dans la *Gazette de Montréal*, une chambre d'assemblée, composée en partie de seigneurs et de leurs alliés, refusait l'abolition de l'esclavage et tentait sans conviction d'obtenir les biens des Jésuites pour mettre sur pied un enseignement public dans la province de Québec. Cette chambre d'assemblée, finalement, deviendra la «chambre introuvable», puisqu'à plusieurs reprises elle ne pourra siéger faute de quorum. Seule une presse libre pouvait exiger le fonctionnement de la démocratie. C'est pourquoi le discours de Pétion sur la liberté de la presse, paru le 9 février 1792, ne pouvait mieux tomber:

La liberté de la presse élève l'âme, donne de l'énergie aux talents, développe les grands caractères.

La liberté de la presse est la sauvegarde de la liberté politique et civile. Rien ne peut égaler, rien ne peut suppléer cette censure politique; elle veille lorsque la loi sommeille; elle contient lorsque la loi ne peut pas dénoncer aux tribunaux.

Avec la liberté de la presse, une mauvaise constitution peut s'améliorer, une institution vicieuse se réformer...

(...)

Aussitôt qu'il s'agit de mettre des bornes à la liberté de la pensée, on ne sait où s'arrêter, et l'arbitraire commence...

(...)

Ce que l'on appelle écrits séditieux, écrits tendant à troubler l'ordre établi, cessent de l'être, ou pour mieux dire, sont des actes de courage et de vertu sous un gouvernement despotique.

(...)

Ils sont sans conséquence et sans danger dans un État libre et bien organisé; car quelle idée se former d'une constitution que de semblables écrits pourraient ébranler?[415]

Un autre moyen de combattre le despotisme était d'établir une instruction publique mais Dorchester avait dû en retarder l'établissement en raison de l'opposition de l'évêque de Québec et des Jésuites. Dans son numéro du 12 avril 1792, Mesplet proposait à ses lecteurs l'exemple de ce qui s'était passé en Pologne: un nonce du palatinat de Cracovie, actuellement ministre en France, «proposa le premier l'éducation comme l'unique moyen de répandre la lumière et de sauver un jour la patrie». Un décret porta alors

---

415. GM, 9 février 1792, 2e et 3e pages, col. 2, numéro VII.

l'établissement d'une commission d'éducation nationale... chargée de faire un plan général d'instruction publique et d'en surveiller l'exécution. La suppression des Jésuites survenue en même temps, a fourni des revenus assez considérables pour l'établissement des écoles gratuites dans toute l'étendue du pays. C'est là que la jeunesse de toutes les classes a la facilité de cultiver toutes les études, aux frais du trésor public, et d'acquérir toutes les connaissances qui forment les hommes utiles et les hommes d'État.

(...)

C'est à ces préparations soutenues par l'éducation nationale et par l'appréciation des vertus et de l'utilité publique, que nous devons les citoyens éclairés dont les vertus ont contribué à notre régénération qui, approuvés par la raison et par la prudence si nécessaire à la raison même, nous met en état de défendre, d'affermir et de perfectionner notre existence politique, sans offenser nos voisins[416].

Alors que l'enquête gouvernementale avait révélé l'existence d'une ignorance endémique au Québec, Mesplet profitait de la vague d'idées démocratiques déferlant en Europe pour citer l'exemple de la Pologne où l'instruction gratuite pour tous était un fait. Il était très facile aux lecteurs de la *Gazette de Montréal* de conclure que les biens des Jésuites, qui servaient à cet effet en Pologne, pourraient être employés au même usage au Québec. De plus, pourquoi ne pas mettre aussi sur pied une commission d'éducation nationale? La formation de «citoyens éclairés» était à ce prix. C'était ce qu'on pensait à Paris également où Condorcet travaillait à un plan d'instruction publique[417].

Dans la *Gazette de Montréal* du 9 août 1792, Mesplet reproduisait le jugement que portait un évêque anglican du siège de Landaff sur la Révolution française «qui n'a pas d'exemple dans les annales du monde»:

---

416. GM, 12 avril 1792, 1ère page, col. 2, numéro XVI.
417. Extrait du projet de Condorcet sur l'Instruction publique, présenté à l'Assemblée nationale, les 20 et 21 avril 1792:
    Nous n'avons pas voulu qu'un seul homme, dans l'empire, pût dire désormais: la loi m'assurait une entière égalité des droits, mais on me refuse les moyens de les connaître. Je ne dois dépendre que de la loi, mais mon ignorance me rend dépendant de tout ce qui m'entoure. On m'a bien appris dans mon enfance que j'avais besoin de savoir; mais forcé de travailler pour vivre, ces premières notions se sont vite effacées, et il ne m'en reste que la douleur de sentir dans mon ignorance, non la volonté de la nature, mais l'injustice de la société.- Cité dans DUHET, Paulé-Marie.- *Les femmes et la Révolution (1789-1794).*- Paris, Julliard, 1971.- p. 193.

Comme ami de la liberté civile, qui ne consiste pas en une licence démocratique, mais dans l'obéissance aux lois faites par le suffrage général d'un peuple libre, je ne peux que me réjouir de l'émancipation de la nation française de la tyrannie du despotisme royal...[418]

Une telle émancipation devait passer par la déchéance du roi comme la réclamaient toutes les sections de Paris, selon la *Gazette de Montréal* des 18 et 25 octobre 1792[419]. Le 15 novembre suivant, les lecteurs apprenaient que Condorcet avait proposé une adresse au peuple «pour lui apprendre les moyens d'exercer la souveraineté»[420]. De Bristol, le 22 novembre, une dépêche soulignait que la France s'acheminait vers un régime républicain. La noblesse était sur son déclin: «depuis deux jours on a brûlé publiquement plus de 6 000 caisses de parchemins». Le lecteur pouvait être assuré que les sentiments de la nation étaient jacobins, ce qui signifiait que c'était la «liberté égale qui doit l'emporter sur tout, quoi qu'il arrive»[421]. Effectivement la *Gazette de Montréal* informait de la journée du 10 août, qui avait marqué la chute de la royauté, dans son numéro du 29 novembre 1792[422]. Mesplet annonçait enfin l'abolition de la monarchie le 13 décembre suivant[423]. Il mettait sous les yeux des abonnés, le 7 février 1793, une circulaire du Club des Jacobins adressée à toutes les sociétés affiliées: «Il faut que le gouvernement de la France soit républicain», «ceux qui oseront proposer le rétablissement de la royauté seront mis à mort»[424]. Dans le même numéro, Mesplet insistait sur les nombreuses manifestations d'appui à la République française qui s'étaient déroulées à travers le monde[425].

> Les partisans de la liberté universelle peuvent se réjouir présentement, lit-on dans la *Gazette de Montréal* du 21 février suivant, la cause partout est triomphante, l'esclavage et la bigoterie sont vaincus, la Raison a remonté sur son trône, et le Dieu de la sagesse confirme son règne[426].

418. GM, 9 août 1792, 1ère, 2e et 3e pages, col. 2, numéro XXXIII.
419. GM, 18 octobre 1792, 1ère page, col. 2, numéro XLIII; GM, 25 octobre 1792, 3e page, col. 2, numéro XLIV.
420. GM, 15 novembre 1792, 1ère page, col. 2, numéro XLVII.
421. GM, 22 novembre 1792, 2e page, col. 2, numéro XLVIII.
422. GM, 29 novembre 1792, 1ère page, col. 2, numéro XLIX.
423. GM, 13 décembre 1792, 3e page, col. 2, numéro LI.
424. GM, 7 février 1793, 2e page, col. 2, numéro VI.
425. GM, 7 février 1793, 1ère page, col. 2, numéro VI.
426. GM, 21 février 1793, 1ère page, col. 2, numéro VIII.

Puis ce fut l'annonce de l'exécution de Louis XVI, dans le numéro du 11 avril 1793[427].

Peu après, le 25 avril, la *Gazette de Montréal* confirmait ce qu'elle avait prévu le 18 avril, la guerre entre la Grande-Bretagne et la République française[428]. Mais la France avait eu à affronter des ennemis dès le printemps 1792. La *Gazette de Montréal* traitait le 3 mai de cette année-là du «plan d'un manifeste [de Condorcet] pour être publié dans les États des princes» qui menaçaient le pays. La France, écrivait le rédacteur du document, n'a pas l'esprit de conquête mais elle combattra pour l'humanité[429]. Dans le numéro du 26 juillet 1792, «les représentants du peuple français» avertissaient les «citoyens armés pour la défense de la patrie» que le sort de la liberté était entre leurs mains.

> Il faut vaincre ou retourner sous l'empire de la gabelle, des aides, de la taille, de la dîme, de la milice, de la corvée, des privilèges féodaux, des emprisonnements arbitraires, de tous les genres d'impôt, d'oppression et de servitude... Nous avons juré de ne capituler ni avec l'orgueil, ni avec la tyrannie. Nous tiendrons notre serment: «La mort, la mort ou la Victoire et l'Égalité»[430].

Le lecteur devait certes se faire la réflexion que beaucoup des servitudes qu'on mentionnait comme abolies en France existaient toujours au Québec et que des citoyens étaient prêts à mourir plutôt que de vivre à nouveau sous un tel régime. Nous lisons d'ailleurs le commentaire suivant, le 30 août 1792:

> ...les amis de la France et de l'humanité verront qu'il n'y a pas lieu de désespérer. Quelle raison a un peuple libre de craindre un petit nombre de brigands couronnés et des hordes d'esclaves... Quels sont les citoyens de France? des gens armés pour la défense de leurs biens, de leurs femmes, de leurs enfants, de leur liberté. Avec de pareils motifs, un peuple est invincible...[431]

Les frontières étaient hérissées d'ennemis et les plus ardents de ces adversaires étaient les aristocrates français ayant émigré devant la Révolution. Le 27 septembre 1792, Mesplet rapportait l'adresse du comte d'Artois aux troupes françaises pour «prendre

427. GM, 11 avril 1793, 1ère page, col. 2, numéro XV.
428. GM, 18 avril 1793, 1ère page, col. 2, numéro XVI; GM, 25 avril 1793, 1ère page, col. 2, numéro XVII.
429. GM, 3 mai 1792, 1ère page, col. 2, numéro XIX.
430. GM, 26 juillet 1792, 2e et 3e pages, col. 2, numéro XXXI.
431. GM, 30 août 1792, 2e et 3e pages, col. 2, numéro XXXVI.

l'étendard des princes» et combatre les «rebelles qui ont durant trois ans tenu notre roi captif». Les soldats français devaient

> rétablir le roi sur son trône, le délivrer de ses tyrans, et rétablir la religion de nos ancêtres[432].

Le 11 octobre 1792, on pouvait lire la déclaration du duc de Brunswick aux Français, proclamant que ses armées venaient délivrer Louis XVI et qu'elles agiraient avec rigueur si tous ne se soumettaient pas au roi de France[433]. En réplique, la *Gazette de Montréal* du 8 novembre annonçait que, sous l'inspiration de Carnot, l'Assemblée nationale avait adopté un décret qui armait tous les Français de piques[434]. À Paris, apprenait-on le 20 décembre, c'était l'enrôlement volontaire et aussi la fureur de la «populace» à l'égard des traîtres: des prêtres et des nobles avaient été égorgés[435]. Événement qui serait baptisé sous peu les massacres de septembre. Le journal fit part de la trahison de Dumouriez, le 11 juillet 1793[436] et de «victoires» des armées chrétiennes et royales de Vendée, le 31 octobre suivant[437]. Alors qu'on était en pleine guerre franco-britannique, la *Gazette de Montréal* du 19 décembre 1793 reproduisait le discours de Barère devant la Convention, le 13 août, pour galvaniser les forces républicaines: «Libres Français! Citoyens! voici vos mots de guet: Aux armes et le pays est sauvé!» Chaque Républicain était un soldat[438]. Une nouvelle ère commençait. Mesplet annonçait, le 16 janvier 1794, que «l'ère commune ou vulgaire est abolie». La Convention avait adopté un nouveau calendrier: «L'ère des Français sera comptée du jour de la fondation de la République, qui fut le 22 septembre 1792»[439].

Même si Mesplet, de 1788 à 1794, attira l'attention de ses lecteurs successivement sur trois aspects du mouvement révolutionnaire français, à savoir la montée du Tiers-État, les transformations religieuses et l'évolution de l'idée républicaine, les autres faits de la Révolution française ne furent pas passés sous silence. À partir du 27 mars 1788, on trouvait des nouvelles sur

432. GM, 27 septembre 1792, 1ère page, col. 2, numéro XL.
433. GM, 11 octobre 1792, 2e et 3e pages, col. 2, numéro XLII.
434. GM, 8 novembre 1792, 4e page, col. 2, numéro XLVI.
435. GM, 20 décembre 1792, 1ère page, col. 2, numéro LII.
436. GM, 11 juillet 1793, 2e et 3e pages, col. 2, numéro XXVIII.
437. GM, 31 octobre 1793, 2e page, col. 2, numéro XLIV.
438. GM, 19 décembre 1793, 1ère et 2e pages, col. 2, numéro LI.
439. GM, 16 janvier 1794, 2e page, col. 2, numéro III.

le mouvement réformiste puis révolutionnaire dans la plupart des numéros de la *Gazette de Montréal*. Sur deux cent quatre-vingt-dix numéros et demi (puisque dix-sept et demi manquent aux archives), deux cent dix-huit publient une ou plusieurs dépêches sur le sujet. Et parmi ces deux cent dix-huit numéros, cent soixante et cinq font paraître des nouvelles en première page. Si l'on considère que la *Gazette de Montréal* compte habituellement quatre pages, dont les 3e et 4e sont remplies d'annonces, on peut calculer que, du 27 mars 1788 au 16 janvier 1794, le journal disposait approximativement d'un espace rédactionnel de cinq cent quatre-vingt une pages (en multipliant par deux les deux cent quatre-vingt dix numéros et demi). Sur ce nombre, il y a eu deux cent cinq pleines-pages consacrées à la France révolutionnaire, c'est-à-dire qu'il s'agit de pages contenant uniquement des informations sur la Révolution[440]. Dans l'ensemble, la plupart des textes vont dans le sens des principes «philosophiques», sont donc favorables à la Révolution qui se prépare ou s'est mise en marche. Même après la déclaration de guerre entre la République française et la Grande-Bretagne, la *Gazette de Montréal*, à une exception près, le numéro du 16 mai 1793[441],

---

440. L'évaluation des informations et commentaires sur la Révolution française commence avec le numéro du 27 mars 1788, qui fait état des débats autour du droit civil des protestants. Elle se termine avec le numéro du 16 janvier 1794, le dernier publié par Mesplet. Le décompte doit s'établir sur trois cent huit numéros, soit 40 en 1788, 53 en 1789, 53 en 1790, 54 en 1791, 53 en 1792, 52 en 1793 et 3 en 1794. De ces 308 numéros, il faut soustraire ceux qui sont disparus des archives, soit dix-sept et demi. Le calcul se fait donc sur 290 numéros et demi. C'est ce chiffre qu'il faut multiplier par deux (pages) pour avoir une idée de l'espace rédactionnel dépouillé.

441. GM, 16 mai 1793, numéro XX. Ce numéro donne en première page la proclamation du lieutenant-gouverneur annonçant la guerre entre la France et la Grande-Bretagne. Ce texte est suivi de la description d'un service solennel célébré à la mémoire de Louis XVI à l'ambassade d'Espagne à Paris. (Il est vrai qu'en contrepartie, Mesplet trouve moyen de traiter des honneurs rendus aux cendres de Lepelletier de Saint-Fargeau, ce député assassiné par un fanatique royaliste). Puis des correspondants de la tribune des lecteurs du *Morning Chronicle* de Londres souhaitent qu'on ramène «à la raison et à l'humanité une nation d'enragés et de bêtes féroces». La *Gazette de Montréal* produit ensuite le compte rendu détaillé d'une cérémonie royaliste, tenue à Berthier. Cet article contient l'essentiel de la forme que prendra la propagande antifrançaise au Québec durant les prochaines années. Voici la description de cette cérémonie, publiée dans le périodique montréalais: Harangue du capitaine Pierre Pellant, à la compagnie de milice de Berthier. L'officier rappelle l'état de guerre entre l'Angleterre et la France, et invite tous les miliciens à combattre pour la Couronne dans cette province

en s'opposant aux démarches de ces démocrates qui ont dernièrement trouvé les moyens de conduire leur souverain monarque sur un échafaud, et comme des hommes inhumains ont inondé la France du sang de plusieurs milliers de leurs concitoyens, non contents de cela ont aussi tué et massacré leurs prêtres au pied des autels, et en ont chassé un grand nombre dans des pays éloignés, dont plusieurs

ne rabattra rien de son ardeur pour la France. Ainsi, le 22 août 1793, une dépêche de Bruxelles signalait que «les Français se sont battus comme des lions»[442]. Le 29 août suivant, un «abrégé de l'état politique de cette semaine» disait que,

> en un mot, les Français par cet esprit vif et actif, avec leurs ressources et nombres, s'ils souffrent quelques désastres d'un côté, se gagnent de l'avance de l'autre[443].

Enfin, le 14 novembre 1793, dans une lettre adressée à un Bostonnais, un Londonien écrivait: «Tout bien considéré, je crois que la France a tout à espérer et rien à craindre»[444].

La *Gazette de Montréal* s'est faite plus que l'écho de la Révolution française, elle en a suscité une résonance locale au Québec, et cela au fil des événements qui se déroulaient outre-Atlantique. Le journal de Mesplet s'inscrivait semaine après semaine dans le sillage des idées de Paine et de Condorcet. Il a transmis une image correcte de cette phase de la Révolution française où Voltaire a été exalté aux côtés de la Liberté. C'est l'esprit de cette France qui a soufflé sur les rives du Saint-Laurent par l'entremise de l'ambassadeur de la République française à Philadelphie. Mesplet n'est pas resté à l'écart de cet appel qu'avait sollicité l'ancien rédacteur de la *Gazette de Montréal*, Henri Mézière, comme nous le verrons dans le chapitre suivant. Toute l'imprimerie de la colonie avait préparé les habitants à entendre un tel message qui était une synthèse du grand rêve de libération des Philosophes des Lumières.

---

ont trouvé asile en Angleterre. Nous sommes aussi menacés des Français dans cette province; c'est pourquoi, montrons-nous soldats à cette époque. Soyons prêts à dévouer nos fortunes et nos vies dans une guerre justifiée si clairement contre leurs diaboliques démarches à ces hommes inhumains...

Le maître d'école Labadie est ensuite requis pour lire aux miliciens la proclamation d'Alured Clarke, son message à la Chambre d'assemblée, la réponse de celle-ci, l'adresse du Conseil législatif au lieutenant-gouverneur, la réponse de celui-ci et finalement la harangue du juge en chef aux grands-jurés (tous des textes loyalistes).

...lorsque M. Louis Labadie eut fini de lire, on ne voyait que des chapeaux en l'air, et des cris de «Vive le roi!»

À la demande du capitaine, Labadie lit «la mort de Louis XVI et son testament». L'officier ordonne ensuite à ses miliciens de lui donner les noms des personnes qui parlent ou parleront contre le roi et contre le gouvernement.

442. GM, 22 août 1793, 2e page, col. 2, numéro XXXIV.
443. GM, 29 août 1793, 2e page, col. 2, numéro XXXV.
444. GM, 14 novembre 1793, 2e page, col. 2, numéro XLVI.

Chapitre 18

Un centre des Lumières

La Révolution française aura été l'occasion pour les imprimeurs de la colonie de prendre des positions communes ou tout au moins convergentes. Entre 1789 et 1792, Samuel Neilson et William Moore se joindront à Fleury Mesplet dans son oeuvre de diffusion des Lumières. L'atelier de Mesplet restera toutefois le centre de cette diffusion. Grâce aux témoignages du journaliste Henri Mézière, il est possible de se faire une idée de son fonctionnement et de son rayonnement. L'engagement de Mesplet allait loin. Il pensait, comme Paine, que les Droits de l'homme devaient être respectés dans le monde entier et au Québec en particulier. C'est pourquoi il ne fut pas indifférent à l'appel du premier ambassadeur de la République française à Philadelphie, Edmond-Charles Genet, l'ami de Condorcet et des Girondins. Ce fut la dernière lettre sur la liberté que Mesplet fit circuler avant de mourir dans son imprimerie, l'année même du centenaire de la naissance de Voltaire.

Dans un «Mémoire sur la situation du Canada et des États-Unis», adressé au citoyen Dalbarade, ministre de la Marine, le 15 nivôse An II (le 4 janvier 1794), Henri Mézière apportait des précisions sur le rôle de l'atelier de Mesplet comme centre des Lumières dans la province. Dans le préambule de ce mémoire, Mézière parlait en particulier de l'étude des Philosophes qu'il avait pu commencer dans l'entourage de l'imprimeur, et de sa collaboration au journal. Nous en citerons le préambule, pour tenter ensuite de replacer ces déclarations dans leur contexte:

Je suis né à Montréal, ville du Canada, le 6 décembre 1772. Mon père est de Dijon, et il y a 40 ans qu'il a laissé la France. L'éducation qu'il m'a procurée n'est pas des plus brillantes, un collège confié à d'ignares ecclésiastiques fut le tombeau de mes jeunes ans, j'y puisai quelques mots latins et un parfait mépris pour mes professeurs. Sorti à 16 ans de dessous leur férule, j'eus le bonheur de faire rencontre des oeuvres de Rousseau, Mably, Montesquieu et d'autres Philosophes amis des hommes et du vrai. Je dévorais leurs productions, elles m'apprirent à connaître mes devoirs et mes droits, elles firent germer en moi la haine du despotisme civil et religieux. Pour la première fois l'existence me plut.

La Révolution française luisit à cette époque, elle acheva ce qu'avait commencé chez moi la lecture. Dès ce moment toutes mes affections, tous mes désirs se rapportèrent à la Liberté, son idée m'occupait jour et nuit, mon seul regret était de ne pouvoir que l'aimer.

La ville de Montréal renfermait une imprimerie dans son sein, mais ses caractères ne présentaient au lecteur que des idées de nature indifférente, que des ordres arbitraires dictés par les délégués de la moderne Carthage; je la fis servir à un usage plus digne de son institution, elle devint sous mes mains le véhicule de la raison et de la vérité. Trop impuissant pour rien créer moi-même je sus goûter et faire apprécier aux autres les droits de l'honneur proclamés par le peuple français. À cet effet, je bravai les menaces du gouvernement, même le courroux d'un père honnête mais faible par nature, et timide par circonstances. On ne vit pas sans inquiétude le genre nouveau de papiers publics ni l'intérêt progressif qu'ils inspiraient[445].

Ce fut en 1788 que Mézière entra dans le cercle de Mesplet. Il avait certes connu Valentin Jautard, mort en 1787, puisqu'il rédigea, à l'âge de 16 ans, une épître contre ceux qui voulaient ternir sa mémoire. À la suite de cette intervention datant on s'en souvient de janvier 1788, Mézière commença à écrire dans la *Gazette de Montréal*. Ce fut à l'atelier même, où devait se trouver une bibliothèque bien fournie en oeuvres des Philosophes, que le jeune homme s'imprégna des idées humanitaires du XVIIIe siècle:

> ...j'eus le bonheur de faire rencontre des oeuvres de Rousseau, Mably, Montesquieu et d'autres Philosophes amis des hommes et du vrai.

---

445. Mémoire de Mézière à Dalbarade, le 4 janvier 1794: BRH, vol. XXVII, 1931, avril, numéro 4, pp. 194 à 201 (France, Archives des Affaires étrangères, correspondance politique, États-Unis, vol. 37, pt. 6, 419-23). Dalbarade, un ami de Danton, avait été nommé ministre de la Marine le 10 avril 1793. (Voir SOBOUL, Albert.- *Histoire de la Révolution française*, tome I.- Paris; Gallimard, 1970 .- p. 360.)

Cette découverte transforme sa vie: «Pour la première fois l'existence me plut». Ses lectures et aussi, n'en doutons pas, des échanges avec Mesplet et d'autres disciples des Philosophes, lui avaient inculqué «la haine du despotisme civil et religieux» et son pendant, l'amour de la Liberté. La Révolution française, en marche, va permettre à Mesplet d'exprimer dans la vie même, par le biais de l'information, les grands principes des Philosophes. Dans son préambule, Mézière, avec toute la fougue de ses 21 ans, s'attribue l'entier mérite de la transformation que subit alors la *Gazette de Montréal*. Mais plus loin dans le mémoire, lorsqu'il traitera de l'impact de la Révolution française sur la population, il décrira ainsi l'esprit qui régnait:

> Les papiers révolutionnaires nous parvenaient alors, plus d'une fois nous les arrosâmes de nos pleurs, plus d'une fois ils furent portés en triomphe dans des clubs et dans des sociétés particulières au sein desquelles nous chantions l'aurore de la Liberté, ses progrès et la lutte contre les nuages épais de la superstition et de la tyrannie[446].

Nul autre que Mesplet ne recevait à Montréal «les papiers révolutionnaires» qui constituaient d'ailleurs la source de l'information donnée dans la *Gazette de Montréal*. Quant à la lutte contre la superstition et la tyrannie, il la menait bien avant l'entrée en scène de Mézière. Il est possible et même probable que l'ardeur juvénile de Mézière ait aidé à répandre les idées philosophiques parmi l'élite des jeunes gens. Mais il n'a à aucun moment pris la tête du mouvement. Il a même chancelé le 12 mai 1791, en dénonçant l'attitude qu'avait prise la *Gazette de Montréal* contre la superstition. Il a été jusqu'à faire l'apologie des dogmes le 26 mai suivant, dans un supplément du journal[447]. Mais le 25 août 1791, il retrouvait son assiette ordinaire et devenait secrétaire de la Société des débats libres comme nous le verrons plus loin.

Mézière était très lié avec l'avocat Louis-Charles Foucher qui s'opposa au juge Rouville en 1790. On sait l'appui que la *Gazette de Montréal* accorda au jeune procureur. Dans une lettre à Foucher — devenu juge — datant du 3 juin 1816, Mézière écrit:

> Le long intervalle qui s'est écoulé depuis 1793 vous a-t-il fait perdre de vue ce jeune illuminé qui vous donna cependant quelques témoignages d'amitié à une époque assez critique pour vous?

---

446. *Mémoire de Mézière à Dalbarade*, op. cit., p. 198.
447. Voir la note 58.

Mézière rappelait «l'humeur du juge de Rouville contre vous, et les batteries que nous fîmes jouer contre lui»[448]. Dans le même temps, Mesplet imprimait la brochure intitulée la *Bastille septentrionale* qui paraît être l'oeuvre de Mézière. L'auteur ne signe en effet que le Fléau de la tyrannie, pseudonyme qui apparaît pour la première fois dans le *Quebec Herald* du 2 septembre 1790 où les Sills et Fraser sont défendus[449]. Le style ressemble beaucoup à celui des mémoires de Mézière et l'idéal est exactement celui qu'il a endossé:

> Que l'homme de lettres consacre sa plume et ses veilles à démasquer les tyrans, ces lâches fléaux de l'humanité; qu'il les imprègne de honte; qu'il les poursuive jusque dans la tombe et au delà; afin que l'homme puissant, que l'homme élevé s'abstienne d'abuser de son autorité par la crainte d'encourir la haine et l'exécration de la postérité, châtiment le plus terrible que l'esprit humain puisse concevoir[450].

L'auteur se présente ici comme un homme de lettres dont le nombre était assez restreint dans la colonie. De plus, c'était un jeune homme comme le soulignait un article publié dans la *Gazette de Montréal* du 1er mars 1792. L'Observateur y félicitait l'imprimeur d'avoir donné la *Bastille septentrionale* qu'il attribuait à «la plume juvénile» d'un ardent ami de la Liberté[451]. On remarquera que les «victimes de l'oppression» dont le sort était dénoncé étaient Jonathan Sills, Joseph Sills et Malcolm Fraser. Or le père des deux premiers, Samuel Sills, était celui qui s'était toujours occupé de prendre les abonnements pour les journaux de Mesplet dans la région de Trois-Rivières. Samuel Sills était l'ancien maître de poste et le syndic de la commune[452]. Les trois jeunes gens, qui n'avaient pas vingt ans, avaient été embastillés dans la résidence des Récollets de Trois-Rivières, qui servait de prison. C'était un lieu infect d'après les constatations faites par le chirurgien Jean-Baptiste Rieutort, le 15 août 1790. Les officiers de milice qui avaient condamné les jeunes gens étaient trois

---

448. Lettre de Mézière à Foucher, le 3 juin 1816: *Archives de l'Université de Montréal*, P. 58 U-8531 (Collection Baby).

449. QH, 2 septembre 1790, 4e page, col. 3 et 5e page, col. 1, 2, numéro 41 (pages 324, 325). Texte signé A Scourge of Tyranny.

450. Voir la note 341.

451. GM, 1er mars 1792, 3e page, col. 2, numéro X.

452. SULTE, Benjamin.- «Le chevalier de Niverville».- MSRC, 3e série, tome III, mai 1909.- p. 57. Notons que le nom de Sills, comme responsable de la *Gazette de Montréal* dans la région de Trois-Rivières, apparaît habituellement quand Mesplet annonce l'abonnement à son journal.

ardents royalistes: le commandant Louis-Joseph Leproust, clerc du marché aux denrées; le colonel William Morris, beau-père de la fille de Leproust, et Jean Soulard, un marguillier. Leproust, en particulier, avait été molesté par des miliciens américains en 1775-1776[453]. Mesplet crut donc bon de défendre les Sills contre les tyranneaux locaux comme il seconda Foucher dans sa lutte contre Rouville, cet homme qui l'avait fait enfermer lui aussi dans une Bastille septentrionale mais, cette fois, dans la capitale. C'était la première fois que paraissait un pamphlet au Québec.

Nous entrevoyons donc quel rôle de premier plan a pu jouer l'atelier de Mesplet pour la diffusion des idées philosophiques dans la colonie. Mais il nous faut déterminer aussi le lien idéologique qui existait entre Mesplet et les deux autres imprimeurs oeuvrant dans la ville de Québec, Samuel Neilson et William Moore. On peut estimer que, de 1789 à 1792, les trois périodiques de la province, la *Gazette de Montréal*, la *Gazette de Québec* et le *Quebec Herald* firent de concert la promotion des idéaux de liberté et d'égalité de la Révolution française.

La *Gazette de Québec* de Samuel Neilson avait l'avantage — en raison de sa situation géographique et de ses moyens financiers — de donner en primeur toutes les informations étrangères. Ce journal fut aussi le seul à toujours coiffer ses nouvelles de France du mot Révolution. Samuel Neilson, qui n'avait que 19 ans lorsqu'il prit la direction de la *Gazette de Québec* en 1789, exerçait son métier d'éditeur et d'imprimeur avec la passion de la jeunesse[454]. Il avait immédiatement saisi le sens du mouvement révolutionnaire français. Ainsi, sous le titre «Extension de la liberté et chute du despotisme», il publiait en première page de son journal, le 9 décembre 1790, le commentaire suivant:

> Quelle vive satisfaction ne doit pas ressentir l'ami du genre humain en voyant les progrès rapides que les hommes font dans la connaissance de leurs droits précieux et sacrés, dans la jouissance desquels la Nature a placé le bonheur de leur existence. Rien n'est plus digne de l'attention de l'être pensant que la marche et le progrès de cette heureuse Révolution. Cependant le revers de la scène présente un spectacle non moins frappant — le despotisme s'efforçant de maintenir son empire chancelant en supprimant les progrès de la vérité, découvre sa faiblesse et annonce sa

---

453. *Ibid.*, pp. 58, 69.
454. Samuel Neilson était le neveu du fondateur de la *Gazette de Québec*, William Brown. Il devint son héritier. (Voir GUNDY, H. Pearson.- *Early Printers and Printing in the Canadas*.- Toronto; Société bibliographique du Canada, 1964.- p. 12.)

ruine... Les Français, avec cette vivacité qui leur est naturelle, qui les excite aux grandes entreprises et leur fournit des ressources inépuisables d'invention, bravent toutes les difficultés, et se servent de toutes sortes de moyens pour répandre par toute l'Europe la connaissance de ce qui est nécessaire pour inspirer aux autres nations une juste idée de leur situation. On a défendu dans plusieurs pays despotiques les livres et gazettes françaises...[455]

À côté de l'information, Neilson fait paraître quelquefois des pièces versifiées d'esprit révolutionnaire comme le Décalogue de Jean-Paul Marat qui, selon l'éditeur, permet de saisir d'une manière claire et précise «les idées des Français relativement à la réforme de leur constitution». Paru le 28 janvier 1790, le texte dit que, pour défendre «la liberté dès à présent», il faut entre autres supprimer la moitié du clergé, couper «les ongles» des gens de loi et donner «congé définitivement» aux financiers[456]. Le 14 juillet 1791, anniversaire de la prise de la Bastille, la *Gazette de Québec* magnifie ainsi la Révolution:

(...)
Nous respirons enfin l'air de la Liberté
Et la France offre, au lieu d'un vil cachot d'esclaves
Le temple du bonheur et de l'égalité.
L'homme et le citoyen ont recouvré leurs droits
Et ces droits sont placés sous l'égide des lois.
Nous pouvons aujourd'hui penser, parler, écrire.

Soit politiques, soit sacrés,
Les tyrans de tout genre ont perdu leur empire.
Et de nos esprits éclairés
La superstition évanouie
A fait place au flambeau de la Philosophie...[457]

Enfin, le 1er janvier 1792, sur la feuille volante intitulée chaque début d'année «Étrennes du garçon qui porte la *Gazette* aux pratiques» et qui est une revue de l'information des douze mois écoulés, on donnait cette réflexion de l'éditeur Neilson:

....
Pourtant la Liberté, d'un vol sûr et rapide,
Étend ses doux rayons jusque dans nos climats.
Son feu divin vient fondre nos frimas.
De l'Angleterre à l'Amérique
L'humanité étend ses lois...[458]

---

455. GQ, 9 décembre 1790, 1ère page, col. 2, numéro 1322.
456. GQ, 28 janvier 1790, 4e page, col. 2, numéro 1277.
457. GQ, 14 juillet 1791, 4e page, col. 2, numéro 1356.
458. GQ, 1er janvier 1792: Étrennes du garçon qui porte la *Gazette* aux pratiques.

Car la *Gazette de Québec* ne se contentait pas de transmettre l'information venue de l'étranger, elle s'engageait localement et d'une façon particulièrement vive contre le régime seigneurial.

On doit s'étonner, dit en commentaire le journal du 24 mars 1791, que les Canadiens... semblent cependant [à l'occasion de l'ébauche d'une nouvelle constitution] souhaiter retenir leur ancienne tenure féodale avec la distinction odieuse de seigneur et de vassal, distinction qui doit paraître vraiment odieuse à tout homme qui pense le moindrement; et cela dans le temps même où la France, dont les Canadiens tirent leur origine, suivant l'exemple de l'Angleterre, abolit toutes les traces du système féodal. D'où vient que les Canadiens agissent ainsi tout au contraire des nations les plus éclairées? Doit-on attribuer cette conduite à l'influence de l'habitude ou à la décision de quelques individus intéressés, ou enfin à l'une et l'autre cause? Il faut espérer que le temps n'est pas éloigné où ils ouvriront les yeux[459].

Sous la plume de Lanaudière, le 28 avril suivant, la *Gazette de Québec* dénonçait les trois «riches et puissants seigneurs» du Canada: le Séminaire de Québec, le Séminaire de Montréal et les Jésuites «maîtres de près de quarante paroisses». Lanaudière comparait les serfs canadiens à «un essaim de familles pâles et mourantes, faute d'un morceau de pain»[460]. Dans un message «aux cultivateurs du Canada», un rédacteur précisait, le 9 juin 1791, que «le système féodal était la cause de la basse condition où était le Canada en 1759» et il ajoutait deux autres facteurs de déchéance, «le célibat sacerdotal et monacal» et «l'intolérance»[461]. La *Gazette de Québec* prenait elle aussi position en faveur d'une nouvelle constitution, pour un enseignement public et pour la suppression de fêtes religieuses.

Pour sa part, le *Quebec Herald* de William Moore se présentait comme le «Vehicule of Freedom»[462]. Tout en fournissant des nouvelles, il tenait une importante tribune des lecteurs et réservait environ un tiers de son espace rédactionnel à la littérature. Contrairement aux autres journaux, sa publicité s'étalait en première page. Avec ses huit pages régulières, il disposait de

---

459. GQ, 24 mars 1791, 2e page, col. 2, numéro 1339.
460. GQ, 28 avril 1791, supplément, pp. 1, 2, 3, 4, col. 1, 2, numéro 1344.
461. GQ, 9 juin 1791, supplément, pp. 1, 2, 3, 4, 5, col. 1, 2, numéro 1350.
462. Nous abrégeons en parlant du *Quebec Herald*. Le titre du premier numéro, le 24 novembre 1788, est *Herald Universal and Miscellany*. À partir du 26 novembre 1789, il devient le *Quebec Herald Miscellany and Advertiser*. Le sous-titre du journal, Vehicle of Freedom, apparaît le 18 novembre 1790. Le périodique est bi-hebdomadaire du 22 novembre 1788 au 19 mai 1791.

deux fois plus d'espace que ses deux concurrents. Il fut même bi-hebdomadaire durant quelques mois. Ce journal, dans son désir de s'intégrer, avait été le premier à publier «an History of Quebec», à partir du 1er décembre 1788[463]. Les principaux correspondants de sa tribune des lecteurs, Sidney, Scalinger, Scriblerus alimentèrent la *Gazette de Montréal* qui cita scrupuleusement le journal de Moore. Pour sa part, le *Herald* n'empruntera qu'à la *Gazette de Québec*, et il s'agira toujours de textes officiels, comme les ordonnances et autres. Quant à la Révolution française, Moore donnera des comptes rendus des débats de l'Assemblée nationale, en suivant strictement la chronologie. Alors que la *Gazette de Québec* publiera, par exemple, un numéro spécial de quinze pages, le 5 janvier 1792, sur la constitution française[464] et des éditions spéciales pour les événements majeurs de la Révolution française, le *Herald* se contentera de transmettre l'information événementielle. Ainsi, lorsque Neilson consacrera les numéros des 25 novembre, 2, 9, 16 et 23 décembre 1790 aux «décrets sur la nouvelle organisation du clergé en France»[465], Moore s'en tiendra aux faits, rapportés le 1er février 1790[466], sans se pencher sur les documents. Alors que la *Gazette de Québec* faisait peu mention de l'Église, sinon comme puissance seigneuriale, le *Herald* attaquait son obscurantisme en français et en anglais, spécialement dans la tribune des lecteurs. Par exemple, une lettre de Sincérité, publiée le 15 février 1790 et adressée à l'évêque de Québec, affirmait que le peuple vivait dans l'obscurité à cause de l'ignorance dans laquelle le maintenaient les prêtres. Ceux-ci avaient partout le devoir d'éclairer les Canadiens sur leurs droits comme sujets du roi de Grande-Bretagne[467]. Autre exemple: le 1er mars 1790, Catholicus demandait (en français) à l'évêque de Québec de

---

463. QH, 1er décembre 1788, 1ère page, col. 3; 2e page, col. 1, 2, 3, numéro 2; History of Quebec, chap. 1. L'Histoire du Québec n'abordera que les origines, l'histoire en fait des autochtones.

464. GQ, 5 janvier 1792, numéro 1383. Ce numéro contient quinze pages dont onze reproduisent intégralement la «nouvelle constitution française telle qu'elle a été finalement décrétée par l'Assemblée nationale et sanctionnée par le roi le 14 septembre 1791». Les douzième et treizième pages traitent des réactions en France et dans le monde. Les deux dernières pages sont remplies d'annonces.

465. GQ, «Nouvelle organisation du clergé de France»: 4e pages, 25 novembre, 2, 9, 16 et 23 décembre 1790, numéros 1321 (col. 2), 1322 (col. 1, 2), 1323 (col. 1, 2), 1324 (col. 1, 2), 1325 (col. 1).

466. QH, 1er février 1790, 6e page, col. 3; 7e page, col. 1, vol. II, numéro 11 (pages 86, 87).

467. QH, 15 février 1790, 6e page, col. 1, 2, vol. II, numéro 13 (page 102).

mettre fin aux désordres que le clergé cause journellement, surtout dans les campagnes, en s'ingérant dans le temporel, sous prétexte de spirituel... Vous ne devez pas ignorer les plaintes réitérées à cet égard, quoique souvent étouffées par le despotisme exercé sur les esprits d'un peuple ignorant[468].

Enfin, le 25 octobre 1790, un correspondant de Québec, qui se disait membre d'une «société de catholiques éclairés», se réjouissait (en français) du progrès des Lumières:

L'esprit de superstition transplanté dans cette partie du nouveau monde par les colons français, et entretenu avec tant de soin par l'influence du sacerdoce, sur ce peuple simple et doux, commence à céder à la raison, secondée par l'industrie active que les Anglais ont introduite, et plus encore, par les Lumières que réfléchissent sur nous nos voisins, les treize États-Unis[469].

Mais les plus nombreuses interventions, dans la tribune des lecteurs, avaient trait à l'établissement d'une chambre d'assemblée qui apparaissait à Moore comme un pas en avant dans l'amélioration du sort de la collectivité.

Dans le travail de diffusion des Lumières, Mesplet gardait toutefois un rôle de premier plan avec la *Gazette de Montréal* où il s'ingéniait, on l'a vu, à répandre de toutes les façons les principes philosophiques et à montrer comment ils commençaient à être appliqués à l'étranger et pourraient l'être au Canada. Les deux autres journaux poursuivaient cet idéal à leur façon. La *Gazette de Québec* exaltait la Révolution française en souhaitant la destruction des vestiges de l'Ancien Régime au Québec. Le *Herald* était plus réservé à l'égard du mouvement révolutionnaire mais il souhaitait une transformation de la société canadienne qui empêcherait l'Église de prôner l'ignorance. Le renouveau devait passer par l'établissement d'une chambre d'assemblée. La *Gazette de Montréal* partageait naturellement les points de vue de ces deux concurrents mais elle allait bien au-delà.

Déterminons plus précisément quelle fut l'originalité des imprimeurs Neilson et Moore dans la diffusion des idées. Nous l'avons déjà dit, Samuel Neilson était un tout jeune homme quand il prit la direction de la plus ancienne imprimerie de la province: il était venu d'Écosse à titre d'héritier de William Brown, son oncle maternel, le fondateur avec Gilmore de la *Gazette de Québec*. Samuel Neilson se montra un jeune imprimeur plein d'initiatives.

---

468. QH, 1er mars 1790, 6e page, col. 1, 2, numéro 15 (page 118).
469. QH, 25 octobre 1790, 7e page, col. 3 et 8e page, col. 1, numéro 49 (pages 391, 392).

Outre la *Gazette de Québec*, il fit paraître le premier magazine au Canada, le *Quebec Magazine* — le *Magasin de Québec*, un mensuel qui fut publié à compter du mois d'août 1792. Il améliora aussi l'*Almanach de Québec*, entre autres en l'illustrant. Le *Quebec Magazine*, illustré lui aussi grâce au graveur J.-G. Hochstetter, était en fait — avec ses soixante et dix pages — une petite encyclopédie populaire contenant des articles sur la littérature et l'histoire, des conseils pratiques, des analyses politiques, une revue de la situation internationale, de même que des informations politiques d'intérêt local. L'esprit du magazine était celui-là même de la *Gazette de Québec*[470]. Samuel Neilson avait comme employé Louis Roy qu'il recommanda au lieutenant-gouverneur du Haut-Canada, John Graves Simcoe, à la recherche d'un imprimeur officiel. Acceptant la fonction, Roy publia le premier numéro du journal *Upper Canada Gazette* ou *American Oracle*, à Newark (Niagara-on-the-Lake), le 13 avril 1793[471]. Comme la presse et le matériel d'imprimerie commandés pour Roy en Angleterre n'étaient pas encore arrivés, ce fut toutefois Fleury Mesplet qui imprima le premier texte officiel du Haut-Canada, une proclamation de Simcoe, datée du 9 juillet 1792[472]. Fort de son expérience à la *Gazette de Québec* et de ses relations avec Mesplet, Roy tentera, après avoir remis sa démission comme imprimeur du roi, de redonner vie à la *Gazette de Montréal*, après la mort de son fondateur. Mais le maître de poste Edward Edwards avait acheté l'entreprise et annoncé, le 16 juillet 1795, qu'il continuerait la publication du périodique montréalais. Roy lança tout de même, le 17 août 1795, sa propre *Gazette de Montréal*. Mais au bout d'une année, Edwards l'emporta parce qu'il avait l'avantage, comme maître de poste, de retenir à son gré le courrier des nouvelles destiné à son rival[473]. Quant à Samuel

---

470. Le *Quebec Magazine - Magasin de Québec* était présenté comme un «recueil utile et amusant de littérature, histoire, politique, etc. particulièrement adapté à l'usage de l'Amérique britannique, par une Société de gens de lettres». Chaque numéro de soixante-dix pages était publié mensuellement. La typographie était identique à celle d'un livre; pas de colonnes comme dans un journal. Une illustration apparaît pour la première fois dans le numéro de novembre 1792: elle représente les ruines d'un temple druidique dans l'île de Jersey. Samuel Neilson s'occupa de la publication des cinq premiers numéros. et peut-être en grande partie du sixième. Sur le graveur J. G. Hochstetter, voir ALLODI, Mary.- *Les débuts de l'estampe imprimée au Canada.*- Toronto: Royal Ontario Museum, 1980.- p. 5.
471. MORIN, Victor.- «Propos de bibliophile», CD, numéro 19, 1954.- pp. 18, 19.
472. *Idem.*
473. *Ibid.*, p. 21. Louis Roy était le frère de Charles Roy, le premier imprimeur du journal *Le Canadien*, en 1806: BRH, vol. XXIV, mars 1918, numéro 3, p. 78.

Neilson, il était décédé prématurément comme le rapporte la *Gazette de Québec* du 17 janvier 1793:

Samedi dernier [le 12 janvier] est mort dans sa 22e année M. Samuel Neilson, ci-devant imprimeur en cette ville, jeune homme d'un mérite distingué, membre utile de la société, et en conséquence universellement regretté[474].

Samuel Neilson laissait comme héritier son frère John. Mais comme celui-ci n'avait pas dix-sept ans, il ne put administrer l'imprimerie que sous l'oeil de son tuteur, le pasteur Alexander Spark[475]. La *Gazette de Québec* redevint aussitôt extrêmement conservatrice comme elle l'était à ses débuts.

Il est curieux de constater que ce fut dans le même temps que William Moore, propriétaire de la Nouvelle Imprimerie et éditeur du *Quebec Herald,* fut dans l'obligation de cesser son activité d'imprimeur. Il s'était illustré tout d'abord comme acteur à Londres puis en Amérique. Il vint pour la première fois dans la province en 1786, à la tête de sa propre compagnie. Celle-ci joua à Montréal du 16 mars au 7 juillet et il est certain que Mesplet rencontra Moore qui revint avec sa troupe, après un séjour à Québec, au mois de novembre 1787[476]. Un an plus tard, Moore annonçait l'ouverture de son imprimerie dans la capitale et le premier numéro du *Quebec Herald and Universal Miscellany* parut le 24 novembre 1788. Durant cette même période, avec la collaboration du maître d'école James Tanswell, il tenta de fonder une feuille française, le *Courrier de Québec* ou *Héraut français.* Faute d'un nombre suffisant d'abonnés, après trois numéros, l'entreprise sombra[477]. Moore concentra alors ses efforts

---

474. GQ, 17 janvier 1793, supplément, 1ère page, numéro 1437.
475. HARE, John et Jean-Pierre WALLOT.- *Les imprimés dans le Bas-Canada (1801-1810).-* Montréal; Presses de l'Université de Montréal, 1967.- p. 351.
476. RYDER, Dorothy E. — «William Moore» dans le DBC, op. cit., tome IV, pp. 601, 602.
477. Dans un «prospectus d'une Gazette française», publié à l'automne de 1788, William Moore annonce la prochaine parution du *Courrier de Québec* ou *Héraut français* en sollicitant des souscripteurs de langue française. Faisant allusion au projet d'une nouvelle constitution, Moore soutient qu'un tel journal s'impose:
Le Canada est peut-être à la veille d'une révolution considérable dans la manière de le régir. C'est donc un moment important qui requiert la communication des idées et des connaissances des citoyens les mieux instruits. Le ministère de la Grande-Bretagne est même intéressé à ce qu'une liberté égale et modérée de la presse en Canada vienne lui offrir le résultat de l'opinion générale des Canadiens à cet égard. C'est par cette liberté que tout citoyen a le droit d'écrire sur les matières du gouvernement. (BVM, salle Gagnon, microfilm *Héraut français*).
Le *Quebec Herald* lui-même sollicitait le 15 décembre 1788 des souscriptions pour un tel journal de langue française. Le rédacteur en chef en est le maître d'école

sur le *Quebec Herald* pendant plus de quatre ans. La bonne entente régnait entre Samuel Neilson et lui. Lorsqu'un incendie détruisit, selon le *Quebec Herald* du 28 décembre 1789, l'imprimerie de Neilson, Moore aida non seulement à sauver l'essentiel du matériel mais offrit ses presses à son concurrent jusqu'à ce que son établissement fût de nouveau en état de fonctionner[478]. Moore et Neilson signèrent aussi en commun une pétition de citoyens réclamant un système d'enseignement public dans la province comme en témoigne la *Gazette de Québec* du 4 novembre 1790[479]. Mais Moore se vit forcé d'arrêter la publication régulière du *Herald* après le mois de juillet 1792, déclarant qu'une «grande quantité d'abonnements» au journal n'avaient pas été payés. En juin 1793, ses biens furent saisis pour défaut de paiement de dettes. Il partit alors pour New York où il reprit avec succès ses activités théâtrales[480].

Que ce fût concerté ou non, les trois imprimeurs de la colonie se trouvèrent donc faire oeuvre commune dans le domaine idéologique, entre 1789 et 1792. Nous avons vu qu'ils avaient entre eux des relations positives: leurs feuilles étaient favorables, entre autres, à une chambre d'assemblée, à la réforme du régime seigneurial et à la liberté de conscience. L'année 1793 marqua la fin de cette solidarité. La mort enleva Samuel Neilson et des créanciers firent disparaître le *Quebec Herald*. En plus de ces trois journaux du Bas-Canada, la *Gazette de Montréal*, la *Gazette de Québec* et le *Quebec Herald*, favorables aux idées philosophiques, Montréal était inondée de périodiques européens que Mesplet faisait probablement circuler. À tel point que le successeur de Montgolfier à la direction de Saint-Sulpice, Gabriel-Jean Brassier s'en alarmait dans une lettre adressée à son évêque au mois de novembre 1789:

James Tanswell (11ᵉ page, col. 3). Dans le premier numéro du *Héraut français*, Tanswell, s'adressant à un peuple digne d'être heureux, donne des louanges au clergé, aux seigneurs, aux magistrats, et soutient que son journal veut «exciter à la vertu» et «allumer un désir d'être utile à ses semblables»: numéro du 24 novembre 1788, 1ère page. On remarquera que, lors de cette tentative de créer un premier journal uniquement de langue française dans la capitale, la *Gazette de Québec* était toujours dirigée par William Brown. On notera aussi que, dans une feuille d'annonces, publiée le 1er janvier 1788, Moore précisait qu'à Montréal les abonnements du *Héraut français* seraient pris à l'imprimerie de Mesplet.

478. QH, 28 décembre 1789, 5ᵉ page, col. 3, numéro 6 (page 45).
479. GQ, 4 novembre 1790, 2ᵉ page, numéro 1318.
480. «William Moore», DBC, op. cit., p. 602.

Les gazettes d'Europe influent beaucoup sur l'esprit des citoyens de Montréal. Elles prêchent partout la liberté et l'indépendance[481].

Quant à Mesplet, qui avait déjà été l'un des fondateurs de l'Académie de Montréal en 1778, il semble bien ne pas être resté étranger à la création de la Société des patriotes qui avait pris comme devise «Humanité, tolérance et liberté». Dans son numéro du 16 décembre 1790, la *Gazette de Montréal* relatait ainsi les débuts de la société patriotique:

> Quelques jeunes messieurs de cette ville, sous le nom de la Société des patriotes, se sont assemblés ce jour [le 9 décembre 1790] pour célébrer l'heureuse Révolution qui réhabilite tant de millions d'hommes en Europe dans la jouissance de leurs droits naturels. Leur président, tout entier à la patrie, a prononcé le discours suivant qui fait également honneur à ses sentiments et à son génie:
>
> «Nous nous réjouissons librement du bonheur des Français, parce qu'ils sont hommes et nos frères, parce que leur régénération en a fait autant de citoyens du monde connu.
>
> «...la France renouvelée, le peuple allégé, une religion épurée, des ministres philanthropes, une tolérance universelle, et plus de noblesse sinon celle du coeur et des actions, ce sont là des tableaux, des images majestueuses et pathétiques qui parlent à l'âme.
>
> (...)
>
> «Rendons grâce au Dieu qui nous donna l'existence, dans un temps où exister n'est plus souffrir... nous foulerons une terre qui se réjouira de notre bonheur: une terre dont les fruits nourriciers ne seront plus cueillis par des barbares mains, ni savourés par des palais abreuvés de sang: les habitants enfin vertueux n'auront d'autres penchant que l'amour et l'amitié: le héros de l'univers sera celui qui en sera le bienfaiteur et non le bourreau.
>
> (...)
>
> «Vivent les hommes, la tolérance et la liberté!»

Le rédacteur notait que le discours avait été interrompu par de «vives acclamations» et que l'assemblée avait répété en choeur la devise finale. Après un «dîner frugal», les «santés» suivantes avaient été «levées»: «Au généreux LaFayette!»; «Au patriotique Mirabeau!»; «À l'abolition des abbés!»; «À la destruction des Récollets!»; «À la félicité du peuple!»; «À une chambre d'assemblée dans cette province!». Une souscription avait ensuite

---

481. Lettre de Gabriel-Jean Brassier à l'évêque de Québec, en novembre 1789: correspondance de Gabriel-Jean Brassier de 1789 à 1796, 901-012, 789-6, ACAM.

été ouverte en faveur des nombreux pauvres dans la ville[482]. Ce fut donc la Révolution française qui inspira à Montréal la fondation de la Société des patriotes. Sa devise était celle-là même des Philosophes et ses idoles: La Fayette et Mirabeau qui paraissaient alors les défenseurs de la Liberté: le premier auréolé du prestige de soldat de la guerre d'Indépendance des États-Unis; le second, regardé comme le porte-parole du peuple affrontant l'absolutisme royal. On notera qu'une «santé» fut portée au bonheur du peuple et que la dernière résolution de la société patriotique apparaissait comme une mesure contre l'état misérable où se trouvaient les pauvres. L'Église était violemment prise à partie puisqu'on buvait à la suppression des prêtres et des religieux, spécialement des Récollets que Mesplet, on s'en souvient, n'aimait pas particulièrement. En définitive, selon l'exposé du président, la régénération que connaissait la France devait être un modèle pour les gens du Québec. Rappelons que c'était la Société des patriotes qui, le 9 décembre 1790, avait fait paraître dans la *Gazette de Montréal* des extraits d'une brochure intitulée *La France libre* qui devait provoquer, selon le rédacteur, «la rage impuissante des bigots, dévots et autres sots...»[483]. Il est fort probable que l'un des membres actifs de cette société était Henri Mézière. Il avait déjà pris position dans la *Gazette de Montréal* en faveur du patriotisme[484], pour la chambre d'assemblée[485] et contre les moines[486]. Dans la lettre qu'il adressait à ses parents, au mois d'août 1793, il avouera que son principal motif d'agir était «l'amour de la Liberté»[487]. Si nous ne sommes pas sûr des fonctions de Mézière dans la Société des patriotes, nous savons qu'il a été secrétaire de la Société des débats libres qui paraît lui avoir succédé. La *Gazette de Montréal* faisait mention de cet organisme — d'abord avec un nom anglophone: Montreal Society united for free debate — dans le numéro du 25 août 1791. C'était uniquement une convocation signée par Mézière[488]. Mais une critique de la société était publiée dans la feuille de Mesplet, le 29 septembre suivant: dans une lettre

482. GM, 16 décembre 1790, 3e et 4e pages, col. 2, numéro LI.
483. GM, 9 décembre 1790, 2e et 3e pages, col. 2, numéro L.
484. GM, 27 mars 1788, 3e et 4e pages, col. 2, numéro XIII.
485. GM, 8 avril 1790, 2e et 3e pages, col. 2, numéro XV.
486. GM, 11 novembre 1790, 1ère et 2e pages, col. 2, numéro XLVI.
487. Lettre de Mézière à ses parents, le 28 août 1793, envoyée de Cumberland Head: ASQ, Saberdache rouge, M. pp. 207 à 221 (p. 211).
488. GM, 25 août 1791, 4e page, col. 1, numéro XXXVI.

ouverte, Vassal de Monviel, un correspondant de Boucherville, se plaignait que les sujets débattus fussent insignifiants et invitait à choisir des thèmes de réflexion plus utiles au développement de l'esprit et davantage profitables à la collectivité. Notons que l'imprimeur avait fait malicieusement ressortir en italiques les fautes d'orthographe de l'intervenant[489]. Les répliques vont pleuvoir sur Monviel dans les quatre numéros suivants. La *Gazette de Montréal* du 6 octobre 1791 rappelait la *Gazette littéraire* des beaux jours. Trois des quatre pages étaient remplies de la prose de correspondants favorables ou non à Monviel. Les adversaires occupaient évidemment les deux premières pages dans lesquelles on persiflait avec humour le pourfendeur de la Société des débats libres. Ainsi, l'Indigné s'écriait: «Au secours Boileau! au secours! Cotin est ressuscité...»[490]. Quant aux défenseurs de Monviel, Mesplet publia leur prose truffée de fautes, en particulier celle du «chevalier de...» disant appuyer Monviel contre la canaille roturière[491]. Des membres de la Société des débats libres profitèrent de cette polémique pour mieux faire connaître leur organisme composé de

> jeunes citoyens qui, ayant adopté l'idée d'utilité, que quelques cerveaux plus mûrs leur avaient suggérée, ont établi cette association, propre sans doute à former dans la suite des orateurs et des dialecticiens, arts vraiment utiles et bientôt nécessaires en Canada[492].

La Société était donc une école de réflexion et d'éloquence, destinée à former des hommes capables de défendre l'intérêt public, à l'occasion de l'instauration d'une chambre d'assemblée. Dans la *Gazette de Montréal* du 27 octobre 1791, le lecteur apprenait, dans un texte non signé, que le but de la Société des débats libres était de combattre les préjugés et de réformer les abus. Ses membres désiraient être les amis de l'humanité[493]. En tout cas, le 10 novembre 1791, dans un dialogue entre un souscripteur du journal et un adhérent de la Société, on convenait qu'après tout Monviel avait voulu poser un geste patriotique et que son intervention ne méritait pas de soulever un tel tollé[494]. Dans son mémoire intitulé *Observations sur l'état actuel du Canada et sur*

---

489. GM, 29 septembre 1791, 3e page, col. 2, numéro XLI.
490. GM, 6 octobre 1791, 1ère page, col. 2, numéro XLII.
491. GM, 6 octobre 1791, 3e page, col. 2, numéro XLII.
492. GM, 6 octobre 1791, 2e page, col. 2, numéro XLII.
493. GM, 27 octobre 1791, 3e page, col. 2, numéro XLV.
494. GM, 10 novembre 1791, 3e et 4e pages, col. 2, numéro XLVII.

les dispositions politiques de ses habitants, présenté à l'ambassadeur français Genet le 12 juin 1793, Mézière devait préciser que le «Club des patriotes» comptait plus de deux cents membres et que les débats avaient trait à la Révolution en marche[495] bien qu'une proclamation du roi George, reproduite dans la *Gazette de Québec* du 9 août 1792, eût mis en garde ses sujets contre les écrits séditieux

> printed, published, and industriously dispersed, tending to excite tumult and disorder, by endeavouring to raise groundless jealousies and discontents in the minds of our faithful and loving subjects, respecting the laws and happy Constitution of Government, civil and religious established in this kingdom[496].

Les informations de France entraient alors dans la colonie, en partie avec les journaux français dont Mesplet lui-même prenait des abonnements. Ainsi, dans la *Gazette de Montréal* du 5 avril 1792, il recommande à ses lecteurs de s'abonner à la *Correspondance nationale de Paris*[497]. Le 31 décembre 1789, il avait sollicité des souscripteurs pour le *Courrier de Boston* de Joseph Nancrède, important diffuseur des Lumières aux États-Unis[498]. Il est donc très vraisemblable que l'atelier de Mesplet fournissait une documentation de nature à enrichir les discussions des patriotes. Des nombreux journaux étrangers qui formaient on s'en souvient, une bonne partie des sources de la *Gazette de Montréal*, les originaux pouvaient certainement être consultés à la librairie même de Mesplet.

---

495. WADE, Mason.- «Quebec and the French Revolution of 1789: The Missions of Henri Mézière».- CHR, vol. XXXI, no 4, décembre 1950.- p. 351.
496. GQ, 9 août 1792, 1ère page, numéro 1413. La proclamation de George III est tirée de la *London Gazette* du 29 mai: RAC, 1921.- pp. 13, 14.
497. GM, 5 avril 1792, 3e page, col. 2, numéro XV:
      Souscription ouverte chez Fleury Mesplet, imprimeur à Montréal, pour une gazette en français imprimée à Paris, qui sort deux fois par semaine, intitulée *Correspondance nationale*. L'éditeur de cette gazette, pour en faciliter l'achèvement, s'est formé plusieurs correspondants dont un à Philadelphie pour New York, un à New York pour Albany, un à Albany pour le Lac Champlain, et un autre au Lac Champlain pour Montréal. Le prix de la souscription est de quatre piastres par année, et on payera une piastre en souscrivant.
      La *Correspondance nationale*, dont il s'agit, avait vu le jour en mai 1789 à Paris. C'était l'un des quarante-deux périodiques qui avaient été fondés dans la capitale entre mai et juillet 1789. (Voir *Histoire générale de la presse française*, op. cit., p. 428.)
498. GM, 31 décembre 1789, 4e page, col. 2, numéro LIII. Souscriptions demandées pour le *Courrier de Boston* de Nancrède et de Samuel Hall, hebdomadaire imprimé en français à Boston. L'abonnement: douze chelins et demi d'Halifax, payables à la fin de l'année.

Car il y avait une librairie qui, bien que son libraire restât discret sur ce genre de débit, n'en offrait pas moins des ouvrages philosophiques. Dans le prospectus de la *Gazette de Montréal* en 1785, figure la *Henriade* de Voltaire dans la liste des livres à vendre[499]. Mais de telles annonces demeuraient exceptionnelles. Tel n'était pas le cas de la *Gazette de Québec:* Samuel Neilson offrait ouvertement à sa clientèle des oeuvres diverses des Philosophes[500]. Mesplet, pour sa part, imprimait des livres qui n'étaient plus, pour la plupart, des commandes de l'Église. C'étaient des ouvrages d'intérêt pratique comme le code des juges de paix, un recueil sur les droits des marguilliers, un livre sur les exercices militaires, un tableau des rues et faubourgs de Montréal[501]. Il n'oubliait pas ses opposants de 1779. En 1791, il imprimait un mémoire en cassation du testament de Simon Sanguinet[502]. Enfin, la *Gazette de Montréal* des 27 septembre et

---

499. GM, prospectus, août 1785, 4e page, col. 2.

500. Exemples: GQ, 8 octobre 1789, 3e page du supplément, col. 1, 2, numéro 1261; GQ, 19 août 1790, 4e page, col. 1, 2, numéro 1307. Sont annoncés des ouvrages de Voltaire, Montesquieu, Locke, Beccaria et Raynal. Les oeuvres de Voltaire ne sont vendues qu'en langue anglaise. On peut se procurer Beccaria et Raynal en français. Voici le libellé exact de quelques-uns de ces titres: *Histoire philosophique et politique des établissements des Européens dans les deux Indes; Traité des délits et des peines; Locke's Essay on Human Understanding; Voltaire's History of Russia; Voltaire's Memoirs; Locke's Whole Works; Raynal's Philosophical and Political History; Montesquieu's Spirit of Laws; Locke on Education.*

501. BURN, Richard.- *Le juge à paix (sic) et officier de paroisse.-* Montréal; Mesplet, 1789.- 561 p. (Traduction faite par Joseph-François Perrault pour «faciliter aux magistrats canadiens et autres officiers subalternes, l'exécution de leurs devoirs». Le livre avait d'abord été publié en brochure de trente-deux pages chaque mois), *Université McGill*, Collection Lande, 73 Burn. Autres livres pratiques imprimés par Mesplet et annoncés dans son journal. «Le marguillier et le fabricien de paroisse», un recueil qui contiendra

 ce que chaque paroissien doit savoir pour se conduire, tant dans l'administration des biens de l'Église que la manière dont il doit se comporter dans les assemblées.

Ce livre veut faire connaître leurs droits aux marguilliers des différentes fabriques de la province «qui se sont jusqu'à présent soumis aveuglément aux caprices de leurs curés», surtout dans les campagnes. (GM, 22 novembre 1792, 3e page, col. 2, numéro XLVIII.) Le journal annonce encore «For sale at the Printing Office: The Rules and Regulations for the formations, field-exercice and movements of His Majesty's Forces». (GM, 31 octobre 1793, 4e page, col. 1, numéro XLIV.) «À vendre à l'imprimerie, le *Tableau des rues et faubourgs de Montréal*». (GM, 11 juin 1789, 4e page, col. 2, numéro XXIV.)

502. GM, 13 janvier 1791, 4e page, col. 2, numéro II: annonce de l'impression par Mesplet du mémoire en cassation du testament de feu Simon Sanguinet. L'ouvrage, conservé au département des livres rares de la BNQ, a pour titre: *Mémoire en cassation du testament de M. Simon Sanguinet, écuyer, seigneur de La Salle, un des juges de la Cour des plaidoyers communs.-* Montréal; Mesplet, 1791.- Le livre donne d'abord la copie du testament de 1790 par lequel Sanguinet lègue entre autres ses biens à une communauté religieuse pour la fondation d'une université et laisse à sa petite-fille, Archange Campault, une ferme. La demande en cassation est signée

29 novembre 1792 annonçait la publication de deux ouvrages du père Huet de la Valinière: *Dialogue curieux et intéressant entre M. Bon Désir et le Dr Breviloq* et *Vraie histoire ou simple précis des infortunes, pour ne pas dire des persécutions, qu'a souffert (sic) et souffre encore le révérend père Huet de la Valinière*[503]. Ce Sulpicien était considéré comme un indésirable par les autres ecclésiastiques et la vente de ses ouvrages ne devait pas plaire à ses confrères, c'est le moins qu'on puisse dire[504].

Mesplet saisissait dans l'actualité tout ce qui pouvait devenir prétexte à encourager la lecture d'oeuvres philosophiques. Par exemple, les décès de Mably[505] et de Buffon[506], un nouvel ouvrage de Raynal[507] ou de Marmontel[508]. Les éloges qui étaient faits de

---

J.-F. Perrault. Pour la motiver, Perrault allègue que c'est le texte d'un faible d'esprit, d'un homme privé de sa raison, puisque le legs total s'élève à 91 000 livres alors que Sanguinet ne possédait que 2 060 livres. Outre la destination de ses biens à une université, aux pauvres et à des messes, Sanguinet désirait qu'une somme fût réservée à l'édification d'un somptueux mausolée pour abriter sa dépouille. - On se souvient qu'en 1779, Sanguinet avait été dénoncé par Jautard pour s'être emparé de la fortune d'une vieille célibataire faible d'esprit. Sanguinet avait concouru à la chute de la *Gazette littéraire*.

503. GM, 27 septembre 1792, 3e page, col. 2, numéro XL; GM, 29 novembre 1792, 2e page, col. 2, numéro XLIX.

504. TÊTU, Henri.- «L'abbé Pierre Huet de la Valinière (1732-1794)».- BRH, vol. 10, mai 1904, numéro 5 (pp. 129 à 144); juin 1904, numéro 6 (pp. 161 à 175). L'auteur résume la carrière du Sulpicien en citant (pp. 170, 171) cet extrait d'une lettre de Mgr Hubert à John Carroll, futur évêque de Baltimore, datée du 6 octobre 1788:
Remarquez, s'il vous plaît, que M. de la Valinière est un homme de bonnes moeurs, mais que son esprit remuant est capable de causer beaucoup de troubles à ses confrères, comme nous l'avons éprouvé en Canada.

505. GM, 6 octobre 1785, 3e page, col. 2, numéro VII:
Le 3 mai dernier est mort le célèbre Gabriel Bonnot de Mably, mieux connu sous le nom d'Abbé de Mably; il est né à Grenoble en 1709; il a laissé deux manuscrits dont un intitulé, *du Droit et des Devoirs du Citoyen*, et l'autre, *du Beau et des Talents*, qui sont sur le point d'être mis sous la presse. On assure que ces deux ouvrages ne sont pas inférieurs à ses *Observations sur l'Histoire de la Grèce*, aux *Entretiens de Phocion sur le rapport de la morale avec la politique*, ses *Principes de législation* qui sont regardés comme ses chef-d'oeuvres. On dit que c'était un homme d'une parfaite intégrité, dont les manières étaient bien aisées; qu'il était enthousiaste de la Liberté, mais ami du bon ordre.
Mesplet savait sans doute qu'en ouvrant *Des Droits et des devoirs du citoyen*, ses lecteurs tomberaient sur des réflexions comme celle-ci:
On veut que le peuple soit ignorant; mais remarquez, je vous prie, qu'on n'a cette fantaisie que dans les pays où l'on craint la liberté. L'ignorance est commode pour les gens en place; ils dupent et oppriment avec moins de peine. (MABLY.- *Sur la théorie du pouvoir politique*.- Paris; Éditions sociales, 1975.- pp. 79, 80.)

506. GM, 31 juillet 1788, 2e page, col. 2, numéro XXXI:
[La mort de Buffon] a enlevé à la philosophie et aux lettres, un de leurs ornements, et à la société des hommes dont la perte est bien difficile à réparer.

507. GM, 28 juin 1787, 3e page, col. 2, numéro XXVI: annonce de la publication des *Idées générales sur l'état présent du commerce* de Raynal.

Franklin à l'occasion de son retour à Philadelphie et de sa mort[509], les honneurs réservés à Voltaire par la nation française[510] constituaient des circonstances permettant de rappeler la grandeur de ces deux Philosophes et l'importance de leurs oeuvres. Une petite bibliothèque publique fonctionnait aussi sous la direction de Mesplet. Nous en avons la confirmation par une annonce publiée dans la *Gazette de Montréal* du 15 septembre 1791, où l'imprimeur demandait qu'on lui rapportât des volumes prêtés[511]. L'atelier était le centre d'une circulation d'ouvrages puisque Mézière, de Cumberland Head en 1793, adressera entre autres à Mesplet, pour les répandre, des exemplaires des *Droits de l'homme* de Thomas Paine et une série de numéros du *Courrier de Paris* d'Antoine-Joseph Gorsas[512]. Pour sa part, l'évêque de Québec, Mgr Hubert, constatait avec tristesse, en 1788, qu'il s'était introduit dans la province une quantité prodigieuse de «mauvais» livres empreints d'un esprit philosophique «funeste»[513].

La *Gazette de Montréal*, le 25 avril 1793, informait ses lecteurs de la déclaration de guerre de la Convention nationale à la Grande-Bretagne[514]. Le mois suivant, alors que le lieutenant-gouverneur Alured Clarke annonçait officiellement le conflit, Henri Mézière, l'ancien rédacteur au journal de Mesplet et secrétaire de la Société des débats libres, quittait le pays pour servir la cause de la Liberté en se rangeant aux côtés de la France et en voulant unir le Québec à cette cause.

> Plusieurs jours avant mon départ, écrira, de Cumberland Head, Mézière à ses parents, vous dûtes apercevoir en moi un esprit rêveur et pensif; je recherchais les endroits retirés, l'ombrage et le silence des bosquets. Eh bien! je méditais alors cette question, savoir, s'il n'est pas du devoir d'un homme, lorsqu'il le peut, de

---

508. GM, 30 décembre 1790, 1ère et 2e pages, col. 2, numéro LIII: critique favorable des *Incas* de Marmontel, ouvrage comparé au *Télémaque*, ce «poème enchanteur de Fénelon».

509. GM, 13 octobre 1785, 4e page, col. 2, numéro VIII; GM, 10 novembre 1785, 2e, 3e et 4e pages, col. 2, numéro XII: GM, 29 décembre 1785, 4e page, col. 1, numéro XIX; GM, 3 juin 1790, 2e page, col. 2, numéro XXIII; GM, 30 septembre 1790, 1ère page, col. 2, numéro XL. Il est question de la gloire de Franklin «tant comme politique que comme philosophe».

510. GM, 21 juillet 1791, 2e page, col. 2, numéro XXXI; GM, 20 octobre 1791, 1ère et 2e pages, col. 2, numéro XLIV. Ce dernier numéro donne la description détaillée de toute la cérémonie de la translation, décrite comme une «fête triomphale».

511. GM, 15 septembre 1791, 3e page, col. 2, numéro XXXIX.

512. «The Missions of Henri Mézière», article cit., p. 355.

513. *Mandements des évêques de Québec*, op. cit., pp. 219, 220.

514. GM, 25 avril 1793, 1ère page, numéro XVII.

fuir un pays esclave. J'examinai ma proposition sous ses trois faces considérant d'abord si le Canada était esclave, ensuite, si c'était une raison suffisante pour l'abandonner, enfin s'il était en mon pouvoir de le faire.

Mézière soutenait que «le Canada est esclave» puisqu'il ne jouissait que d'une constitution qui

> lui a été donnée par un parlement étranger: parlement corrompu qui touche au moment de sa dissolution pour avoir entraîné l'Angleterre dans la ligue honteuse des têtes couronnées de l'Europe contre les Droits de l'homme.

Le «fléau le plus horrible aux yeux d'un homme qui a quelque idée de la dignité de sa nature» est l'esclavage. Il faut le fuir. Mézière osa:

> ...j'avais en moi des ressources plus puissantes que l'or, un amour violent pour la Liberté, l'instinct de la haine contre les tyrans enfin... Peu importe, m'écriai-je, d'être dénué de ces secours pécuniaires que les despotes et leurs sujets regardent comme indispensables au bonheur de l'homme et à ses besoins. J'irai, aidé de ma seule énergie, m'exposer au hasard de la faim et de la fatigue excessives. Si je puis acquérir la liberté, même à ce prix, je ne l'aurai pas payée trop cher, et cet apprentissage de misère instantanée m'en aura rendu digne...[515]

Or lorsque Mézière prit la grande décision de partir, ni Mesplet ni ses proches n'y demeurèrent étrangers puisque, dans la même lettre à ses parents, il précisait:

> Ceux qui étaient le plus familiers avec mon caractère m'encouragèrent à poursuivre mon plan, quelque impraticable qu'il semblât en apparence. Presque tous m'offrirent de l'argent que je refusai, à l'exception d'un écu que me donna Mesplet...[516]

Il y avait donc un plan — qui consistait probablement à entrer en communication officiellement avec la France révolutionnaire —, plan connu et approuvé de Mesplet et de ses amis. Pour quitter la colonie sans attirer l'attention, Mézière devait voyager comme un vagabond et sa fuite être considérée comme un coup de tête. Effectivement, il ne fut pas inquiété au cours de son déplacement dans la colonie et put arriver à Albany où il travailla une semaine chez l'imprimeur (Mézière avait donc été initié à ce métier par Mesplet) en vue de gagner son pain et l'argent nécessaire pour poursuivre sa route jusqu'à New York. De là, il gagna

---

515. *Lettre de Mézière à ses parents*, op. cit., p. 211.
516. *Ibid.*, p. 212.

à pied Philadelphie où il se rendit directement à l'ambassade de France[517]. Il y rencontra Edmond-Charles Genet, ministre plénipotentiaire de la République française, nouvellement arrivé. Sa nomination avait été décidée par les Girondins en raison de son dévouement et de sa loyauté envers la République.

> Le conseil exécutif ayant jugé à propos, lui écrivait le ministre des Affaires étrangères Lebrun, d'avoir à Philadelphie un représentant de la République française dont les talents, le patriotisme et le dévouement à la chose publique fussent bien connus, j'ai cru devoir vous désigner comme réunissant toutes ces qualités[518].

Quittant Paris le jour de l'exécution du roi, il reçut comme instruction — dans l'éventualité d'une guerre entre la France et l'Angleterre — de ne négliger aucun effort pour convaincre les États-Unis qu'il était de leurs intérêts de s'unir à la France et de s'emparer du Canada et de la Nouvelle-Écosse «pour ajouter une belle étoile à la constellation américaine». Si les États-Unis se montraient prêts à collaborer, la République enverrait une flotte formidable pour aider à réaliser ce projet. Ces instructions faisaient partie d'un plan global visant à libérer l'Amérique du Nord des jougs britanniques (Canada) et espagnol (Floride, Louisiane)[519]. Genet était arrivé en Amérique par le port de

---

517. *Ibid.*, pp. 214, 215.
   Je me transportai chez l'imprimeur et je m'engageai à y travailler une semaine pour ma nourriture, et six piastres. La semaine écoulée, je pris congé de lui, et avec mes gages j'achetai des provisions pour me rendre à New York, par eau. En trois jours, je fis ce voyage. Je me flattais d'avoir quelque chance dans cette ville, je n'en eus aucune: ce qui me détermina à aller à pied à Philadelphie, distante de trente-cinq lieues de New York. Là je fus immédiatement chez le ministre français nouvellement arrivé, le citoyen Genet... (p. 215)

518. DIDIER, L. - «Le citoyen Genet».- RQH, Paris, 1912, tome XLVIII.- p. 69.- Edmond-Charles Genet était né à Versailles le 8 janvier 1763. Il avait été secrétaire d'ambassade à Berlin, Vienne et Londres, avant d'être nommé chef du bureau des interprètes au ministère des Affaires étrangères (1781-1787). Il avait ensuite été chargé d'affaires à l'ambassade de Saint-Petersbourg (1787-1792), ministre plénipotentiaire en Hollande (1792) et envoyé spécial auprès de la République de Genève (1792). (Voir MINNIGERODE, Meade.- *Jefferson Friend of France 1793 - The Career of Edmond Charles Genet (1763-1834).*- New York-Londres; Putnam, 1928.- p. IV.) Le père d'Edmond-Charles Genet avait été chef du bureau des interprètes pour le ministère des Affaires étrangères et intermédiaire entre ce ministère et la presse. De 1776 à 1782, Genet-père s'était occupé de l'impression de «pamphlets incendiaires» en faveur des Américains, sur les ordres du ministre Vergennes. Genet-père fut le directeur secret et Franklin le rédacteur principal de la feuille: *Les Affaires de l'Angleterre et de l'Amérique.* Ce journal reproduisait entre autres de larges extraits du *Sens commun* de Paine et analysait la Déclaration d'Indépendance. (Voir FAY, Bernard.- *L'esprit révolutionnaire en France et aux États-Unis, à la fin du XVIIIe siècle.*- Paris; Champion, 1925.- pp. 61, 62.)

519. «The Missions of Henri Mézière», article cité, pp. 345, 346.

Charleston, le 8 avril 1793. C'était la base des corsaires français pour la mer des Antilles et le golfe du Mexique. Les hommes s'y faisaient gloire de porter la cocarde tricolore, de s'appeler citoyens et de se coiffer du bonnet rouge. De Charleston à Philadelphie, l'ambassadeur fit une marche véritablement triomphale: en Caroline du Sud, en Caroline du Nord et en Virginie, les Américains l'acclamèrent et manifestèrent leur attachement pour la Révolution. On lui offrait du blé pour la France, on lui demandait de s'enrôler dans l'armée française, on formait des sociétés démocratiques et jacobines[520]. Ce fut un ambassadeur auréolé d'un tel prestige que Mézière rencontra à Philadelphie.

> Il approuva hautement ma conduite, raconta Mézière à ses parents; me félicita de mon courage, et dès ce moment m'engagea au service de la République française. Je restai un mois avec lui jouissant de sa bibliothèque, de sa bourse et de son amitié[521].

Durant ce séjour auprès de l'ambassadeur, Mézière prépara à sa demande un mémoire qu'il intitula *Observations sur l'état actuel du Canada et sur les dispositions politiques de ses habitants*. Dans ce document, soumis le 12 juin 1793, Mézière affirmait que les Canadiens étaient prêts à se libérer de l'oppression où les maintenaient l'Église et le gouvernement colonial, et cela sous l'influence des principes des Philosophes et à l'exemple de la Révolution française. Mézière rappelait la ferveur de la majorité des Canadiens pour les Fils de la Liberté en 1775-1776 ainsi que la répression qui avait suivi, entraînant de nombreux emprisonnements arbitraires dont ceux de Fleury Mesplet, de Valentin Jautard, de Pierre du Calvet et de François Cazeau. Mézière marquait l'influence des Philosophes en précisant que, dans les villes,il était possible de se procurer leurs ouvrages qui étaient lus avec passion ainsi que les gazettes françaises et la Déclaration des droits de l'homme et du citoyen. Des chants patriotiques étaient appris par coeur et chantés au Club des patriotes. La Révolution française avait fait davantage pour éclairer les Canadiens sur leurs droits naturels qu'une centaine d'années de lecture (allusion ici à l'analphabétisme de la population). Depuis la déclaration de guerre contre l'Angleterre, les Canadiens avaient fait un tel progrès dans la voie de la raison qu'ils ne craignaient plus de se prononcer tout haut en faveur de la France. Chaque jour, dans les villes, ils s'assemblaient par petits groupes

---

520. *L'esprit révolutionnaire en France et aux États-Unis*, op. cit., pp. 115 à 117.
521. *Lettre de Mézière à ses parents*, op. cit., p. 215.

pour commenter les nouvelles, se réjouissant si elles étaient favorables à la France et s'attristant sans perdre confiance quand les Français connaissaient des revers. L'exécution du «tyran Capet» n'avait pas diminué l'amour des Canadiens pour la France sauf chez les prêtres et les affidés du gouvernement colonial. Les habitants du Québec ne tireraient pas une seule cartouche contre les Français qui viendraient leur offrir la liberté[522]. Tel est le contenu du mémoire de Mézière faisant état de l'influence des idées philosophiques dans la population urbaine, du réveil suscité dans les masses rurales, et traitant enfin du désir de tous de vivre libres comme les Français.

L'intervention de Genet en Amérique faisait partie de cette action souhaitée par Condorcet dans la *Chronique de Paris* d'octobre 1792 :

> La Liberté a besoin de franchir les montagnes et les mers et d'aller chercher des prosélytes à la Philosophie, qui a préparé de loin ses conquêtes[523].

Rappelons que, peu avant la nomination de Genet, le décret suivant avait été pris par la Convention, le 19 novembre 1792, avec ordre de l'imprimer dans toutes les langues:

> La Convention nationale déclare, au nom de la nation française, qu'elle accordera fraternité et secours à tous les peuples qui voudront recouvrer leur liberté, et charge le pouvoir exécutif de donner aux généraux les ordres nécessaires pour porter secours à ces peuples et défendre les citoyens qui auraient été vexés ou qui pourraient l'être pour la cause de la liberté[524].

C'était dans cet esprit que Genet préparait un appel à la liberté, *Les Français libres à leurs frères du Canada:*

> Lorsque nous gémissions sous un gouvernement arbitraire, écrivait le porte-parole de la République française, nous ne pouvions que plaindre votre sort, regretter les liens qui nous unissaient à vous et, en murmurant en secret des trahisons dont vous aviez été les victimes nous n'osions pas plus que vous lever nos têtes courbées sous le joug de la servitude; une stérile indignation de

---

522. «The Missions of Henri Mézière», article cité, pp. 349 à 351. L'original des *Observations sur l'état actuel du Canada et sur les dispositions politiques de ses habitants* se trouve aux Archives des Affaires étrangères de France, Correspondance politique, États-Unis, vol. 37, pt. 6, 419-23.

523. Extrait de la *Chronique de Paris*, numéro 297, octobre 1792. Cité dans *Condorcet, sa vie, son oeuvre*, op. cit., p. 222.

524. *Ibid.*, p. 224.

la conduite criminelle de nos rois envers vous était le seul hommage que nous puissions vous rendre.

Mais aujourd'hui nous sommes libres, nous sommes rentrés dans nos droits, nos oppresseurs sont punis, toutes les parties de notre administration sont régénérées et, forts de la justice de notre cause, de notre courage et des immenses moyens que nous avons préparés pour terrasser tous les tyrans, il est enfin en notre pouvoir de vous venger et de vous rendre aussi libres que nous, aussi indépendants que vos voisins les Américains des États-Unis. Canadiens, imitez leur exemple et le nôtre, la route est tracée, une résolution magnanime peut vous faire sortir de l'état d'abjection où vous êtes plongés. Il dépend de vous de réimprimer sur vos fronts cette dignité première que la nature a placée sur l'homme et que l'esclavage avait effacée.

L'homme est né libre. Par quelle fatalité est-il devenu le sujet de son semblable? Comment a pu s'opérer cet étrange bouleversement d'idées, qui a fait que des nations entières se sont volontairement soumises à rester la propriété d'un seul individu? C'est par l'ignorance, la mollesse, la pusillanimité des uns, l'ambition, la perfidie, les injustices, etc. des autres. Mais aujourd'hui que, par les excès d'une domination devenue insupportable, des peuples entiers, en s'élevant contre leurs oppresseurs, ont révélé le secret de leur faiblesse et dévoilé l'iniquité de leurs moyens, combien ne sont-elles pas coupables les nations qui restent volontairement dans des fers avilissants et qui, effrayées du sacrifice de quelques moments de repos, se livrent à une honteuse inertie et restent volontairement dans la servitude?

Puis l'ambassadeur interpellait directement les Canadiens:

Tout, autour de vous, vous invite à la liberté. Le pays que vous habitez a été conquis par vos pères. Il ne doit sa prospérité qu'à leurs soins et aux vôtres. Cette terre vous appartient. Elle doit être indépendante!

Suivait l'appel à l'insurrection contre le roi d'Angleterre:

Rompez donc avec un gouvernement qui dégénère de jour en jour et qui est devenu le plus cruel ennemi de la liberté des peuples. Partout on retrouve des traces du despotisme, de l'avidité, des cruautés du roi d'Angleterre. Il est temps de renverser un trône où se sont trop longtemps assises l'hypocrisie et l'imposture. Que les vils courtisans qui l'entouraient soient punis de leurs crimes ou que, dispersés sur le globe, l'opprobre dont ils seront couverts atteste au monde qu'une tardive mais éclatante vengeance s'est opérée en faveur de l'humanité.

Cette révolution nécessaire, ce châtiment inévitable se préparent rapidement en Angleterre. Les principes républicains y font tous les jours de nouveaux progrès et le nombre des amis de la liberté et de la France y augmente d'une manière sensible. Mais n'attendez pas pour rentrer dans vos droits l'issue de cet événement, travaillez pour vous, pour votre gloire, ne craignez rien de George III, de ses soldats, en trop petit nombre pour s'opposer avec succès à votre valeur. Sa faible armée est retenue en Angleterre autour de lui par les murmures des Anglais et par les immenses préparatifs de la France, qui ne lui permettent pas d'augmenter le nombre de vos bourreaux. Le moment est favorable et l'insurrection est pour vous le plus saint des devoirs.

En quelques lignes, Genet brossait le tableau de la servitude des Canadiens:

N'hésitez donc pas et rappelez aux hommes qui seraient assez lâches pour refuser leurs bras et leurs armes à une aussi généreuse entreprise l'histoire de vos malheurs: les cruautés exercées par l'Angleterre pour vous faire passer sous son autorité; les insultes qui vous ont été faites par des agents qui s'engraissaient de vos sueurs. Rappelez-leur les noms odieux de Murray et d'Haldimand, les victimes de leurs férocités [parmi lesquelles Mesplet, Jautard et Du Clavet]; les entraves dont votre commerce a été garrotté, le monopole odieux qui l'énerve et l'empêche de s'agrandir, les traites périlleuses que vous entreprenez pour le seul avantage des Anglais. Enfin, rappelez-leur qu'étant nés Français, vous serez toujours enviés, persécutés par les rois anglais et que ce titre sera plus que jamais aujourd'hui un motif d'exclusion pour tous les emplois.

En effet, des Français traiteraient leurs concitoyens en frères et se soucieraient moins de plaire au despote anglais qu'à (sic) rendre justice aux Canadiens. Ils ne s'attacheraient pas à plaire aux rois mais à leurs frères. Ils renonceraient plutôt à leurs places que de commettre une injustice. Ils préféreraient, aux pensions qui leur seraient accordées, la douce satisfaction d'être aimés et estimés dignes de leur origine. Ils opposeraient une vigoureuse résistance aux décrets arbitraires de la cour de Londres, de cette cour perfide qui n'a accordé au Canada une ombre de constitution que dans la crainte qu'il ne suivît l'exemple vertueux de la France et de l'Amérique, qu'en secouant son joug il ne fondât son gouvernement sur les droits imprescriptibles de l'homme.

Ce fantôme de constitution n'était en fait qu'une chaîne de plus pour tenir les esclaves captifs:

Aussi quels avantages avez-vous retirés de la constitution qui vous a été donnée? Depuis six mois que vos représentants sont assemblés, vous ont-ils fait présent d'une bonne loi? Ont-ils pu corriger un abus? Ont-ils eu le pouvoir d'affranchir votre commerce de ses entraves? Non. Et pourquoi? Parce que tous les moyens de corruption sont employés secrètement et publiquement dans vos élections pour faire pencher la balance en faveur des Anglais.

Puis, à la façon de Thomas Paine, Genet flétrissait l'inefficacité d'un pouvoir trop lointain:

> Canadiens, vous avez en vous tout ce qui peut constituer votre bonheur. Éclairés, laborieux, courageux, amis de la justice, industrieux, qu'avez-vous besoin de confier le soin de vous gouverner à un tyran stupide, à un roi imbécile dont les caprices peuvent entraver vos délibérations et vous laisser sans loi pendant des années entières. N'est-il pas aussi ridicule de confier à un pareil homme placé à l'autre extrémité du globe le soin de veiller à vos plus chers intérêts, que de voir un cultivateur canadien aller se placer aux sources du Missouri pour mieux diriger son habitation!
>
> Les hommes ont le droit de se gouverner eux-mêmes. Les lois doivent être l'expression de la volonté manifestée par l'organe de ses représentants; nul n'a le droit de s'opposer à leur exécution. Et cependant, on a osé vous imposer un odieux veto que le roi d'Angleterre ne s'est réservé que pour empêcher la destruction des abus et pour paralyser tous vos mouvements. Voilà le présent que de vils stipendiés ont osé vous présenter comme un monument de bienfaisance du gouvernement anglais. On a comparé très ingénieusement le pouvoir législatif à la tête d'un homme qui conçoit et le pouvoir exécutif aux bras du même homme qui exécute. Si les bras se refusent à ce que la tête a jugé nécessaire au bien du corps entier, privé de secours il devient malade et il meurt.

Et voici l'appel ultime à prendre les armes pour conquérir la Liberté:

> Canadiens, il est temps de sortir du sommeil léthargique dans lequel vous êtes plongés. Armez-vous, appelez à votre secours vos amis les Indiens, comptez sur l'appui de vos voisins et sur celui des Français. Jurez de ne quitter vos armes que lorsque vous serez délivrés de vos ennemis. Prenez le Ciel et votre conscience à témoin de l'équité de vos résolutions et vous obtiendrez ce que les hommes énergiques ne réclament jamais en vain, la liberté et l'indépendance[525].

Cette Lettre, composée par un ministre de trente ans avec l'aide d'un patriote canadien de vingt ans, est une synthèse admirable des Lettres du Congrès, imprimées par Mesplet et adressées aussi de Philadelphie, au début de la guerre d'Indépendance des

---

525. Texte intégral de *Les Français libres à leurs frères les Canadiens* dans BRUNET, Michel.- «La Révolution française sur les rives du Saint-Laurent».- RHAF, 1958, vol. XI.- pp. 158 à 162 (APC, Q 71-1:27-36). Sur l'influence diffuse de Paine: *The Complete Writings of Thomas Paine*, op. cit., tome 1, p. 29.

colonies britanniques. Le style de Genet a réussi à faire apparaître ce que pouvait être l'application à la vie concrète des habitants du Québec des grandes idées des Philosophes des Lumières. Quand il sera répandu, ce message enflammera les esprits. À la Lettre de Genet est joint un «Résumé des avantages que les Canadiens peuvent obtenir en se libérant de la domination anglaise». Quand «le Canada sera un État libre et indépendant», il sera alors possible de faire fonctionner démocratiquement un gouvernement élu qui aura le pouvoir de légiférer et d'exécuter. Le régime seigneurial sera entièrement aboli. «Le commerce jouira de la liberté la plus étendue». D'autre part, «tous les cultes seront libres» mais «les dîmes seront abolies». Enfin

> Il sera établi des écoles dans les paroisses et dans les villes. Il y aura des imprimeries, des institutions pour les hautes sciences, la médecine, les mathématiques[526].

Ce «résumé» allait dans le sens d'un décret de la Convention nationale, adopté le 15 décembre 1792 à la suggestion de Cambon et qui prescrivait la conduite à suivre dans les pays libérés. Il posait en principe que le but de la guerre révolutionnaire était l'anéantissement des privilèges. Il fallait donc sur le champ supprimer la dîme et les droits féodaux ainsi que toute espèce de servitude. On devait déposer toutes les autorités existantes et faire élire des administrations provisoires d'où seraient exclus les ennemis de la république car seuls participeraient à l'élection les citoyens qui prêteraient le serment d'être fidèles à la liberté et à l'égalité et de renoncer aux privilèges[527]. Froidement reçu par le président George Washington, Genet put compter au début sur un accueil chaleureux de Thomas Jefferson, alors secrétaire d'État. Il lui lut le message adressé aux Canadiens. Jefferson s'y montra favorable[528]. Il considérait en effet comme «les éléments essentiels d'un gouvernement libre», la liberté de religion, la liberté de la presse, le jugement par jury, l'habeas corpus et un corps législatif représentatif[529].

Au mois de juillet, Genet confia à Mézière la responsabilité d'organiser un comité de correspondance pour entrer en communication avec les plus ardents sympathisants canadiens du mouvement révolutionnaire français. À cet effet, Mézière s'éta-

---

526. «La Révolution française sur les rives du Saint-Laurent», pp. 161, 162.
527. MATHIEZ, Albert.- *La Révolution française*.- Paris; Colin, 1963.- p. 343.
528. *The Career of Edmond Charles Genet*, op. cit., p. 253.
529. JEFFERSON, Thomas.- *La liberté et l'État*.- Paris; Seghers, 1970.- p. 27.

blit à Cumberland Head, sur les bords du lac Champlain, à proximité des frontières. Il choisit comme agent de liaison un Canadien fixé aux États-Unis depuis 1777, Jacques Rous, chaudement recommandé par le colonel Udney Hay, commissaire durant la guerre d'Indépendance et dont le frère, Charles Hay, avait été emprisonné avec Mesplet et Jautard à Québec. Rous reçut la mission de porter à Montréal trois cent cinquante exemplaires de l'adresse des *Français libres à leurs frères du Canada*. À cela s'ajoutaient de nombreux numéros du *Courrier* de Gorsas justifiant l'exécution du «tyran Capet» ainsi que les *Droits de l'homme* — en anglais et en français — où Paine réfutait les *Réflexions sur la Révolution en France* d'Edmund Burke[530]. Paine y décrivait l'action de la Révolution, son idéal, les principes universels qui l'animaient. La constitution, disait-il, devait être la chose du peuple et son oeuvre. La souveraineté résidait dans la nation même. L'ouvrage de Paine contenait en bonne place la Déclaration des droits de l'homme et du citoyen. Nous sommes assurés, par un inventaire de la librairie de Mesplet, fait en 1794, que les *Droits de l'homme* lui avaient été confiés[531]. Rous, dans son rapport, précisait que les amis de Mézière faisaient circuler toute la littérature reçue, à l'exception de l'adresse des Français libres qu'on trouvait prématurée. Mézière, dont le rôle était connu du gouvernement colonial, était décrété d'arrestation, selon Rous qui ajoutait que la *Gazette de Montréal* n'était plus distribuée par le service des postes royales depuis la publication d'un article sur l'origine des gouvernements[532]. Mesplet fit mention de ce boycottage dans le numéro du 22 août 1793:

---

530. «The Missions of Henri Mézière», article cité, pp. 354, 355.- Mézière s'était installé à Cumberland Head. Au retour de Rous, il s'empressa de rejoindre Genet à New York. (Voir KENNEDY, Michael.- «La Société française des Amis de la Liberté et de l'Égalité de Philadelphie».- AHRF, octobre-décembre 1976, numéro 226.- p. 627.) Au sujet des frères Hay, consulter la notice de Charles Hay dans le DBC, op. cit., vol. IV, p. 362.

531. Sur *Les Droits de l'homme* de Paine, voir la note 411. L'ouvrage est indiqué dans l'inventaire des biens de Mesplet, dressé entre le 17 et 26 février 1794, en présence du notaire Jean-Guillaume Delisle. (*The First Printer*, op. cit., p. 285). De plus, dans le même document, Jacques Rous est inscrit dans le livre des dettes actives (pp. 289, 290.). Ce Jacques Rous avait acheté du capitaine Clément Gosselin mille acres de terrain dans les environs du lac Champlain, en 1789. Officier des milices canadiennes qui avaient combattu aux côtés des milices américaines à la bataille de Yorktown, Gosselin avait été l'objet d'éloges de la part de La Fayette. On se souvient que Gosselin avait été «capitaine du Congrès» au Québec en 1775 et 1776. (Voir MALLET, Edmond.- «Le commandant Gosselin»: BRH, 4e vol., janvier 1898, pp. 6 à 10.)

532. «The Missions of Henri Mézière», article cité, pp. 355, 356.

L'imprimeur de cette gazette prie les souscripteurs à la *Gazette de Montréal* demeurant à Québec et le long du fleuve en descendant, de l'excuser s'ils ne reçoivent pas à l'avenir leurs papiers par la voie ordinaire de la poste, et il croit devoir pour sa justification leur faire part de la lettre qu'il a reçue en conséquence du député-maître de poste de cette ville.

Suivait une lettre du bureau de poste de Montréal datée du 14 août 1793. Elle était signée Edward Edwards, celui qui achètera l'imprimerie de Mesplet à sa mort. Edwards ne faisait que transmettre un ordre reçu du maître général des postes pour l'Amérique britannique, Hugh Finlay. Voici ce texte de Finlay:

Je trouve qu'il est inconvenant et même au détriment du service public que les courriers employés par le bureau de la poste soient permis de (sic) se charger de papiers de nouvelles, paquets, etc.

Je désire donc que, de ce jour en avant, aucun courrier partant de votre bureau [de Montréal] se charge de papiers de nouvelles, journaux ou papiers imprimés quelconques, et vous verrez à ce qu'il n'emporte aucun paquet, avant qu'il n'ait été par vous préalablement inspecté et marqué en dehors aussi par vous, avec le mot «inspecté» et signé par vous.

Après avoir transmis cet ordre, Edwards tirait la conclusion suivante à l'intention de Mesplet:

Vous voyez par l'extrait ci-dessus que vos souscripteurs de Québec ne peuvent pas recevoir votre gazette par les courriers de la poste[533].

Le prétexte de cet embargo, d'après le rapport de Rous à Mézière, était un article sur les origines des gouvernements. Ce texte avait effectivement paru en juin-juillet. La Philosophie des Lumières y est représentée comme celle qui a permis les progrès de l'esprit humain. Voici les principaux extraits du texte publié dans la *Gazette de Montréal* du 27 juin 1793:

...Le citoyen le plus utile doit être dans tout État le plus chéri, le plus considéré, le mieux récompensé. Le souverain vertueux est d'après ces principes le mortel le plus digne de l'attachement... Ceux qui sous lui partagent les travaux pénibles de l'administration, sont évidemment les hommes les plus justement considérés...

...l'utilité ou au moins son image et ses apparences, souvent trompeuses, sont toujours les objets que les hommes chérissent, admirent, honorent...

---

533. GM, 22 août 1793, 3e page, col. 2, numéro XXXIV.

L'utilité des talents de l'esprit fut en tout temps reconnue par les mortels: la supériorité des Lumières a subjugué le monde. Des hommes plus instruits que les autres ont pris en tous temps un ascendant nécessaire sur ceux qui n'avaient ni les mêmes ressources, ni les mêmes talents. Les premiers législateurs des nations furent des personnes plus éclairées que le vulgaire...

...Des peuples ignorants, languissant dans la misère, ne subsistant qu'avec peine, exposés continuellement aux rigueurs de la nature, sans moyens de s'en garantir, durent regarder comme des êtres d'un ordre supérieur, comme des puissances surnaturelles, comme des divinités, ceux qui leur apprirent à soumettre la nature elle-même à leurs propres besoins...

(...)

...les hommes, qui dans l'origine avaient été utiles, devinrent bientôt inutiles et dangereux... les chefs des nations séparèrent leurs intérêts de ceux de leurs sujets...

Les prêtres, destinés à instruire les peuples, formèrent un ordre à part, plus instruit que les autres qui n'eut pour objet que de les tromper, de les tenir dans l'ignorance... Ils prêtèrent leurs secours à la tyrannie quand elle leur fut favorable, ils se déclarèrent les ennemis de l'autorité légitime quand elle leur fut contraire; leur empire susbiste encore parce que les peuples n'ont pas acquis des lumières suffisantes pour découvrir la futilité et le danger de leur vaine science.

...Ils [les peuples] s'imaginèrent toujours voir des dieux dans leurs souverains les plus incapables ou les plus méchants; ils crurent voir des hommes éclairés de lumières surnaturelles, doués d'une sagesse consommée, d'une probité à toute épreuve dans leurs prêtres...

...par la suite de leurs préjugés habituels, les peuples continuèrent à respecter sans raison les objets de l'admiration de leurs ancêtres; ils eurent une vénération traditionnelle pour des hommes que souvent leur mérite et leurs talents auraient dû placer au dernier rang. Fiers des suffrages stupides d'une multitude ignorante, ils s'en prévalent insolemment pour lui faire éprouver les plus cruels outrages...

Les institutions religieuses et politiques, ainsi que les préjugés et les opinions des peuples, datent des temps d'ignorance... L'ignorance et la crainte ont fait naître les religions et les cultes; ainsi que (sic) l'ignorance fut en tout temps la base du pouvoir sacerdotal, qui ne peut subsister qu'autant que subsisteront les ténèbres de l'esprit humain...

...la Vérité est l'ennemie née des êtres malfaisants... elle est l'amie des coeurs droits et sincères... La crainte de la Vérité est un signe infaillible de l'imposture...

Ces réflexions peuvent expliquer la conduite que tiennent constamment tous ceux qui s'opposent avec fureur aux progrès de l'esprit humain; et qui font des efforts continuels pour retenir les peuples dans les ténèbres de l'ignorance. C'est ainsi que le zèle, l'esprit intolérant et persécuteur des prêtres, leur inimitié pour la science, leur haine pour la Philosophie et pour ceux qui la professent, prouvent évidemment la conscience qu'ils ont de la faiblesse de leur cause... La cruauté de ces prêtres décèle la lâcheté de leurs âmes...

C'est d'après les mêmes principes que les tyrans déclarent une haine irréconciliable à la Vérité, et s'efforcent d'écraser ceux qui ont l'âme assez forte pour l'annoncer. Dès que cette vérité les blesse, ils interposent habilement le voile de la religion entre eux et leurs sujets; ils échauffent les peuples contre cette vérité, en la faisant passer pour une sédition, un délire, un attentat contre le Ciel même, pour un blasphème contre les représentants de la divinité... à l'aide de la loi, qui n'est communément que l'expression de son propre caprice. Le tyran travestit l'ami du genre humain, le bienfaiteur de ses concitoyens en un rebelle, un infâme, un perturbateur, dont les fureurs doivent être rigoureusement châtiées...[534]

---

534. GM, 27 juin 1793, 1ère, 2e et 3e pages, col. 2, numéro XXVI. Ce numéro ne reproduit qu'une partie du fameux texte «philosophique». Les autres numéros, où le texte commençait et se terminait, manquent aux archives. Ce sont ceux des 30 mai, 7, 14 et 21 juin, et celui du 3 juillet 1793. L'inspiration de d'Holbach est très probable. Nous lisons par exemple dans le *Système de la nature*, tome II.- Hildesheim; Verlag, 1966.- p. 271:

...la théologie s'opposa sans cesse au bonheur des nations, aux progrès de l'esprit humain, aux recherches utiles, à la liberté de penser; elle retint l'homme dans l'ignorance; tous ses pas, guidés par elle ne furent que des erreurs.

Inspiration proche en tout cas de celle de Condorcet qui écrira en 1794 dans son *Esquisse d'un tableau historique des progrès de l'esprit humain*, op. cit., p. 95 (deuxième période):

Mais en même temps, on vit se perfectionner l'art de tromper les hommes pour les dépouiller, et d'usurper sur leurs opinions une autorité fondée sur des craintes et des espérances chimériques. Il s'établit des cultes plus réguliers, des systèmes de croyance moins grossièrement combinés. Les idées des puissances surnaturelles se raffinèrent en quelque sorte; et avec ces opinions, on vit s'établir ici des princes pontifes, là des familles ou des tribus sacerdotales, ailleurs des collèges de prêtres; mais toujours une classe d'individus affectant d'insolentes prérogatives, se séparant des hommes pour les mieux asservir et cherchant à s'emparer exclusivement de la médecine, de l'astronomie, pour réunir tous les moyens de subjuguer les esprits, pour ne leur en laisser aucun de démasquer son hypocrisie, et de briser ses fers.

On lit aussi dans le même ouvrage, p. 243 (neuvième période):

Toutes les erreurs en politique, en morale, ont pour base des erreurs philosophiques, qui elles-mêmes sont liées à des erreurs physiques. Il n'existe, ni un système religieux, ni une extravagance surnaturelle, qui ne soient fondées sur l'ignorance de la nature. Les inventeurs, les défenseurs de ces absurdités, ne pouvaient prévoir le perfectionnement successif de l'esprit humain. Persuadés

Ce texte, dont nous ne pouvons pas affirmer qu'il soit de d'Holbach mais qui est rédigé dans le même esprit que l'*Étho-cratie* ou que l'*Esquisse d'un tableau historique des progrès de l'esprit humain* de Condorcet, devait sans doute aux yeux de Mesplet s'appliquer à la situation que vivait alors le Québec. En bref, l'auteur dénonce «ceux qui s'opposent avec fureur aux progrès de l'esprit humain». Dans leur haine pour la Philosophie des Lumières, ils «s'efforcent d'écraser ceux qui ont l'âme assez forte pour l'annoncer». Ils travestissent «le bienfaiteur de ses concitoyens en un rebelle». Mesplet devait être persuadé que c'était bien ce qui lui arrivait. En imposant l'embargo à l'occasion de la publication de ce texte, le gouvernement colonial sévissait contre l'imprimeur à titre de diffuseur des Lumières. L'état de guerre permettait cette attaque contre Mesplet qui avait pu profiter de la période de paix pour répandre les idées philoso-phiques. Il fallait compter sur un certain nombre d'abonnements pour survivre et le refus de distribuer le journal pouvait entraî-ner sa chute et la ruine de l'imprimeur. Aux seuls mots de Révo-lution française, prêtres et seigneurs perdaient tout sang-froid, principalement les Sulpiciens depuis la suppression de leur congrégation par un décret de l'Assemblée nationale, le 18 août 1792[535]. Déjà, la *Gazette de Montréal* avait publié, le 7 février 1793, une proclamation du lieutenant-gouverneur Alured Clarke «pour supprimer le vice, l'impiété et le dérèglement» dans la province[536]. Faire paraître des textes dans la veine de celui du 27 juin 1793, où il était dit que «l'ignorance et la crainte ont fait naître les religions et les cultes» et que «l'ignorance fut en tout temps la base du pouvoir sacerdotal» pouvait être considéré comme de «l'impiété». C'était, rappelons-le, pour ce même motif que Montgolfier avait réclamé la suppression de la *Gazette litté-raire* en 1779. Au printemps de 1791, le pape Pie VI n'avait-il pas condamné solennellement les principes de la Révolution française[537]?

La presse venait à peine d'annoncer la guerre entre la France et l'Angleterre que l'inquiétude de l'administration coloniale se manifestait par la voix du juge en chef William Smith. La *Gazette*

---

que les hommes savaient, de leur temps, tout ce qu'ils pouvaient jamais savoir, et croiraient toujours ce qu'ils croyaient alors, ils appuyaient avec confiance leurs rêveries, sur les opinions générales de leur pays et de leur siècle.

535. *Histoire de la Révolution française* (SOBOUL), op. cit., tome I, p. 311.
536. GM, 7 février 1793, 1ère page, col. 1, numéro VI.
537. *Histoire de la Révolution française* (SOBOUL), op. cit., p. 235.

de Québec du 9 mai 1793 rapportait son discours aux grands jurés les incitant à découvrir les sources qui répandaient dans la colonie «ce poison» de la Philosophie dont la diffusion avait rendu la France le «pays le plus misérable de la terre». Le magistrat exprimait d'abord la crainte que l'emploi de la langue française ne facilitât l'adhésion des Canadiens à l'idéal de la Révolution. C'était pourquoi il fallait

> en ce moment une vigilance plus qu'ordinaire. Nous avons à soutenir une guerre étrangère dans laquelle la concorde intérieure est d'une indispensable nécessité pour notre sûreté. On ne peut donc avoir un oeil trop attentif sur tous les artifices calculés à causer l'inquiétude et la confusion. L'Ennemi parle notre langue, et avec l'inclination de nous affaiblir par la discorde, il en possède les moyens. Cet Ennemi est la bande de démocrates qui, sous prétexte de donner la liberté à la France, a trouvé moyen de conduire son roi à l'échafaud, et a inondé son royaume du sang de plusieurs milliers de ses concitoyens...

Il faut donc être vigilant car il est possible

> que les séductions de nos ennemis trouvent moyen de placer ici des instruments propres à agir avec succès sur les ignorants. C'est pourquoi nos concitoyens, et spécialement les grands jurés, feront bien de veiller sur les discours des uns et des autres, afin de mieux découvrir la diffusion de ce poison qui a converti un des plus beaux royaumes d'Europe en un pays le plus misérable de la terre...[538]

Le juge Smith appelait non seulement à la vigilance, mais aussi à la délation. Il s'élevait même contre «l'abus de la presse»: il s'agissait évidemment de la *Gazette de Montréal* puisque la *Gazette de Québec* n'inquiétait pas sous la direction du pasteur Spark. Le juge Smith concluait sa harangue en évoquant la persécution républicaine contre les aristocrates et les prêtres. C'était contre cette France-là que le Québec devait se dresser! Même si, selon le rapport de Rous à Mézière, il y avait eu au début de la réticence à faire circuler l'adresse de Genet, l'hésitation avait bientôt fait place à la volonté de répandre partout le document que le peuple appela «le catéchisme». On en fit des copies manuscrites pour en augmenter la diffusion. Des citoyens de Québec et de Montréal tinrent des réunions pour en discuter le contenu. Dans les campagnes des gens convaincus parcoururent les paroisses pour expliquer le document, quelquefois sur les places publiques[539]. Les Canadiens entendirent de nouveau

---

538. GQ, 9 mai 1793, 3e page, col. 1, 2, numéro 1453.
539. «La Révolution française sur les rives du Saint-Laurent», article cité, pp. 157, 158.

avec intérêt parler de la réforme des abus, de l'abolition du régime seigneurial, de l'égalité de tous les citoyens devant la loi. Il était question aussi de la venue d'une flotte française pour aider à libérer les Canadiens du joug britannique. En effet, une escadre de la République française mouillait en rade de New York depuis le mois de juillet et Genet souhaitait l'employer pour libérer l'Amérique du Nord des présences anglaise et espagnole.

Mais c'était tout un défi pour l'ambassadeur que de faire servir cette flotte à ce grand dessein de la Convention parce qu'elle se trouvait être composée de marins mutinés. L'escadre, comptant cent vingt voiles, revenait du Cap français qu'elle avait fui après avoir mis l'île à feu et à sang. Les marins s'étaient en effet opposés à la plus haute autorité de Saint-Domingue, les commissaires Sonthonax et Polverel, délégués de la République. Ceux-ci voulaient confier la colonie aux gens de couleur et en enlever la direction aux colons. Pour faire opposition au projet, le général Galbaud, fort de sa fraîche nomination comme gouverneur, s'était mis à la tête des deux mille marins et des colons blancs. Les commissaires déposèrent Galbaud et ordonnèrent sa déportation. Malgré tout, les marins acclamèrent Galbaud comme gouverneur. Une guerre éclata entre les deux factions qui se termina par la victoire des partisans de la République. Le 23 juin 1793, chargés de réfugiés, les navires cinglèrent vers les ports américains[540]. La *Gazette de Montréal* rapportait la victoire des commissaires de la République et la fuite de Galbaud, dans son numéro du 15 août 1793[541]. Le même jour, dans une lettre adressée au ministre des Affaires étrangères, Genet lui faisait part de l'utilisation qu'il souhaitait faire de la flotte: détruire les pêcheries de Terre-Neuve, saisir six cents vaisseaux se trouvant à cet endroit, reprendre les îles Saint-Pierre et Miquelon, s'emparer du riche convoi de fourrures venant de la baie d'Hudson, brûler Halifax et prendre Québec[542]. Pour la réalisation de cette dernière partie du plan, Mézière était nommé agent politique à bord du navire amiral[543]. Mais Genet n'avait pas la tâche facile pour apaiser la révolte des équipages. Il découvrit finalement que Galbaud était à la tête d'une conspiration royaliste projetant de remettre Saint-Domingue à l'Angleterre. Galbaud réussit à

---

540. *The Career of Edmond Charles Genet*, op. cit., pp. 292 à 297.
541. GM, 15 août 1793, 3e page, col. 2, numéro XXXIII.
542. «The Missions of Henri Mézière», article cité, p. 358.
543. *Ibid.*, p. 359.

s'enfuir de New York avec son aide de camp Conscience et le caporal Bonne. Ils se livrèrent comme prisonniers de guerre au Canada au mois d'octobre et, à Montréal, se répandirent en propos hostiles contre Genet. Puis Galbaud laissa Bonne sur place et avec Conscience il retourna à New York, au mois de décembre 1793, remplissant les journaux de ses griefs contre Genet[544]. Même la *Gazette de Montréal* publiera, le 26 décembre 1793, une diatribe de Conscience, «officier du 8e régiment de l'infanterie française, et aide de camp du citoyen Galbaud, gouverneur général de la Domingue» contre Genet «homme vil et infâme»[545]. Il était évident que Galbaud était à la solde du gouvernement britannique mais Mesplet ne put éviter de publier un tel message. Quoi qu'il en soit, la mutinerie cessa à bord de la flotte française après le départ de Galbaud. Le capitaine Bompard, qui fut nommé capitaine du navire amiral par Genet[546], était un héros aux yeux de Mézière, qui raconte dans sa lettre à ses parents (déjà citée) que la frégate l'Embuscade, que le vieux loup de mer commandait, «a fait 95 prises, tant anglaises, qu'espagnoles et portugaises»:

> Rien de si intrépide que l'équipage de l'Embuscade. Le moindre mousse sait par coeur les Droits de l'homme[547].

La *Gazette de Montréal* du 24 octobre 1793 rapportant les tentatives de Genet pour rétablir l'ordre dans la flotte, annonce que les marins, malgré l'avis d'un conseil de guerre, ne veulent pas «aller en course», c'est-à-dire exécuter le plan de Genet sur l'Amérique britannique. «Ni vous ni aucun autre nous retiendront plus longtemps dans les mers de l'Amérique» même si vous nous promettez «une gloire très grande avec de brillants lauriers». Les marins ne souhaitaient que «retourner en France afin de faire connaître le langage de la vérité». La Convention française devait être leur seul juge: ils ne voulaient pas «rester plus longtemps ici sous l'oppression des plus aggravantes accusations» d'avoir été les auteurs — que Genet voulait identifier avec précision — «des énormités atroces commises dernièrement au Cap français»[548]. En donnant cette information, Mesplet faisait en fait connaître aux lecteurs attentifs l'échec du projet de libération du Québec par la flotte française. Effectivement, l'escadre

---

544. *The Career of Edmond Charles Genet*, op. cit., pp. 305 à 307.
545. GM, 26 décembre 1793, 2e page, col. 2, numéro LII.
546. «Le citoyen Genet», article cité, p. 83.
547. *Lettre de Mézière à ses parents*, op. cit., p. 218.
548. GM, 24 octobre 1793, 2e et 3e pages, col. 2, numéro XLIII.

mutinée de Saint-Domingue ne prendra pas la route du Canada après avoir levé l'ancre le 6 octobre. En mer, un conseil naval décidait de rentrer en France. On avait conclu qu'il n'était pas possible, sans exposer beaucoup les vaisseaux et les marins de la République, d'effectuer la partie essentielle du plan de Genet, comme le rapportait Mézière à Dalbarade dans son *Mémoire sur la situaiton du Canada et des États-Unis*. Pour sa part, Mézière se retrouvait à Brest le 2 novembre 1793[549].

. Ce mois de novembre au Québec, alors que circulait le «catéchisme» de Genet, sera celui de l'offensive de l'État et de l'Église contre la vague philosophique et républicaine. Ce fut d'abord le juge en chef William Smith qui intervint, en ouvrant une session de la cour du banc du roi, pour mettre en garde contre la Philosophie des Lumières et la Révolution française:

> S'il y a quelque individu qui ignore la liaison intime entre l'observation des commandements de Dieu et la prospérité de ce pays, qu'il porte ses regards, afin de s'en convaincre, sur la France où un abandon de principe, sous le nom de la nouvelle Philosophie, après s'être raillée du christianisme, a poussé son impudence jusqu'à un athéisme avoué et, après avoir coupé les liens de toute contrainte religieuse, a renversé un royaume respectable par son antiquité et splendide par ses richesses, ses lumières et ses arts, et l'a transformé en un spectacle d'horreur.

Le magistrat rappelait que

> les lois criminelles d'Angleterre, ainsi qu'il a été observé depuis longtemps de la part de ce siège, défendent tout écrit, imprimé et même toute conversation dérogeant à la constitution civile du pays, avec une intention de l'anéantir...[550]

Ce texte du plus haut dignitaire de la justice dans la province — publié dans la *Gazette de Québec* du 7 novembre 1793 — était un avertissement sévère à l'égard de ceux qui diffusaient les principes philosophiques au Québec — confondus avec les admirateurs de la Révolution française. La mise en garde contre la circulation d'écrits séditieux ne peut viser, dans les circonstances, que le cercle de Mesplet. Les dirigeants de la colonie ignoraient encore que la flotte française, qui devait s'emparer de Québec, avait fait voile vers la France. Les rumeurs de reconquête s'amplifiaient au point que les curés de toute la province reçurent des consignes de leur évêque, le 9 novembre 1793:

---

549. «The Missions of Henri Mézière», article cité, p. 361.
550. GQ, 7 novembre 1793, 3ᵉ et 4ᵉ pages, col. 2, numéro 1448.

Des avis reçus de New York depuis quelques semaines, expliquait Mgr Hubert, donnent lieu de soupçonner qu'une flotte française, partie des côtes des États-Unis d'Amérique, pourrait avoir le dessein de faire quelque entreprise sur la province du Bas-Canada; cette circonstance nous a paru assez importante pour solliciter là-dessus votre attention; et en cela notre devoir et notre inclination se trouvent d'accord avec le désir de Son Excellence le très honorable lord Dorchester.

L'évêque ne mettait pas en doute chez ses pasteurs l'esprit de loyauté dont ils avaient donné des gages «dans l'invasion de 1775», mais il craignait

que les habitants de ce pays, surtout dans les campagnes, frappés du nom de Français, ne sachent pas discerner la conduite qu'ils auraient à tenir dans une pareille circonstance...

Les curés devaient leur rappeler que,

par le traité de paix de 1763, les liens qui les attachaient à la France ont été entièrement rompus.

Les Canadiens ne sauraient violer leur serment de fidélité et d'obéissance au roi d'Angleterre «sans se rendre grièvement coupables envers Dieu lui-même». D'ailleurs «la conduite pleine d'humanité, de douceur, de bienfaisance» du gouvernement britannique devrait les y «attacher inviolablement». D'autant plus que leur religion avait joui d'une «protection constante» alors qu'en France, pays autrefois religieux et royaliste, ne régnait plus qu'«un esprit d'irréligion, d'indépendance, d'anarchie». C'était pourquoi

le plus grand malheur qui pût arriver au Canada serait de tomber en la possession de ces révolutionnaires.

Il fallait «éloigner les Français de cette province»: c'était le devoir de

tout fidèle sujet, tout vrai patriote, tout bon catholique qui désire conserver sa liberté, ses lois, sa morale, sa religion.

Les curés, pour leur part, devaient développer ces principes tant dans leurs instructions aux fidèles que dans leurs conversations particulières. Ils étaient même autorisés à donner lecture de ces directives au prône des messes paroissiales «autant de fois qu'elle vous paraîtra nécessaire»[551]. Après s'être assuré d'assoupir l'agitation par l'intervention des curés dans chaque paroisse du terri-

---

551. Circulaire à Messieurs les curés à l'occasion des rumeurs de guerre, le 9 novembre 1793: *Mandements des évêques de Québec*, op. cit., pp. 471 à 473.

toire, le gouvernement colonial décida de frapper les chefs. Dans une proclamation datée du 26 novembre et publiée dans la *Gazette de Montréal* du 12 décembre 1793, Dorchester ordonnait de dénoncer et d'arrêter tous les citoyens tenant des propos séditieux ou répandant des écrits de nature à soulever le mécontentement. Il est sûr que Mézière et Mesplet comptaient parmi les personnes visées dans cette proclamation, dont voici le texte intégral:

Diverses personnes mal intentionnées, ayant depuis peu manifesté des tentatives séditieuses et méchantes pour aliéner l'affection des loyaux sujets de Sa Majesté, par des fausses représentations de la cause et de la conduite des personnes qui exercent actuellement l'autorité suprême en France, et particulièrement certains étrangers, étant de nos ennemis, qui se tiennent cachés dans différentes parties de cette province, agissant de concert avec des personnes dans les domaines étrangers, avec une intention d'étendre les desseins criminels de tels ennemis de la paix et du bonheur des habitants de cette province, et de toute religion, gouvernement et ordre social; et étant très expédiant de réprimer les desseins méchants et les pratiques séditieuses ci-dessus, et d'être sur ses gardes contre toutes tentatives à troubler la tranquillité, l'ordre et le bon gouvernement de cette colonie; à ces causes, j'ai jugé à propos, de l'avis du conseil exécutif de Sa Majesté, d'émettre cette présente proclamation enjoignant et requérant strictement tous magistrats dans et par toute la province, capitaines de milice, officiers de paix, et autres bons sujets de Sa Majesté, de faire toute leur diligence pour découvrir toute et chaque personne qui pourront tenir des discours séditieux ou d'autres paroles tendant à la trahison, répandre de fausses nouvelles, publier ou distribuer des papiers, écrits ou imprimés diffamatoires qui tendent à exciter le mécontentement dans les esprits, ou diminuer l'affection desdits sujets de Sa Majesté, ou troubler en aucune manière la paix, et le bonheur dont on jouit sous le gouvernement de Sa Majesté dans cette colonie. Et j'ordonne aux dits magistrats, capitaines de milice, officiers de paix et autres sujets de Sa Majesté de faire chacun en particulier, et d'arrêter, ou faire saisir et arrêter toutes et chaque personne agissant d'une manière illégale et pernicieuse. Et plus particulièrement tous et chacun tels étrangers étant ennemis comme ci-dessus, et qui sont actuellement ou qui seront trouvés dans les limites de cette province, afin que, et par exécution rigoureuse des lois, tous contrevenants soient traduits à telle punition qui pourra détourner toutes personnes d'entretenir de semblables desseins méchants et séditieux commis contre l'ordre et la tranquillité du gouvernement de Sa Majesté, et la sûreté, la paix et la prospérité de ses fidèles et loyaux sujets[552].

552. GM, 12 décembre 1793, 1ère page, col. 2, numéro L.

424

Par cette proclamation, Dorchester ordonnait un ratissage de la province pour capturer des émissaires de Genet et leurs collaborateurs. Il s'agissait d'ennemis puisque la guerre régnait entre la France et l'Angleterre. Dorchester parlait en particulier de personnes

> qui pourront tenir des discours séditieux ou d'autres paroles tendant à la trahison, répandre de fausses rumeurs, publier ou distribuer des papiers, écrits ou imprimés diffamatoires.

Étaient ici mis en cause ceux qui distribuaient entre autres l'appel des Français libres ou qui en parlaient. Mais dans la colonie, c'était seulement Mesplet qui pouvait «publier» des «imprimés diffamatoires» aux yeux du gouvernement. L'autre imprimeur, le pasteur Spark, était un modèle de soumission. La proclamation permettait d'arrêter sur simple soupçon puisqu'il était vaguement question d'appréhender «chaque personne agissant d'une manière illégale et pernicieuse». Dorchester avait été mis au courant du projet d'attaque conçu par Genet, dès le mois d'octobre. Renseigné par le lieutenant-gouverneur de la Nouvelle-Écosse, John Wentworth, son frère, lieutenant-gouverneur du Nouveau-Brunswick, l'en avait informé[553]. Dans une dépêche au secrétaire d'État, datée du 10 octobre, Wentworth en donnait le plan détaillé[554]. Les renseignements provenaient d'un espion français nommé Noailles. Il s'agissait en fait du vicomte Louis-Marie de Noailles, l'aristocrate qui avait participé activement à la Nuit du 4 août 1789 où la noblesse avait décidé l'abolition des droits féodaux. Dans une lettre adressée au ministre Grenville, le 12 octobre 1793, un informateur écrivait:

> C'est par lui que j'ai connu les projets de Genet; c'est grâce à son zèle, à son activité, à son attachement actuel, que je crois sincère, à la cause de l'ordre et d'un bon gouvernement, que les vaisseaux français ont été retenus pendant cinq semaines, dans un état de complète impuissance dans le port de New York[555].

Ainsi, Noailles avait non seulement renseigné l'ennemi, mais il avait également intrigué sur place pour paralyser l'action de Genet et réduire son plan à néant. Le 9 novembre, Wentworth, de Halifax, écrivait au secrétaire d'État: «Genet a abandonné son

---

553. «The Missions of Henri Mézière», article cité, p. 361.
554. Wentworth au secrétaire d'État Dundas, le 10 octobre 1793: RAC, 1894, p. 535.
555. «Le citoyen Genet», article cité, pp. 66 (note 3) et 82 (note 1).

projet d'invasion»[556]. Ce ne fut toutefois qu'au mois de janvier 1794 que des exemplaires de l'appel des Français libres tombèrent enfin entre les mains de Dorchester. Une enquête fut immédiatement ordonnée[557]. Mais pour les Canadiens qui lisaient le «catéchisme», ignorants encore ce que savait Dorchester, l'intervention des Français libres n'était pas un mirage.

La *Gazette de Montréal* continua à suivre l'activité de Genet. Il en fut question dans les deux derniers numéros que publia Mesplet. Le 9 janvier 1794, les lecteurs apprenaient que Jefferson avait adressé, au mois d'août, à titre de secrétaire d'État, une lettre au ministre américain à Paris pour le prier d'exposer à la Convention nationale la nécessité de rappeler le citoyen Genet qui était accusé d'avoir parlé ou écrit contre les lois et le gouvernement des États-Unis[558]. Le président Washington avait tout d'abord été froissé des hommages qu'avait partout reçus Genet. Durant ses tournées, l'ambassadeur prenait la parole sur la liberté, l'intolérance, la fédération des nations. Il était en désaccord avec Washington qui désapprouvait que Genet ait fait d'un port américain — Charleston — une base navale française. Le traité France-États-Unis de 1778 ne prévoyait clairement que le seul droit d'armer des corsaires dans les ports américains mais non celui de ramener des prises et de les vendre ou armer. Au cours d'une réception à New York, Genet aurait déclaré que, si le gouvernement américain ne voulait pas entendre raison, il ferait appel directement au peuple. Ces propos furent rapportés à Jay qui fit attaquer Genet dans tous les journaux fédéralistes, c'est-à-dire du parti de Washington. Effrayé, Jefferson, qui avait jusque là appuyé Genet, s'en désolidarisa officiellement. De sorte que le cabinet fut unanime à demander à la Convention le rappel de Genet[559]. Dans la *Gazette de Montréal* du 16 janvier 1794,

---

556. Wentworth au secrétaire d'État, le 9 novembre 1793: RAC, 1894, pp. 536, 537.
557. «La Révolution française sur les rives du Saint-Laurent», article cité, p. 157.
558. GM, 9 janvier 1794, 1ère page, col. 2, numéro II.
559. *The Career of Edmond Charles Genet*, op. cit., pp. 223, 265, 348. Aussi l'*Esprit révolutionnaire en France et aux États-Unis*, op. cit., p. 219.
   Pas un seul incident de la mission de Genet ne provoqua plus d'attention dans la presse américaine que l'affaire de la Little Sarah, vaisseau marchand capturé par l'Embuscade et amené à Philadelphie en mai. Genet la baptisa la Petite Démocrate et l'équipa comme un navire corsaire en dépit de la proclamation de la neutralité américaine par Washington. Pendant que des membres du cabinet parlaient d'utiliser la force, Jefferson essaya de persuader Genet d'empêcher la Petite Démocrate de mettre à la voile; l'ambassadeur le défia en donnant l'ordre au vaisseau de quitter le port le 9 juillet. (Voir «La Société française des Amis de la Liberté», article cité, p. 625.)

Mesplet publia la version d'une lettre de Washington au Congrès. Le président rappelait que, même si les États-Unis étaient neutres dans la guerre où la France était impliquée, un lien amical subsistait mais il profitait de l'occasion pour dénoncer

les procédés de celui que la Convention nationale a malheureusement appointé son ministre plénipotentiaire ici.

Genet «n'a rien manifesté de l'esprit amical de la nation qui l'a envoyé». Il a voulu «nous engager dans une guerre au dehors» et «semer la discorde et l'anarchie au dedans», «...ses actions ou celles de ses agents nous ont menacés d'une guerre immédiate»[560]. À Paris, ce fut Robespierre qui condamna l'action de Genet dans un discours prononcé devant la Convention nationale, le 18 novembre 1793:

Par une fatalité bizarre, la République se trouve encore représentée auprès d'eux [les Américains] par les agents de traîtres qu'elle a punis. Le beau-frère de Brissot est le consul de la France près les États-Unis. Un autre homme, nommé Genet, envoyé par Lebrun [ministre des Affaires étrangères jusqu'au 2 juin 1793] et par Brissot à Philadelphie en qualité d'agent plénipotentiaire, a rempli fidèlement les vues et les instructions de la faction qui l'a choisi. Il a employé les moyens les plus extraordinaires pour irriter le gouvernement américain contre nous; il a affecté de lui parler, sans aucun prétexte, avec le ton de la menace, et de lui faire des propositions contraires aux intérêts des deux nations; il s'est efforcé de rendre nos principes suspects ou redoutables, en les outrant par des applications ridicules. Par un contraste bien remarquable, tandis qu'à Paris ceux qui l'avaient envoyé persécutaient les sociétés populaires, dénonçaient comme des anarchistes les républicains luttant avec courage contre la tyrannie, Genet, à Philadelphie, se faisait chef de club, ne cessait de faire et de provoquer des motions aussi injurieuses qu'inquiétantes pour le gouvernement[561].

---

560. GM, 16 janvier 1794, 2ᵉ page, col. 2, numéro III.
561. ROBESPIERRE.- *Sur la situation politique de la République:* discours prononcé devant la Convention nationale, le 18 novembre 1793, dans *Textes choisis*, tome III.- Paris; Éditions sociales, 1974.- p. 67. Dans ses *Mémoires*, Madame Roland blâme l'attitude de Robespierre à l'égard de Genet, cet esprit «solide, éclairé».
Qu'un ignorant comme Robespierre, qu'un extravagant tel que Chabot déclament contre un pareil homme en le traitant d'ami de Brissot, qu'ils déterminent par leurs clameurs le rappel de l'un et le procès de l'autre, ils ne font qu'ajouter aux preuves de leur propre scélératesse et de leur ineptie, sans pouvoir porter atteinte à la gloire de ceux-mêmes qu'ils feraient périr. (*Mémoires de Madame Roland.-* Paris; Mercure de France, 1966.- pp. 167, 168.)
On notera que Genet avait été rappelé par le Comité de Salut public puis décrété d'arrestation le 11 octobre 1793, mais il resta aux États-Unis et fit un mariage

Washington et Dorchester étaient d'accord avec Robespierre. Mais au Québec, l'humble imprimeur Fleury Mesplet continuait à croire en la France «philosophique» des Vergniaud et des Condorcet. Il répandait les *Droits de l'homme* de Paine et faisait circuler l'adresse des Français libres. Cet appel de Genet avait eu un tel impact chez la plupart des Canadiens que, lorsque Dorchester résolut de convoquer les milices en 1794, il eut la preuve que la majorité des habitants ne prendraient les armes contre aucune force qui se présenterait au nom de la France. Les chefs du mouvement d'opposition à l'enrôlement commandaient «au nom du public qui est au-dessus des lois»[562].

> Sur quarante-deux paroisses du district de Québec, écrivait le procureur général James Monk à Dorchester le 29 mai 1794, qui renferment environ 7 000 hommes sujets à la loi militaire, il n'y en a que huit contenant environ 900 hommes aptes au service, qui se sont soumises à la loi et ont obéi aux ordres que Votre Excellence a donnés.
>
> Il semble que l'esprit de désobéissance et de déloyauté règne à un haut degré, dans les autres paroisses...
>
> Dans certains endroits, les curés, qui ont voulu prêcher l'obéissance et la fidélité à leurs paroissiens, ont été menacés de sérieux dommages pour une aussi louable conduite[563].

Dorchester, dans une lettre au secrétaire d'État Dundas, attribuait cette attitude aux idées semées par Genet:

> Le désaffectionnement a été propagé par les agents de Genet, cet envoyé français que son gouvernement a dû rappeler en février...[564]

Sept paysans canadiens furent condamnés à l'emprisonnement pour trahison[565]. Entre-temps, en France, Mézière, à la suggestion du président de la Convention, Jean-Jacques Bréard, né au

---

heureux avec la fille du gouverneur de New York, George Clinton. (Voir «The Missions of Henri Mézière», article cité, p. 347.) L'allusion de Robespierre à la participation de Genet aux activités d'un club jacobin provient du fait que l'ambassadeur fut président de la Société des Amis de la Liberté et de l'Égalité de Philadelphie, dont Mézière fut aussi membre. (Voir «La Société française des Amis de la Liberté», article cité, pp. 621, 627.)

562. ROY, J.-Edmond.- *Histoire de la seigneurie de Lauzon*, tome III.- Lévis; Roy, 1900.- pp. 269, 270.
563. Lettre de Monk à Dorchester, le 29 mai 1794. Citée dans CARON, Ivanhoé.- *La colonisation de la province de Québec: les Cantons de l'Est (1791-1815)*.- Québec; Action sociale, 1927.- p. 59 (APC, Q 69-1, p. 6.).
564. Lettre de Dorchester à Dundas, le 24 mai 1794.- *Ibid.*, p. 60 (APC, Q 71-1, p. 2).
565. Lettre de Monk à Nepean, le 19 septembre 1794.- *Idem* (APC, Q 69-2, p. 362).

Québec[566], remettait son *Mémoire sur la situation du Canada et des États-Unis* au ministre de la Marine, Dalbarade, le 4 janvier 1794. Dalbarade était un ami de Danton, cet homme qui, selon Condorcet, «ne hait ou ne craint ni les lumières, ni les talents, ni la vertu...»[567]. Mézière y exposait l'enthousiasme des Canadiens pour la cause de la Liberté, la tyrannie qu'ils subissaient et l'espoir qu'ils conservaient de s'en libérer[568]. Pendant ce temps, au Québec, Fleury Mesplet mourait le 24 janvier après avoir publié son dernier numéro de la *Gazette de Montréal*, le 16 janvier 1794[569]. Il avait été certes l'un de ces associés inconnus qu'évoquait Voltaire en 1772 dans les *Questions sur l'Encyclopédie:*

566. Jean-Jacques Bréard, né en 1750, était le fils du contrôleur de la Marine, Michel Bréard, qui rentra en France après la conquête. Élu député à l'Assemblée législative de 1791, il fut secrétaire puis président de la Convention, le 8 février 1793. Il aimait rappeler ses origines canadiennes. (Voir *Nova Francia*, Paris, 1931, numéro 6 (Réimpression Huron, Montréal, 1967), pp. 258, 259.)

567. *Condorcet, sa vie, son oeuvre*, op. cit., p. 190. Extrait du *Fragment de justification*.

568. *Mémoire de Mézière à Dalbarade*, op. cit., pp. 194 à 201.- Mézière revint à Montréal en 1817 pour collaborer à l'édition du *Spectateur canadien* ou *Gazette française* (deux titres rappelant le Spectateur tranquille et la *Gazette* de Mesplet). Mais il repartit un an plus tard à destination de la France, faute de trouver un public-lecteur. Il vécut à Bordeaux avec sa femme Marie-Eugénie de Passy qui lui avait apporté la fortune et le bonheur. (Voir FAUTEUX, Aegidius.- «Henri Mézière ou l'odyssée d'un mouton noir».- Journal *La Patrie* de Montréal, 18 novembre 1933.- p. 37.)

569.   Service de Fleury Mesplet
        Le 26 janvier 1794, par nous prêtre soussigné, a été inhumé dans le cimetière, proche l'église, le corps de Fleury Mesplet, décédé d'avant hier, âgé de 60 ans.
        Ont été présents le sieur Duranceau et Baron, chantres, soussignés: André Baron, J.-C. Duranceau. Razenne, prêtre. (Registre paroissial de Notre-Dame pour l'année 1794, p. 8, ANQM.)
Après le numéro de la *Gazette de Montréal* du 16 janvier 1794, Marie-Anne Mesplet en publia quatre autres, soit les 23 et 30 janvier et les 6 et 13 février. Elle devint ainsi la première femme au Canada à éditer un journal. Le dernier numéro, celui du 13 février 1794 (VII), traite entre autres de l'exécution des Girondins (2e page, col. 2) et annonce la nomination du successeur de Rouville comme juge des Plaidoyers communs, Pierre-Amable de Bonne (3e page, col. 2). Voici l'adieu de Marie-Anne Mesplet (3e page, col. 2):
        La veuve Mesplet étant au moment de faire procéder à son inventaire, et ne prévoyant pas garder l'imprimerie plus longtemps, informe messieurs les souscripteurs de la *Gazette de Montréal* que la feuille d'aujourd'hui est la dernière qu'elle pourra leur donner.
        Elle profite en même temps de l'occasion que lui fournit cette dernière *Gazette*, pour faire ses remerciements sincères à toutes les personnes qui ont bien voulu employer feu sieur Mesplet, son époux, en sa qualité d'imprimeur.
Marie-Anne Mesplet ne se remaria pas. Elle vécut jusqu'en 1840. En raison de leur ignorance, aucun des témoins ne put signer son nom sur l'acte de décès de la femme du premier imprimeur-libraire de Montréal.- (Acte de décès tiré du registre paroissial de Notre-Dame pour 1840, le 7 septembre. Cité dans *The First Printer*, op. cit., p. 262.)

J'ai des associés qui travaillent comme moi à la vigne du Seigneur, qui cherchent à inspirer la paix et la tolérance, l'horreur pour le fanatisme, la persécution, la calomnie, la dureté des moeurs et l'ignorance insolente[570].

Avec la Révolution française, la diffusion des Lumières s'était accélérée au Québec. L'ensemble de l'imprimerie y avait contribué par des prises de position convergentes des imprimeurs. L'atelier de Mesplet resta toutefois le centre de diffusion des idées philosophiques et des idéaux de la Révolution. L'intervention de Mézière dans le processus de diffusion de ces idéaux rendit peut-être moins perceptible alors le rôle de Mesplet. Mais il est évident, d'après Mézière lui-même, que son action ne fut pas un acte isolé. Mesplet le soutint. Ainsi Mesplet ne fut pas étranger à la circulation de l'appel des Français libres. Après avoir boycotté la *Gazette de Montréal*, Dorchester s'apprêtait, vraisemblablement selon l'esprit de la proclamation du 26 novembre 1793, à emprisonner de nouveau l'imprimeur. Mais la mort fut plus rapide que Dorchester.

---

570. *Questions sur l'Encyclopédie* (1772), article Quakers: M. XX-312.

Conclusion

La correspondance de Voltaire comporte un grand nombre de lettres permettant de suivre dans son détail la diffusion des ouvrages philosophiques, de voir comment les interdits étaient contournés, comment on devait opérer clandestinement, comment d'humbles artisans pouvaient alors intervenir en risquant de très lourdes peines s'ils étaient surpris à faire circuler des ouvrages de Voltaire ou d'autres Philosophes[1]. Nous soupçonnons donc à

---

1. Par exemple, toutes les lettres adressées à Joseph Vasselier, à Lyon, ont trait à la circulation d'ouvrages envoyés par Voltaire. Quant aux peines infligées aux diffuseurs, voici entre autres ce que rapportait d'Alembert à Voltaire, le 22 octobre 1768:

    ...j'ai le coeur navré des sottises de toute espèce dont je suis témoin. Avez-vous su que la chambre des vacations, à laquelle préside le janséniste de Saint-Fargeau et le dévot politique Pasquier, a condamné au carcan et aux galères un pauvre diable (qui est mort de désespoir le lendemain de l'exécution), pour avoir prié un libraire de le défaire de quelques volumes qu'il ne connaissait pas, et qu'on lui avait donnés en payement?
    Vous noterez que, parmi ces volumes, on nomme dans l'arrêt *L'homme aux quarante écus*, et une tragédie de la Vestale (imprimée avec permission tacite), comme impies et contraires aux bonnes moeurs. Cette atrocité absurde fait à la fois horreur et pitié; mais quel remède y apporter, quand on est placé à la gueule du loup? [D 15271]

    Il semble s'agir ici d'un colporteur clandestin. Car une grande partie de la circulation se faisait dans le secret. Voici, par exemple, un avis de Voltaire donné à Henri Rieu, le 14 février 1769:

    Je prie très instamment mon cher Corsaire de me recommander à Pellet et de lui dire de garder le plus profond secret jusqu'au débit de cette feuille. Il ne doit tirer que lorsque tout sera exactement corrigé, car il ne faut pas qu'il y ait une faute. Il en vendrait beaucoup à Lyon et dans les provinces méridionales s'il savait bien prendre ses mesures. [D 15476]

    Dans une lettre datée du 7 mars 1769, Voltaire est mis au courant du sort déplorable de la femme d'un libraire dont le commerce a été détruit par la justice:

    L'arrêt dont elle a subi l'amertume et la flétrissure, outre la perte de sa liberté, a opéré la vente de ses meubles et effets par ses créanciers; la mort de son mari qui a succombé à la fin de décembre dans les prisons sous le poids des

travers cette correspondance une armée de l'ombre composée d'une multitude d'hommes et de femmes anonymes travaillant à répandre partout la «bonne nouvelle». Or voici qu'avec Fleury Mesplet, ces inconnus prennent au Québec un visage, ont une voix, agissent sous nos yeux. Nous découvrons un «missionnaire» de Voltaire à l'oeuvre dans le Nouveau-Monde, non pas dans l'Amérique des libertés mais dans le monde clos de l'ancienne Nouvelle-France où se maintenait une société «féodale».

Formé à son métier de maître-imprimeur dans une famille où on l'était de père en fils, ayant vécu à Lyon où Voltaire était très prisé et où les ouvrages philosophiques circulaient abondamment, ayant travaillé à Avignon où l'on imprimait clandestinement de nombreux livres, ayant côtoyé les grands libraires de Lyon — alliés de Voltaire, Fleury Mesplet était bien le diffuseur le plus apte à se mesurer aux Montgolfier, Rouville, Briand et Hubert du Québec, opposés aux progrès de la raison et par le fait même à l'implantation des libertés de pensée et d'expression dans la colonie. Pour avoir une vision de l'ampleur de son travail de diffusion des Lumières, il faut se souvenir qu'étant resté dix-huit ans dans la province, il a fondé deux journaux, la *Gazette littéraire* et la *Gazette de Montréal,* qu'il a créé l'Académie voltairienne de Montréal et qu'il a collaboré à la fondation de la Société des patriotes et de la Société des débats libres, qu'il a encouragé l'étude des oeuvres des Philosophes et qu'il a fait circuler leurs ouvrages. Comme il a été emprisonné à deux reprises, en 1776 et en 1779-1782, pour son travail et de diffusion, c'est dire qu'il n'a eu la liberté d'agir que durant quatorze ans et huit mois puisque son premier emprisonnement dura vingt-six jours et le second, trois ans et trois mois. De plus, pendant ces quatorze ans et huit mois, il a été le plus souvent exposé au harcèlement de ses opposants comme en font foi des lettres de dignitaires et ses propres articles de journaux.

Si un monument était un jour élevé à la mémoire de Mesplet, ne faudrait-il pas graver sur le socle les mots Persévérance et

---

fers, de l'infortune et de l'ignominie; la dispersion de ses enfants dont un en bas âge vient de mourir de misère et de langueur à l'Hôtel-Dieu; deux filles dont la jeunesse est attaquée par la séduction préfèrent une indigence sans reproche à une aisance qui serait le prix de la vertu... [D 15505]

Pour que Voltaire soit saisi du sort de cette famille, il semble plausible que le libraire ait fait partie d'un réseau de diffusion des Lumières. Il serait possible de donner de nombreux autres exemples, tirés de la correspondance de Voltaire, où il est question de la circulation des ouvrages philosophiques, des difficultés rencontrées et des victimes de cette action.

Courage? Pour persévérer dans son difficile travail de diffusion au Québec, il fallait à l'imprimeur de solides convictions. Ce n'était pas une tâche facile que d'installer les presses des Lumières dans une ville qui n'avait guère connu la liberté de pensée. Mesplet dut faire preuve d'ingéniosité dans les différentes phases de ses combats. Son imprimerie fut d'abord au service de l'Église. D'où l'impression de nombreux ouvrages de piété: livres de prières, catéchismes, etc. La *Gazette littéraire*, qui parut enfin en 1778, fut le premier organe des Lumières au Québec. Elle put se maintenir vaille que vaille durant une année au terme de laquelle elle fut supprimée, tandis que son imprimeur et son principal rédacteur, Valentin Jautard, étaient emprisonnés. Le second journal, la *Gazette de Montréal*, prenait la relève de la *Gazette littéraire* six ans plus tard et fut publiée jusqu'à la mort de Mesplet au début de 1794. Ce fut en premier lieu par le biais de la littérature que l'imprimeur répandit les idées philosophiques. Puis l'information servit d'appui à une telle diffusion. Les événements s'y prêtèrent bien, à partir de 1789, avec l'éclatement de la Révolution française. C'est alors que furent repris les combats de la *Gazette littéraire* en faveur d'un enseignement public, contre la superstition et pour une réforme judiciaire. La *Gazette de Montréal* entreprit également une campagne contre le régime «féodal» et pour l'établissement d'une chambre d'assemblée. Les combats de Mesplet contre l'ignorance et pour les libertés s'inspirent directement de l'esprit des Lumières et Voltaire apparaît bien comme le maître à penser de l'imprimeur qui le cite maintes fois. Ce fut le plus célèbre des imprimeurs de l'époque, Benjamin Franklin, qui orienta Mesplet vers Montréal. Dans le contexte de la guerre d'Indépendance, il le choisit pour établir les presses des Fils de la Liberté dans cette ville. À Philadelphie, d'ailleurs, Mesplet avait déjà imprimé les trois Lettres du Congrès destinées aux habitants du Québec pour les inciter à s'unir au mouvement de libération des colonies britanniques d'Amérique du Nord.

En quittant Lyon en 1773, Mesplet avait installé ses presses à Londres durant une année puis il avait décidé de traverser l'Atlantique et d'oeuvrer à Philadelphie où il devint l'imprimeur de langue française du Congrès. Ce fut par ordre du Congrès qu'il vint à Montréal. Il y resta définitivement, ce qui fut la cause de ses malheurs et de sa gloire. Car il devint, à titre de premier imprimeur-libraire de Montréal, le premier diffuseur des Lumières au Canada. Lui qui avait connu les grands univers culturels de Lyon, Londres et Philadelphie, il entreprit son travail dans une petite ville d'Amérique où l'on ne pouvait pas ne pas compter avec des seigneurs ecclésiastiques austères, petite ville d'Amérique dont au reste le seul prestige était d'être un poste de traite majeur. Mais Montréal était aussi une ville de langue française, dans un pays de langue française, la langue par excellence de la Philosophie des Lumières. Mesplet, contraint ou non par les événements, décida de s'y établir et d'y faire progresser cette philosophie.

Il trouva d'ailleurs sur place un certain nombre d'esprits de la bourgeoisie déjà gagnés aux idées des Lumières. Il s'intégra à cette bourgeoisie pensante qui le soutint d'une manière indéfectible. Grâce au journal bilingue qu'était la *Gazette de Montréal*, le nom et l'idéal de Voltaire devinrent comme le trait d'union entre bourgeois francophones et anglophones. Les opposants de Mesplet se recrutaient parmi les seigneurs ecclésiastiques et les membres de la noblesse. La Couronne s'appuyait sur cette élite pour conserver le territoire à la Grande-Bretagne. Pour s'assurer sa loyauté, elle renforça ses privilèges par l'Acte de Québec et ne les diminua pas avec la constitution de 1791. L'Angleterre ne toucha pas aux richesses ecclésiastiques durant toute cette fin du XVIIIe siècle, même pas aux biens des Jésuites après l'abolition de la Compagnie de Jésus par le pape, même pas aux seigneuries des Sulpiciens montréalais qui légalement ne leur appartenaient pas. L'évêque de Québec était pensionné à titre de «surintendant de l'Église romaine» et d'autres dignitaires ecclésiastiques recevaient de riches pensions que leur versait le souverain, comme par exemple le commissaire provincial des Récollets. Économiquement forte[2], en conservant son autorité temporelle par le biais des seigneuries ecclésiastiques et la perception des dîmes entre autres, l'Église gardait tous les droits qui lui avaient été dévolus en Nouvelle-France, dont celui qu'elle s'assignait sur les consciences de la majorité. Agissant sur les intelligences, Mesplet ne manqua pas de se heurter au pouvoir clérical. La libre Angleterre, maîtresse du territoire, était toutefois le pays où la liberté d'expression — qui se confondait alors

---

2. OUELLET, Fernand.- *Le Bas-Canada (1791-1840): changements structuraux et crise.*- Ottawa, Éditions de l'Université d'Ottawa, 1976.- p. 29:
   L'Acte de Québec de 1774 consacre vraiment le statut du clergé comme élite d'Ancien Régime dans un milieu colonial... Avec l'augmentation rapide de la population et l'expansion de l'agriculture, les revenus des seigneurs ecclésiastiques, des curés et des Fabriques croissent, renforçant ainsi la position du clergé dans la société...

avec la liberté de la presse — pouvait s'exercer. Voltaire y avait un public de choix. Au lendemain même de la Conquête, des presses avaient commencé à fonctionner à Québec et un journal à paraître. Mais les Anglais avaient hérité, en prenant possession de la Nouvelle-France, du rejeton d'un gouvernement absolutiste. Contrairement à la situation qui prévalait dans leurs autres possessions américains, ils ne trouvèrent dans leur nouvelle colonie aucune assemblée élue par des habitants; des nobles et des seigneurs ecclésiastiques possédaient toutes les terres. Cette forme de gouvernement, dont l'Angleterre elle-même s'était libérée, elle la retrouvait au Québec. La Grande-Bretagne décida de conserver le régime tel quel. Mais en pénétrant dans le territoire, les anciens sujets apportèrent avec eux les libertés anglaises qui lentement se frayèrent un chemin dans les vieilles structures «féodales». Ce fut cette brèche qui permit à Mesplet d'agir comme diffuseur des Lumières au Québec.

Même s'il n'atteignit pas tous ses objectifs, le premier imprimeur-libraire de Montréal réussit à diffuser les grandes idées de liberté et de bonheur des Philosophes. Ces idées remuèrent la collectivité du Québec malgré l'ignorance où elle était plongée. Des adeptes des Lumières avaient pu se constituer en sociétés de pensée et se soutenir mutuellement. Mais la reconnaissance officielle manqua pour assurer la perpétuité de l'académie ou des autres associations. De plus, la relève de Mesplet ne put être assurée à la *Gazette de Montréal*. Mais la liberté de pensée avait désormais une tradition au Québec. Elle s'exprimerait de nouveau par la voix de Louis-Joseph Papineau, le fils du notaire Joseph Papineau, quand l'Institut canadien de Montréal reprendrait à sa façon le message de Fleury Mesplet[3].

Celui-ci avait su, au fil des deux grands événements mondiaux de son époque — la guerre d'Indépendance des États-Unis et la Révolution française —, faire saisir les principes de la Philosophie s'appuyant sur la raison, l'humanité et la tolérance. Il avait transmis aux Canadiens cet ordre de Voltaire: Osez penser[4]. Car la liberté d'expression n'avait pas cessé d'être entravée et cela depuis les origines de la Nouvelle-France. Les habitants du Québec commencèrent à penser politiquement avec

---

3. LAMONTAGNE, Léopold.- *Arthur Buies, homme de lettres.*- Québec; Presses universitaires Laval, 1957.- pp. 49 à 52.
4. «Osez penser par vous-même»: M. XIX, 585 (Article Liberté de penser du *Dictionnaire philosophique*).

les Fils de la Liberté. Mais c'étaient des dispositions fragiles en raison de l'ignorance dans laquelle ils avaient été maintenus. C'est pourquoi le salut, d'après Mesplet, devait commencer par un enseignement solide. De si peu d'importance paraît-il, le combat de l'instituteur Louis Labadie était significatif.

Le Québec qu'entrevoyait Mesplet était semblable à celui dont rêvait Pierre du Calvet. Ce serait une société où la volonté générale pourrait s'exprimer sans contrainte. Un bon enseignement bannirait l'ignorance. La liberté de parler et d'écrire, même sur les matières de politique et de religion, aurait un sens pour tous. Ayant l'esprit davantage développé, les habitants, dans leur quête du bonheur, se soucieraient de rendre un peu meilleure la vie de chacun. Et alors adviendrait au Québec ce règne que prédisait Voltaire dans son *Éloge historique de la raison:*

> Ma fille, disait la Raison à la Vérité, voici, je crois notre règne qui pourrait bien commencer à advenir après notre longue prison. Il faut que quelques-uns des prophètes qui sont venus nous visiter dans notre puits aient été bien puissants en paroles et en oeuvres pour changer ainsi la face de la terre. Vous voyez que tout vient tard; il fallait passer par les ténèbres de l'ignorance et du mensonge avant de rentrer dans votre palais de lumière, dont vous avez été chassée avec moi pendant tant de siècles. Il nous arrivera ce qui est arrivé à la Nature; elle a été couverte d'un méchant voile, et toute défigurée pendant des siècles innombrables. À la fin il est venu un Galilée, un Copernic, un Newton, qui l'ont montrée presque nue, et qui en ont rendu les hommes amoureux[5].

---

5. *Éloge historique de la raison:* M. XXI, 516.

Appendice I

Les origines de la famille Mesplet

Fleury Mesplet faisait partie de la troisième génération d'imprimeurs de la famille Mesplet. Celle-ci était originaire d'Agen, à 608 km de Paris, dans l'actuel département du Lot-et-Garonne et dans l'ancienne province de Guyenne. En 1654, on trouve à Agen un Raymond Mesplet «escolier»[1]. Mais l'origine de la tradition d'imprimeur chez les Mesplet date de 1685. Cette année-là, le 8 juillet, Guillaume Mesplet, brassier d'Agen, c'est-à-dire ouvrier agricole, place son fils Jean comme apprenti-imprimeur pour cinq ans auprès de l'un des deux plus importants imprimeurs de cette ville, Timothée Gayau[2].

Jean Mesplet devient imprimeur à son tour. Cette qualité lui est donnée dans l'acte de baptême de sa fille Jeanne, née de Jeanne Grenier, le 8 mai 1701[3]. Le 9 novembre 1705, Jean Mesplet a un autre enfant prénommé Jean-Baptiste[4] qui deviendra aussi imprimeur et sera le père de Fleury Mesplet. Jean-Baptiste quitte Agen pour Marseille où naît d'Antoinette Capeau, le 10 janvier

---

1. Lettre de la direction des Archives départementales du Lot-et-Garonne, datée du 2 avril 1984: documentation de l'auteur.
2. Contrat d'apprentissage de Jean Mesplet, greffe du notaire Dutreilh, le 8 juillet 1685, liasse E 122/13: Archives départementales du Lot-et-Garonne à Agen.
3. Lettre de la direction des Archives départementales du Lot-et-Garonne, déjà citée.
4. Extrait de l'acte de baptême de Jean-Baptiste Mesplet, paroisse Saint-Étienne d'Agen, daté du 11 novembre 1705: Archives départementales du Lot-et-Garonne, registre GG 14 de la commune d'Agen.

1734, Fleury Mesplet. Jean-Baptiste s'établit ensuite à Lyon où sont baptisées Marguerite et Marie-Thérèse Mesplet, respectivement les 25 février 1738 et 13 février 1739[5]. Un contrat d'apprentissage nous apprend que Fleury Mesplet était gérant de l'imprimerie de sa tante, Marguerite Capeau-Girard, en 1755, à Avignon. Il épouse dans cette ville, le 17 août 1756, Marie-Marguerite Piérard[6]. Il quitte Lyon pour Londres en 1773, après le décès de Marguerite Capeau-Girard. On retrouve Mesplet à Philadelphie en 1774, marié à Marie Mirabeau, qui mourra à Montréal en 1789. Fleury Mesplet se marie finalement avec Marie-Anne Tison en 1790. Il n'aura aucun enfant de ces trois mariages.

Le nom Mesplet vient du gascon mesplè qui désigne le néflier. Le fruit de cet arbre, la nèfle, se dit mésple, c'est-à-dire avec accent tonique sur la 1ère syllabe et é fermé, tandis que pour le néflier le è est ouvert. Le nom existe toujours à Paris; on le prononce Mes-s-plaît[7]. Néflier est le nom vulgaire du mespilus germanica (rosacées). En blettissant, son fruit très âpre devient agréable.

---

5. Extraits des actes de baptême, paroisse de Saint-Nizier, de Marguerite et de Marie-Thérèse Mesplet, les 25 février 1738 (registre no 85, fo. 30) et 13 février 1739 (registre 86, fo. 150): Archives de la ville de Lyon.
6. Acte de mariage de Fleury Mesplet et de Marie-Marguerite Piérard, le 17 août 1756, paroisse Saint-Didier d'Avignon: Archives départementales de Vaucluse, A. C. Avignon, GG 58.
7. Lettre de la direction des Archives départementales du Lot-et-Garonne, déjà citée et lettre de Madame Marie Mesplet, 17 rue Larrey, Paris, datée du 23 janvier 1984: documentation de l'auteur.

Appendice II

Le portrait de Fleury Mesplet

Aucune recherche n'avait été faite jusqu'ici pour savoir si un portrait de Fleury Mesplet avait pu être conservé. Notre travail nous a amené à étudier attentivement un pastel attribué à François Malepart de Beaucourt[1] et qui pourrait être le portrait du premier imprimeur-libraire montréalais.

Actuellement au Musée du Québec, le portrait en question est un pastel sur parchemin (22"⅝ × 16"½) et porte le numéro d'inventaire A-67, 197-D. Il représente un personnage vêtu d'un habit noir, debout devant des rayons de livres, la main droite posée sur un ouvrage ouvert. Sa tête est entourée d'une draperie qui couvre aussi la base d'une colonne. Dans le livre ouvert, posé sur une table ou un comptoir, son index indique un nom et une date: Montréal, 1794. En raison de l'importance accordée par le peintre au nom de la ville et à la date inscrits dans le dessin, il est certain qu'il y a un lien étroit entre Montréal, l'année 1794 et le personnage. L'année est celle du décès de Mesplet qui était alors le seul imprimeur-libraire à Montréal. En arrière-plan du personnage, nous voyons les rayons d'une librairie et non d'une bibliothèque. La perspective donne bien l'impression de tablettes contenant un stock de livres semblables sur chacun des rayons, soit sept étagères. Si l'on considère la dimension des ouvrages

---

1. MUSÉE DU QUÉBEC.- *L'Art du Québec au lendemain de la Conquête.*- Québec; ministère des Affaires culturelles, 1977.- p. 27.

imprimés par Mesplet à Montréal, tout porte à croire que le pastel fait voir des livres sortis des presses de l'imprimeur lui-même. Les gros livres reliés sur la première étagère seraient des exemplaires de la *Gazette de Montréal*. La troisième étagère exposerait des almanachs. Le peintre Beaucourt avait eu affaire à Mesplet, entre autres pour publier des annonces dans la *Gazette de Montréal*[2]; de plus, depuis 1793, ils habitaient la même rue[3]. Ayant peut-être appartenu à la jeune veuve Marie-Anne Tison-Mesplet, le portrait est passé dans les biens d'une famille alliée, les Papineau. Acquis par le Musée du Québec en 1967, le pastel provenait du collectionneur Bernard DesRoches, de Montréal, qui devait déclarer en 1984 l'avoir obtenu par l'entremise de Marie-Lemaître-Papineau, épouse de Westcott Papineau, descendant direct de Louis-Joseph Papineau dont le père, le notaire Joseph Papineau, comptait parmi les amis de Fleury Mesplet[4].

Selon l'historien de l'art François-M. Gagnon, professeur à l'Université de Montréal, qui en a fait au mois de septembre 1984 un examen minutieux, le portrait représente bien un libraire dans une librairie à Montréal en 1794. «Beaucourt aura sauvé pour la postérité, écrit-il, le visage d'une des figures les plus attachantes de notre passé, qui n'en compte pas tellement après tout»[5].

Le modèle du pastel, qui regarde de face, a de grands yeux noisette. Le nez est droit et long, les sourcils épais mais bien dessinés, les lèvres étroites, prêtes à esquisser un sourire sans amertume. Le front est haut et le menton fort. L'homme porte une perruque blanche, dite à la hérisson[6]. La physionomie donne l'impression d'une volonté agissante et en même temps d'une grande humanité. Nous sommes devant un être chez lequel l'intelligence prime.

2. GM, 7 juin 1792 (4e page, col. 1, numéro XXIV); 14 juin 1792 (4e page, col. 1, 2, numéro XXV); 28 juin 1792 (4e page, col. 1, 2, numéro XXVII).
3. MAJOR-FRÉGEAU, Madeleine.- *La vie et l'oeuvre de François Malepart de Beaucourt*.- Québec; ministère des Affaires culturelles, 1979.- p. 166: bail à loyer par Blacke et Loedel à Beaucourt, le 16 mai 1793.
4. Décédée en 1972, Marie Lemaître-Papineau avait été l'épouse d'un petit-fils d'Amédée Papineau, de la lignée des Westcott Papineau.
5. Archives personnelles de l'auteur: Lettre de M. François-M. Gagnon, historien de l'art, professeur à l'Université de Montréal, à Jean-Paul de Lagrave, le 15 septembre 1984.
6. KELLY, Francis M. et Rudolph SCHWABE.- *Historic Costume: A Chronicle of Fashion in Western Europe*.- New York; Benjamin Blom, 1968.- p. 202.

Après son acquisition, le conservateur du Musée national du Québec a d'abord titré l'oeuvre «Portrait d'homme», puis «Homme de loi»[7], sans doute en raison du rabat et de l'habit sombre du modèle. Il faut savoir toutefois qu'à l'époque de Mesplet, le rabat et l'habit sombre n'identifiaient pas nécessairement un membre de la magistrature ou du barreau. Le rabat faisait partie du costume civil et religieux. C'était une pièce de toile que les hommes mettaient autour du collet tant pour l'ornement que pour la propreté[8]. Bien plus, les portraits des «hommes de loi» du temps de Mesplet que nous connaissons ne représentent aucun d'eux portant le rabat. Ainsi en est-il du portrait du juge René-Ovide Hertel de Rouville[9] et du juriste Pierre Panet, celui-ci peint par Beaucourt[10]. D'un autre côté, tous les ecclésiastiques portraiturés vers la même époque portent le rabat. Mais il s'agit d'un rabat dont les deux parties sont étroitement serrées comme dans les portraits des abbés Antoine Morand et Claude Poncin, peints par Beaucourt[11], et des abbés Jean-Henri-Auguste Roux et Augustin-David Hubert, peints par Louis Chrétien de Heer[12].

Il est notable que les peintres de la province représentaient alors la plupart du temps les membres du clergé avec des livres. Beaucourt ne fait pas exception à la règle. Il peint les prêtres tenant en main bréviaire ou évangiles. L'abbé Morand appuie sa main gauche sur la tranche d'un livre fermé; l'abbé Hubert tient un livre ouvert; l'abbé Poncin a en main un livre entrouvert. Mais la présence du livre est différente dans le portrait présumé de Mesplet. L'homme est non seulement en face d'un gros livre ouvert qu'il consulte mais encore, en arrière-plan, nous voyons un étalage d'ouvrages répartis sur sept étagères. Sur celle qui se trouve à proximité du libraire, le dos des livres ne porte aucune indication. Sur la deuxième étagère, nous distinguons des livres à tranche rouge ornée d'une étiquette bleue. Troisième étagère:

---

7. Dans *La vie et l'oeuvre de Beaucourt*, le pastel est encore titré «portrait d'homme», p. 101. C'est toutefois Madeleine Major-Frégeau qui suggère, p. 87, que le portrait «représente peut-être un membre de la magistrature comme semblent en faire foi l'habit sombre et le rabat du modèle».
8. SÉGUIN, Robert-Lionel.- *Le costume civil en Nouvelle-France.*- Ottawa; Musée national du Canada, 1968.- p. 118.
9. ROY, Pierre-Georges.- *Les juges de la province de Québec.*- Québec; Imprimeur du roi, 1933.- p. 479.
10. *La vie et l'oeuvre de Beaucourt*, op. cit., p. 104.
11. *Ibid.*, pp. 77, 102.
12. *L'Art au lendemain de la Conquête*, op. cit., pp. 31, 33.

livres bruns, reliés en cuir, avec titres dorés. Les autres étagères renferment des ouvrages reliés de la même façon, mais de plus petit format. Les livres sur la première étagère seraient des exemplaires reliés de la *Gazette de Montréal* dont le format est de 15 pouces par 10 pouces. Des exemplaires de l'*Almanach curieux et intéressant*, dont le format est de 4½ pouces par 2¾ pouces, seraient rangés sur la troisième étagère.

Lors du décès de Fleury Mesplet, son épouse Marie-Anne Tison-Mesplet n'était âgée que de 27 ans. Elle ne se remaria pas. Son attachement et sa fidélité au souvenir de son mari rendent plausibles que cette femme ait voulu en conserver une image et que dans ce but elle en ait demandé un pastel au peintre Beaucourt, à partir d'une esquisse déjà réalisée du vivant de Mesplet ou immédiatement après son décès. Il s'agit d'un portrait posthume: la tête du personnage est en effet voilée de noir, ce qui est un symbole très clair de deuil. De plus, ce pastel n'a pu être réalisé qu'entre janvier et juin 1794 puisque Mesplet est décédé le 24 janvier et le peintre Beaucourt, le 24 juin suivant[13].

---

13. *La vie et l'oeuvre de Beaucourt,* op. cit., p. 39.

Appendice III

L'idéal maçonnique

Nous n'avons aucune preuve que Fleury Mesplet ait été initié à la Franc-Maçonnerie, mais il manifestait à l'égard de cette fraternité une forte sympathie comme en font foi certains textes publiés dans la *Gazette de Montréal* et traitant de l'idéal maçonnique. De plus, ses relations avec des bourgeois notoirement Francs-Maçons furent excellentes.

La plupart des trente-sept loges ayant opéré au Québec entre 1759 et 1791 étaient celles d'officiers des régiments britanniques en garnison dans la colonie[1]. Il y en eut quelques-unes composées de notables des deux langues, dont celles de Saint-Pierre et Saint-Paul à Montréal, fondées respectivement en 1769 et 1770. Toutes ces loges relevaient de la Grande Loge de la province de Québec, créée dans la capitale, peu après la prise de Québec, le 28 novembre 1759[2]. Mais il semble qu'il y ait eu, peu après la conquête, une loge à Montréal relevant de la Grande Loge de France, selon une lettre du grand-vicaire Étienne Montgolfier à l'évêque de Québec, datée du 20 janvier 1771:

> Nous avons un grand nombre de Francs-Maçons dans cette ville. Il y en avait quelques-uns, mais en petit nombre et cachés,

---

1. GRAHAM, John H.- *Outlines of the History of Freemasonry in the Province of Quebec.*- Montreal; Lovell, 1892.- pp. 38, 39.
2. MILBORNE, A. J. B.- *Freemasonry in the Province of Quebec (1759-1959).*- Knowlton; Milborne, 1959.- pp. 2, 3, 22, 24.

sous le gouvernement français. Plusieurs de nos négociants ayant passé en France au temps de la révolution [c'est-à-dire au lendemain de la conquête] pour y arranger leurs affaires, s'y sont laissé séduire. La liberté du gouvernement présent leur laisse celle de se manifester; et plusieurs ne craignent pas de le faire.

Il y a déjà plusieurs années que quelques-uns par surprise et incognito se sont insinués dans les assemblées des marguilliers; ils n'étaient pas ou peu connus sous le nom de leur société; ils ne fréquentaient pas les loges, personne n'en était scandalisé; j'ai cru qu'il était prudent de se taire et de les laisser passer.

Cependant c'est par une brigue de ses confrères cachés (je le sais) que le sieur [Pierre] Gamelin a été choisi en la dernière élection. Il était plus connu que bien d'autres, mais ayant promis qu'il ne tiendrait plus de loge, j'ai cru que ce serait une bonne occasion de le retirer comme ceux qui l'avaient précédé; et il a passé comme eux.

L'éclat de la cérémonie francmaçonne, dans laquelle il a paru publiquement le 3 de ce mois a un peu remué les esprits. Il m'eut été facile d'apaiser toutes choses en engageant ce monsieur, sans bruit et à l'amiable, à me donner sa démission de marguillier, car je ne pouvais pas espérer qu'étant maître de loge il y renoncerait absolument; et je sentais que plus on ferait de bruit, plus il se croirait obligé par honneur à soutenir ses démarches. Mais on m'a fait faire malgré moi une faute, mais qui heureusement n'a pas eu de mauvaise suite; c'est de l'avoir passé dans les visites que je rendais dans son quartier au commencement de l'année. Il y a été sensible, et cette circonstance a failli à mettre obstacle à un accommodement qui cependant a été heureusement conclu dimanche dernier, 13 du courant. En voici les démarches et la conclusion.

Ce jour-là j'ai mandé honnêtement ce monsieur. Il m'est venu trouver avant la grand-messe. Je lui ai d'abord fait quelque excuse de l'avoir passé dans mes visites, en l'assurant que c'était contre mon inclination, mais seulement pour ménager la délicatesse d'un certain public ignorant. Il m'a avoué sa sensibilité, puis nous sommes entrés en matière.

Je lui ai fait lire la décision de [la] Sorbonne de 1745, et les bulles des souverains pontifes, ainsi que le tout se trouve dans l'abrégé du dictionnaire de Pontas, tome second, page 1382. Je lui ai fait sentir ce qu'il devait à la religion, à sa patrie, à sa famille, et ce qu'il se devait à lui-même, et l'incompatibilité des assemblées francmaçonnes avec celles des marguilliers, et l'ai prié d'opter entre les deux parties. Il comptait son honneur intéressé de part et d'autre, cependant il m'a promis qu'il renoncerait aux loges. Je ne me repose qu'à demi, ou même pas du tout sur cette promesse. Mais j'espère que s'il y paraît, ce ne sera que rarement, très secrètement et sans scandale, et que la faute lui sera purement personnelle. Nous nous sommes quittés sur cela et paraissant contents l'un de l'autre.

Après cette première démarche, j'ai fait convoquer une assemblée de marguilliers pour le même jour. On ne savait pas où en était cette affaire et on s'attendait qu'elle serait mise sur le tapis. L'assemblée n'a pas été aussi nombreuse que je l'aurais désiré; mais cependant il s'y est trouvé quelques Francs-Maçons et autres.

Je leur ai fait faire la même lecture que j'avais faite le matin au sieur Gamelin, puis partant de ce principe, je leur ai représenté que de tous temps l'assemblée des marguilliers n'avait pas été seulement une assemblée d'honnêtes gens selon le monde, mais de chrétiens fervents et soumis à l'Église, qu'ils savaient ce qu'avaient été leurs ancêtres et qu'ils ne devaient pas souffrir qu'elle dégénérât, et fût composée d'enfants rebelles à l'Église et excommuniés; que je les en laissais eux-mêmes les juges;

que je n'étais pas surpris que plusieurs jeunes gens séduits et curieux eussent pris parti dans la société francmaçonne; mais je le serais grandement, si des gens graves et des pères de famille demeuraient attachés à des assemblées qui, quand elles ne seraient pas criminelles et impies, seraient au moins puériles et indignes d'eux; que je ne voulais pas toucher à ceux de cette société qui avaient été choisis jusqu'à présent pour marguilliers, soit qu'on les eût connus auparavant, ou non; que j'espérais qu'ils se retireraient d'eux-mêmes de l'une ou l'autre assemblée: mais que pour l'avenir dans l'élection des marguilliers, on supprimerait entièrement les noms de tous ceux qui seraient soupçonnés d'être Francs-Maçons, à moins qu'ils ne donnassent des marques suffisantes qu'ils y avaient renoncé. Tous ces messieurs ont paru entrer dans ces vues, et ont rapporté dans leur famille l'idée qu'on devait avoir chrétiennement des Francs-Maçons[3].

À l'occasion de cette démarche de Montgolfier auprès du marguillier Pierre Gamelin, nous apprenons qu'il existait à Montréal une importante loge de notables de langue française et que cette loge avait été fondée par des négociants initiés en France. Beaucoup de jeunes gens étaient attirés par l'esprit maçonnique de même que les hommes les plus graves. Des cérémonies maçonniques avaient même lieu publiquement. Montgolfier soutient qu'un Franc-Maçon ne peut être marguillier et que le simple soupçon de faire partie d'une loge constitue un empêchement pour remplir les fonctions laïques alors les plus importantes dans

---

3. Lettre d'Étienne Montgolfier à l'évêque de Québec, datée du 20 janvier 1771: ACAM, correspondance de Montgolfier (1771-1775), 901-005, 771-1.

l'Église de la colonie. L'attitude de Montgolfier à l'égard de la Franc-Maçonnerie paraît difficilement justifiable puisque les bulles antimaçonniques de 1738 et de 1751 n'avaient jamais été promulguées dans la province de Québec[4].

La Grande Loge de Québec relevait de la Grande Loge d'Angleterre qui approuva même que l'un des fils du roi, le prince Edward, duc de Kent, devînt grand-maître provincial lors de son séjour dans la colonie de 1792 à 1794[5]. Dès le 27 décembre 1759, à Québec, des négociants de langue française constituaient une loge de marchands qui fut sous la gouverne de la nouvelle Grande Loge de Québec[6]. Il semble que la loge française dont parle Montgolfier groupait les prédécesseurs des Frères du Canada, loge qui n'est pas sur la liste de la grande loge provinciale[7].

Parmi les Francs-Maçons connus qui ont eu des rapports directs avec Mesplet, nommons Edward William Gray, notaire, avocat et directeur des postes à Montréal (avant Edward Edwards), membre actif de la loge Saint-Pierre[8]. C'est ce Gray qui acheta de Joseph Desautels les presses du diffuseur des Lumières et les lui «prêta» ensuite à vie. William Moore, l'imprimeur du *Quebec Herald*, s'affichait comme Franc-Maçon[9] et James Tanswell, l'éditeur du *Héraut français*, était grand-secrétaire de la Grande Loge du Québec en 1784[10]. Le tuteur de John Neilson, éditeur de la *Gazette de Québec*, le pasteur Alexander Spark, prononça l'homélie lors de l'inauguration du temple maçonnique à Québec, le 3 novembre 1787[11]. Adam Lymburner et William Grant, qui luttèrent en faveur d'une chambre d'assemblée, étaient aussi Maçons[12]. Daniel Clause, directeur des Affaires indiennes, qui accorda un important contrat d'impression à Marie Mesplet, durant l'emprisonnement de son mari,

---

4. MILBORNE, *Freemasonry*, op. cit., p. 49.
5. *Ibid.*, p. 45.
6. GRAHAM, *Freemasonry*, op. cit., p. 41.
7. Des messages des Frères du Canada dans GM, 13 septembre 1787, 3e page, col. 2, numéro XXXVII; GM, 18 septembre 1788, 3e page, col. 2, numéro XXXVIII. MILBORNE, *Freemasonry*, fait état de la fondation d'une (seconde) loge des Frères du Canada, à Québec, le 24 juin 1816: p. 57.
8. MILBORNE, *Freemasonry*, op. cit., p. 87.
9. RYDER, Dorothy E.- «William Moore» dans le DBC, vol. IV (de 1771 à 1800).- Québec; Presses de l'Université Laval, 1980.- p. 601.
10. GRAHAM, *Freemasonry*, op. cit., p. 51.
11. MILBORNE, *Freemasonry*, op. cit., p. 5.
12. *Ibid.*, pp. 36, 40, 47.

avait été initié à New York et était le beau-frère du grand-maître de la Grande Loge du Québec, sir John Johnson[13].

Dans la *Gazette de Montréal*, Mesplet traite de la Franc-Maçonnerie surtout à l'occasion des Saint-Jean d'hiver et d'été en publiant des convocations ou des allocutions de circonstance. Ainsi, il donne un discours du secrétaire de la loge l'Union d'Albany, prononcé le 24 juin 1785, dont voici des extraits exprimant le voeu d'unir les Maçons des nouveaux États-Unis avec les autres du Canada en oubliant le récent conflit avec la Grande-Bretagne:

> ...mes frères, choisissons le sentier agréable de la paix, découvrons les traces de l'humanité avilie, et vénérons les caractères respectables qui ont rendu de si grands services au genre humain.

Suit la nomenclature des «hommes illustres qui contribuèrent à la gloire de notre société». Puis les règles que doit observer un bon Maçon:

> Si dans le cours de la dernière révolution de l'Amérique, il a été fait quelques brèches à nos murs, si la chaîne d'or qui unit toutes les parties de la Fraternité a contracté quelques rouilles, ou si les cordes de notre tabernacle ont été desserrées, comme cela regarde particulièrement la dignité de notre institution, et votre honneur, je vous conjure par les devoirs les plus sacrés, de réparer immédiatement ces brèches, de dérouiller et polir cette chaîne, de resserrer ces cordes de manière qu'elles durent éternellement[14].

Les annonces maçonniques que publie Mesplet, sauf celles des Frères du Canada, sont uniquement en anglais et sont officiellement signées, par exemple, le 15 juin 1788, par le grand-trésorier, John Gerbrand Beck[15].

Concluons que l'homme qui avait orienté Mesplet à Montréal, Benjamin Franklin, était Franc-Maçon et qu'il était présent lorsque Voltaire fut accueilli à la loge des Neuf-Soeurs à Paris[16]. Mesplet ne pouvait être indifférent à l'idéal d'humanité, de tolérance et de fraternité de la Maçonnerie.

---

13. *Ibid.*, p. 39.
14. GM, 26 janvier 1786, 1ère, 2e et 3e pages, col. 2, numéro IV.
15. GM, 15 juin 1788, 4e page, col. 1, numéro XXIII.
16. VAN DOREN, Carl.- *Benjamin Franklin.*- Paris; Aubier, 1956,- p. 388. Voir l'extrait de la planche à tracer dans M. 1-426-428.

Bibliographie

Sigles et abréviations

ACAM..........Archives de la chancellerie de l'archidiocèse de Montréal
ADF.............*Anti-Dictionnaire philosophique*
AHRF...........*Annales historiques de la Révolution française*
ANQM..........Archives nationales du Québec à Montréal
APC.............Archives publiques du Canada
ASQ.............Archives du Séminaire de Québec
BNQ............Bibliothèque nationale du Québec
BRH.............*Bulletin des recherches historiques*
BVM ....Bibliothèque de la ville de Montréal
CD ....*Cahiers des Dix*
CHR.............*Canadian Historical Review*
D ....Correspondance de Voltaire (Besterman, Definitive Edition)
              Exemple: D 18465
DBC.............*Dictionnaire biographique du Canada*
GCL.............*Gazette du commerce et littéraire*
GL...............*Gazette littéraire*
GM ....*Gazette de Montréal*
GQ...............*Gazette de Québec*
M................*Oeuvres complètes de Voltaire* (Éd. Moland)
              Exemple: M. XXVI, 77 (le tome en chiffres romains, la page
              en chiffres arabes)
MSRC ....*Mémoires de la Société royale du Canada*
QH ....*Quebec Herald*
RAC.............*Rapport sur les Archives canadiennes*
RAPQ ....*Rapport de l'Archiviste de la province de Québec*
RHAF...........*Revue d'histoire de l'Amérique française*
RQH.............*Revue des questions historiques*
RSCHEC........*Rapport de la Société canadienne d'histoire de l'Église catho-
              lique*
RUL.............*Revue de l'Université Laval*

SOURCES MANUSCRITES AU CANADA

ARCHIVES PUBLIQUES DU CANADA

— *Papiers Haldimand, 1766-1790.* Correspondance et papiers des gouverneurs généraux Carleton et Haldimand. Désignés dans les références par la lettre B. Il s'agit de la transcription des originaux déposés au British Museum, à Londres. Une partie des papiers de Mesplet et de Jautard saisis lors de leur arrestation sont contenus dans B 185-1, pages 66, 69, 70, 71, 73, 75, 77, 79, 82, 99, 120, 126, 127, 129, 131, 133, 135. Les documents relatifs aux mêmes comme prisonniers d'État se trouvent dans B 185-1, pages 87, 89, 90, 92, 94, 95, 97, 102, 104, 105, 106, 108, 110, 113, 114, 117, 119.

— *Papers of Continental Congress.* Collection Continental Congress. Il y a vingt-deux pages de documents relatifs à Mesplet. La transcription provient des *Continental Congress Records* de la Bibliothèque du Congrès à Washington, C.C. Papers, No 41, vol. 6.

— *Collection Baby (1629-1907).* Correspondance et documents divers transcrits sur les originaux provenant des Archives de l'Université de Montréal. Correspondance de Joseph-François Perrault: MG 24, L, vol. 11.

ARCHIVES NATIONALES DU QUÉBEC À MONTRÉAL

— *Registres paroissiaux de Notre-Dame de Montréal*
Baptême de Josephte (Marie-Anne) Tison, le 5 février 1766: page 14.
Service de Valentin Jautard, le 9 juin 1787: page 66.
Service de Marie Mesplet, le 1ᵉʳ septembre 1789: page 102.
Mariage de Fleury Mesplet et de Marie-Anne Tison, le 13 avril 1790: page 40.
Baptême de Fleury Tison, le 29 octobre 1791: page 151.
Service de Fleury Mesplet, le 24 janvier 1794: page 8.

— *Greffe du notaire François LeGuay:* CN 0601-0254
Obligation de Valentin Jautard à madame de Gannes (Marie-Thérèse Bouat), le 23 août 1783: 1038.
Contrat de mariage entre Valentin Jautard et Marie-Thérèse Bouat, le 23 août 1783: 1039.
Obligation de la somme de 8 000 chelins de Fleury Mesplet à Joseph Desautels, le 30 août 1784: 1352.
Rapport de la vente publique des biens de Fleury Mesplet, le 21 novembre 1785: 1563.

— *Greffe du notaire Pierre Mézière:* CN 0601-0290
Compromis entre Charles Berger et Fleury Mesplet, le 3 novembre 1784: 2905.
Obligation par Fleury Mesplet, imprimeur et libraire de cette ville, au sieur Charles Berger, marchand, de la somme de 7 200 chelins, le 29 décembre 1784: 2914.
Procuration par Charles Berger aux sieurs Louis l'Hardy et Jacques-Clément Herse, marchands de cette ville, le 10 février 1785: 2921.

— *Greffe du notaire Antoine Foucher:* CN 0601-0158
Bail à loyer d'une maison par J.-B. Tabaux à Fleury Mesplet, le 14 avril 1788: 6446.

— *Greffe du notaire Jean-Guillaume Delisle:* CN 0601-0121
Contrat d'apprentissage d'Alexandre Gunn chez Mesplet, le 5 décembre

1789: 175.

Contrat de mariage entre Fleury Mesplet et Marie-Anne Tison, le 11 avril 1790: 223.

Obligation des Mesplet envers Charles Lusignan, le 20 décembre 1790: 304.

Bail à loyer de la maison de la veuve Ignace Chénier à Fleury Mesplet, le 26 mars 1793: 644.

Obligation des Mesplet envers J.-B. Durocher, le 26 juillet 1793: 729.

Inventaire des biens de Fleury Mesplet, les 17-20 février 1794: 818.

Renonciation de Marie-Anne Mesplet à la succession de son mari, le 20 février 1794: 825.

Vente des biens de Fleury Mesplet, les 24-27 février 1794: 825.

Michel Dubord remplace Louis l'Hardy comme curateur, le 18 juin 1794: 867.

ARCHIVES DE LA CHANCELLERIE DE L'ARCHEVÊCHÉ DE MONTRÉAL

Correspondance d'Étienne Montgolfier (1776-1789): 901-115.

Correspondance de Gabriel-Jean Brassier (1789-1796): 901-012.

ARCHIVES DE L'UNIVERSITÉ McGILL

— *The Department of Rare Books and Special Collections of the McGill University Libraries*
Lettre de Fleury Mesplet à E. Dutilh, de Philadelphie, datée du 29 août 1789.

BIBLIOTHÈQUE DE LA VILLE DE MONTRÉAL

— *Salle Gagnon*
Pièces qui peuvent servir d'information sur l'affaire de M. Pierre Huet de la Valinière: 841.59 H888 vr.

ARCHIVES DE L'UNIVERSITÉ DE MONTRÉAL

— *Collection Baby*
Lettre de Mézière à Foucher, le 3 juin 1816: P 58 U-8531.

ARCHIVES DU SÉMINAIRE DE QUÉBEC

— *Saberdache rouge*
Lettre de Mézière à ses parents, de Cumberland Head, datée du 28 août 1793, pp. 207-221.

SOURCES MANUSCRITES EN FRANCE

ARCHIVES DÉPARTEMENTALES DE LOT-ET-GARONNE

Contrat d'apprentissage de Jean Mesplet à Agen, le 8 juillet 1685, chez l'imprimeur Timothée Gayau: notaire Dutreilh, liasse # E 122/13.

Acte de baptême de Jean-Baptiste Mesplet, né le 9 novembre 1705 dans la paroisse Saint-Étienne d'Agen: registre GG 14.

ARCHIVES DÉPARTEMENTALES DES BOUCHES-DU-RHÔNE

Certificat de baptême de Fleury Mesplet, tiré du registre de la paroisse des Accoules à Marseille, le 10 janvier 1734: 201 E 743.

ARCHIVES DE LA VILLE DE LYON

Actes de baptême de la paroisse de Saint-Nizier à Lyon: Marguerite Mesplet, née le 25 février 1738 (registre no 85, fo. 30), et Marie-Thérèse Mesplet, née le 12 février 1739 (registre 86, fo. 150).

ARCHIVES DÉPARTEMENTALES DE VAUCLUSE

Procuration donnée par Jean-Baptiste Mesplet à François Girard, le 11 octobre 1746, à Avignon: fonds Pradon, 470 fo. 499.

Contrat d'apprentissage contresigné par Fleury Mesplet, le 3 mai 1755, à Avignon: fonds Pons 11, 21 fo. 318.

Mariage de Fleury Mesplet et de Marie-Marguerite Piérard: registre paroissial de Saint-Didier d'Avignon, GG 58.

Testament de Marguerite Capeau-Girard, le 14 décembre 1762, à Avignon: fonds Lapeyre, no 435.

Acte de décès de Marguerite Capeau-Girard, le 12 juillet 1772: registre de la paroisse Saint-Didier, Arc. comm. Avignon GG 65.

ARCHIVES DÉPARTEMENTALES DU RHÔNE ET DES ANCIENNES PROVINCES DE LYONNAIS ET DE BEAUJOLAIS

Contrat de mariage entre François de Los Rios et Marie-Thérèse Mesplet, le 27 juin 1760, à Lyon: greffe du notaire François Durand, 3 E 4706.

IMPRIMÉS DU XVIIIe SIÈCLE

Almanach curieux et intéressant pour l'année 1781.- Montréal; Fleury Mesplet.- 48 p. (BNQ, département des livres rares: RES AG 32-1781)

Almanach curieux et intéressant pour l'année 1783.- Montréal; Fleury Mesplet.- 48 p. (Université McGill, collection Lande, 533)

Almanach de Québec pour l'année 1791.- Québec; Samuel Neilson.- 164 p. (BVM, salle Gagnon: 093.71 Q 3 qu.)

Bastille septentrionale (La), ou *Les trois sujets britanniques opprimés.-* Montréal; Fleury Mesplet, s.d.- 32 p. (BNQ, département des livres rares: RES AE 34)

BURN, Richard.- *Le juge à paix et officier de paroisse.-* Montréal; Fleury Mesplet, 1789.- 561 p. (Université McGill, collection Lande, 73 Burn)

CHAMPIGNY, Jean Bochart de.- *La Louisiane ensanglantée.* Avec toutes les particularités de cette horrible catastrophe. Rédigées sur le serment de témoins dignes de foi. Par le colonel chevalier de Champigny.- Londres; Fleury Mesplet, 1773.- XII- 187 p. (BVM, salle Gagnon: 976.3 C452 Lo.)

CHAUDON, Louis Mayeul.- Anti-Dictionnaire philosophique, pour servir de commentaire et de correctif au *Dictionnaire philosophique*, et aux autres livres qui ont paru de nos jours contre le christianisme: ouvrage dans lequel on donne en abrégé les preuves de la religion, et la réponse aux objections de ses adversaires, avec la notice des principaux auteurs qui l'ont attaquée, et l'apologie des grands hommes qui l'ont défendue.- Paris; Saillant et Nyon, 1775, 2 vol.- 552 p. chacun. (BNQ, département des livres rares: RES, BE, 116)

CHAUDON, Louis Mayeul.- Dictionnaire anti-philosophique, pour servir de commentaire et de correctif au *Dictionnaire philosophique*, et aux autres livres qui ont paru de nos jours contre le christianisme: ouvrage dans lequel on donne en abrégé les preuves de la religion et la réponse aux objections de ses adversaires; avec la notice des principaux auteurs qui l'ont attaquée, et l'apologie des grands hommes qui l'ont défendue.- Avignon; Veuve Girard, François Séguin, Antoine Aubanel, 1774.- tome I: 287 p., tome II: 252 p. (BNQ, département des livres rares: RES BE 70)

DU CALVET, Pierre.- *Appel à la Justice de l'État* ou recueil de lettres au roi, au prince de Galles et aux ministres, avec une lettre à messieurs les Canadiens...- Londres, 1784.- XIV-320-VIII p. (BVM, salle Gagnon: 971.04 D822 ap.)

DURAND, Laurent.- *Cantiques de l'âme dévote* - divisés en XII livres où l'on représente d'une manière nette et facile les principaux mystères de la foi et les principales vertus de la religion chrétienne.- Québec; Mesplet et Berger, 1776.- 610 p. (Université McGill, collection Lande, S 691 Durand)

HOLBACH, d'.- *Système social.*- Londres, 1774.- 547 p. (Bibliothèque des Sciences humaines et sociales de l'Université de Montréal: trésor)

LA HONTAN.- *Voyages du baron de La Hontan dans l'Amérique septentrionale*, tome I. Qui contiennent une relation des différents peuples qui y habitent; la nature de leur gouvernement; leur commerce, leurs coutumes, leur religion et leur manière de faire la guerre. L'intérêt des Français et des Anglais dans le commerce qu'ils font avec ces nations; l'avantage que l'Angleterre peut retirer de ce pays, étant en guerre avec la France.- Amsterdam; François l'Honoré, 1705.- 376 p. (BVM, salle Gagnon, 971.038 L 184 V1)

LA HONTAN.- *Mémoires de l'Amérique septentrionale* ou la suite des Voyages de M. le baron de La Hontan, tome II. Qui contiennent la description d'une grande étendue de pays de ce continent, l'intérêt des Français et des Anglais, leurs commerces, leurs navigations, et les moeurs et les coutumes des sauvages, etc. Avec un petit dictionnaire de la langue du pays. Seconde édition augmentée des Conversations de l'auteur avec un sauvage distingué.- Amsterdam; François l'Honoré, 1705.- 336 p. (BVM, salle Gagnon, 971.038 L 184 V2)

LA VALINIÈRE, Huet de.- *Vraie histoire* ou simple précis des infortunes pour ne pas dire des persécutions qu'a souffert (sic) et souffre encore le révérend P. H. de la Valinière. Mis en vente par lui-même en juillet 1792.- Albany; Webster, 1792.- 50 p. (BVM, salle Gagnon: 841.59 H888 vr.)

Neuvaine en l'honneur de saint François-Xavier, de la Compagnie de Jésus, apôtre des Indes et du Japon.- Montréal; Fleury Mesplet, 1778.- 147 p. (Université McGill, collection Lande, S 1972 Roman)

Office de la Semaine sainte, selon le missel et bréviaire romain. Avec l'explication des sacrés mystères représentés par les cérémonies de cet office. L'ordinaire de la messe, les sept psaumes de la pénitence, les litanies des saints et les prières pour la confession et communion tirées de l'Écriture sainte.- Montréal; Mesplet et Berger, 1778.- 410 p. (Université McGill, département des livres rares. CUCA 1778)

Officium in honorem Domini Nostri J. C. summi sacerdotis et omnium sanctorum sacerdotum ac levitarum.- Montréal; Fleury Mesplet, 1777.- 13 p. (Université McGill, collection Lande, S 1969 Roman)

PERRAULT, Joseph-François.- *Mémoire en cassation du testament de M. Simon Sanguinet, seigneur de La Salle, un des juges de la Cour des plaidoyers communs.*- Montréal; Fleury Mesplet, 1791.- 19 p. (BNQ, département des livres rares: RES AE 118 no 1)

Petitions from the Old and New Subjects Inhabitants of the Province of Quebec to the Right Honourable the Lords Spiritual and Temporal.- Londres, 1791.- 55 p. (APC, Bibliothèque, 1-759)

Règlement de la confrérie de l'Adoration perpétuelle du Saint-Sacrement et de la Bonne Mort.- Montréal; Mesplet et Berger, 1776.- 40 p. (Université McGill, collection Lande, 153)

PÉRIODIQUES DU XVIIIᵉ SIÈCLE

Courrier de Québec ou *Héraut français* (24 novembre 1788-3 décembre 1788)
Premier périodique uniquement de langue française publié à Québec. Fondé par William Moore, l'éditeur du *Quebec Herald*. Hebdomadaire de quatre pages avec la même disposition typographique que le *Herald*. Le premier numéro paraît le 24 novembre 1788. Il n'en sera publié que trois.
Consultés sur microfilm à la salle Gagnon, BVM: numéros des 24 novembre et 3 décembre 1788.

Gazette de Montréal - The Montreal Gazette (1785-1794)
Premier journal d'information à Montréal, bilingue (français-anglais), fondé par Fleury Mesplet après son emprisonnement consécutif à la suppression de la *Gazette littéraire*. Le premier numéro paraît le 25 août 1785 et le dernier, le 16 janvier 1794; après le décès de l'imprimeur, Marie-Anne Mesplet publiera seulement quatre numéros. Du 25 août 1785 au 16 janvier 1794, 443 numéros ont paru: dix-huit manquent aux archives. La *Gazette de Montréal* est une feuille hebdomadaire comptant habituellement quatre pages in-folio. La matière est répartie sur deux colonnes, l'une en anglais, à gauche et l'autre, en français. Il ne s'agit pas toujours d'une traduction; quelquefois des textes dans une langue ne sont pas donnés dans l'autre. Le titre français du journal est écrit avec un seul «t»: GAZETE DE MONTRÉAL. Originaux consultés au département des livres rares de la Bibliothèque McLennan de l'Université McGill: 5 juin-3 juillet 1788; 4 décembre-25 décembre 1788; 1ᵉʳ janvier-1ᵉʳ octobre 1789; 15 octobre-19 novembre 1789; 27 janvier 1791. Autres originaux consultés à la Bibliothèque du Séminaire de Québec (supplément du 5 mai 1791) et à la Bibliothèque des Archives publiques du Canada à Ottawa (le numéro du 15 mai 1788). Les autres numéros ont été visionnés sur microfilm à l'annexe Fauteux de la Bibliothèque nationale du Québec à Montréal: MIC A 22.

Gazette de Québec - The Quebec Gazette (1778-1779) (1785-1794)
Premier journal fondé dans la province de Québec par William Brown et Thomas Gilmore. Il parut à compter du 21 juin 1764. C'était un périodique d'information bilingue (anglais-français). Le journal a été étudié en regard de la *Gazette littéraire* (1778-1779) et de la *Gazette de Montréal* (1785-1794). Brown en fut l'éditeur (en partie co-associé) jusqu'en 1789, Samuel Neilson jusqu'en 1793 et le tuteur de John Neilson, le pasteur Alexander Spark, jusqu'en 1796.
Consulté sur microfilm à la Médiathèque de la Bibliothèque des sciences humaines et sociales de l'Université de Montréal.

Gazette du commerce et littéraire, puis *Gazette littéraire* de Montréal (1778-1779)
Premier journal unilingue de langue française en Amérique du Nord, fondé par Fleury Mesplet à Montréal. Le premier numéro paraît le 3 juin 1778 et le dernier, le 2 juin 1779. La suppression du journal suit l'arrestation de l'imprimeur et du journaliste V. Jautard. Le périodique porte le titre de *Gazette du commerce et littéraire* du 3 juin au 19 août 1778, puis *Gazette littéraire*, du 2 septembre 1778 au 2 juin 1779. De format in-quarto, le journal a compté 52 numéros totalisant 207 pages et 401 articles.

456

Originaux consultés au département des livres rares de la Bibliothèque McLennan, à l'Université McGill: APN G25, 3 Je 1778-23e, 1779.

Herald Universal and Miscellany, puis *Herald Miscellany and Advertiser* (1788-1791)

Fondé par William Moore, le *Herald Universal and Miscellany* fut le premier journal uniquement de langue anglaise dans la province de Québec et le premier bi-hebdomadaire. Il conserva son titre premier du 26 novembre 1789 au 25 juillet 1791, puis s'appela le *Herald Miscellany and Advertiser*, du 26 novembre 1789 au 25 juillet 1791. Dans les pages intérieures, l'imprimeur titrait *Quebec Herald*. Il publiait le double de pages en regard de ses concurrents, à savoir huit pages, et sa publicité figurait en première page. La matière était répartie sur trois colonnes. Le journal cessa sa publication en juillet 1792.

Originaux consultés à la BVM, salle Gagnon: du 26 novembre 1788 au 25 juillet 1791.

Magasin de Québec - Quebec Magazine (août 1792-janvier 1794)

Premier magazine au Québec et premier magazine illustré, fondé par Samuel Neilson. Son premier numéro parut au mois d'août 1792. C'était un mensuel de 70 pages ayant la facture d'un livre. La première illustration figure dans le numéro de novembre 1792. Les articles sont écrits en anglais et en français mais la plupart du temps exclusifs dans chacune des deux langues.

Les originaux ont été consultés à la BVM, salle Gagnon: volume I (août 1792-janvier 1793); volume II (février-juillet 1793); volume III (août 1793-janvier 1794).

À *noter* que les deux mémoires de maîtrise suivants n'ont pu être consultés:
— GUIMOND, Lionel.- *La Gazette de Montréal de 1785 à 1790.*- Université de Montréal, 1958.
— TOUSIGNANT, Pierre.- *La Gazette de Montréal (1791-1796).*- Université de Montréal, 1960.

DOCUMENTS IMPRIMÉS

Annuaire de Ville-Marie.- Montréal; Beauchemin-Valois, 1872.- Documents sur le Collège de Montréal en 1773, 1774, 1778, 1790, 1792.- pp. 193-273.

Annuaire de Ville-Marie.- Montréal; Beauchemin-Valois, 1880.- Translation des restes inhumés dans l'église de l'Hôpital Général de Montréal (dont ceux de la veuve de Valentin Jautard), le 23 décembre 1871.- p. 92.

BABY, François et autres.- Journal par messieurs François Baby, Gabriel Taschereau et Jenkin Williams dans la tournée qu'ils ont fait (sic) dans le district de Québec par ordre du général Carleton, tant pour l'établissement des milices dans chaque paroisse que pour l'examen des personnes qui ont assisté ou aidé les rebelles [ce] dont nous avons pris notes [1776].- RAPQ, 1927-1928, vol. 8, pp. 435 à 499.

BAUDOUIN, Jean-Louis et Yvon RENAUD.- *La constitution canadienne - The Canadian Constitution.*- Montréal; Guérin, 1977.- 534 p.

BEREY, Félix de.- «Réplique par le père de Berey aux calomnies de Pierre du Calvet contre les Récollets de Québec».- RAC, 1888, pp. 52 à 58.

BRUCHESI, Jean.- «Le journal de François Baillargé».- CD, numéro 19, 1954, pp. 111-127.

CARROLL, Charles.- «Journal of Charles Carroll of Carrollton during his visit to Canada in 1776, as one of the Commissioners from Congress, with a memoir and notes by Brantz Mayer, Philadelphia, 1845».- Baltimore; Maryland Historical Society, 1876.- 110 p.

Catalogue of English and French Books in the Quebec Library at the Bishop's Palace where the rules may be seen.- Québec; New Printing, 1808.- 40 p. (BVM, salle Gagnon).

COLLINI, Côme-Alexandre.- *Mon séjour auprès de Voltaire, et lettres inédites.*- Genève; Slatkine Reprints, 1967.- 372 p. (Réimpression de l'édition de 1807).

DOUGHTY, Arthur G. et Adam SHORTT.- *Documents concernant l'histoire constitutionnelle du Canada.*- Ottawa; Imprimeur du roi, 1911.- 704 p.

GAGNON, C.-O. et Henri TÊTU.- *Mandements, lettres pastorales et circulaires des évêques de Québec*, tomes II et III.- Québec; Côté, 1888.- 550 et 635 pp.

GENET, Charles-Edmond.- «Les Français libres à leurs frères les Canadiens».- RHAF, 1958, vol. XI, pp. 158 à 162.

GEORGE III.- Proclamation datée du 9 août 1792.- RAC, 1921, pp. 13, 14.

GODECHOT, Jacques.- *Les constitutions de la France depuis 1789.*- Paris; Garnier-Flammarion, 1970.- 497 p.

Inventaire des biens de Pierre du Calvet.- RAPQ, 1945-1946, pp. 347 à 411.

The Jesuit Relations and Allied Documents - XLIX Lower Canada Iroquois (1663-1665): Edited by Reuben Gold Thwaites.- Cleveland; Burrows, 1899.- 278 p.

Journals of the Continental Congress, 1774-1789: Edited from the original records in the Library of Congress by Worthington Chauncey Ford.- Washington, 1904. 31 vol. (Bibliothèque McLennan de l'Université McGill).

KALM, Pehr.- *Voyage de Pehr Kalm au Canada en 1749.*- Montréal; Pierre Tisseyre, 1977.- 674 p. (Traduction annotée par Jacques Rousseau et Guy Béthune, avec le concours de Pierre Morisset).

LATERRIÈRE, Pierre de Sales.- *Mémoires de Pierre de Sales Laterrière et de ses traverses.*- Montréal; Leméac, 1980.- 268 p. (Réimpression de l'édition de 1873).

McLACHLAN, R. W.- «Fleury Mesplet, The First Printer at Montreal».- MSRC, 2e série, vol. XII, 1906, section II.- Documents relatifs à Fleury Mesplet: pp. 224 à 309.

McLACHLAN, R. W.- «Some Unpublished Documents Relating to Fleury Mesplet».- MSRC, section II, 1921.- pp. 85 à 95.

«Mémoire qui sert à prouver le besoin où se trouve la province de Québec d'avoir des prêtres d'Europe pour l'exercice de la religion romaine qui y est établie».- BRH, vol. XII, numéro II, novembre 1906.- pp. 337 à 341.

MÉZIÈRE, Henri.- Mémoire à Dalbarade.- BRH, vol. XXVII, 1931, avril, numéro 4.- pp. 194-201.

PERRAULT, Claude (Éd.).- *Montréal 1781:* «Déclaration du fief et seigneurie de l'isle de Montréal au papier terrier du domaine de Sa Majesté en la province de Québec en Canada...»- Montréal; Payette Radio, 1969.- XXVIII-495 p.

PERRAULT, Joseph-François.- *Biographie de Joseph-François Perrault...*- Québec; Cary, 1834.- 41 p.

PROVOST, Honorius.- *Le Séminaire de Québec: documents et biographies.*- Québec; Université Laval, 1964.- XIV-542 p.

Recensement de 1784.- RAC, 1889.- pp. 25 à 38.

Recensement du Canada, 1665-1871 - vol. IV.- Ottawa; Statistiques du Canada, 1876.- 422 p.

ROLAND, Madame.- *Mémoires de Madame Roland.*- Paris; Mercure de France, 1966.- 412 p.
SOCIÉTÉ HISTORIQUE DE MONTRÉAL.- *Mémoires et documents relatifs à l'histoire du Canada.*- Montréal; Duvernay, 1859.- 155 p. (Session de la Chambre d'assemblée: la question de l'esclavage).
VERCRUYSSE, Jeroom.- *Les Voltairiens*, tome I (1778).- Nendeln; KTO Press, 1978.- 44 p.
VERREAU, Hospice-Anthelme Jean-Baptiste (éd.).- *Invasion du Canada:* collection de mémoires recueillis et annotés par M. l'abbé Verreau.- Montréal; Eusèbe Sénécal, 1873.- 2 vol. (Les textes utilisés ont été les journaux de Simon Sanguinet, «Témoin oculaire de l'invasion du Canada par les Bastonnais» et de Jean-Baptiste Badeaux, «Invasion du Canada par les Américains en 1775», ainsi que des lettres écrites pendant «l'invasion américaine» en 1775 et 1776.)
WARVILLE, Jacques-Pierre Brissot de.- *On America: New Travels in the United States of America performed in 1788.*- New York; Kelley, 1970.- 483 p. (Réimpression de l'édition de 1792).

OUVRAGES PHILOSOPHIQUES

BAYLE, Pierre.- *Dictionnaire historique et critique.*- Paris; Desoer, 1820-1824.- 16 vol.
BECCARIA, Caesare.- *Des délits et des peines.*- Paris; Flammarion, 1979.- 200 p. (Préface de Casamayor - introduction de Jean-Pierre Juillet).
CONDORCET, Jean-Antoine-Nicolas Caritat de.- Éloge de Franklin dans AHRWEILLER, Jacques.- *Benjamin Franklin, premier savant américain.*- Paris; Seghers, 1965.- pp. 69 à 110.
CONDORCET, J.-A.-N. Caritat de.- *Esquisse d'un tableau historique des progrès de l'esprit humain.*- Paris; Éditions sociales, 1972.- 284 p. (Préface et notes par Monique et François Hincker).
DIDEROT, Denis.- *Oeuvres philosophiques.*- Paris; Garnier, 1964.- 644 p.
Encyclopédie ou Dictionnaire raisonné des sciences, des arts et des métiers.- Stuttgart; Verlag, 1966-1967.- 30 vol. (Nouvelle impression en facsimilé de la première édition de 1751-1780). ˙
FRANKLIN, Benjamin.- *Correspondance.*- Paris; Hachette, 1866.- tome I, 456 p., tome II, 520 p. (Traduction et annotation par Édouard Laboulaye).
FRANKLIN, B. - *Correspondance inédite et secrète (1753 à 1790)*, tome I.- Paris; Janet, 1817.- 530 p.
FRANKLIN, B.- Lettre au Congrès datée du 1er novembre 1783.- BRH, vol. I, janvier 1895.- pp. 14, 15.
FRANKLIN, B. - *Mémoires.*- Paris; Aubier, 1955.- 237 p.
HELVÉTIUS, Claude-Adrien.- *Oeuvres complètes:* De l'homme, de ses facultés intellectuelles et de son éducation (tomes VII-XII).- Heldesheim; Verlag, 1967.
HOLBACH, Paul-Henri Thiry d'.- *Le Bon sens.*- Paris; Éditions rationalistes, 1971.- 267 p. (Réimpression de l'édition de 1772).
HOLBACH, P.-H. Thiry d'.- *Éthocratie ou le gouvernement fondé sur la morale.*- Amsterdam; 1776.- 293 p. (Réimpression faite en 1973).
HOLBACH, P.-H. Thiry d'.- *La politique naturelle ou discours sur les vrais principes du gouvernement.*- New York; Verlag, 1971.- 232 p. (Réimpression de l'édition de 1773)

HOLBACH, P.-H. Thiry d'.- *Premières oeuvres*.- Paris; Éditions sociales, 1972.-
198 p. (Préface et notes par Paulette Charbonnel)

JEFFERSON, Thomas.- *La liberté de l'État*.- Paris; Seghers, 1970.- 304 p.

LA HONTAN, Louis-Armand de Lom d'Arce de.- *Dialogue avec un sauvage*.-
Paris; Éditions sociales, 1973.- 178 p. (Préface et notes par Maurice Roelens)

LA HONTAN, L.-A. de Lom d'Arce de.- *Nouveaux voyages en Amérique
septentrionale*.- Montréal; Hexagone-Minerve, 1983.- 346 p. (Édition de
1703: présentation par Jacques Collin)

LOCKE, John.- *Of Civil Government: Two Treatises*.- Londres; Dent, 1924.-
242 p.

MABLY, Gabriel Bonnot de.- *Sur la théorie du pouvoir politique*.- Paris;
Éditions sociales, 1975.- 283 p. (Introduction et notes par Peter Fried-
mann)

MERCIER, Louis-Sébastien.- *Dictionnaire d'un polygraphe*.- Paris; Union
générale d'éditions, 1978.- 434 p. (Préface de Geneviève Bollème)

MONTESQUIEU, Charles-Louis de Secondat de.- *De l'esprit des lois*, tomes
I et II.- Paris; Garnier-Flammarion, 1979.- 486 p. et 621 p. (Chronologie,
introduction, bibliographie par Victor Goldschmidt)

MORELLET, André.- *Mémoires inédits de l'abbé Morellet sur le XVIIIᵉ siècle
et la Révolution*, tome I.- Genève; Slatkine Reprints, 1967.- 472 p. (Réimpression de l'édition de 1822)

PAINE, Thomas.- *The Complete Writings of Thomas Paine*, tomes I et II.-
New York; The Citadel Press, 1945.- 632 p. et 1520 p. (Éd. par Philip S.
Foner)

RAYNAL, Guillaume.- *Histoire philosophique et politique des Deux Indes*.-
Paris; Maspéro, 1981.- 373 p. (Avertissement et choix des textes par Yves
Benot)

ROUSSEAU, Jean-Jacques.- *Lettre à M. d'Alembert sur les spectacles*.- Genève;
Droz, 1948.- XLVIII-208 p. (Éd. M. Fuchs)

ROUSSEAU, J.-J.- *Oeuvres complètes*, tomes I, II, III.- Paris; Seuil, 1967-
1971.- 555 p., 585 p. et 585 p.

VOLTAIRE, François-Marie Arouet de.- *L'affaire Calas*.- Paris; Gallimard,
1975.- 402 p. (Présentation et annotation par Jacques van den Heuvel)

VOLTAIRE.- *Voltaire's Correspondence*, definitive edition by Theodore
Besterman, The Voltaire Foundation, Thorpe Mandeville House, Banbury,
Oxfordshire, 1968-1977. Tomes 85 à 135 des *Oeuvres complètes de Voltaire/
The complete works of Voltaire*.

VOLTAIRE.- *La défense de mon oncle*.- Genève, Slatkine, Paris; Champion,
1978.- 870 p. (Édition critique avec introduction et commentaires par José-
Michel Moureaux)

VOLTAIRE.- *Dialogues philosophiques*.- Paris; Garnier, 1966.- 531 p. (Éd.
R. Naves)

VOLTAIRE.- *Dictionnaire philosophique*.- Paris; Garnier-Flammarion, 1964.-
374 p. (Chronologie et préface par René Pomeau)

VOLTAIRE.- *La Henriade* - II.- The Complete Works of Voltaire (Ed. O.
Taylor).- Genève; Institut et Musée Voltaire, Les Délices, 1970.- 740 p.

VOLTAIRE.- *L'Ingénu*.- Paris; Éditions sociales, 1968.- 121 p. (Préface et
commentaires par Jean Varloot)

VOLTAIRE.- *Mélanges*.- Paris; Gallimard, 1961.- 1574 p. (La Pléiade - Texte
établi par Jacques van den Heuvel - Préface par Emmanuel Berl)

VOLTAIRE.- *Oeuvres complètes de Voltaire*, nouvelle édition publiée par Louis
Moland.- Paris; Garnier frères; 1877-1882.- 50 vol., plus 2 vol. de tables.

460

VOLTAIRE.- *La Pucelle* - VII - The Complete Works of Voltaire (Ed. J. Vercruysse).- Genève; Institut et Musée Voltaire, Les Délices, 1970.- 733 p.

OUVRAGES AUTRES QUE CEUX DU XVIIIᵉ SIÈCLE

BOSSUET, Jacques-Bénigne.- *Oeuvres complètes*, volume XXVII.- Paris; Vives, 1804.- 659 p.

LA FONTAINE, Jean de.- *Oeuvres de J. de La Fontaine*, tome I.- Paris; Hachette, 1883.- 465 p.

HORACE.- *Épitres*.- Paris; Les Belles-Lettres, 1961.- 257 p. (Texte établi et traduit par François Villeneuve)

LUCRECE.- *De la Nature*, livres I-III.- Paris; Les Belles-Lettres, 1969.- 208 p. (Avec traduction d'Alfred Ernout)

CATALOGUES, GUIDES, INVENTAIRES ET RÉPERTOIRES

ALLAIRE, J.-B.-A.- *Dictionnaire biographique du clergé canadien-français: les anciens.*- Montréal; Les Sourds-Muets, 1910.- 543 p.

ARCHIVES DU QUÉBEC.- *États général des archives publiques et privées.*- Québec; ministre des Affaires culturelles, 1968.- 312 p.

BACKER, Alois et Augustin.- *Bibliothèque des écrivains de la Compagnie de Jésus ou Notices bibliographiques.*- Liège; Grandmont-Donders, 1861.- 800 p.

BEAULIEU, André et Jean HAMELIN.- *Les journaux du Québec de 1764 à 1964.*- Québec; Presses de l'Université Laval, 1965.- XXVI-329 p.

BEAULIEU, André et Jean HAMELIN.- *La presse québécoise des origines à nos jours*, tome I (1764-1859).- Québec; Presses de l'Université Laval, 1973.- XI-268 p.

BEUGNOT, Bernard et José-Michel MOUREAUX.- *Manuel bibliographique des études littéraires.*- Paris; Nathan, 1982.- 470 p.

BUONO, Yolande et Milada VLACH.- *Catalogue collectif des impressions québécoises (1764-1820).*- Québec; Éditeur officiel du Québec, 1984.- XXXIII-446 p.

BUONO, Yolande et Milada VLACH.- *Catalogue de la Bibliothèque nationale du Québec: Laurentiana parus avant 1821.*- Montréal; Gouvernement du Québec, 1976.- 416 p.

CASEY, Magdalen.- *Catalogue des brochures aux Archives publiques du Canada*, tome I (1493-1877).- Ottawa; Imprimeur du roi, 1931.- 1553 p.

CIORANESCU, Alexandre.- *Bibliographie de la littérature française du XVIIIᵉ siècle.*- Paris; CNRS, 1969.- 3 vol.

COATS, R. et A.-J. PELLETIER.- *Chronological List of Canadian Censures.*- Ottawa; Dominion Bureau of Statistics, 1932.- 24 p.

Dictionnaire biographique du Canada, vol. IV et V.- Québec; Presses de l'Université Laval, 1980 et 1983.

DIONNE, Narcisse-Eutrope.- *Inventaire chronologique des livres, brochures, journaux et revues publiés en langue française dans la province de Québec depuis l'établissement de l'imprimerie au Canada jusqu'à nos jours (1764-1905)*, tome I.- Québec, 1905.- VIII-175 p.

GAGNON, Philéas.- *Essai de bibliographie canadienne: inventaire d'une bibliothèque comprenant imprimés, manuscrits, estampes, etc. relatifs à l'histoire du Canada et des pays adjacents, avec des notices bibliographiques*, tome I.- Québec, 1895.- X-711 p.

461

GREIG, Peter E.- «A checklist of primary source material relating to Fleury Mesplet».- *Cahiers de la Société bibliographique du Canada*, XIII, Toronto, 1975.- pp. 49 à 74.

GREIG, Peter E. - *Fleury Mesplet (1734-1794), the first French printer in the Dominion of Canada: a bibliographical discussion.*- M. A. Thesis, Leeds (G. B.), Institute of Bibliography and Textual Critiscm, School of English, University of Leeds, 1974.- 214 p.

GUNDY, H. Pearson.- *Early printers and printing in Canadas.*- Toronto; Bibliographical Society of Canada, 1957.- V-54 p.

HARE, John et Jean-Pierre WALLOT.- *Les imprimés dans le Bas-Canada (1801-1840): bibliographie analytique*, tome I, 1801-1810.- Montréal; Presses de l'Université de Montréal, 1967.- XXIV-381 p.

HATIN, Eugène.- *Bibliographie historique et critique de la presse périodique française...*- Paris; Didot, 1866.- CXVII-660 p.

Inventaire de la collection Haldimand.- RAC, 1885 à 1889.

LANSON, Gustave.- *Manuel bibliographique de la littérature française moderne*, tome III (Dix-huitième siècle).- Paris; Hachette, 1911.- 921 p.

LE JEUNE, Louis-Marie.- *Dictionnaire général du Canada*, tomes I, II.- Ottawa; Université d'Ottawa, 1931.- 862 p. et 829 p.

MARTIN, Michael et Leonard GELBER.- *Dictionary of American History.*- Totowa, New Jersey; Littlefield, 1968.- VI-714 p.

McGILL UNIVERSITY. Library. *Lawrence Lande Collection of Canadiana.*- The Lawrence Lande Collection of Canadiana in the Redpath Library of McGill University: a bibliography collected, arranged and annotaded by Lawrence Lande.- Montréal; Lawrence Lande Foundation for Canadian Historical Research, 1965.- XXXV-301 p.

McGILL UNIVERSITY.- *Rare and unusual Canadiana: first supplement to the Lande bibliography.*- Montréal; Lawrence Lande Foundation for Canadian Historical Research, 1971.- XX-779 p.

MICHAUD.- *Bibliographie universelle ancienne et moderne*, tomes VII, XIV et XLV.- Paris; Thoisnier-Desplaces, 1844...

Nouvelle-Écosse: papiers d'État.- RAC, 1894, pp. 532-537.

OLLU, Yvon.- *Le système monétaire sous les régimes français et anglais.*- Montréal; Loisirs Saint-Édouard, 1982-1983.- 16 p.

QUERARD, J.-M. - *La France littéraire ou Dictionnaire bibliographique des savants, historiens et gens de lettres de la France, ainsi que des littérateurs étrangers qui ont écrit en français, plus particulièrement pendant les XVIIIe et XIXe siècle.*- Paris; Maisonneuve et Larose, 1964.- tomes I à XII.

SOMMERVOGEL, Carlos.- *Bibliothèque de la Compagnie de Jésus*, tome VIII.- Bruxelles-Paris; Schepens et Picard, 1898.

STATON, M. Frances et Marie TREMAINE.- *A Bibliography of Canadiana...* (in the Public Library of Toronto).- Toronto; The Public Library, 1934.- 828 p.

TREMAINE, Marie.- *A Bibliography of Canadian Imprints (1751-1800).*- Toronto; University of Toronto Press, 1952.- XXVII-705 p.

WALLACE, W. Stewart.- *The Macmillan Dictionary of Canadian Biography.*- Toronto; Macmillan, 1963.- 822 p.

MONOGRAPHIES ET BIOGRAPHIES

ALBERT, Pierre.- *La France, les États-Unis et leurs presses.*- Paris; Centre Georges-Pompidou, 1976.- 267 p.

ALDEN, John Richard.- *La guerre d'Indépendance.*- Paris; Seghers, 1965.- 437 p.

ALENGRY, Franck.- *Condorcet, guide de la Révolution française.*- New York; Burt Franklin, 1973.- 893 p. (Réimpression de l'édition de 1904)

ALDRIDGE, Alfred Owen.- *Benjamin Franklin, Philosopher and Man.*- Philadelphie-New York; Lippincott, 1965.- 438 p.

ALDRIDGE, Alfred Owen.- *La voix de la liberté: la vie de Thomas Paine.*- Paris; Éditions Internationales, 1964.- 240 p.

ALLODI, Mary.- *Les débuts de l'estampe imprimée au Canada.*- Toronto; Royal Ontario Museum, 1980.- 244 p.

APPIA, Henry et Bernard CASSEN.- *Presse, radio et télévision en Grande-Bretagne.*- Paris; Colin, 1970.- 408 p.

AUDET, Francis-J. - *Les députés de Montréal (1792-1867).*- Montréal; Éditions des Dix, 1943.- 455 p.

AUDET, Francis-J. et Édouard FABRE-SURVEYER.- *Les députés du premier parlement du Bas-Canada (1792-1796),* tome I.- Montréal; Éditions des Dix, 1946.- 316 p.

AUDET, Louis-Philippe.- *Histoire de l'enseignement au Québec,* tome I.- Montréal-Toronto; Rinehart, Winston, 1971.- 432 p.

AUDET, Louis-Philippe.- *Le système scolaire de la province de Québec,* tome II (1635-1800).- Québec; Presses de l'Université Laval, 1951.- XXII-362 p.

AVERMAETE, Roger et autres.- *La Belgique.*- Paris; Larousse, 1976.- 256 p.

BAILLARGEON, George E. - *La survivance du régime seigneurial à Montréal.*- Montréal; Cercle du livre de France, 1968.- 309 p.

BALCOU, Jean et autres.- *L'Amérique des Lumières.*- Genève; Droz, 1977.- 202 p.

BELIN, J.-P. - *Le mouvement philosophique de 1748 à 1789.*- New York; Burt Franklin, 1913.- 381 p.

BELLANGER, Claude et autres.- *Histoire générale de la presse française,* tome I.- Paris; Presses universitaires de France, 1969.- 629 p.

BELLERIVE, Georges.- *Délégués canadiens-français en Angleterre de 1763 à 1867.*- Québec; Garneau, 1913.- 238 p.

BENOIT, Pierre.- *Lord Dorchester.*- Montréal; HMH, 1961.- 201 p.

BÉRANGER, J. et autres.- *Pionniers et colons en Amérique du Nord.*- Paris; Colin, 1974.- 343 p.

BONENFANT, Jean-Charles.- «La féodalité a définitivement vécu»: *Mélanges d'histoire du Canada français offerts au professeur Marcel Trudel.*- Ottawa; Université d'Ottawa, 1978.- 249 p.

BOORSTIN, Daniel.- *Histoire des Américains,* tome I: l'aventure coloniale.- Paris; Colin, 1981.- 398 p. (The Americans, I, The Colonial Experience)

BOYER, Raymond.- *Les crimes et les châtiments au Canada français du XVIIe au XXe siècle.*- Montréal; Cercle du livre de France, 1966.- 537 p.

BRUN, Henri.- *La formation des institutions parlementaires québécoises, 1791-1838.*- Québec; Presses de l'Université Laval, 1970.- 278 p.

BRUNET, Michel.- *Les Canadiens après la conquête.*- Montréal; Fides, 1969.- 313 p.

BUONO, Yolande.- *Imprimerie et diffusion de l'imprimé à Montréal (1776-1820).-* Mémoire de maîtrise en bibliothéconomie.- Montréal; Université de Montréal, 1980.- 216 p.

CAMERLAIN, Lorraine.- *Trois interventions du clergé dans l'histoire du théâtre à Montréal: 1789-90, 1859 et 1872-74.-* Mémoire de maîtrise ès arts.- Montréal; Université de Montréal, 1979.- 186 p.

CARON, Ivanhoé.- *La colonisation de la province de Québec: les Cantons de l'Est (1791-1815).-* Québec; Action sociale, 1927.- 362 p.

CASALIS, Didier et autres.- *Histoire des États-Unis.-* Paris; Larousse, 1976.- 255 p.

CASANOVA, Jacques-Donat.- *Une Amérique française.-* Paris-Québec; Documentation française-Éditeur officiel du Québec, 1975.- 160 p.

CASTELOT, André.- *My friend Lafayette, mon ami Washington.-* Paris; Union générale d'éditions, 1975.- 316 p.

CHAUNU, Pierre.- *La civilisation de l'Europe des Lumières.-* Paris; Flammarion, 1982.- 419 p.

CHAUVET, Paul.- *Les ouvriers du livre en France, des origines à la Révolution de 1789.-* Paris; Presses universitaires de France, 1959.- 542 p.

COLLARD, Edgar Andrew.- *Montréal du temps jadis.-* Saint-Lambert; Héritage, 1981.- 209 p.

DAVELUY, Marie-Claire et autres.- *Les Récollets et Montréal.-* Montréal; Éditions franciscaines, 1955.- 148 p.

DELSAUX, Hélène.- *Condorcet, journaliste (1790-1794).-* Paris; Champion, 1931.- 352 p.

DESNE, Roland.- *Les matérialistes français de 1750 à 1800.-* Paris; Buchet-Chastel.- 1965.- 296 p.

DOUVILLE, Marie-Médéric.- *Un siècle de voltairianisme au Canada français.-* Thèse de doctorat ès lettres.- Ottawa; Université d'Ottawa, 1939.- 433 p.

DROLET, Antonio.- *Les bibliothèques canadiennes (1604-1960).-* Montréal; Cercle du livre de France, 1965.- 234 p.

DUDEK, Louis.- *Literature and the Press.-* Toronto; The Ryerson Press, 1960.- 238 p.

DUHET, Paule-Marie.- *Les femmes et la Révolution (1789-1794).-* Paris; Julliard, 1971.- 237 p.

DU LUT, C. Bregnot.- *Mélanges biographiques et littéraires pour servir à l'histoire de Lyon.-* Genève; Slatkine Reprints, 1971.- 522 p. (Réimpression de l'édition de 1828)

DUPONT, Paul.- *Histoire de l'imprimerie.-* Paris; Bouveyne, tome I, 1854, 523 p.; tome II, s.d., 612 p.

DURANT, Will et Ariel.- *The Age of Voltaire.-* New York; Simon and Schuster, 1965.- 898 p. (The Story of Civilization: part IX)

FAY, Bernard.- *Benjamin Franklin, bourgeois d'Amérique.-* Paris, Calmann-Lévy, 1929-1931.- tome I, 315 p.; tome II, 288 p.; tome III, 115 p.

FAY, Bernard.- *L'esprit révolutionnaire en France et aux États-Unis, à la fin du XVIIIe siècle.-* Paris; Champion, 1925.- 378 p.

FRANKLIN V., Benjamin.- *Boston Printers, Publishers and Booksellers: 1640-1800.-* Boston; G. K. Hall, 1939.- 545 p.

FRÉGAULT, Guy.- *La civilisation de la Nouvelle-France (1713-1744).-* Montréal; Éditions Pascal, 1944.- 285 p.

FRÉGAULT, G.- *Le XVIIIe siècle canadien.-* Montréal; HMH, 1968.- 387 p.

GALARNEAU, Claude.- *La France devant l'opinion canadienne (1760-1815)*.- Québec; Presses de l'Université Laval, 1970.- 398 p.

GARDEN, Maurice.- *Lyon et les Lyonnais au XVIIIe siècle*.- Paris; Flammarion, 1975.- 368 p.

GARNEAU, François-Xavier.- *Histoire du Canada*, tome II.- Montréal; Beauchemin et Valois, 1882.- 467 p.; tome III, mêmes éditeurs, 1882.- 407 p. (4e éd.)

GARNEAU, F.-X.- *Histoire du Canada*, tome II.- Paris; Alcan, 1920.- 727 p. (5e éd.)

GAY, Peter.- *Le Siècle des Lumières*.- Paris; Time-Life, 1979.- 191 p.

GEORGE, Dorothy.- *London Life in the Eighteenth Century*.- Londres; Kegan, Trench, Trulner, 1925.- 452 p.

GODECHOT, Jacques.- *Les Révolutions (1770-1799)*.- Paris; Presses universitaires de France, 1963.- 410 p.

GOSSELIN, Auguste.- *L'Église du Canada après la conquête*, première partie (1760-1775).- Québec; Laflamme et Proulx, 1916.- XII-432 p.; deuxième partie (1775-1789).- Québec; mêmes éditeurs, 1917.- 361 p.

GRAHAM, John H.- *Outlines of the History of Freemasonry in the Province of Quebec*.- Montréal; Lovell, 1892.- 645 p.

GRENON, Michel.- *L'idée de progrès et le débat sur l'orientation de l'instruction publique pendant la Révolution française (1789-1795)*.- Thèse de doctorat ès lettres.- Montréal; Université de Montréal, 1968.- 345 p.

GROSCLAUDE, Pierre.- *La vie intellectuelle à Lyon dans la deuxième moitié du XVIIIe siècle*.- Paris; Picard, 1933.- 463 p.

GROULX, Lionel.- *Histoire du Canada français depuis la découverte*, tome III.- Montréal; L'Action nationale, 1952.- 319 p.

GROULX, L.- *Lendemains de conquête*.- Montréal; L'Action française, 1920.- 235 p.

GUÉRIN, Daniel.- *Bourgeois et bras nus (1793-1795)*.- Paris; Gallimard, 1973.- 313 p.

GUÉRIN, Daniel.- *La lutte des classes sous la Première République (1793-1797)*.- Paris; Gallimard, 1968.- 561 p.

GUSDORF, Georges.- *La conscience révolutionnaire: les Idéologues*.- Paris; Payot, 1972.- 551 p.

GUSDORF, Georges.- *Les principes de la pensée au Siècle des Lumières*.- Paris; Payot, 1971.- 550 p.

HARE, John E.- *Contes et nouvelles du Canada français (1778-1859)*, tome I.- Ottawa; Éditions de l'Université d'Ottawa, 1971.- 192 p.

HARE, John E.- *La pensée socio-politique au Québec (1784-1812): analyse sémantique*.- Ottawa; Éditions de l'Université d'Ottawa, 1977.- 102 p.

HATIN, Eugène.- *Histoire politique et littéraire de la presse en France*.- Paris; Poulet-Malassis-de Broisse, 1859-1860.- tome III, 510 p.; tome V, 482 p.; tome VI, 548 p.

HAZARD, Paul.- *La pensée européenne au XVIIIe siècle, de Montesquieu à Lessing*, tome I.- Paris; Boivin, 1946.- 375 p.

HUBERT-ROBERT, Régine.- *L'épopée de la fourrure*.- Montréal; Éditions de l'Arbre, 1945.- 271 p.

JOLOIS, Jean-Jacques.- *J.-F. Perrault (1753-1844)*.- Montréal; Presses de l'Université de Montréal, 1969.- 268 p.

KASPI, André.- *L'Indépendance américaine, 1763-1789*.- Paris; Gallimard-Julliard, 1976.- 250 p.

KASPI, André.- *La naissance des États-Unis*.- Paris; Presses universitaires de France, 1972.- 96 p.

KELLY, Francis M. et Rudolph SCHWABE.- *Historic Costume: A Chronicle of Fashion in Western Europe*.- New York; Benjamin Blom, 1968.- 305 p.

KESTERTON, W. H.- *A History of journalism in Canada*.- Toronto; Macmillan, 1979.- 304 p.

KROPOTKINE, Pierre.- *La Grande Révolution (1789-1793)*.- Paris; Stock, 1976.- 746 p.

LACOUR-GAYET, Robert.- *Histoire des États-Unis*.- Paris; Fayard, 1970.- 431 p.

LAFLAMME, Jean et Rémi TOURANGEAU.- *L'Église et le Théâtre au Québec*.- Montréal; Fides, 1979.- 355 p.

LAHAISE, Robert et Noël VALLERAND.- *L'Amérique du Nord britannique (1760-1815)*.- Montréal; Centre de psychologie et de pédagogie, 1969.- 128 p.

LAMONDE, Yvan et autres.- *L'imprimé au Québec: aspects historiques*.- Québec; Institut de recherche sur la culture, 1983.- 368 p.

LAMONTAGNE, Léopold.- *Arthur Buies, homme de lettres*.- Québec; Presses de l'Université Laval, 1957.- 254 p.

LANCTOT, Gustave.- *Le Canada et la Révolution américaine*.- Montréal; Beauchemin, 1963.- 323 p.

LANGLOIS, Georges.- *Histoire de la population canadienne française*.- Montréal; Éditions Albert Lévesque, 1934.- 304 p.

LAURENT-VIBERT, R. et M. AUDIN.- *Les marques de libraires et d'imprimeurs en France aux dix-septième et dix-huitième siècles*.- Paris; Champion, 1925.- LV p., 250 planches non paginées.

LEDRE, Charles.- *Histoire de la presse*.- Paris; Fayard, 1958.- 408 p.

LEMIEUX, Lucien.- *L'établissement de la première province ecclésiastique au Canada (1783-1844)*.- Montréal; Fides, 1968.- 559 p.

LENGELLE, Maurice.- *L'esclavage*.- Paris; Presses universitaires de France, 1967.- 110 p.

MACARY, Jean.- *Masque et lumières au XVIIIe siècle: André-François Deslandes, «citoyen et philosophe» (1689-1757)*.- La Haye; Martinus-Nijhoff, 1975.- 260 p.

MACCOBY, S.- *English Radicalism 1786-1832: From Paine to Cobbett*.- Londres; Allen-Unwin, 1955.- 559 p.

MAILHOT, Laurent.- *La littérature québécoise*.- Paris; Presses universitaires de France, 1974.- 127 p.

MAJOR-FRÉGEAU, Madeleine.- *La vie et l'oeuvre de François Malepart de Beaucourt*.- Québec; ministère des Affaires culturelles, 1979.- 193 p.

MARION, Séraphin.- *Les Lettres canadiennes d'autrefois*, tomes I et II.- Ottawa; Éditions de l'Université d'Ottawa, 1939-1940.- 185 p. et 191 p.

MASSICOTTE, E.-Z.- *Faits curieux de l'histoire de Montréal*.- Montréal; Beauchemin, 1922.- 199 p.

MATHIEZ, Albert.- *La Révolution française*.- Paris; Colin, 1963.- 577 p.

MAURAULT, Olivier.- *Nos Messieurs*.- Montréal; Déom, 1936.- 324 p.

MAURAULT, Olivier.- *La Paroisse: histoire de l'église Notre-Dame de Montréal*.- Montréal; Mercure, 1929.- 324 p.

MAURAULT, Olivier.- *Le petit séminaire de Montréal*.- Montréal; Derome, 1918.- 237 p.

MAUZI, Robert.- *L'idée de bonheur au XVIIIe siècle*.- Paris; Colin, 1969.- 721 p.

466

McILWRAITH, Jean N.- *Sir Frederick Haldimand.*- Londres-Toronto, 1928.- 376 p.

MICHELET, Jules.- *Histoire de la Révolution française,* tome I.- Paris; Laffont, 1979.- 893 p.

MILBORNE, A. J. B.- *Freemasonry in the Province of Québec (1759-1959).*- Knowlton; Milborne, 1959.- 253 p.

MINNIGERODE, Meade.- *Jefferson Friend of France 1791 - The Career of Edmond Charles Genet (1763-1834).*- New York-Londres; Putnam, 1928.- 447 p.

MONFORT, H. Archambault de.- *Les idées de Condorcet sur le suffrage.*- Genève; Slatkine Reprints, 1970.- 213 p.

MORIN, Victor.- *La légende dorée de Montréal.*- Montréal; Éditions des Dix, 1949.- 207 p.

MORNET, Daniel.- *Les origines intellectuelles de la Révolution française.*- Paris; Colin, 1947.- 548 p.

MORNET, Daniel.- *La pensée française au XVIIIe siècle.*- Paris; Colin, 1926.- 220 p.

MORTIER, Roland.- *Clartés et ombres du Siècle des Lumières: études sur le XVIIIe siècle littéraire.*- Genève; Droz, 1969.- 168 p.

MOTT, Frank Luther.- *American Journalism (1690-1940).*- New York; Macmillan, 1947.- 772 p.

MOULINAS, René.- *L'imprimerie, la librairie et la presse à Avignon au XVIIIe siècle.*- Grenoble; Presses universitaires de Grenoble, 1974.- 433 p.

MUSÉE DU QUÉBEC.- *L'art du Québec au lendemain de la Conquête (1760-1790).*- Québec; ministère des Affaires culturelles, 1977.- 141 p.

NAVES, Raymond.- *Voltaire et l'Encyclopédie.*- Genève; Slatkine Reprints, 1970.- 206 p.

NAVILLE, Pierre.- *D'Holbach et la philosophie scientifique au XVIIIe siècle.* Paris; Gallimard-Nrf, 1967.- 486 p.

NEATBY, Hilda M.- *The Administration of justice under the Quebec Act.*- Minneapolis; University of Minnesota Press, 1937.- 383 p.

NEATBY, Hilda M.- *Quebec: the Revolutionary Age (1760-1791).*- Toronto; McClelland Stewart, 1966.- 300 p.

NERET, Jean-Alexis.- *Histoire illustrée de la librairie et du livre français, des origines à nos jours.*- Paris; Lamarre, 1953.- 392 p.

NISH, Cameron.- *Le régime français.*- Scarborough; Prentice Hall, 1966.- 190 p.

OGG, Frédéric A. et Orman P. RAY.- *Le gouvernement des États-Unis d'Amérique.*- Paris; Presses universitaires de France, 1958.- 333 p.

OUELLET, Fernand.- *Le Bas-Canada, 1791-1840: changements structuraux et crise.*- Ottawa; Éditions de l'Université d'Ottawa, 1976.- 539 p.

OUELLET, Fernand.- *Histoire économique et sociale du Québec (1760-1850).*- Montréal; Fides, 1966.- XXXII-639 p.

PILLORGET, Suzanne.- *Apogée et déclin des sociétés d'ordres (1610-1787).*- Paris; Larousse, 1969.- 445 p.

POMEAU, René.- *La religion de Voltaire.*- Paris; Nizet, 1956.- 506 p.

PRECLIN, Edmond.- *Le XVIIIe siècle: les forces internationales.*- Paris; Presses universitaires de France, 1952.- 986 p.

ROBINET.- *Condorcet: sa vie, son oeuvre.*- Genève; Slatkine Reprints, 1968.- 393 p.

ROCHE, Daniel.- «Milieux académiques provinciaux et société des Lumières»:
Livres et société dans la France du XVIIIe siècle.- Paris-La Haye; Mouton,
1965.- 238 p.

ROCHEMONTEIX, Camille.- *Les Jésuites et la Nouvelle-France au XVIIIe
siècle,* tome II.- Paris; Picard, 1906.- 301 p.

ROSSITER, Stuart.- *London.*- Londres; Ernest Benn, 1965.- 317 p.

ROUBEN, C.- «Propagande anti-philosophique dans les gazettes de Montréal
et de Québec après la fin du régime français»: *Acte du 6e Congrès inter-
national des Lumières.*- Oxford; The Voltaire Foundation, 1983.- 473 p.
(pp. 30-32)

ROUSSEAU, André-Michel.- *L'Angleterre et Voltaire (1718-1789),* tome I.-
Oxford; The Voltaire Foundation, 1976.- 277 p. (*Studies on Voltaire and
the Eighteenth Century,* vol. CXLV)

ROY, Camille.- *Manuel d'histoire de la littérature canadienne de langue française.*- Montréal; Beauchemin, 1962.- 198 p.

ROY, Camille.- *Nos origines littéraires.*- Québec; Action sociale, 1909.- 354 p.

ROY, Joseph-Edmond.- *Histoire de la seigneurie de Lauzon,* tome III.- Lévis,
1900.- 442-XXXIX-IV p.

ROY, Pierre-Georges.- *Les juges de la province de Québec.*- Québec; Imprimeur du roi, 1933.- 587 p.

ROY, Pierre-Georges.- *La ville de Québec sous le régime français,* tome II.-
Québec; Service des archives du gouvernement de la province de Québec,
1930.- 519 p.

SALONE, Émile.- *La colonisation de la Nouvelle-France: étude sur les origines
de la nation canadienne-française.*- Trois-Rivières; Réédition Boréale,
1970.- 497 p.

SCHOELL, Franck L.- *Histoire des États-Unis.*- Paris; Payot, 1965.- 342 p.

SÉGUIN, Robert-Lionel.- *Le costume civil en Nouvelle-France.*- Ottawa; Musée
national du Canada, 1968.- 330 p.

SOBOUL, Albert.- *Le Directoire et le Consulat.*- Paris; Presses universitaires
de France, 1967.- 128 p.

SOBOUL, Albert.- *1789, l'An Un de la Liberté.*- Paris; Éditions sociales, 1950.-
351 p.

SOBOUL, Albert.- *Histoire de la Révolution française,* tome I.- Paris; Gallimard, 1970.- 377 p.

SPINK, J.-S.- *La libre pensée française de Gassendi à Voltaire.*- Paris; Éditions
sociales, 1966.- 397 p.

STANLEY, George F. G.- *Canada Invaded.*- Québec; Société historique de
Québec, 1975.- 244 p.

SULTE, Benjamin.- *Histoire des Canadiens français (1608-1880),* tome VII.-
Montréal; Wilson, 1882.- 154 p.

TÊTU, Henri.- *Les évêques de Québec,* tome II.- Montréal; Granger, 1930.-
144 p.

THOMAS, Isaiah.- *The History of printing in America, with a biography of
printers...* tome II.- Worcester; Thomas, 1810.- 576 p.

THOMAS, P. D. G.- *The House of Commons in the Eighteenth Century.*-
Londres; Oxford University Press, 1971.- 382 p.

TOUSIGNANT, Pierre.- *La genèse et l'avènement de la constitution de 1791.*-
Thèse de doctorat (Histoire), Faculté des Lettres de l'Université de Montréal, 1971.- 486 p.

TRENARD, Louis.- *Lyon: de l'Encyclopédie au préromantisme.-* Paris; Presses universitaires de France, 1958.- 377 p.

TRENARD, Louis.- «Sociologie du livre en France»: *Acte du 5ᵉ Congrès national de la littérature comparée* (Lyon).- Paris; Les Belles-Lettres, 1965.- 227 p.

TRUDEL, Marcel.- *L'esclavage au Canada français.-* Québec; Presses de l'Université Laval, 1960.- 432 p.

TRUDEL, Marcel.- *L'esclavage au Canada français.-* Montréal; Horizon, 1963.- 124 p. (Édition abrégée)

TRUDEL, Marcel.- *L'influence de Voltaire au Canada.-* Montréal; Fides, 1945.- 2 vol., 536 p.

TRUDEL, Marcel.- *Louis XVI, le Congrès américain et le Canada, 1774-1789.-* Québec; Éditions du Quartier Latin, 1949.- XLII-259 p.

VAN DOREN, Carl.- *Benjamin Franklin.-* Paris; Aubier, 1955.- 503 p.

VARILLE, Mathieu.- *La vie facétieuse de M. de Los Rios, libraire lyonnais.-* Lyon; Audin, 1928.- 122 p.

VIDALENC, Jean.- *Le monde à la fin du XVIIIᵉ siècle.-* Paris; Masson, 1969.- 205 p.

VOLGUINE, V.- *Le développement de la pensée sociale en France au XVIIIᵉ siècle.-* Moscou; Éditions du Progrès, 1973.- 413 p.

WADE, Mason.- *Les Canadiens français de 1760 à nos jours,* tome I: 1760-1914.- Montréal; Cercle du livre de France, 1963.- 685 p.

WALLOT, Jean-Pierre.- *Un Québec qui bougeait: une trame socio-politique du Québec au tournant du XIXᵉ siècle.-* Montréal; Boréal Express, 1973.- 345 p.

WATSON, J. Steven.- *The Reign of George III (1760-1815).-* Oxford; Clarendon Press, 1960.- 637 p.

ARTICLES DE REVUES, DE PÉRIODIQUES ET BROCHURES

ANONYME.- «L'imprimeur Louis Roy».- BRH, vol. XXIV, mars 1918, numéro 3, pp. 77, 78.

ANONYME.- «Jacques Bréard».- *Nova Francia,* Paris, 1931, numéro 6, pp. 258 à 261.

AUDET, Francis-J.- «William Brown, premier imprimeur, journaliste et libraire de Québec: sa vie et ses oeuvres».- MSRC, section 1, 1932, pp. 97 à 111.

BASSAM, Bertha.- *The First Printers and Newspapers in Canada.-* Toronto; University of Toronto Press, 1968.- 25 p.

BRUNET, Michel.- «Les Canadiens et la France révolutionnaire».- RHAF, vol. XIII, numéro 4, mars 1960, pp. 467-475.

BRUNET, Michel.- «Les idées politiques de la *Gazette littéraire* de Montréal (1778-1779)».- *La Société d'histoire du Canada: rapport de l'assemblée de 1951.-* pp. 43 à 50.

BRUNET, Michel.- «La Révolution française sur les rives du Saint-Laurent».- RHAF, vol. X, numéro 2, septembre 1957, pp. 155-162.

CASGRAIN, P.-B.- «Ouvrages publiés par Joseph-François Perrault».- BRH, vol. XX, numéro 1, 1914, janvier, pp. 20 à 23.

CHARLAND, Thomas-Marie.- «La mission de John Carroll au Canada en 1776 et l'interdit du père Floquet».- *Rapport 1933-1934 de la Société canadienne de l'histoire de l'Église catholique,* pp. 45 à 56.

COLLARD, Edgar Andrew.- *Chateau Ramezay American Headquarters in Montreal*.- Montréal; Château Ramezay, 1978.- 77 p.

DIDIER, L. - «Le citoyen Genet».- *Revue des questions historiques*, Paris, 1912, tome XCII, pp. 62-90.

FAUTEUX, Aegidius.- *Les bibliothèques canadiennes:* étude historique extraite de la *Revue Canadienne*.- Montréal; Arbour et Dupont, 1916.- 45 p.

FAUTEUX, Aegidius.- «Les débuts de l'imprimerie au Canada».- CD, numéro 16, 1951, pp. 17 à 37.

FAUTEUX, Aegidius.- «Fleury Mesplet: une étude sur les commencements de l'imprimerie dans la ville de Montréal».- Reprinted for private circulation from the *Papers of the Bibliographical Society of America*, vol. XXVIII, part 2, pp. 164-193.

FAUTEUX, Aegidius.- *L'introduction de l'imprimerie au Canada: les premiers imprimeurs dans la province de Québec*.- Montréal; Rolland, 1957.- 20 p.

FAUTEUX, Aegidius.- *L'introduction de l'imprimerie au Canada: les premiers imprimeurs dans le district de Montréal*.- Montréal; Rolland, 1957.- 19 p.

FAUTEUX, Aegidius.- «Henri Mézière ou l'odyssée d'un mouton noir».- *La Patrie*, 18 novembre 1933, pp. 34-37.

FAUTEUX, Aegidius.- «Jacques-Clément Herse».- BRH, vol. XXXV, 1929, pp. 219-222.

FRÉGAULT, Guy.- «Les finances de l'Église sous le régime français».- *Écrits du Canada français*, Montréal, 1959, pp. 149-171.

GAGNON, Serge.- «La nature et le rôle de l'historiographie: postulats pour une sociologie de la connaissance historique».- RHAF, vol. 26, numéro 4, mars 1973, pp. 479-531.

GASC, Michèle.- «La naissance de la presse périodique locale à Lyon: les *Affiches de Lyon, annonces et avis divers*».- *Études sur la presse au XVIIIe siècle*,- Lyon; Presses universitaires de Lyon, 1978, numéro 3, pp. 63 à 80.

GÉRIN, E.- *La presse canadienne: la Gazette de Québec*.- Québec; Duquet, 1864.- 65 p.

GINGRAS, Marcelle-G.- «Les premiers imprimés religieux au Canada».- *Revue de la Société d'histoire canadienne de l'Église catholique*, 1968, pp. 73 à 79.

GOSSELIN, Amédée.- «Louis Labadie ou le maître d'école patriotique (1765-1824)».- MSRC, section 1, vol. VII, 1913, pp. 97-123.

GRENON, Michel.- «Simples notes sur le cosmopolitisme canadien».- AHRF, janvier-mars 1973, numéro 211, pp. 422-427.

GRISE, Yolande.- «En causant avec Séraphin Marion, gentilhomme et homme de lettres».- *Lettres québécoises*, numéro 30, été 1983, pp. 37 à 45.

HAMELIN, Jean.- «À la recherche d'un cours monétaire canadien: 1760-1777».- RHAF, vol. XV, numéro 1, juin 1961, pp. 24 à 34.

HARE, John.- «Sur les imprimés et la diffusion des idées (au Québec)».- AHRF, juillet-septembre 1973, numéro 213, pp. 407 à 421.

KENNEDY, Michael.- «La Société française des Amis de la Liberté et de l'Égalité de Philadelphie».- AHRF, octobre-décembre 1976, numéro 226, pp. 616 à 629.

LANCTÔT, Gustave.- «Les relations franco-canadiennes après la conquête».- RUL, mars 1956, vol. X, numéro 7, pp. 592 à 595.

LE MOINE, J.-M.- «Le général sir Frederick Haldimand à Québec, 1778-1784».- MSRC, 1888, 1, p. 104.

McLACHLAN, R. W.- «Fleury Mesplet, The First Printer at Montreal».- MSRC, 2e série, vol. XII, 1906, section II, pp. 197 à 224 (de la page 224 à la page 309: documents imprimés)

MALCHELOSSE, Gérard.- «Mémoires romancés».- CD, numéro 25, 1960, pp. 103 à 146.

MALLET, Edmond.- «Les Canadiens français et la guerre de l'Indépendance américaine».- BRH, vol. VIII, octobre 1887, p. 156.

MALLET, Edmond.- «Le commandant Gosselin».- BRH, vol. IV, janvier 1898, pp. 6 à 10.

MARION, Séraphin.- «Le problème voltairien».- Rapport 1939-1940 de la Société canadienne d'histoire de l'Église catholique, pp. 29 à 41 (section II).

MASSICOTTE, E.-Z.- «La famille Bouat».- BRH, vol. XXIX, numéro 2, 1924, pp. 39 à 45.

MASSICOTTE, E.-Z.- «Pierre du Calvet, inculpé en 1775».- BRH, vol. XXIX, 1923. pp. 303-305.

MASSICOTTE, E.-Z.- «Recherches historiques sur les spectacles à Montréal de 1760 à 1800».- MSRC, 3e série, tome XXVI, 1932, pp. 113 à 121.

MAURAULT, Olivier.- «La seigneurie de Montréal».-CD, 1957, numéro 22, pp. 75-79.

MORIN, Victor.- «L'échauffourée américaine de 1775-1776 au Canada».- MSRC, 3e série, tome XLIV, 1950, section I, pp. 33 à 53.

MORIN, Victor.- «Propos de bibliophile».- CD, numéro 19, 1954, pp. 11-23.

OUELLET, Fernand.- «Joseph Papineau et le régime parlementaire».- BRH, vol. LXI, numéro 2, avril-mai-juin 1955, pp. 71 à 77.

ROY, Pierre-Georges.- «La famille du légiste François-Joseph Cugnet au Canada».- BRH, vol. XXI, 1915, p. 237.

ROY, Pierre-Georges.- «Les grands voyers de la Nouvelle-France et leurs successeurs».- CD, numéro 8, 1943, pp. 181 à 233.

ROY, Pierre-Georges.- «L'honorable Gabriel-Elzéar Taschereau».- BRH, vol. I, numéro 1, janvier 1902, pp. 7 à 9.

ROY, Pierre-Georges.- «L'honorable René-Ovide Hertel de Rouville».- BRH, vol. XII, numéro 5, mai 1906, pp. 129 à 141.

ROY, Pierre-Georges.- «L'imprimerie dans la Nouvelle-France».- BRH, vol. X, numéro 4, avril 1904, p. 190.

ROY, Pierre-Georges.- «Le père Claude-Charles de Berey».- BRH, vol. L, numéro 11, novembre 1944, pp. 331-345 et numéro 12, décembre 1944, pp. 353, 354.

SULTE, Benjamin.- «Le chevalier de Niverville».- MSRC, 3e série, tome III, mai 1909, pp. 56-71.

SULTE, Benjamin.- «François Cazeau».- BRH, vol. XXII, numéro 4, avril 1916, pp. 115-120.

TÊTU, Henri.- «L'abbé Pierre Huet de la Valinière».- BRH, vol. X, numéro 5, mai 1904, pp. 129-144; vol. X, numéro 6, juin 1904, pp. 161-175.

TICHOUX, Alain.- «Lumières reflétées ou les origines du dilemme canadien de la liberté».- Dix-huitième siècle, 1978, numéro 10, pp. 71 à 83.

TRUDEL, Marcel.- «Projet d'invasion du Canada au début de 1778».- RHAF, vol. II, 1948-49, pp. 167-180.

TRUDEL, Marcel.- Le régime seigneurial.- Ottawa; Société historique du Canada, 1956.- 20 p.

TRUDEL, Marcel.- «Le traité de 1783 laisse le Canada à l'Angleterre».- RHAF, vol. III, numéro 2, 1949, pp. 179 à 199.

TRUDEL, Pierre.- «L'attitude du gouverneur Louis-Frédéric Haldimand à l'égard des Canadiens-français (1778-1781)».- *Revue de l'Université d'Ottawa*, vol. XXXVI, numéro 1, janvier-mars 1966, pp. 5 à 14.

VACHON, Georges-André.- «Une littérature de combat, 1778-1810: les débuts du journalisme canadien-français».- *Études françaises*, vol. V, numéro 3, août 1969, pp. 249-375.

WADE, Mason.- «Quebec and the French Revolution of 1789: The Missions of Henri Meziere».- CHR, vol. XXXI, 1950, pp. 345-368.

WALLOT, Jean-Pierre.- «Révolution et réformisme dans le Bas-Canada (1773-1815)».- AHRF, juillet-septembre 1973, numéro 213, pp. 344 à 406.

Chronologie

Vie de Fleury Mesplet	Événements culturels	Événements politiques
1734 10 janvier.- Naissance de F. Mesplet à Marseille	Voltaire: *Lettres philosophiques* Montesquieu: *Considérations sur la cause de la grandeur des Romains et de leur décadence.*	La France entre en guerre à propos de la Succession de Pologne
1738 Installation des Mesplet à Lyon	Voltaire: *Éléments de la philosophie de Newton*	Fin de la guerre de la Succession de Pologne
1755 F. Mesplet, directeur de l'imprimerie-librairie Girard à Avignon	*Encyclopédie:* tome V Rousseau: *Discours sur l'origine de l'inégalité*	Rupture diplomatique franco-anglaise
1756 17 août.- Mariage de F. Mesplet et de Marie-Marguerite Piérard à Avignon	Voltaire: *Essai sur les moeurs*	Début de la guerre de Sept Ans: Montcalm au Canada
1760 27 juin.- Mariage de François de Los Rios avec une soeur de F.	Palissot: *Les Philosophes*	Capitulation de Montréal

473

Vie de Fleury Mesplet	Événements culturels	Événements politiques
Mesplet, Marie-Thérèse, à Lyon Décès du père de F. Mesplet, l'imprimeur J.-B. Mesplet		
1762 1er février.- F. de Los Rios demande la permission d'ouvrir une librairie à Lyon.	Rousseau: *Émile, Du Contrat social*	Préliminaires de paix franco-anglo-espagnole
1765 Mariage de F. Mesplet et de Marie Mirabeau à Lyon	Voltaire: *Philosophie de l'histoire*	Résistance à la loi du Timbre en Amérique
1766 5 février.- Naissance de Marie-Anne Tison à Montréal	Voltaire: *Le Philosophe ignorant*	Rappel de la loi du Timbre
1772 6 décembre.- Naissance de Henri Mézière à Montréal	Voltaire: *Les lois de Minos*	Partage de la Pologne
1773 F. Mesplet, maître-imprimeur à Londres	Voltaire: *Fragments historiques sur l'Inde*	Les Jésuites supprimés par le pape
1774 F. Mesplet, maître-imprimeur à Philadelphie 26 octobre.- Impression de la 1ère Lettre du Congrès aux habitants du Québec	Voltaire: *Le Crocheteur borgne* Condorcet: *Lettres d'un théologien...* Raynal: *Histoire... des Deux Indes.*	Louis XVI, roi de France
1775 Hiver.- Séjour de F. Mesplet à Québec 29 mai.- Impression de la 2e Lettre du Congrès aux habitants du Québec Association avec Charles Berger	Beaumarchais: *Le Barbier de Séville*	Début de la guerre d'Indépendance des colonies américaines Prise de Montréal Échec devant Québec
1776 24 janvier.- Impression de la 3e Lettre du Congrès aux habitants du Québec 26 février.- F. Mesplet choisi imprimeur officiel du Congrès à Montréal	Voltaire: *La Bible enfin expliquée* Smith: *La richesse des nations* Holbach: *La Morale universelle* Mably: *Principes des*	Présidée par Benjamin, Franklin, une commission du Congrès à Montréal Reprise de Montréal par les troupes britanniques 4 juillet.- Déclaration de

474

Vie de Fleury Mesplet	Événements culturels	Événements politiques
6 mai.- Arrivé de F. Mesplet à Montréal 25 juin.- Emprisonnement de F. Mesplet durant 26 jours à Montréal Juillet.- Impression du premier livre par F. Mesplet à Montréal. Décembre.- Impression du premier almanach.	*lois* Paine: *Common Sense*	l'Indépendance américaine
1777		
F. Mesplet imprime à Montréal le premier livre illustré au pays	Voltaire: *Irène*	La Fayette en Amérique
1778		
3 juin.- F. Mesplet fonde la *Gazette du commerce et littéraire* 19 août.- Cessation de la *Gazette du commerce et littéraire* et ordre d'expulsion de F. Mesplet 24 août.- Pétition des notables en faveur de F. Mesplet 2 septembre.- Continuation de la *Gazette littéraire* 21 octobre.- Fondation de l'Académie de Montréal	Apothéose et mort de Voltaire à Paris Mort de J.-J. Rousseau Buffon: *Les Époques de la nature*	B. Franklin obtient l'alliance française Proclamation du comte d'Estaing aux habitants du Québec
1779		
2 juin.- Dernier numéro de la *Gazette littéraire* 4 juin.- Arrestation de F. Mesplet et du journaliste Valentin Jautard 8 juin.- Emprisonnement de l'imprimeur et du journaliste à Québec 15 juillet.- Première supplique de Marie Mesplet	Hume: *Dialogues sur la religion naturelle* Lessing: *Nathan le Sage*	Suppression du servage sur les domaines royaux en France
1780		
26 septembre.- Supplique de F. Mesplet	Condorcet: *Observations sur l'Esprit des lois*	L'armée de Rochambeau débarque en Amérique
1781		
27 février.- Appel de	Kant: *Critique de la rai-*	Capitulation des troupes

Vie de Fleury Mesplet	Événements culturels	Événements politiques
détresse de Jautard auprès des avocats de Québec 8 mars.- Second appel de détresse de Jautard 30 avril.- Supplique conjointe de F. Mesplet et de P. de Sales Laterrière	*son pure* Rousseau: publication des *Confessions*	britanniques à Yorktown
1782 7 août.- Supplique de F. Mesplet et de V. Jautard 31 août.- Supplique de Marie Mesplet 1er septembre.- Libération de F. Mesplet	Diderot: *Essai sur les règnes de Claude et de Néron*	Préliminaires de paix entre l'Angleterre et les États-Unis
1783 8 février.- Libération de V. Jautard 2 mai.- Libération de Pierre du Calvet 1er août.- Premier mémoire de F. Mesplet au Congrès 23 août.- Mariage de V. Jautard et de Marie-Thérèse Bouat de Gannes	Condorcet: *Dialogue entre Aristippe et Diogène*	La Grande-Bretagne reconnaît l'indépendance des États-Unis d'Amérique
1784 27 mars.- Second mémoire de F. Mesplet au Congrès Publication de l'*Appel à la Justice de l'État* de Pierre du Calvet F. Mesplet signe une pétition en faveur d'une nouvelle constitution	Beaumarchais: *Mariage de Figaro* Mably: *Observations sur le gouvernement et les lois des États-Unis* Mort de Diderot	George III fait appel à William Pitt
1785 6 février.- Entente finale entre F. Mesplet et C. Berger 31 mars.- Appels de notables au Congrès en faveur de F. Mesplet 11 avril.- Troisième mémoire de F. Mesplet au Congrès 2 juin.- Requête de F.	Schiller: *Ode à la joie*	Ordonnance sur la vente des terres de l'Ouest aux États-Unis Affaire du Collier de la reine en France

Vie de Fleury Mesplet	Événements culturels	Événements politiques
Mesplet au Congrès 13 juin.- Refus du Congrès 25 août.- Fondation de la *Gazette de Montréal* 21 novembre.- Vente des biens de F. Mesplet		
1786 Pierre du Calvet périt en mer	Condorcet: *De l'influence de la révolution d'Amérique sur l'Europe*	Traité de commerce franco-anglais
1787 8 juin.- Décès de V. Jautard	Condorcet: *Lettres d'un bourgeois de Newhaven à un citoyen de Virginie*	Constitution américaine
1788 24 janvier.- Début de la collaboration de H. Mézière à la *Gazette de Montréal*	Mort de Buffon	Convocation des États-Généraux
1789 2 septembre.- Décès de Marie Mesplet	Condorcet: *Vie de Voltaire*	Début de la Révolution française
1790 11 avril.- Mariage de F. Mesplet et de Marie-Anne Tison 16 décembre.- Fondation de la Société des patriotes	Mort de Benjamin Franklin à Philadelphie	Constitution civile du clergé
1791 25 août.- Fondation de la Société des débats libres	Paine: *Les Droits de l'homme* Volney: *Les Ruines*	Nouvelles constitutions en France et au Canada
1792 Février.- F. Mesplet édite la *Bastille septentrionale* F. Mesplet appuie la candidature parlementaire de J. Papineau	Condorcet: *Mémoires sur l'instruction publique*	Proclamation de la république en France
1793 Mai.- Départ de H. Mézière pour Philadelphie 12 juin.- Mémoire de H. Mézière à l'ambassadeur de la République	Condorcet: *Plan de constitution présenté à l'Assemblée nationale* Paine: *L'Âge de raison*	Exécution de Louis XVI Guerre entre la France et l'Angleterre Chute des Girondins

Vie de Fleury Mesplet	Événements culturels	Événements politiques
française 27 juin.- La publication d'un texte «philoso-phique» conduit au boy-cott de la *Gazette de Montréal* par les postes royales Juillet.- Circulation de l'Appel des Français libres aux habitants du Québec		
1794		
16 janvier.- Dernier numéro de la *Gazette de Montréal* imprimé par F. Mesplet 24 janvier.- Décès de F. Mesplet	Condorcet: *Esquisse d'un tableau historique des progrès de l'esprit humain*	La Terreur Chute de Robespierre

Index

479

C

481

482

483

H

HABITANT ANGLAIS (Un), 48.
HALDIMAND (Frédéric), II, VII, 97, 100,
    101, 106, 124, 145, 146, 147, 161, 162,
    163, 164, 165, 167, 171, 172, 173, 174,
    175, 176, 177, 178, 180, 182, 183, 184,
    185, 186, 187, 188, 189, 192, 193, 194,
    195, 200, 204, 211, 212, 213, 238, 242,
    247, 249, 259, 260, 261, 296, 308, 411.
HALL (Samuel), 402.
HAMELIN (Jean), 97.
HANCOCK (John), 64, 65, 201, 203, 204.
HARDY, 203.
HARE (John E.), VIII, IX, 112, 326, 397.
HARLOWE (Clarisse), 20.
HATIN (Eugène), 219.
HAY (Charles), II, 177, 179, 180, 181, 182,
    192, 414.
HAY (Udney), 414.
HAZEN (Moïse), II, 60, 61.
HEER (Louis Chrétien de), 441.
HÉLOÏSE, 114, 115.
HELVÉTIUS (Claude-Adrien), XIII, 10,
    100, 101, 195, 276, 288, 315.
HENRI III, 319.
HENRI IV, 319, 358, 359.
HENRY (Alexander), 208.
HENRY (John), 204.
HERCULE, 318.
HERSE (Jacques-Clément), 65, 66, 77, 201,
    209, 211, 260.
HEY (William), 51.
HILARION, 318.
HOCHSTETTER (J.-G.), 396.
HOENSBROECH (C.-F.), 376.
HOLBACH (Paul-Henri d'), XIII, XIV, 30,
    31, 34, 114, 117, 133, 138, 195, 288, 315,
    417, 418.
HOLTEN (Samuel), 200, 201, 204.
HOMÈRE, 12.
HOMME (L'), 104, 116.
HOMME ÉDUQUÉ (L'), 135.
HOMME LIBRE (L'), 242, 243, 244, 245.
HOMME MÛR (L'), 332.
HOMME SANS PRÉJUGÉ (L'), 107, 108.
HORACE, 104, 109, 149, 330.
HUBERT (Augustin-David), 441.
HUBERT (Jean-François), 248, 292, 293,
    295, 296, 298, 299, 310, 328, 329, 332,
    334, 339, 404, 405, 423, 432.
HUBERT-ROBERT (Régine), 208.
HUME (David), 195.
HUPÉ (Jean-Marie), 354.
HUPÉ-PICARD (Marie-Anne), 255.
HUTCHINSON (Thomas), 19.

I

IDAMÉ, 297.
IMBERT, 370.
IMPARTIAL (L'), 312.
INDIGNÉ (L'), 401.
INDISCRET (L'), 345.
INDÉPENDANT (L'), 267.
INFORTUNÉ (L'), 152.
INGÉNU (L'), 107, 149, 150, 151, 158, 159.
INGLIS (Charles), 331.
ISIS, 323.

J

J. (Chevalier de), 235, 236.
JACQUENOD, 4.
JALOUX (Le), 105.
JAUCOURT (Louis de), 243.
JAUTARD (Valentin), II, III, IV, V, VI,
    VII, X, 57, 58, 59, 75, 86, 101, 102, 103,
    104, 105, 106, 109, 110, 111, 112, 113,
    114, 115, 116, 117, 119, 120, 121, 123,
    124, 125, 128, 132, 133, 136, 139, 142,
    143, 144, 145, 149, 150, 153, 154, 155,
    156, 157, 164, 167, 168, 173, 174, 175,
    176, 177, 178, 179, 180, 181, 182, 183,
    185, 186, 187, 188, 189, 190, 192, 194,
    195, 206, 210, 211, 214, 225, 226, 227,
    339, 343, 388, 404, 408, 411, 414, 433.
JAY (John), 24, 44, 46, 426.
JEANNOT, 307.
JEFFERSON (Thomas), 77, 78, 407, 413,
    426.
JÉSUS, 62, 85, 86, 135, 172, 215, 253, 318,
    335, 434.
JEUNE CANADIEN PATRIOTE (Le),
    104, 106, 108, 109.
JEUNE PATRIOTE (Un), 269.
JEUNES ÉMULES DES SCIENCES
    (Les), 104, 112.
JOE, 355.
ᵀOHNSON (John), 447.
JOHNSON (Samuel), 7.
JOLIBOIS (N.-C.), 178.
JONATHAS, III, 83, 296.
JORDAN (Jacob), 286.
JOSEPH, 253.
JUPITER, 199.

K

KALM (Pehr), 92.
KASPI (André), 47, 277.
KELLY (Francis M.), 440.
KENNEDY (Michaël), 414, 440.
KENT (Edward de), 446.
KROPOTKINE (Pierre), 372.

484

L

LA B. (M. de), 106, 137.

LABADIE (Louis), 327, 335, 336, 337, 338, 339, 386, 436.

LA BARRE (Jean-François de), 137.

LABOULAYE (Édouard), 18.

LA BRUYÈRE (Jean de), 114.

LACOMBE, 16.

LA CORNE SAINT-LUC (Luc de), 85, 86, 170, 188.

LACOUR-GAYET (Robert), 78, 195.

LACROIX, 53.

LAFAYETTE (Marie-Joseph-Paul-Yves-Roch-Gilbert Motier de), 93, 94, 95, 192, 399, 400, 414.

LAFLAMME (Jean), 299.

LAFONTAINE (B.), 164.

LA FONTAINE (Jean de), 119.

LA GALISSONNIÈRE (Michel de), 92.

LAGRAVE (Jean-Paul de), XI, 440.

LAHAISE (Robert), 18.

LA HONTAN (Louis-Armand de Lom d'Arce de), XI, 291, 302, 303, 304.

LAJEUNESSE (Pierre), 178.

LAJEUNESSE (Prudent), 63.

LA JONQUIÈRE (Jacques-Pierre de), 92.

LAMBERT, 164.

LAMONDE (Yvan), 326.

LAMONTAGNE (Léopold), XI, 435.

LA MOTHE LE VAYER (François de), 322.

LANAUDIÈRE (Charles-François Tarieu de), 59.

LANAUDIÈRE (Charles-Louis de), 274, 275, 286, 393.

LANCTÔT (Gustave), 31, 94, 136, 192.

LANTHENAS, 282.

LARCHER (Pierre-Henri), 142.

LA ROCHE (Aimé de), 3, 4, 6, 7, 8, 12.

LARTIGUE, 164.

LAS CASAS (Bartolomé de), 374.

LATERRIÈRE (Pierre de Sales), II, III, IV, VI, VII, 164, 179, 180, 181, 182, 183, 185, 186.

LATOUR, 164.

LATOUR-DÉZERY (François-Xavier), 298, 299.

LAURENS (Henry), 24.

LAURENS (John), 24, 94.

LA VALINIÈRE (Huet de), 338, 404.

LA VALTRIE (Pierre-Paul Margane de), 286.

L.B., 106.

LEBEAU, 76.

LEBRUN (Pierre-Henri-Hélène-Marie), 407, 427.

LECLAIRE (François), 38.

LEE (Arthur), 45, 200.

LEE (Richard Henry), 25, 26, 77, 93.

LE GUAY (François), 202, 207, 209, 210, 211, 253, 254, 255, 293.

LE GUAY (Madeleine), 253, 255.

LEMIEUX (Lucien), 165.

LE MOINE (J.-M.), 261.

LEMOYNE, 164.

LENGELLE (Maurice), 353.

LÉOPOLD II, 376.

LEPROUST (Louis-Joseph), 391.

LEROUX (Germain), 178.

LÉRY (Joseph Chaussegros de), 286.

LESSING (Gotthold Ephraim), XV.

LEVESON (C. de), 8.

L'HARDY (Louis), 76, 209, 211, 227, 253, 254, 256, 260, 293.

LIBERTÉ (La), 47, 58, 67, 69, 95, 249, 268, 283, 290, 350, 358, 360, 361, 362, 363, 365, 378, 379, 386, 388, 389, 390, 392, 400, 404, 405, 406, 408, 409, 412, 414, 426, 428, 429, 433, 436.

LIGHTFOOT (Francis), 79.

LISETTE, 110.

LIVINGSTON (Famille), 54.

LIVINGSTON (James), 54.

LIVINGSTON (Robert), 77.

LIVINGSTON (William), 60.

LIVIUS (Pierre), 264.

L.M., 230.

LOCKE (John), 30, 195, 212, 276, 403.

LOEDEL, 440.

LONDIREAUX, 164.

LONDONIEN (Un), 386.

LONDON (Samuel), 220.

LONG (Pierse), 204.

LONGUEUIL (Paul-Joseph Le Moyne de), 75, 164.

LONGUEUIL (Joseph-Dominique-Emmanuel Le Moyne de), 286.

LOS RIOS (François de), 3, 11, 12, 13, 14.

LOTBINIÈRE (Eustache-Gaspard-Alain Chartier de), 59, 289.

LOTBINIÈRE (François-Louis de), 59, 289.

LOUBET, 202, 207.

LOUIS XI, 319.

LOUIS XV, 14, 21.

LOUIS XVI, 93, 367, 368, 369, 377, 378, 383, 384, 385, 386. Voir Louis Capet.

LOVELL (James), 79, 95.

LUCIFER, 140.

LUCRÈCE, 103.

LUI SEUL, 113, 114.

LUKIN (Pierre), 207, 208.

LUSIGNAN (Charles), 209, 210, 256.

LYNCH (Thomas), 60, 78.

LYMBURNER (Adam), 262, 446.

485

M

MABANE (Adam), 59, 213, 343.
MABLY (Gabriel Bonnot de), 388, 404.
MACCOBY (S.), 283.
MAGNAN (André), 112.
MAHOMET, 229.
MAINVILLE (Jean), 178.
MAISONBASSE, 63.
MAJOR-FRÉGEAU (Madeleine), 440, 441.
MALCHELOSSE (Gérard), 180.
MALEDISSIMUS (Horrificus de), 275, 285.
MALESHERBES (Chrétien-Guillaume de Lamoignon de), 9, 10, 362.
MALLET (Edmond), 414.
MANTEVILLE, 4.
MARAT (Jean-Paul), 392.
MARCHAND, 227, 253.
MARIE, 253.
MARIE-ANTOINETTE, 358.
MARIE-THÉRÈSE, 37.
MARION (Séraphin), V, X, XI.
MARIVAUX (Pierre Carlet de Chamblain de), 103.
MARMONTEL (Jean-François), 10, 195, 404, 405.
MARRASSÉ, 202, 207, 208, 209.
MARTIN (Michaël), 45.
MASÈRES (Francis), 212, 258, 259, 260, 261, 264.
MASSICOTTE (E.-Z.), IV, V, 226, 227, 296.
MATHIEZ (Albert), 413.
MATIGNON (Fleury), 3.
MATTHEWS, 187.
MAURAULT (Olivier), 71, 339.
MAURY (Jean Siffrein), 317.
MCILWRAITH (J. N.), 192.
MCLACHLAN (Robert Wallace), IV, VII, 43, 67, 97, 164, 183, 205, 207.
MCMURRAY (Thomas), 354.
MÉGÈRE, 140.
MELCHOR (Isaac), 202, 207.
MENOT (Michel), XIV.
MERCIER (Louis-Sébastien), 233.
MERCKELL (John), 348.
MESPLET (Famille), 437, 438.
MESPLET (Fleury), I, II, III, IV, V, VI, VII, VIII, IX, X, XI, XII, XV, 3, 4, 6, 7, 8, 10, 11, 12, 13, 14, 15, 16, 17, 18, 20, 21, 22, 23, 24, 25, 35, 41, 43, 44, 45, 51, 59, 60, 64, 65, 66, 67, 68, 69, 71, 74, 75, 76, 77, 83, 84, 85, 86, 87, 91, 92, 96, 97, 98, 99, 100, 101, 105, 106, 107, 108, 109, 113, 114, 116, 117, 118, 119, 124, 125, 128, 130, 131, 132, 134, 135, 136, 139, 142, 143, 144, 145, 146, 147, 148, 151, 152, 153, 154, 155, 156, 157, 159, 161, 162, 163, 164, 166, 168, 169, 170, 171, 172, 174, 175, 176, 177, 178, 179, 180, 181, 182, 183, 184, 185, 186, 187, 188, 192, 194, 195, 199, 200, 201, 202, 203, 204, 205, 206, 207, 208, 209, 210, 211, 214, 215, 217, 219, 220, 221, 222, 223, 224, 225, 226, 227, 231, 233, 234, 235, 236, 237, 238, 239, 240, 241, 242, 244, 245, 247, 249, 250, 251, 252, 253, 254, 255, 256, 257, 260, 261, 264, 265, 267, 270, 274, 275, 277, 278, 282, 283, 285, 289, 290, 291, 293, 294, 295, 296, 297, 299, 300, 301, 302, 304, 305, 307, 308, 309, 311, 312, 313, 315, 316, 320, 322, 323, 328, 334, 335, 337, 338, 339, 342, 344, 346, 347, 348, 349, 350, 351, 353, 354, 355, 356, 357, 358, 362, 365, 367, 370, 371, 372, 373, 376, 377, 378, 380, 381, 382, 383, 384, 385, 386, 387, 388, 389, 390, 391, 395, 396, 397, 398, 399, 400, 401, 402, 403, 404, 405, 406, 408, 411, 412, 414, 415, 418, 421, 422, 424, 425, 426, 427, 428, 429, 430, 432, 433, 434, 435, 436, 437, 438, 439, 440, 441, 442, 443, 446, 447.
MESPLET (Guillaume), 437.
MESPLET (Jean), 437.
MESPLET (Jean-Baptiste), 3, 6, 11, 12, 437, 438.
MESPLET (Jeanne), 437.
MESPLET (Marguerite), 438.
MESPLET (Marie), 438.
MESPLET (Marie Mirabeau), 14, 43, 44, 67, 77, 182, 183, 184, 187, 188, 199, 200, 210, 253, 438, 446.
MESPLET (Marie-Anne Tison), 209, 253, 254, 255, 256, 429, 438, 440, 441.
MESPLET (Marie-Thérèse), 3, 11, 12, 13, 438.
MESPLET (Raymond), 437.
MESSEIN (Charles-François Bailly de), 291, 292, 294, 327, 329, 330, 331, 332, 339.
MEYRAND, 202, 207.
MÉZIÈRE (Henri), 164, 217, 226, 227, 230, 231, 310, 311, 313, 378, 386, 387, 388, 389, 390, 400, 402, 405, 406, 407, 408, 409, 413, 414, 415, 419, 420, 421, 422, 424, 425, 428, 429, 430.
MÉZIÈRE (Pierre), 75, 164, 208, 209.
MICHAUD, 20.
MICHELET (Jules), 377.
MIDDLETON (Henry), 26.
MIFFLIN (Thomas), 46, 203, 204, 207.
MILBORNE (A. J. B.), 443, 446.
MILLER (Coram John), 201.

MILLER (Henry), II, 24, 43.
MILLER (Jean-Baptiste), 211.
MINNIGERODE (Meade), 407.
MIRABEAU (Honoré-Gabriel Riqueti de), 399, 400.
MOI, 135.
MOI-J'ENTRE-EN-LICE, 107, 156.
MOI-JE-SUIS-EN-LICE, 116.
MOI UN, 114, 115.
MOINE (Laurent), 226.
MOLIÈRE (Jean-Baptiste Poquelin), 108, 301.
MOLIN (Alexis), 4.
MONFORT (H. Archambault de), 378.
MONK (James), 342, 428.
MONTCALM (Louis-Joseph de), 59, 94.
MONTESQUIEU (Charles Secondat de La Brède de), XV, 28, 29, 131, 195, 220, 275, 276, 283, 388, 403.
MONTESSON (Famille), 370.
MONTGOLFIER (Étienne), 40, 53, 54, 60, 61, 74, 83, 84, 135, 139, 144, 150, 162, 164, 165, 166, 167, 168, 169, 171, 172, 173, 174, 175, 181, 193, 194, 210, 214, 238, 272, 293, 296, 308, 310, 311, 398, 418, 432, 443, 445, 446.
MONTGOMERY (Richard), 50, 54, 55, 56, 57, 58, 59, 72, 74, 93, 102, 205, 263, 264.
MONTIGNY (Louis-Étienne de), 227.
MONVIEL (Vassal de), 400, 401.
MOORE (William), 387, 391, 393, 394, 395, 397, 398, 446.
MORAND (Antoine), 441.
MORELLET (André), XIII, 5, 16.
MORERI (Louis), 6.
MORIN (Michau), 38.
MORIN (Victor), 31, 396.
MORRIS (Gouverneur), 95.
MORRIS (William), 391.
MORTIER (Roland), XII, XIII.
MOTT (Frank Luther), 220.
MOULINAS (René), 12.
MOUREAUX (José-Michel), XII.
M.S., 107, 150.
MURRAY (James), 411.

N

NAIRN (John), 175, 176, 177, 185.
NANCRÈDE (Joseph), 220, 402.
NATURE (La), 107, 391, 436.
NAVILLE (Pierre), XIV.
NEATBY (Hilda M.), 343, 346.
NECKER (Jacques), 359, 360, 361, 362.
NEILSON (Famille), 326.
NEILSON (John), 397, 446.
NEILSON (Samuel), 331, 387, 391, 392, 394, 395, 396, 397, 398, 403.

NEPEAN (Evan), 248, 428.
NÉRON, 319, 351.
NEWTON (Isaac), 436.
NICODÈME, 307, 308.
NICOLE (Pierre), XIV.
NIVERVILLE (Claude Boucher de), 390.
NOAILLES (Louis-Marie de), 425.
NONNOTTE (Claude-François), XI, 105, 136, 139, 141, 142, 195, 231.
NOOT (Hendrik Van der), 375, 376.
NORTH (Frederick de Guilford de), 27, 213.
NOSTRADAMUS, 229.
NOUVEL AMI DES SCIENCES (Le), 106, 108.
NOVICE CAPUCIN (Le), 138.

O

OBSERVATEUR (L'), 107, 116, 390.
OEDIPE, 136.
OGDEN (Isaac), 248, 270, 271, 327.
OGG (Frédéric), 268.
OLIVER (Andrew), 19.
ONDAIM, 311.
ORLÉANS (Philippe d'), 358.
ORPHÉE, 320.
OUANG, XIII.
OUELLET (Fernand), VII, 71, 273, 285, 434.

P

PADOUE (Antoine de), 305, 306, 307, 338.
PAINE (Thomas), 20, 66, 67, 195, 237, 282, 283, 371, 377, 378, 386, 387, 405, 407, 412, 414, 428.
PANCHA (Sancho), 267, 269.
PANET (Claude), 56, 168.
PANET (Pierre), 441.
PANET (Pierre-Louis), 350, 355.
PAPINEAU (Amédée), 440.
PAPINEAU (Famille), 440.
PAPINEAU (Joseph), 136, 253, 260, 261, 269, 285, 293, 435, 440.
PAPINEAU (Louis-Joseph), VIII, 136, 435, 440.
PAPINEAU (Marie Lemaître), 440.
PAPINEAU (Westcott), 440.
PARENT (Étienne), 37, 38.
PARISIEN (Un), 376.
PASCAL (Blaise), XIV.
PASQUIER, 431.
PASSY (Marie-Eugénie de), 429.
PATOUILLET (Louis), 142.
PATRIOTES (Des), 344.
PAUL, 318.
PÉLISSIER (Christophe), 180.
PELLANT (Pierre), 385.

S

SAINE RAISON (La), 294, 295.
SAINT-AULAIRE (de), 64, 77.
SAINT-FARGEAU (de), 431.
SAINT-FARGEAU (Louis-Michel Le Pelletier de), 385.
SAINT-GEORGES-DUPRÉ (Hippolyte), 164.
SAINT-GERMAIN, 313.
SAINT-LAMBERT (Jean-François de), 112.
SAINT-MÉRY (Moreau de), 365, 367.
SAINT-OMER, 164.
SAINT-OURS (Paul-Roch de), 286.
SAINT-PIERRE (Bernardin de), 195.
SAINT-PIERRE (Charles-Irénée Castel de), 239, 240.
SALONE (Émile), 273.
SANGUINET (Simon), 29, 40, 58, 60, 61, 86, 107, 119, 122, 123, 124, 158, 159, 162, 403.
SARDANAPALE, 351.
SARPI (Paolo), 116, 117, 156.
SARTINE (Antoine-Gabriel de), 4.
SCALINGER, 267, 394.
SCHANK, 178.
SCHOELL (Franck L.), 19.
SCHUYLER (Philip), II, 52, 56, 67, 68.
SCHWABE (Rudolph), 440.
SCOURGE OF TYRANNY (A), 390.
SCRIBLERUS, 268, 394.
SECRÉTAIRE DE L'ACADÉMIE DE MONTRÉAL - L.S.P.L.R.T. (Le), 128.
SÉGUIN (François), 12.
SÉGUIN (Robert-Lionel), 441.
SÉMIRAMIS, 20.
SEMPER EADEM, 228, 231.
SERVET (Michel), 241.
SERVITEUR (Votre), 115.
SHELBURNE (William Fitzmaurice de), 16, 342.
SHELBURNE (William Petty de), 34.
SHERMAN (Roger), 77.
SHORTT (Adam), 34, 177, 248.
SIDNEY, 265, 346, 347, 394.
SILLS (Jonathan), 349, 390.
SILLS (Joseph), 349, 390.
SILLS (Samuel), 390.
SIMCOE (John Graves), 396.
SIMITIÈRE (Pierre-Eugène du), 26.
SIMONNET (Marie-Louise), 119.
SINCÈRE (Le), 115, 131, 132, 168, 169.
SINCÈRE MODERNE (Le), 135, 154, 158, 159.
SINCÉRITÉ, 394.
SIRVEN (Famille), 230.
SMITH (Thomas), 17.

SMITH (William), 248, 328, 330, 342, 343, 348, 418, 419, 422.
SOBOUL (Albert), 353, 388, 418.
SOCRATE, 103.
SOLON, 284.
SOMMERVOGEL (Carlos), 135.
SONTHONAX (Léger Félicité), 420.
SOUFFLOT (Germain), 297.
SOULARD (Jean), 391.
SOULIGNY (Ignace), 254.
SOUTHOUSE (Edward), 120, 123, 173, 174.
SPARK (Alexander), 397, 419, 425, 446.
SPARKS (Jared), 259.
SPECTATEUR TRANQUILLE (Le), 102, 103, 104, 106, 107, 108, 109, 110, 112, 113, 114, 115, 116, 119, 122, 132, 133, 139, 140, 142, 144, 147, 148, 149, 150, 151, 153, 154, 156, 157, 158, 159, 167, 217, 227, 429.
SPECTATOR (Monsieur), 102.
SPRAIGHT (Richard Dobbs), 201, 204.
STANLEY (George F. G.), 47.
STARK, 93.
STEELE (Richard), 16, 102.
STONE (Lawrence), 327.
SULTE (Benjamin), II, III, 31, 183, 390.
SUTHERLAND (Stuart R. J.), 171.
SWIFT (Jonathan), 7, 16.
SYDNEY (Thomas Townshend de), 212, 275.

T

TABAUX (Jean-Baptiste), 75, 76, 253, 254.
TANSWELL (James), 397, 398, 446.
TASCHEREAU (Gabriel-Elzéar), 35, 56, 57, 286, 289.
TAYLOR (Thomas), 346.
TAYLOR (William), 346.
TÉLÉMAQUE, 405.
TÉMOIN OCULAIRE (Le), 29, 31, 32, 35, 40, 48, 50, 54, 55, 57, 58, 59, 60, 61, 74, 75, 77, 82, 86.
TENCIN (Pierre Guérin de), 7.
TÉTU (Henri), 46, 192, 248, 504.
THÉMIS, 361.
THÉOTIME, 295.
THOMAS (Isaiah), 17.
THOMSON (Charles), 64, 65, 203, 204.
THOMSON (James), 7.
TIBÈRE, 319.
TICHOUX (Alain), 58.
TIMIDE (Le), 305.
TIMOTHÉE (Louis), 17.
TISON (Fleury), 253.
TISON (François), 255.

Voltaire (dont nous voyons une sculpture due à Jean-Antoine Houdon en 1778) fut le grand inspirateur de Fleury Mesplet qui avait reçu sa formation à Lyon, rue Mercière (ci-haut), la rue de la librairie et de l'imprimerie où l'imprimeur Jean-Baptiste Mesplet avait son atelier. En page précédente, le buste de Fleury Mesplet, s'inspirant de la peinture attribuée à François Malepart de Beaucourt, réalisé en 1985 par le sculpteur montréalais Robert Taylor pour le quotidien *The Gazette*.

B

LETTRE

ADRESSÉE

AUX HABITANS

DE LA PROVINCE

DE

QUEBEC,

Ci-devant le CANADA.

De la part du CONGRÈS GÉNÉRAL de l'Amérique Septentrionale, tenu à Philadelphie.

Imprimé & publié par Ordre du Congrès,

A PHILADELPHIE,

De l'Imprimerie de FLEURY MESPLET.

M. DCC. LXXIV.

Cette Lettre, le premier document inspiré de l'esprit des Lumières adressé collectivement aux habitants du Québec, fut un appel à la liberté lancé par le Congrès américain et imprimé par Fleury Mesplet à Philadelphie en 1774.

C

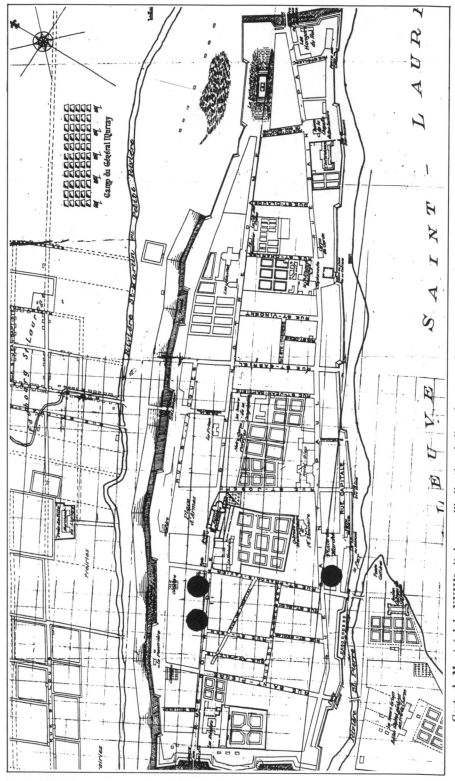

Carte de Montréal du XVIIIe siècle avec l'indication de l'emplacement des trois imprimeries-librairies occupées successivement par Fleury Mesplet: rue Capitale (1776-1788); rue Notre-Dame, entre Saint-François-Xavier et Saint-Pierre (de 1788 à 1793, le point à gauche) (1793-1794, le point à droite).

D

Benjamin Franklin

Benjamin Franklin, à la tête d'une prestigieuse délégation du Congrès américain, vint à Montréal en 1776, en compagnie de l'imprimeur Fleury Mesplet. Le château Ramezay (ci-dessous) devint le quartier-général des Fils de la Liberté.

RÈGLEMENT

DE LA CONFRERIE

DE L'ADORATION PERPÉTUELLE

D U

SACREMENT,

E T

DE LA BONNE MORT.

Erigée dans l'Eglife Paroiffiale de Ville-Marie, en l'Ifle de Montréal, en Canada,

Nouvelle Edition revûë, corrigée & augmentée.

A MONTREAL,

Chez F. MESPLET & C. BERGER, Imprimeurs & Libraires; près le Marché, 1776.

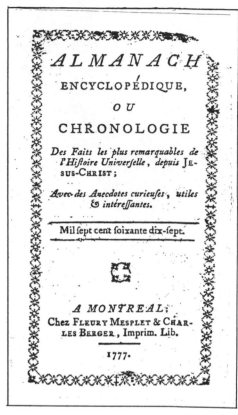

ALMANACH

ENCYCLOPÉDIQUE,

O U

CHRONOLOGIE

*Des Faits les plus remarquables de
l'Hiſtoire Univerſelle, depuis JE-
SUS-CHRIST;*

*Avec des Anecdotes curieuſes, utiles
& intéreſſantes.*

Mil ſept cent ſoixante dix-ſept.

A MONTREAL,
Chez FLEURY MESPLET & CHAR-
LES BERGER, Imprim. Lib.

1777.

Ces planches (ci-dessous), de
l'*Encyclopédie* de Diderot et d'Alembert,
donnent un aperçu des presses utilisées à
l'époque de Fleury Mesplet. Le premier
livre imprimé par celui-ci à Montréal fut
le règlement d'une association pieuse,
commandé par les Sulpiciens en 1776.
L'année suivante, sortait de la presse de
Mesplet le premier almanach en
français au Canada.

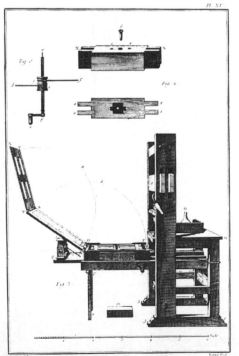

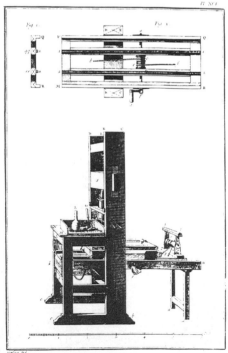

F

N°. I.　　　(1)　　　(1778.)

GAZETTE
DU COM　MERCE
ET LITTE　RAIRE,
Pour la Ville & District　de MONTREAL.

MERCREDI,　3 Juin 1778.

AUX CITOYENS.

MESSIEURS,

JE me félicite de vous avoir proposé l'établissement d'un Papier Périodique, non pas tant par rapport à moi-même, que par les avantages que vous en retirerez. Je vois que plusieurs d'entre vous, Messieurs, m'encouragent par leurs Souscriptions, & que malgré la disette présente de ce qui peut intéresser le Commerce ou d'autres objets qui flatteroit votre curiosité, vous recevez avec empressement les offres sinceres que je vous ai faites, de travailler autant qu'il seroit à mon pouvoir pour la satisfaction de tous & d'un chacun en particulier.

Je m'étois proposé de remplir la Feuille des Avertissemens publics & des affaires qui pourroient intéresser le Commerce. L'un & l'autre manquent pour le présent. Peu d'Avertissement, vu que le Papier n'est pas encore connu : vous savez, Messieurs, aussi bien que moi, la situation présente quant au Commerce, en conséquence je crois n'avoir aucun reproche à recevoir pour ces deux articles.

Quant aux morceaux variés de Littérature, j'espère me mettre à l'abri par le soin que je prendrai pour vous procurer ceux que je croirai les plus amusants & les plus instructifs. Je n'ignore point la difficulté de plaire à tous à la fois ; mais qu'arrivera-t-il ? La Feuille qui contiendra une plus grande quantité de matieres férieuses ne plaira pas à

Tome I.

quelques personnes, mais bien à d'autres. La Semaine suivante, celui qui n'eût pas daigné jetter un coup d'œil sur le Papier précédent, saisira avec avidité le suivant, parce qu'il flattera son caractere, ou sera plus à la portée de ses connoissances, les sujets lui seront plus familiers, les objets peints de maniere qu'il n'ait pas besoin de microscope pour les appercevoir : chacun tour à tour y trouvera son amusement ou son instruction. Le pere de famille trouvera des ressources pour procurer de l'éducation à ses enfans. Les enfans y liront des préceptes dont la pratique sera avantageuse. Les différentes matieres qui seront traitées plairont aux uns, déplairont aux autres, mais chacun aura son tour.

Il est peu de Province qui aient besoin d'encouragement autant que celle que nous habitons ; on peut dire en général, que les ports ne furent ouverts qu'au commerce des choses qui tendent à la satisfaction des sens. Vit-on jamais, & exite-t-il encore une Bibliotheque ou même le débris d'une Bibliotheque qui puisse être regardé comme un monument, non d'une Science profonde, mais de l'envie & du désir de savoir. Vous conviendrez Messieurs, que jusqu'à présent la plus grande partie se sont renfermés dans une sphère bien étroite ; ce n'est pas faute de disposition ou de bonne volonté d'acquérir des connoissances, mais faute d'occasion. Sous le règne précédent vous n'étiez en partie occupés que des troubles qui agitoient votre Province, vous ne receviez de l'Europe que ce qui pouvoit satisfaire vos intérêts ou

A

La rue Capitale (dans le sens de principale), débouchant place du Marché (appelée plus tard place Royale), fut le siège de l'imprimerie-librairie de Fleury Mesplet de 1776 à 1788. Une plaque, apposée par le quotidien *The Gazette* en 1978, rappelle ce fait en soulignant la fondation du premier journal littéraire en 1778.

Une autre plaque, depuis volée, indiquait l'emplacement du deuxième (et non du dernier) atelier de Mesplet, rue Notre-Dame, à l'arrière de la Banque d'Épargne de la cité et du district de Montréal. (Ci-contre)

Frédéric Haldimand (1718-1791), gouverneur
général de la province de Québec
(1778-1784).

Mgr Jean-Olivier Briand (1716-1794), évêque de
Québec (1764-1784).

Étienne Montgolfier (1712-1791), supérieur des
Sulpiciens et seigneur de Montréal.

I

Auteur de l'*Appel à la Justice de l'État* (1784), le premier manifeste canadien des Lumières, Pierre du Calvet (dont on voit la silhouette) fut un collaborateur de la *Gazette littéraire*. Sa maison (dont le dessin nous montre les vestiges) fut probablement un lieu de rencontre des membres de l'Académie de Montréal, fondée en l'honneur de Voltaire en 1778. Les principaux notables montréalais adhéraient alors à des loges maçonniques dont celle des Frères du Canada (la médaille ci-haut en rappelle le souvenir), composée d'amis de Fleury Mesplet.

J

1785.

THE
MONTREAL
GAZETTE.

THURSDAY, August 25.

Numb. I.

GAZETE
DE
MONTREAL.

JEUDI, 25 Août.

The Printer to the Public.

THIS is to inform the Public that as the English Translation in my first Gazette, was very incorrect and badly translated I shall do all in my power to merit your approbation for the future, and to render it as correct as possible.

All Persons who are willing to subscribe for the Gazette, are requested to give their names to the bearer, and set down their Signature in a Book which the bearer has with him for that purpose.

Reflections on different Professions in Life

SIR,

NOTHING can be more unjust, than those common prejudices of the species, in favour or disfavour of their brethren from their occupations; for the question ought not to be, what profession makes the man, but what the man makes the profession, by an uniform exercise of the social and moral duties. For example—the soldier, if we consider him merely with respect to his fugitive life, and martial destiny; if we trace his footsteps through the slaughtering field, or behold him exulting over purchased victory; nay, if we take him upon poetical credit as full of big oaths, and seeking that bubble reputation, even in the cannon's mouth, our natures must recall at every idea of intercourse with so unfavourable a likeness of humanity. But let us place him in an opposite point of view; let us once see him in the light of a Friend; and first protector of Society; ready on every summons to repel the encroachments of our enemies, and at the priced event of his existence buying our tranquility; that though formed with similar passions to our own, tho' bound by the gentle, interesting, and endearing ties; and tho' susceptible in the same proportion both to mental and corporeal suffering; yet is superiorly master of himself, so to forego all in the great cause of liberty and his country! That as in private life he is generous and amiable, in public he is at all times mild and collected! For that to save and to spare, are the grand principle of his military operations. Of such an individual whose would our admiration terminate! or within what limits would our gratitude be restrained!

The peasant, doo'd hu see-long "lays the globe," according to Mr. Thompson's beautiful description, rough in exterior, and his intellectual faculties unexpanded by cultivation, what impression do common minds receive of him! a human clod, an object of derision, a miserable slave; created but to labour, eat, sleep, and die. Yet if we turn our eyes the other way; we find him one of the most useful members of the community! That as his judgment, capacity, and industry, we owe our chief support; that it is Man who cultivates the times and seasons, and who having duly sworn our subsistence, no less duly reaps it, for our occasional demands. That is quickled his feasibility or enlarge his ideas, would to defeat our own purpose; but that as the spirit to the understanding of a man is in him; and he ought to be honoured and esteemed for being no more than what his condition requires.

The lawyer, skilled in all the arts of chicanery; and ready to run through the whole system of intrigue, enriching himself by the destruction of his client, and frequently thinking that property he engaged himself to redeem, how do we find ourselves affected towards him? Do we not turn our head aside as from the robber of society; the violator of the laws of confidence, the laws of equity? But when it is remembered, that mankind in general are endued with a kind of natural propensity to prey upon one another; that this world would be one great scene of rapine and depredation, if unrestrained by those necessary checks provided by the constitution, we should see the lawyer the defender of our interest, as the soldier of our external advantage; consequently hail, in the kindliest manner, him who, but a moment before, was the object of our disgust and horror.

The divine when considered professionally, gives us no very awful sentiment of his character, ascending the pulpit, as it were, by compulsion, praying for hire, and speaking a language in which the heart has no share; what hypocrisy can be so odious, or pecuniary practice so contemptible? Yet, on the other hand, if as he now appears to us the author, or, at least, the promoter of good order, the expounder of our faith, the just example, and the last consolation of our existence!

Vol. I.

Réflexions sur les différentes Professions de la vie

RIEN n'est plus injuste que les préjugés communs, eu égard aux différens états de la vie; nous sommes accoutumés à juger des hommes par l'état dont ils font profession, sans observer que la seule question est, non de savoir quel état professe tel homme, mais seulement si ce tel homme professe sa état, suit son métier & se conforme aux devoirs de la Société; c'est-à-dire, s'il est bon Citoyen, bon père de famille, & pratique les vertus morales. Par exemple, si nous considérons le Soldat purement dans sa vie errante, & si nous ne l'envisageons que du côté du sort que son penchant pour la guerre semble lui préparer; si nous le suivons pas à pas dans les champs de carnage, & le voyons se réjouir d'avoir acheté la victoire aux périls de sa vie, prix inestimables; et nous le regardons toujours vomissant des blasphèmes, & s'en faisant une vaine gloire, même à l'embouchure des canons, cette façon de vivre nous repugnera, & nous déclarons aisément qu'elle est contraire à l'humanité. Mais plaçons ce même Soldat sous un autre point de vue, & considérons le comme un ami & le premier soutien de la Société toujours prêt au premier commandement à s'opposer aux invasions de nos ennemis, & nous procurant notre tranquillité, même au prix de son existence; ce sentiment est né en lui quoique sujet aux mêmes passions que nous, il se fait violence; l'esprit & le corps fatigués continuellement pour la cause de sa Patrie, il est dans la vie privée généreux & affable, dans le public, doux & paisible, parce que le grand principe de ses opérations militaires, est de conserver & de garantir. Si d'un côté il n'est pas l'objet de notre admiration, du moins doit-il être celui de notre reconnaissance.

Le Paysan, couché, étendu sur le Globe, suivant la description qu'en fait Mr. Thompson, homme dont toutes les facultés intellectuelles, sont bornées à la culture de la terre; ne nous affecte point; nous le considérons, du premier coup d'œil, comme un misérable esclave, né seulement pour travailler, manger & mourir; son habillement grossier est posé sur nous un sujet de dérision; mais tournons la famille, & regardons-le de plus près; nous trouverons l'homme nécessaire, & le plus nécessaire à la Communauté. Son jugement, son industrie, son travail assidu; son attention à observer les temps, les saisons & la vigilance à en profiter, nous assurent notre subsistance; les grenaces qu'il a rempli par son travail, sont pour nous un dépôt dont nous nous servons dans l'occasion. Si nous plaçons sa sensibilité, & lui procurions le moyen d'acquérir des lumières, ses idées changeroient d'objet, l'Agriculture souffriroit & nous serait par conséquent; mais ce même Paysan à son intelligence particulière; ses connaissances, son travail, & le tout avantageux à la Communauté. Il doit donc être estimé & honoré autant que son état l'exige.

L'Avocat, versé dans l'art de la Chicane, orné d'une éducation, d'un génie suffisant pour courir l'immense système des Délits, s'enrichissant au détriment de ses Cliens, & s'emparant souvent des propriétés qu'il s'étoit engagé de rechercher par les soins & sa fidélité; quels sentiments peut-il nous inspirer à son égard? face ce point de vue? il doit être considéré comme un voleur de la Société, comme un infracteur des Loix, que la confiance & l'équité proscrivent. Mais quand nous nous représenterons que l'homme en général est né avec un penchant naturel de piller l'un l'autre, que le monde seroit un théâtre de rapine, si la Constitution n'y eût prescrit ce ce établissant le frein nécessaire. Aussi devons-nous regarder l'Avocat comme le défenseur de nos avantages internes, comme le Soldat de nos avantages externes, par conséquent vivre amiablement avec celui qui, il n'y a qu'un instant, étoit l'objet de nos mépris & que nous abhorrions.

Considérons le Théologien dans la profession, quelle idée nous donne-t-il de son caractère, il n'a forcé de monter en Chaire & de prier pour vivre; il nous tient des propos, il nous prêche des morales et son cœur n'a pas la moindre part à ce qu'il nous montent. Cette hypocrisie n'est-elle pas des plus odieuses; le moyen de s'enrichir n'est-il pas des plus blâmables! Mais d'un autre côté ne nous paroît-il pas l'auteur ou du moins le soutien de

Tome I.   **A**

La *Gazette de Montréal* — *The Montreal Gazette* (1785-1794), le premier journal d'information à Montréal, fut fondé par Fleury Mesplet le 25 août 1785.

à Mr. E. Dutilh & Co.   Montréal, 29. Août 1789.
à Philadelphie.

Messieurs,

    J'ai l'honeur de répondre à votre lettre, qui servira
de réponse à celle de votre ami Mr. Chl. Geraud, sur les
éclaircissemens qu'il désireroit avoir, pour sa satisfaction, au sujet
de la différence ou du soupçon que vous avez de mon nom d'avec
celui de L'Espleyte. Je peux vous assurer, Messieurs, qu'après
plusieurs informations faites dans nos cantons, il ne paroit pas y avoir
jamais existé un homme dans tout le Canada nommé L'Espleyte.

    Il y a seize ans que je suis en cette province, & le seul
de mon nom, qui est Fleury Mesplet, imprimeur, né à Marseille,
le 10 janvier 1734, fils de Jean-Baptiste Mesplet, imprimeur, né
à Agen en Guienne, qui est mort à Lion, en 1760, âgé de cinquante
cinq ans. Voilà tout ce dont je peux vous détailler pour la satisfaction
de votre ami & la vôtre.

    Si ce n'étoit les grandes difficultés, que vous n'ignorez pas plus
que moi, à faire des affaires en fait de commerce avec les Colonies
j'aurois pû accepter les offres que vous me faites; néanmoins, Messieurs,
si de mon côté vous me croyez capable de vous être de quelqu'utilité, je
vous prie de ne point épargner celui qui a l'honeur d'être avec considération,
        Messieurs,   votre très-humble
                 & très-obéiss. serviteur
                 Fleury Mesplet

Une importante lettre de Fleury Mesplet adressée à des marchands de
Philadelphie, le 29 août 1789. Elle renferme des renseignements
autobiographiques sur l'imprimeur.

L

LA
BASTILLE
SEPTENTRIONALE,
O U
LES TROIS SUJETS
BRITANNIQUES OPPRIMÉS.

Quod nequeo monſtrare & ſentio tantum.

Prix 40 Sous.

Se Vend

A MONTREAL,
Chez FLEURY MESPLET, Imprimeur,
A QUEBEC, Chez Mr. BOUTHILLIER, au
Bureau de la Poſte,

Aux Trois-Rivieres, chez Me. MELLISH ; *à Varennes,* chez Mr.
ALEXIS LAHAYE ; *à Berthier,* chez Mr. L. LABADIE ;
& *à l'Aſſomption,* chez Mr. FARIBAUT , Notaire.

La *Bastille septentrionale,* éditée par Mesplet en 1792, fut le premier pamphlet
imprimé au Québec. Il contient un serment à la Liberté. À noter sur la
couverture la marque de l'imprimeur.

Première société de pensée à Montréal, l'Académie, fondée par Fleury Mesplet en 1778, tenta d'obtenir sa reconnaissance officielle, comme en fait foi cet extrait de la *Gazette littéraire* du 30 décembre. L'imprimerie-librairie montréalaise a été un centre d'échange des idées. Cette planche (ci-dessous) tirée de l'*Encyclopédie* de Diderot et d'Alembert, montre le fonctionnement d'une imprimerie à l'époque de Mesplet.

De haut en bas, signatures de Jean Mesplet, le grand-père; de Jean-Baptiste Mesplet, le père; de Fleury Mesplet; de sa dernière épouse, Marie-Anne Tison; de son ami, le journaliste Valentin Jautard; de son beau-frère, François de Los Rios, et de son principal bailleur de fonds, Charles Berger.

Les crédits des illustrations

— Le buste de Fleury Mesplet: photo *The Gazette,* par Richard Guénette.
— Voltaire par Houdon. Tiré de l'ouvrage d'ARNASON, H.-H.- *Jean-Antoine Houdon: le plus grand sculpteur français du XVIIIᵉ siècle.*- Lausanne; Edita-Denoël, 1976.- Fig. 117, 1778. Marbre. Comédie Française, Paris.
— La rue Mercière, à Lyon (en 1895): *Le Lyon de nos pères.*- Lyon; Bernoux, 1901.- p. 173.
— Lettre aux habitants du Québec: BNQ.
— Carte de Montréal en 1761, d'après Paul Labrosse. Avec additions par E.-Z. Massicotte, archiviste.- Montréal, 1914: BNQ.
— Benjamin Franklin.- Collection Initiale: ANQ. Original au Château Ramezay.
— Dessin du Château Ramezay. Collection du Château Ramezay.
— *Almanach encyclopédique:* BNQ.
— *Règlement de la confrérie de l'Adoration perpétuelle et de la Bonne Mort:* BNQ.
— Imprimerie. Presse vue par le côté du dehors et du dedans. Planches XI, XII. *Encyclopédie* de Diderot et d'Alembert. BNQ.
— Rue Capitale, Montréal, en 1985: BNQ, photo Jacques King.
— Plaque en souvenir de Mesplet, rue Capitale: BNQ, photo Jacques King.
— Plaque en souvenir de Mesplet, rue Notre-Dame: La Presse, photo Centre de documentation.
— Portrait du gouverneur général Frédéric Haldimand: ANQ, collection Initiale.
— Portrait de Mgr Jean-Olivier Briand: ANQ, collection Initiale.
— Portrait de René-Ovide Hertel de Rouville: ANQ, collection Initiale.
— Portrait d'Étienne Montgolfier: APC.
— Silhouette de Pierre du Calvet: APC.
— La maison de Pierre du Calvet. Dessin pour la compagnie Ogilvy par Stephen Lloyd.
— Médaille des Frères du Canada: Trésor du Château Ramezay. La photo montre l'envers. L'avers porte la mention «Frères du Canada» avec l'année 1786.
— La *Gazette de Montréal - The Montreal Gazette:* Bibliothèque du Séminaire de Québec.
— Lettre de Fleury Mesplet à des marchands de Philadelphie: département des livres rares, Université McGill.
— *La Bastille septentrionale:* BNQ.
— Extrait de la *Gazette littéraire* du 30 décembre 1778, 1ᵉʳᵉ page: BVM.
— Imprimerie. L'opération d'imprimer. Planche 11. *Encyclopédie* de Diderot et d'Alembert. BNQ.
— Signatures de Jean Mesplet, apposée au bas de son contrat d'apprentissage à l'imprimerie Gayau, à Agen, en 1685: Archives départementales du Lot-et-Garonne.
— Signature de Jean-Baptiste Mesplet, apposée au bas du contrat de mariage de sa fille, Marie-Thérèse avec François de Los Rios, à Lyon, en 1760: Archives départementales du Rhône.
— Signature de Fleury Mesplet, apposée au bas de son contrat de mariage avec Marie-Anne Tison, à Montréal, en 1790: ANQM.
— Signature de Marie-Anne Tison, apposée au bas de son contrat de mariage avec Fleury Mesplet, à Montréal, en 1790: ANQM.
— Signature de Valentin Jautard, apposée au bas de son contrat de mariage avec Marie-Thérèse Bouat de Gannes, à Montréal, en 1783: ANQM.
— Signature de François de Los Rios, apposée au bas de son contrat de mariage avec Marie-Thérèse Mesplet, à Lyon, en 1760: Archives départementales du Rhône.
— Signature de Charles Berger, au bas d'une entente pour arbitrage avec Fleury Mesplet, à Montréal, en 1784: ANQM.

ADDENDA

Sur le prix des livres (note 102, 3ᵉ partie)

Fleury Mesplet vendait une brochure entre 24 et 30 sous, et un livre, trois chelins. En fait, l'achat de cinq volumes équivalait au prix d'un abonnement d'un an au journal hebdomadaire. Par exemple, le livre *Burn's Justice*, d'abord débité en tranches de 32 pages, s'écoulait à 24 sous la brochure (environ le quart d'un chelin). Pour les livres, disons que les neuf volumes des oeuvres de Massillon se vendaient chacun trois chelins: même prix pour les ouvrages de Bourdaloue, etc. (GM, 25 décembre 1788 et 17 janvier 1793).

Sur des ancêtres (notes 112 et 341, 3ᵉ partie)

Beaucoup d'ancêtres des Canadiens actuels du Québec ont travaillé à l'élargissement des libertés et au progrès social, à l'époque de Mesplet. Une preuve entre autres: la pétition de 1784 réclamant une nouvelle constitution. Dans ce dernier document, l'auteur a relevé les signatures de deux de ses ancêtres, Louis et François de Lagrave, de Trois-Rivières. François de Lagrave paraît aussi comme témoin de la famille Fraser, protestant contre l'emprisonnement arbitraire de Jonathan Sills, Joseph Sills et Malcolm Fraser, dans la *Bastille septentrionale*. Les Lagrave étaient alliés aux Papineau comme en fait foi la correspondance de Joseph Papineau (RAPQ, 1951-52-53, pp. 292-298).

491

Sur la France libre (note 263, 3ᵉ partie)

L'article publié dans la *Gazette de Montréal* du 9 décembre 1790 est un extrait de la *France libre* de Camille Desmoulins, parue à Paris en 1789. Voir les *Oeuvres de Camille Desmoulins*, tome 1.- Paris; Charpentier, 1874.- pp. 88 à 92.

Sur une chanson relative à l'égalité (note 405, 3ᵉ partie)

La chanson sur l'égalité, parue dans la *Gazette de Montréal* du 13 octobre 1791, s'inspire partiellement d'une chanson anti-philosophique composée contre le gouvernement de Turgot en 1774. En lisant les couplets originaux, on constatera les changements qu'y a apportés Mesplet, mettant en valeur la loi naturelle dans un couplet et abhorrant le fanatisme dans un autre. Voici les couplets originaux à gauche, et à droite les changements apportés:

On verra tous les États
Entre eux se confondre,
Les pauvres sur leurs grabats
Ne plus se morfondre:
Des biens on fera des lots,
Qui rendront les gens égaux.
Le bel oeuf à pondre, ô gué,   Suivant la nature, ô gué!
Le bel oeuf à pondre!   Suivant la nature.

Du même pas marcheront
Noblesse et roture,
Les Français retourneront
Au droit de nature.
Adieu, Parlement et lois,   Dans notre religion,
Et ducs, et princes, et rois.   Plus de superstition.
La bonne aventure, ô gué,   Adieu fanatique, ô gué!
La bonne aventure!   Adieu fanatique.

Voir GOULEMOT, Jean-Marie et Michel LAUNAY.- *Le Siècle des Lumières*.- Paris; Seuil, 1968.- p. 214. La chanson est citée dans BARBIER et VARILLAT.- *Histoire de France par les chansons*, tome IV, Hachette, pp. 17-19.

La Gazette de Montréal après Fleury Mesplet (note 473, 3e partie)

Après le décès de Fleury Mesplet, le maître de poste Edward Edwards reprit le titre l'année suivante et fut l'éditeur du journal jusqu'en 1816. Jusqu'au milieu du XIXe siècle, la *Gazette de Montréal* changea souvent de propriétaires. Ce fut le banquier Thomas Andrew Turner qui en fit un périodique uniquement de langue anglaise en 1822. Un éditeur ultérieur, l'avocat Brown Chamberlin, abrégea le titre du journal en celui de *The Gazette*, le 1er juillet 1867. Entre-temps, à partir de 1853, le périodique était devenu quotidien. À compter de 1870, *The Gazette* fut pour près d'un siècle la propriété de la famille White, une famille d'éditeurs. Celle-ci céda le quotidien à la chaîne Southam Press en 1968. En 1985, l'éditeur en est Clark Davey, ancien éditeur au *Vancouver Sun* et au *Globe and Mail* de Toronto.

(Voir COLLARD, Edgar Andrew.- *Un journal et sa ville: naissance d'un journal dans une ville aux abords du Nouveau Monde.*- Montréal; The Gazette, 1983.- pp. 4, 5, 7, 10.)

Sur le décès de Fleury Mesplet (note 569, 3e partie)

La maladie de Mesplet a été assez brève: elle a duré une dizaine de jours, si l'on tient compte du fait qu'il publiait son dernier numéro de la *Gazette de Montréal* le 16 janvier et qu'il mourait le 24. Le journal sortit la semaine même de son décès. Ce qui signifie que Mesplet avait déjà travaillé à mettre en chantier ce numéro édité par Marie-Anne Tison-Mesplet. L'imprimeur fut traité par un certain docteur Bender qui a produit un compte de douze livres, selon le relevé des dettes passives[1]. Peut-être Mesplet contracta-t-il le virus de la fièvre jaune de Philadelphie? Dans cette ville en effet, plus de 4 000 personnes moururent de cette épidémie entre le 1er août et le 9 novembre 1793; des milliers d'autres s'enfuirent de panique[2]. Mesplet, même en hiver, recevait du courrier de Philadelphie et sûrement des visiteurs de cette ville.

---

1. *The First Printer*, op. cit., p. 292.
2. «La Société des Amis de la Liberté et de l'Égalité», AHRF, op. cit., p. 629.

Sur la marque de l'imprimeur (Appendice 1)

La marque d'imprimeur de Fleury Mesplet a été retracée sur la page couverture de la *Bastille septentrionale*, éditée et imprimée à Montréal en 1792. Le dessin représente au-dessus d'une presse d'où sortent des feuilles imprimées, une branche de néflier avec ses feuilles, sa fleur et son fruit, la nèfle. C'est de cet arbre que Mesplet tirait son nom. Celui-ci vient en effet du gascon Mesplè. Dans le dessin, la fleur du néflier est au centre d'un écu de forme ovale, qu'enveloppent à gauche des feuilles de néflier alors qu'est posé à droite du même écu la nèfle. Cet écu, traversé par la fleur du néflier, repose sur une presse d'où jaillissent, comme d'une corne d'abondance, des feuilles imprimées. À droite du dessin, entre la presse et l'écu, se trouve ce qui semble être la casse des typographes. À gauche de la presse, on distingue deux personnages en train de dialoguer. La majuscule des Mesplet figure nettement à deux endroits sous la presse, entre les feuilles jaillissantes. La marque de l'imprimeur a été relevée en frontispice de la *Bastille septentrionale* qui a été le premier pamphlet imprimé au Québec et au Canada. Il n'est pas surprenant que Mesplet y ait apposé sa marque: cet ouvrage n'est pas en effet une réimpression. mais une production authentique du pays. Ce pamphlet non signé, probablement dû à la plume du premier journaliste d'origine canadienne, Henri Mézière, alors âgé de vingt ans, est une protestation contre l'emprisonnement arbitraire de trois jeunes gens. Le despotisme militaire y est blâmé et l'auteur fait serment à la Liberté de s'élever contre toutes les formes de la tyrannie, selon la plus pure tradition des Philosophes des Lumières.

Sur l'idéal maçonnique (Appendice III, note 7)

Il est plausible que Fleury Mesplet ait été membre des Frères du Canada de Montréal même s'il ne figure pas au tableau de la loge en 1788, le seul retrouvé, ni sur une attestation notariale donnant les noms des dirigeants en 1790. Dans ce dernier document, nous trouvons les noms des amis intimes de Mesplet: le notaire Jean-Guillaume Delisle, maître de la loge; Jacques-Clément Herse, le garde du sceau; Louis L'Hardy, Philippe de Rocheblave, Pierre Marrassé[1]. Il est à noter que Herse signe

---

1. ANQM: Lettres et documents avec sceaux, 1776-1905, vol. 2: 06 M CD 1 - 1/2.

de la même façon que le peintre Malepart de Beaucourt[2], en plaçant trois points en triangle à la fin de son nom, près du sceau en cire rouge qui représente sur un écu l'oeil du Grand Architecte de l'Univers, deux mains fraternellement unies avec l'adjectif Inséparable, et des feuilles d'acacia. Le tout avec la mention Frères du Canada. Le second document, le tableau de la loge, nous permet de retrouver les mêmes noms que ceux cités plus haut avec en plus ceux de deux autres relations importantes de Mesplet, Étienne Fournier et Alexander Henry[3]. L'acte notarié de 1790 précise que la loge a été fondée en 1785[4], l'année même de la naissance de la *Gazette de Montréal*. Voici le refrain de la chanson des Frères du Canada:

> Vivons, aimons, chérissons la Concorde,
> Chantons l'amour qui nous a réunis.
> Dans nos plaisirs, évitons la discorde.
> Soyons toujours d'un seul et même avis.
> Vivons, aimons, chérissons la Concorde,
> Chantons l'amour qui nous a réunis[5].

2. *La vie et l'oeuvre de Beaucourt,* op. cit., p. 40.
3. HOLMES, Charles E. «Les Frères du Canada - The Brethren of Canada».- *Masonic Light,* octobre 1947.- pp. 40, 41.
4. *Ibid.*, pp. 44, 45.
5. BRH, vol. XXVI, mai 1920, p. 152.

TABLE DES MATIÈRES

caines et entrée des forces britanniques à Montréal.- Emprisonnement de Mesplet et de ses gens.- Déclaration d'Indépendance des États-Unis.- Deux mandements de l'évêque
réclamant la soumission des Canadiens.- La grande corvée
de Carleton.- Terrorisme militaire.- Premiers travaux de
l'imprimeur à Montréal.- Projet de fondation d'un journal.

DEUXIÈME PARTIE

Le défi philosophique d'un journal littéraire

Fondation de la *Gazette du commerce et littéraire.*- Un
premier journal et d'esprit philosophique à Montréal.-
Contexte.- Succès de la mission Franklin à Paris: alliance de
la France et des colonies unies.- Espoirs suscités par les
Lettres de La Fayette et de l'amiral d'Estaing.- La diffusion
des idées philosophiques dans le monde: triomphe de Voltaire
à Paris.- Le prospectus de la *Gazette du commerce et littéraire.*- Inventaire du contenu du premier journal de Mesplet
durant son année d'existence.- Une concurrente: la *Gazette
de Québec.*- Valentin Jautard, principal rédacteur.- Son pseudonyme.- Tactique de Mesplet.- Un plan en quatre étapes.-
La critique littéraire.- Les questions de l'éducation, de l'enseignement et de la justice.- Rouville opposé à Jautard.-
Lettres ouvertes de Jautard et de Pierre du Calvet. - Puissance du juge Rouville.

Fondation de l'Académie de Montréal par Mesplet et
Jautard.- Son idéal voltairien.- Demande d'une reconnaissance officielle.- Les objectifs de l'académie.- Critères d'acceptation de ses candidats.- La diffusion des oeuvres philosophiques.- Rôles respectifs de Mesplet et de Jautard.- Les
opposants.- L'académie et la *Gazette littéraire.*- L'*Anti-
Dictionnaire philosophique.*- Intervention du Jésuite Bernard
Well.- Les difficultés suscitées à l'imprimeur.- Appui de
notables de Montréal.- Une opposition systématique.- Blâme
de Rouville.- Découragement de Mesplet.- Directives du
Sincère moderne.- Annonce de la chute de la *Gazette littéraire.*- Chant du cygne.

Difficulté de faire tomber la *Gazette littéraire.*- Des ennemis implacables.- Intervention des notables laïcs.- Importance de leur témoignage.- L'opposition d'Étienne Montgol-

fier: trois lettres capitales.- Liens Well-Montgolfier-Rouville.- Appel de Mesplet au gouverneur Frédéric Haldimand.- Blâme du gouverneur à l'égard de Well et des Jésuites.- Montgolfier, censeur secret.- Non reconnaissance officielle de l'Académie de Montréal.- Rouville, dénonciateur.- Arrestation de Mesplet et de Jautard.- Tentative de justification du gouverneur auprès du ministre.- Incarcération de Mesplet et de Jautard à Québec.- Autres dissidents emprisonnés.- Rigueur de l'incarcération.- Portraits de Mesplet et de Jautard.- Série de suppliques.- Libération de Mesplet.- Appels de Jautard.- Son élargissement.- Colère de Pierre du Calvet.- Libération des derniers dissidents.- Fondation de la première bibliothèque publique.

499

piration de Voltaire.- Son éloge.- «Le septième discours en vers sur l'homme».- Le «Credo de l'abbé de Saint-Pierre».- La «réplique au Genevois Rival».- Sur les progrès de l'esprit humain.- La résonance locale de ces textes philosophiques.- Plan de diffusion des Lumières présenté à l'imprimeur.- L'inquisition de la pensée au Québec.- Éloges de Mesplet et de son combat.

L'influence de la *Gazette de Montréal*.- Le public accessible d'après le recensement de 1784.- D'autres évaluations.- Importance de l'imprimerie malgré l'analphabétisme.- La lecture à haute voix.- Circulation de l'information orale à partir de l'écrit.- La pénétration du journal de Mesplet.- Une liste plausible des abonnés.- Revenus tirés des abonnements.- La publicité dans la *Gazette de Montréal*.- Espace alloué.- Revenus de la publicité.- Solidité de l'entreprise de Mesplet.- Son intégration dans le monde des affaires.- La fortune de Mesplet en 1790.- Son aisance.- Accord entre l'esprit des Lumières et les aspirations de la bourgeoisie de Montréal.

Campagne de presse pour une nouvelle constitution.- Un manifeste des libertés: l'*Appel à la Justice de l'État*.- Participation de Francis Masères.- Délégation canadienne à Londres.- Pétition populaire appuyée par Mesplet et ses amis.- Décès tragique de Pierre du Calvet.- Échos des débats aux Communes.- Sur le despotisme de l'Acte de Québec.- Nouvelles interventions.- Appel «au peuple» de la *Gazette de Montréal*.- Opposition des seigneurs ecclésiastiques et laïcs.- Terrorisme psychologique dans les campagnes.- Dénonciation de ce mouvement.- Aperçus sur les pouvoirs spirituels et temporels des seigneurs ecclésiastiques.- Horrificus de Maledissimus.- Coup d'oeil sur la constitution des États-Unis d'Amérique.- La constitution française: des analyses du Voyageur.- La pensée républicaine.- Grandes lignes de la constitution canadienne.- Des commentaires.- Les élections: engagement de Mesplet.- Un porte-parole démocrate: Joseph Papineau.- Le nouveau parlement.- Les clubs constitutionnels.- Premières lois.- À la façon de Caligula.

Un combat pour la liberté de pensée et d'expression.- Campagne relative à la diminution des fêtes religieuses.- Esprit philosophique de cette démarche.- Campagne relative aux spectacles.- Fondation du Théâtre de société.- Sanctions cléricales contre les acteurs. Reprise du débat Caffaro-Bossuet.- Justification de Gabriel-Jean Brassier auprès de l'évêque.- Contexte philosophique de la prise de position de Mesplet.- La Hontan et ses émules dans la *Gazette de Montréal*.- Satires contre Récollets et Jésuites.- Dévoilement d'une lettre de Montgolfier.- Mention de divers abus cléricaux.- Éloges des «bons curés».- Des références à Voltaire.- Le théisme de Mesplet.

Situation déplorable de l'instruction au Québec.- Rapport du juriste Isaac Ogden.- Création d'un comité d'enquête sur l'instruction dans la colonie.- Opinion de Mgr François Hubert.- Avis contraire de Mgr Bailly de Messein.- Son esprit philosophique.- Dénonciation de Mgr Bailly de Messein par Mgr Hubert et Mgr Briand.- Rapport du comité d'enquête: établissement d'un système d'instruction publique.- Appui des notables.- Débats dans la *Gazette de Montréal*.- Campagne contre le règne de l'ignorance.- Échec du projet de création d'un système d'instruction publique.- Les biens des Jésuites.- La raison de la survivance de ces religieux au Québec.- Persécution de l'instituteur Louis Labadie.- La *Gazette de Montréal* à sa défense.- Tentative de laïciser le Collège de Montréal.- Silence de l'évêque de Québec.

Rouville: symbole et réalité de l'appareil judiciaire.- Une justice chère et inadéquate.- Une enquête en 1786-1787.- Rouville de nouveau l'objet de plaintes en 1790.- Déni de justice à l'égard du plaignant.- Comptes rendus de l'enquête dans la *Gazette de Montréal*.- Aucune sanction.- Décès de Rouville.- L'affaire Taylor.- La malhonnêteté des tribunaux, selon la *Gazette de Montréal*.- Sentence équitable et moeurs cruelles.- La poursuite en libelle.- Une presse de justicier.- Parution de la *Bastille septentrionale*.- Serment du Fléau de la tyrannie.- Contre l'esclavage.- Dans le sillage de Condorcet et de Wilberforce.- Publicité de l'esclavage.- Attitude personnelle de Mesplet.- Refus du premier Parlement d'abolir l'esclavage.

Alliance de l'information et du commentaire sur la Révolution française dans la *Gazette de Montréal*.- Applications locales.- Présentation journalistique en trois phases: lutte de la bourgeoisie contre la noblesse, nationalisation des biens du

clergé et transformation politique de la France.- Des prières
«réformistes».- Manifestes, pétitions et harangues.- Rappel
des réformes relatives à la tolérance religieuse et à l'administration de la justice.- La prise de la Bastille.- L'abolition
des droits féodaux.- La Déclaration des droits de l'homme.-
La constitution civile du clergé.- Prise à parti de la papauté
et du sacerdoce.- La Chanson de l'Égalité.- Les idées républicaines de Paine et de Condorcet.- «Dieu et liberté».- Deux
appuis de la liberté: la presse libre et l'instruction publique.-
Naissance de la République française.- Guerre entre la Grande-
Bretagne et la France.- Mobilisation de tous les citoyens.-
Espace alloué à la Révolution française dans le journal de
Mesplet.- Une information favorable à la marche révolution-
naire du Tiers-État.

L'atelier de Mesplet, un centre des Lumières.- Témoi-
gnage de Mézière.- Les trois imprimeurs de la colonie.- Positions convergentes.- La *Gazette de Québec*.- Le *Quebec
Herald*.- Rôle de premier plan de Mesplet et de la *Gazette de
Montréal*.- Les imprimeurs Samuel Neilson et William Moore.-
Périodiques européens à Montréal.- Fondation de la Société
des patriotes et de la Société des débats libres.- L'atelier de
Mesplet: un lieu d'informations et d'échanges.- Les librairies
de Mesplet et de Neilson.- Ouvrages imprimés à Montréal.-
Promotion des oeuvres philosophiques.- Mission de Mézière
à Philadelphie.- Accord du cercle de Mesplet.- Les relations
de Mézière avec Edmond-Charles Genet.- Mémoire de
Mézière.- *Les Français libres à leurs frères du Canada*.-
Mézière, secrétaire des affaires canadiennes.- Boycott de la
Gazette de Montréal.- Un texte philosophique contesté.-
Dénonciation de la Philosophie et de ses diffuseurs.- Circu-
lation du message de Genet au Québec.- Plan de libération.-
La flotte mutinée de Saint-Domingue.- Mises en garde, puis
proclamation de Dorchester.- Impact du message de Genet.-
Mémoire de Mézière à Paris.- Mort de Mesplet.

La correspondance de Voltaire et la diffusion des
Lumières.- Ampleur du travail de Mesplet au Québec.- Sa
persévérance et son courage.- Les grandes lignes de son
action.- Ses difficultés.- À l'origine d'une tradition: la liberté
de pensée.- Le fondement du message de Mesplet: la conquête
du bonheur.